普通高等院校经济管理类"十四五"应用型精品教材

高等院校
新形态
教材系列

企业
战略管理

方法、案例与实践

第4版

肖智润　编著

Strategic
Management of
Enterprises

机械工业出版社
CHINA MACHINE PRESS

本书介绍了企业战略管理领域的重要理论和实践，全书分为战略引论、战略分析、战略制定、战略实施、战略控制五篇，共13章。每章开篇以"学习目标"和"先导案例"为引导，每章结尾有"复习思考题"和"实践项目"等内容，书中还穿插了"战略专栏""本篇讨论案例"栏目，使理论知识与实践紧密结合，极大地方便了课程教学和读者自学。全书内容新颖、重点突出、特色鲜明，融入了反映前沿实践的生动案例，并配有丰富的教辅资源，帮助读者深入掌握企业战略管理领域的相关知识和技能。

本书既可用作高等院校管理类、经济类等相关专业本科生的教材，也适合用作研究生以及对企业战略管理感兴趣的读者的参考用书，还可用作企业管理人员的培训用书。

图书在版编目（CIP）数据

企业战略管理：方法、案例与实践 / 肖智润编著. 4 版. -- 北京：机械工业出版社，2025.8. --（高等院校新形态教材系列）. --ISBN 978-7-111-79058-7

Ⅰ.F272.1

中国国家版本馆 CIP 数据核字第 202588XN12 号

机械工业出版社（北京市百万庄大街22号　邮政编码100037）
策划编辑：贾　萌　　　　　　　责任编辑：贾　萌　章承林
责任校对：甘慧彤　李可意　景　飞　　责任印制：邓　博
河北鹏盛贤印刷有限公司印刷
2025 年 9 月第 4 版第 1 次印刷
185mm×260mm　·　21.5 印张　·　502 千字
标准书号：ISBN 978-7-111-79058-7
定价：59.00 元

电话服务　　　　　　　　　网络服务
客服电话：010-88361066　　机 工 官 网：www.cmpbook.com
　　　　　010-88379833　　机 工 官 博：weibo.com/cmp1952
　　　　　010-68326294　　金 书 网：www.golden-book.com
封底无防伪标均为盗版　　　机工教育服务网：www.cmpedu.com

推荐序

在不确定性的风暴中寻找航向：一部战略管理教科书的时代使命

当乌卡（VUCA）时代成为商业世界的常态，当黑天鹅事件频繁掠过全球经济的天空，企业战略管理这门学科正经历着前所未有的挑战与重构。肖智润老师编著的《企业战略管理：方法、案例与实践 第4版》恰逢其时地出现在这个充满不确定性的历史节点，这不仅是一部系统、全面的教材，更是一本帮助企业管理者在迷雾中寻找方向的指南。我深感此书在理论深度与实践指导上的独特价值，愿将阅读过程中的几点思考与读者分享。

1.当今商业世界的变化速度已远超传统战略理论的适应能力。数字经济的崛起重构了产业边界，平台经济的繁荣改写了竞争规则，共享经济的普及颠覆了价值创造逻辑。在这种背景下，企业战略管理已从"预测－计划－执行"的线性过程，转变为"感知－响应－迭代"的动态（能力）发展方式。肖老师敏锐地把握了这一时代脉搏，在新版教材中系统性地纳入了这些新兴商业模式对战略管理的影响，特别是对人工智能、大数据等数字技术在战略分析中的应用进行了深入浅出的阐述。这种与时俱进的知识更新，使教材具备了鲜明的时代性和前瞻性特点。

2.我国企业正处于特殊的历史发展阶段。一方面，我们拥有全球最完整的工业体系、最具活力的数字经济生态和最大规模的消费市场；另一方面，我们也面临着逆全球化思潮抬头、技术封锁、人口结构变化等带来的严峻挑战。在这种复杂情境下，简单套用西方战略理论往往会水土不服。本书的难能可贵之处在于，它没有停留在对西方战略管理理论的简单介绍，而是紧密结合我国国情，深入探讨了"双循环"新发展格局下我国企业的战略管理问题。通过对华为的全球化战略、腾讯的平台生态战略、比亚迪的技术突破战略等典型案例的深入分析，本书为我国企业提供了既有理论高度又有实践深度的战略思考框架。

3.战略管理教育的核心价值在于培养管理者的系统思维能力和实践判断力。本书通过精心设计的案例教学体系，成功实现了理论与实践的有机融合。书中选取的案例既有国际巨头如苹果、微软的全球战略布局，也有我国中小企业如蜜雪冰城、佳洁福的特色成长路径；既分析了互联网企业的快速扩张，也探讨了传统制造业的转型升级。这种多元化的案例选择，使读者能够从不同维度理解战略管理的普遍规律与特殊情境。尤为值得称道的是，案例精心设计了引导性问题和分析框架，能有效培养读者的批判性思维和解决实际问题的能力。

4.作为一部成熟的教材，本书在知识体系的系统性和教学设计的科学性上也表现出色。从战略分析到战略制定，从战略实施到战略控制，全书逻辑清晰、层次分明，形成了完整的战略管理知识闭环。本书对 PEST 分析、波特五力模型、SWOT 分析、价值链分析等经典工具的讲解既保持了理论严谨性，又通过大量我国企业的应用实例展示了这些工具的实际操作价值。书中对平衡计分卡等内容的讲解，充分反映了战略执行与绩效管理的最新发展，使本书的知识体系更加完备。

5.在教学方法上，本书充分考虑了不同层次读者的学习需求。理论部分的阐述简明扼要，辅以丰富的图表和战略专栏；实践部分则通过逐步引导的方式，帮助读者掌握从分析到决策的完整思维过程。这种理论与实践融合呈现的结构设计，非常符合战略管理教育的认知规律，既适合高校课堂教学，也适合企业管理者自学参考。

当今世界正处于百年未有之大变局，我国企业面临的战略环境日趋复杂。在这种背景下，肖老师编著的这部教材不仅传递了战略管理的系统知识，更重要的是培养了读者在不确定性中寻找规律、在变化中发现机会的战略思维能力。这种能力对于培养新时代的商业领袖至关重要。我深信这部教材将成为战略管理教育领域的重要参考作品，也将为中国企业提升战略管理水平提供实质性帮助。特此推荐给所有对企业战略感兴趣的管理者、研究者和广大学子，愿你们在阅读中获得知识与智慧的双重收获，在不确定性的风暴中找到属于自己的航向。

是为序。

李元旭
复旦大学企业管理系教授、博士生导师
2025 年 6 月于复旦大学

前　言

当今世界正经历百年未有之大变局,全球经济格局深刻调整,科技革命和产业变革深入发展,国际环境日趋复杂,不稳定性、不确定性明显增加。与此同时,中国正处于实现中华民族伟大复兴的关键时期,经济已由高速增长阶段转向高质量发展阶段,正处在转变发展方式、优化经济结构、转换增长动力的攻关期。在此背景下,企业面临着前所未有的机遇与挑战。

一方面,新一轮科技革命和产业变革蓬勃兴起,人工智能、大数据、云计算、物联网、区块链等新一代信息技术加速应用,为企业发展注入新动能,催生新业态、新模式,开辟新市场。另一方面,全球经济复苏乏力,贸易保护主义抬头,地缘政治风险上升,企业面临的经营环境更加复杂多变。与此同时,行业监管政策日益完善,对企业规范化经营提出更高要求;社会舆论对企业履行社会责任寄予厚望;消费者需求日益多元化、个性化,对企业产品和服务质量提出更高要求。

面对复杂多变的经营环境,企业唯有加强战略管理,才能把握机遇、应对挑战,实现可持续发展。战略管理是企业为实现长期目标而进行的全局性、长远性谋划,是企业应对不确定性、提升竞争力的关键。它要求企业高层管理者具备战略思维,能够洞察未来趋势,制订科学合理的战略规划,并有效组织实施,以确保企业在激烈的市场竞争中立于不败之地。

本书第 4 版在保留前 3 版精华的基础上,紧扣时代发展脉搏,贴合企业管理实践,进行了全面修订和更新,力求为读者提供一本内容新颖、案例丰富、实用性强的企业战略管理教材。本书具有以下特色:

第一,紧扣时代脉搏,反映最新趋势。本书新增了数字经济、平台经济、共享经济等新兴商业模式对企业战略的影响,探讨了人工智能、大数据等新技术在战略管理中的应用,分析了全球化新格局下企业面临的机遇与挑战,并立足中国国情,探讨了新发展格局下企业的战略选择。

第二,注重案例教学,理论联系实际。本书精选了国内外知名企业的经典案例,涵盖互联网、制造业、服务业等多个行业,通过案例剖析,将抽象的战略管理理论与生动的企业实践相结合,帮助读者加深理解,提升分析问题和解决问题的能力。

第三,强调方法工具,注重实践应用。本书系统介绍了战略管理中常用的分析工具和方法,如 PEST 分析模型、波特五力模型、SWOT 分析法、价值链分析、平衡计分卡等,并结合实际案例,详细讲解了这些工具和方法的应用场景和操作步骤,帮助读者掌握战略管理的实操技能。

第四，结构清晰合理，便于学习理解。 本书按照战略管理的过程，分为战略引论、战略分析、战略制定、战略实施和战略控制五篇，逻辑清晰、层次分明，便于读者系统学习战略管理的理论知识和方法体系。

本次修订工作继续得到复旦大学企业管理系博士生导师李元旭教授的热情指导和帮助，李教授对本书的体系结构、内容修改、案例更新等方面都提出了极其宝贵的意见。在此向李元旭教授表示崇高的敬意和衷心的感谢！

本次教材的修订，得益于各方对本书第 3 版提出的各种反馈意见和修改建议，尤其是得到机械工业出版社的大力支持和专业指导。此外，本书还参考了大量国内外战略管理专著、教材和学术论文，并得到了国内相关企业的大力支持和帮助。在此，谨向在本书修订、编写过程中给予支持和帮助的各位同行表示衷心的祝福和诚挚的谢意！编者将不断努力，在未来的学术研究与教学中继续完善本书，为企业战略管理的进一步发展做出应有的贡献。

希望本书能够帮助读者掌握企业战略管理的理论和方法，提升战略思维能力，为未来职业发展奠定坚实基础。

由于编者水平有限，书中难免存在不足之处，敬请广大读者批评指正。

肖智润

2025 年 2 月　于上海

E-mail：xzrun0213@163.com

教学建议

一、教学目的

"企业战略管理"是目前高校中管理类、经济类专业开设的一门专业核心课程。课程的目标是培养学生具备洞察企业战略本质、焦点和特征的概念技能,使学生对战略管理的中心问题和基本理论获得较深入的认识。通过学习该课程,学生能够详细地了解战略管理中的战略分析、战略制定、战略实施、战略控制与评价是一个动态的、循环往复的、不断提升的过程,进而使学生熟练地掌握战略管理的相关原理、主要路径、常用方法和工具。这既可以培养学生的全局观念,又可以培养学生的战略思维与分析能力,为其将来从事战略管理工作打下扎实的基础。

二、课程前期应该掌握的相关知识

由于企业战略管理是一门综合性极强的课程,因此,读者前期应该先学习管理学、经济学、市场营销、人力资源管理、财务管理、生产运作管理等相关知识。

三、学时分配建议

本课程各章及第二至五篇讨论案例的教学课时数列示于下表中(供参考)。各学校在使用时可根据自己的具体情况做适当的调整。

学时分配表

序号	章	教学内容	学习要点	学时安排
1	第1章	战略与战略管理	(1)理解战略的概念和企业战略的特征 (2)熟悉战略管理的层次、本质和作用 (3)掌握战略管理过程 (4)了解战略管理理论的演进过程及代表性学派	3
2	第2章	企业的愿景、使命与战略目标	(1)了解企业使命和企业愿景的概念 (2)理解企业使命和企业愿景的区别所在 (3)理解企业的使命、愿景和战略目标在战略管理中的特殊作用 (4)掌握如何确立企业的使命、愿景和战略目标	3

(续)

序号	章	教学内容	学习要点	学时安排
3	第3章	企业外部环境分析	（1）理解企业外部环境的基本分类 （2）理解企业宏观环境因素 （3）理解产业环境因素 （4）了解竞争对手分析模型 （5）掌握外部环境分析方法	3
4	第4章	企业内部条件分析	（1）了解企业资源的分类 （2）掌握核心竞争力的概念和特征、企业核心竞争力的成因 （3）掌握SWOT分析法、内部因素评价矩阵、波士顿矩阵分析法等 （4）掌握价值链的概念与分析	3
5	本篇讨论案例	友邦人寿的业务扩张	（1）根据案例资料对友邦人寿进行PEST分析 （2）了解在人寿保险行业中，哪些是影响该行业的关键成功因素，推动其变化的主要力量是什么 （3）用波特五力模型对人寿保险行业竞争状况进行分析	3（不包含课外预讨论课时）
6	第5章	公司层战略	（1）理解战略思维应遵循的原则及提高战略思维能力的途径 （2）明确公司层战略的类型及各类战略的特点、适用条件 （3）掌握并购的概念、类型、动因和整合 （4）理解战略联盟的动因和应着重考虑的问题	3
7	第6章	经营层战略	（1）理解经营层战略所要解决的中心问题 （2）掌握基本竞争战略的类型及其实施的条件 （3）了解企业所处产业集中度与竞争战略的关系 （4）了解企业在产业不同发展阶段所采取的竞争战略	3
8	第7章	职能层战略	（1）理解职能层战略与战略管理的关系 （2）掌握生产管理、财务管理战略的基本活动 （3）掌握市场战略和市场营销组合 （4）理解研究发展战略选择 （5）理解人力资源管理过程	3
9	第8章	国际化战略	（1）理解国际化战略的概念 （2）了解我国企业国际化进程 （3）掌握国际化战略的基本类型 （4）理解企业国际市场进入方式的类型	3
10	本篇讨论案例	美国贸易制裁下中芯国际的可持续发展战略	（1）根据案例资料中的资产负债表、利润表及相关财务指标统计对中芯国际的财务状况（偿债能力、盈利能力和成长性）进行分析 （2）根据当前国内外的环境情况对中芯国际的发展前景进行展望 （3）为中芯国际的可持续发展战略提出具体的对策建议	3（不包含课外预讨论课时）

(续)

序号	章	教学内容	学习要点	学时安排
11	第9章	战略与资源配置	（1）理解战略实施的模式和原则 （2）明确战略与资源的关系 （3）掌握资源配置的原则和方法 （4）理解业务外包及其影响因素	3
12	第10章	战略与公司治理	（1）掌握公司治理的内涵 （2）理解公司治理与公司战略管理的关系 （3）熟悉董事会的职权及其在战略管理中的作用 （4）掌握董事和高管的薪酬激励方式	3
13	第11章	战略与组织结构	（1）了解企业组织结构的类型 （2）理解战略与组织结构的关系 （3）熟悉组织结构调整与变革的基本原则 （4）掌握企业组织结构变化发展的趋势	3
14	第12章	多元化战略	（1）了解多元化战略的分类 （2）掌握企业多元化进入方式 （3）熟悉企业多元化战略整合的内容	3
15	本篇讨论案例	固德威踩下"急刹车"：多元化经营成效待考	（1）分析成功的多元化经营需要企业具备什么条件 （2）了解固德威采取的是何种类型的多元化战略，谈谈对固德威多元化经营的思考 （3）了解企业实施多元化战略有什么风险，谈谈对于规避风险你有何建议	3（不包含课外预讨论课时）
16	第13章	战略控制与评价	（1）理解战略控制的基本概念和特征 （2）掌握战略控制的过程和方法 （3）熟悉战略绩效评价工具——平衡计分卡	3
17	本篇讨论案例	押注海外与下沉市场 坚朗五金谋"出路"	（1）了解如何看待坚朗五金国内业绩下降、国外业绩增长，如何对各业务板块进行战略控制 （2）从坚朗五金的战略规划人员的角度，对"押注海外"与"下沉市场"给出具体战略建议 （3）对坚朗五金"谋出路"进行战略评价	3（不包含课外预讨论课时）
合计				51

目录

推荐序
前言
教学建议

第一篇 战略引论

第1章 战略与战略管理 / 2

学习目标 / 2
先导案例 企业、行业、国家之"三步走"战略 / 2
1.1 战略概述 / 3
1.2 战略管理概述 / 9
1.3 战略管理过程 / 15
1.4 战略管理者 / 18
1.5 战略管理理论的演进与发展 / 19
复习思考题 / 30
实践项目 / 30

第二篇 战略分析

第2章 企业的愿景、使命与战略目标 / 32

学习目标 / 32
先导案例 佳洁福的企业愿景与使命 / 32
2.1 企业愿景 / 33

2.2 企业使命 / 36

2.3 企业战略目标 / 43

复习思考题 / 48

实践项目 / 49

第3章 企业外部环境分析 / 50

学习目标 / 50

先导案例 五部门打出重磅"组合拳" 业界预计楼市信心将加速回升 / 50

3.1 企业外部环境概述 / 52

3.2 企业宏观环境分析 / 53

3.3 产业环境分析 / 57

3.4 竞争对手分析 / 67

3.5 外部环境分析方法 / 72

复习思考题 / 74

实践项目 / 74

第4章 企业内部条件分析 / 75

学习目标 / 75

先导案例 芯片迎管制风暴,"用芯大户"汽车业如何突围 / 75

4.1 企业资源分析 / 77

4.2 企业能力分析 / 86

4.3 价值链的概念与分析 / 96

4.4 内部条件分析技术——内部因素评价矩阵 / 99

4.5 战略综合分析方法 / 100

复习思考题 / 104

实践项目 / 105

本篇讨论案例 友邦人寿的业务扩张 / 105

第三篇 战略制定

第5章 公司层战略 / 108

学习目标 / 108

先导案例　美的集团的先进制造业战略　/ 108

5.1　公司层战略的类型及战略思维逻辑　/ 109

5.2　增长型战略　/ 112

5.3　稳定型战略和紧缩型战略　/ 118

5.4　公司战略实施的方式　/ 124

复习思考题　/ 136

实践项目　/ 137

第 6 章　经营层战略　/ 138

学习目标　/ 138

先导案例　数字原生创新战略：与生俱来的"时尚"　/ 138

6.1　基本竞争战略　/ 139

6.2　产业集中度与竞争战略　/ 150

6.3　产业生命周期与竞争战略　/ 155

复习思考题　/ 160

实践项目　/ 160

第 7 章　职能层战略　/ 161

学习目标　/ 161

先导案例　汽车出口布局：近 500 万辆"中国车"卖到了哪里　/ 161

7.1　职能层战略概述　/ 162

7.2　生产战略　/ 162

7.3　市场营销战略　/ 168

7.4　财务管理战略　/ 173

7.5　研究发展战略　/ 176

7.6　人力资源战略　/ 181

复习思考题　/ 188

实践项目　/ 188

第 8 章　国际化战略　/ 189

学习目标　/ 189

先导案例　聚焦新兴市场发展机遇　中国车企出海变奏　/ 189

8.1　企业国际化及其发展历程　/ 191

8.2　企业国际化内容　/ 196

8.3　企业国际化战略　/ 200

8.4　国际市场进入方式　/ 206

8.5　影响国际化进入方式的因素　/ 211

复习思考题　/ 214

实践项目　/ 215

本篇讨论案例　美国贸易制裁下中芯国际的可持续发展战略　/ 215

第四篇　战略实施

第 9 章　战略与资源配置　/ 218

学习目标　/ 218

先导案例　全球金融市场再临变局，资产配置如何应对不确定性　/ 218

9.1　战略实施的任务、模式和原则　/ 219

9.2　战略与资源的关系　/ 224

9.3　资源配置的原则和方法　/ 226

9.4　业务外包　/ 229

复习思考题　/ 235

实践项目　/ 235

第 10 章　战略与公司治理　/ 236

学习目标　/ 236

先导案例　冲突视角下的比特大陆控制权争夺　/ 236

10.1　公司治理概述　/ 238

10.2　董事会与战略管理　/ 245

10.3　战略管理型董事会的构建与职责　/ 247

10.4　董事和高管的薪酬激励　/ 249

复习思考题　/ 257

实践项目　/ 257

第 11 章　战略与组织结构　/ 258

学习目标　/258

先导案例　林肯中国的"变与不变"　/258

11.1　企业组织结构的类型　/259

11.2　战略与组织结构的关系　/264

11.3　企业组织结构调整及其变化发展趋势　/269

复习思考题　/275

实践项目　/275

第 12 章　多元化战略　/ 276

学习目标　/276

先导案例　金融科技三季报："内卷"加剧求解多元化　/276

12.1　多元化战略概述　/277

12.2　多元化战略的选择　/282

12.3　多元化战略的实施　/288

12.4　多元化战略的整合　/292

复习思考题　/296

实践项目　/296

本篇讨论案例　固德威踩下"急刹车"：多元化经营成效待考　/296

第五篇　战略控制

第 13 章　战略控制与评价　/ 298

学习目标　/298

先导案例　极越汽车的战略管理失控　/298

13.1　控制概述　/299

13.2　战略控制的类型和特征　/303

13.3　战略控制的过程和方法　/307

13.4　战略绩效评价工具——平衡计分卡　/314

复习思考题　/323

实践项目　/323

本篇讨论案例　押注海外与下沉市场　坚朗五金谋"出路"　/323

参考文献　/ 324

第一篇
战略引论

第 1 章　战略与战略管理

第1章 战略与战略管理

● 学习目标

1) 理解战略的概念和企业战略的特征
2) 熟悉战略管理的层次、本质和作用
3) 掌握战略管理过程
4) 了解战略管理理论的演进过程及代表性学派

● 先导案例

企业、行业、国家之"三步走"战略

1. 海通证券公司"三步走"战略

第一步,海通证券公司成立于1988年,1994年改制为有限责任公司,2001年年底,公司整体改制为股份有限公司。2006年,随着股权分置改革和券商综合治理的完成,资本市场进入实质性转折期,公司抓住机遇,深化改革,启动了上市进程并获得了实质性进展。2007年6月7日,公司借壳都市股份上市事宜获得中国证监会正式批准,从而实现了五年规划的良好开局。

第二步,在随后的发展中,公司始终遵循"务实、开拓、稳健、卓越"的经营理念和"规范管理、积极开拓、稳健经营、提高效益"的经营方针,公司先后在全国48个城市设立92家营业部,业务覆盖证券承销、代理、自营、投资咨询、投资基金、资产委托管理等众多领域,拥有200多万个客户。这充分体现了公司开展多元化、规模化经营所取得的非凡业绩。

第三步,近年来,公司积极与境外金融机构建立战略联盟关系,不断扩展公司的海外业务网络,并先后发起设立了富国基金管理有限公司、海富通基金管理有限公司等。这为公司开展国际化经营奠定了扎实的基础。

2. 中国载人航天工程"三步走"战略

第一步,发射载人飞船,建成初步配套的试验性载人飞船工程,开展空间应用实验。2003年10月16日,我国首名航天员杨利伟安全返回,标志着中国载人航天工程已取得历

史性突破，即第一步的战略任务已经完成。

第二步，突破航天员出舱活动技术、空间飞行器交会对接技术，发射空间实验室，解决有一定规模的、短期有人照料的空间应用问题。2005年10月17日，"神舟六号"载人飞船返回舱成功着陆，航天员费俊龙、聂海胜自主出舱。以此为标志，中国载人航天"三步走"发展战略已跨入第二阶段。

第三步，建造空间站，解决有较大规模的、长期有人照料的空间应用问题。为中国和平利用太空和开发太空资源打下坚实基础。2020年5月5日，长征五号B运载火箭首飞取得了圆满的成功，实现空间站阶段飞行任务首战告捷，拉开了我国载人航天工程"第三步"任务序幕。

2021年6月17日，"神舟十二号"载人飞船搭载航天员聂海胜、刘伯明、汤洪波成功飞天，成为中国空间站天和核心舱的首批入驻人员。在轨驻留3个月，中国载人航天工程已全面迈入空间站建设阶段。

2021年10月16日，"神舟十三号"载人飞船搭载航天员翟志刚、王亚平和叶光富，首次尝试在太空中驻留长达6个月的时间，王亚平也成为首个入驻我国空间站的女性航天员。

当前，中国载人航天工程继续保持快速发展的态势。2024年，中国载人航天工程统筹推进空间站应用与发展和载人月球探测任务，展示了中国在航天领域的成就。

3. 中国实现社会主义现代化"三步走"战略

1987年，中国共产党第十三次全国代表大会规定了"三步走"的发展战略部署。

第一步：到20世纪80年代末，国民生产总值比1980年翻一番，解决人民温饱问题。

第二步：到20世纪末，国民生产总值再增长一倍，人民生活达到小康水平。

第三步：到21世纪中叶，人均国民生产总值达到中等发达国家水平，人民生活比较富裕，基本实现现代化。

资料来源：根据相关公司网站、国家航天局网站、共产党员网信息及资料改编。

1.1 战略概述

战略无时不在，无处不在。战略大可用于国家，小可用于企业乃至个人（参见上述先导案例）。军事上的战略思想可以追溯到我国古代（2500多年前）的《孙子兵法》，现代企业战略管理思想起源于20世纪60年代的美国。如今，战略管理无论是在理论界还是在企业界都得到普遍的重视和广泛的应用。

1.1.1 战略的概念

"战略"（strategy）一词先为军事术语，出自古希腊语"strategos"，意为将军或领袖，引申出"strategia"一词，意为战役或将道。《韦氏新国际英语大词典》（第3版）定义战略一词为"军事指挥官克敌制胜的科学与艺术"。《简明大不列颠百科全书》则称战略是"在战争中利用军事手段达到战争目的的科学和艺术"。而《辞海》对战略的定义为"筹划和指导战争及非战争军事行动全局的方略，是国家战略的组成部分，国家军事政策的集中体现，是一切军事活动的主要依据"。

随着人类社会实践的发展，战略一词后来被人们广泛应用于军事之外的领域。20世纪60年代初，美国著名管理学家钱德勒首次在商业管理中提出战略的概念，他认为战略是决定企业的基本长期目标，以及为实现这些目标采取的行动和分配资源。而另一位著名管理学家安索夫（H. I. Ansoff）的著作《企业战略论》的问世，标志着"战略"一词正式从军事领域转向广泛应用于各种商业活动中。安索夫把企业决策划分成战略决策、管理决策及业务决策三种类型，认为战略是企业为了适应外部环境，对目前所从事的和将来要从事的经营活动进行的战略决策，即战略是一条贯穿企业活动与产品或市场之间的"连线"，涉及产品与市场范围、增长向量、竞争优势和协同作用四个方面。

著名管理学家德鲁克认为，战略是决定组织将要干什么以及如何干的问题。战略的基本问题不仅阐明了企业存在的理由和基础，同时也为其实现目标提供了思维、方法和途径方面的指导。

加拿大麦吉尔大学的著名管理学家明茨伯格（Henry Mintzberg）提出了战略的"5P"概念。他将战略归纳为五种定义，从五个不同的角度进行了阐述。明茨伯格认为，人们在不同的场合可以用不同的方式赋予战略不同的内涵。具体而言，战略可分别从计划、计谋、模式、定位和观念五个角度下定义。

1. 战略是一种计划（plan）

战略是一种有意识、有预计的行动程序，是一种处理某种状况的指导纲领。这个概念受到多数人的认可。因此，战略具有两项基本特性：一是战略产生于企业经营活动，二是战略是针对特定目的有意识思考的结果。总之，从本质上讲，战略是行动之前的一种观念。正如德鲁克所说，"战略是一种统一的、综合的、一体化的计划，是用来实现企业基本目标的"。

战略可以很明确地以书面的形式表达出来，也可以很清楚地留存在某些人的头脑中而没有正式表明。就一种计划而言，战略可以是一般性的且广泛的，例如企业整体未来的发展战略；也可以是特定的且狭窄的，例如劳资谈判时双方的谈判战略。

2. 战略是一种计谋（ploy）

它是指在特定的环境下，企业将战略作为威胁和攻击竞争对手的一种具体手段。这种威胁通常是由企业发出的一些"市场信号"所组成的。一些市场信号可能见之于行动，也可能只是对竞争对手的一种威胁手段。例如，一个企业在得知竞争对手想要扩大生产能力占领更大市场时，便提出自己的战略是增加研发费用以推出更新的产品占领市场。竞争对手在得知这种"信号"后，深知该企业资金雄厚、产品质量极佳，为避免竞争升级，便放弃了扩大生产能力的设想，而竞争对手采取了放弃的态度后，该企业并没有将开发新产品的战略付诸实施。因此，可以把这种战略称为一种计谋（对竞争对手构成威胁的计谋），而不一定是一种计划（开发新产品的计划）。

3. 战略是一种模式（pattern）

这种定义将战略体现为一系列的行为，并从战略所导致的行为来加以描绘。正如钱德勒在其《战略与结构：美国工商企业成长的若干篇章》一书中认为，战略是企业为了实现战略目标进行竞争而实行的重要决策、采取的途径和行动以及为实现目标对企业资源进行分配的一种模式。

战略是一种计划与战略是一种模式，这两种定义是相互独立的。在实践中，计划往往可能在最后没有得到实施。这样，计划的战略或设计的战略就变成了没有实现的战略。战略是一种模式的概念将战略视为行动的结果，这种行动也许事先并未特别设计，但最后却形成了，因此成了已实现的战略。在已设计的战略与已实现的战略之间是准备实施的战略。它是指那些已经设计出来的、即将实现的战略，而自发形成的战略则是指那些预先没有计划、自发产生的战略。

4. 战略是一种定位（position）

从战略的内容来看，战略帮助企业在环境中或市场中找到一处合适的位置。也就是说，战略是企业在内部环境与外部环境之间的一种调适力量。用生态学的观点来说，战略帮助组织在环境中找到一个生存的利基市场（niche）；从经济学的角度来看，战略则替组织在环境中承租（rent）了一个位置；从管理学的视角来看，战略主要是为组织找到了一个业务领域（domain）。

值得一提的是，战略是一种定位的概念包含"多方竞争"的内涵。也就是说，企业在活动中既可以考虑与单个竞争对手在面对面的竞争中处于何种位置，也可以考虑在若干个竞争对手面前自己在市场中所处的地位，甚至企业还可以在市场中确定一个特殊的地位，使对手们无法与之竞争。

5. 战略是一种观念（perspective）

这种定义强调所有的战略都是一种抽象的概念，它普遍存在于企业全体成员的头脑之中，体现了企业所共有的世界观和市场观，反映了企业对外界环境的一种独特看法。例如：IBM强调营销，惠普强调技术，3M强调创新，麦当劳则强调生产效率。战略是一种观念的实质在于，它同价值观、文化、理想等精神内容一样为企业成员所共享。因此，研究一个企业的战略，需要了解和掌握该企业的期望如何在成员间分享，以及如何在共同一致的基础上采取行动。

上述关于战略5P的主张，即五种观察战略的角度，有助于人们对战略及其制定过程有深刻的理解。不同的定义只说明对战略特性的不同认识，并不说明哪种战略的定义更为重要。需要强调的是，尽管战略的定义有多个，但对于具体企业而言，战略仍只有一个，五个定义只不过是从不同的角度对战略加以阐述。

1.1.2 企业战略的特征

概括起来，企业战略具有如下特征。

1. 全局性

企业战略是以企业总体为研究对象,根据企业持续发展的全局需要而制定的。它所规定的是企业的总体行为,所追求的是企业的全局效果。尽管企业战略要考虑大量的局部活动,分为不同的层次,但各种局部活动和不同层次的企业战略均是作为全局活动的有机组成部分在企业战略中出现的,而且每一层次的企业战略又是企业在该层次上的全局谋划与安排。

2. 长远性

企业战略重点关注的是企业未来相对较长时期内的总体发展问题,追求短期发展与长期发展的协调统一,着眼于长期发展。一个只关注眼前问题的企业,是不需要战略的。经验表明,企业战略通常着眼于未来3~5年乃至更长远的发展目标。

3. 指导性

企业战略规定了企业在一定时期内基本的发展目标,以及实现这些目标的基本途径,并且指导和激励企业全体员工努力工作。企业战略是企业发展的蓝图,其牵引、制约和决定企业经营管理的各项具体的活动。一个企业,要形成怎样的企业文化、要建立怎样的组织结构、要推行怎样的绩效考核体系、要招聘怎样的经理和员工等,主要依据的都是它的战略。

4. 应变性

企业战略是针对外界环境的冲击和威胁而采取的行动方案,所谋求的是改变组织在竞争中的力量,不断增强实力,在未来激烈的竞争中占据有利地位,与竞争对手抗衡,战胜对手,求得自身的生存和发展。因此,企业战略要解决的不是某个具体运营单位的日常问题,而是在多变的环境中可能影响全局的复杂问题,它必须具有根据组织外部环境和内部条件的变化,适时地加以调整,以适应变化的特性;同时,利用可能发生的变化,利用新的发展机会,制定新的战略。

5. 竞争性

在缺乏竞争的市场中,企业一般是不需要关注战略的,这也是直到20世纪60年代战略的概念才进入企业管理领域,直到20世纪90年代中国的企业才开始重视战略的原因。企业战略与军事战略一样,其目的通常是克敌制胜,赢得竞争的胜利。尽管在现代市场,竞争对手之间的合作越来越多,但这种合作也是为了赢得针对合作方之外的其他企业的竞争,或者共同将市场蛋糕做大。因此,企业战略关注的焦点就是竞争优势的问题。

6. 整合性

企业战略必须与战术、策略、方法、手段相结合,一个好的企业战略如果缺乏实施的力量和技巧,也不会取得好的效果。正是由于企业战略的上述特征,战略管理通常会对企业的发展产生重大和长远的影响。在工商管理学科体系中,战略管理通常被认为是整合性的管理、最高层次的管理,它成为企业高层主管的主要职责,极具挑战性。

1.1.3 战略与战术、策略的区别

战略不同于战术、策略,它们之间既有密切联系,又有明显区别。

一般来说,战略与战术主要表现为全局与局部的关系。战略是指企业为达到战略目标及达到目标的途径和手段的总体谋划,而战术是指为达到阶段性或局部性战略目标所采取的具体行动。战略与策略主要是目的与手段的关系,即先有战略、后有策略,策略必须服从和服务于战略。

1.1.4 企业战略与企业规划、企业计划的区别

从广义上来讲,战略、规划、计划都是对未来的筹划,也可通称"计划",国外往往采用广义的计划概念,只是按时间区分为短期计划(1年以下)、中期计划(2~5年)和长期计划(5年以上)。

从狭义上来讲,战略、规划、计划既有联系,又有区别。战略是规划和计划的灵魂,规划和计划必须体现既定的战略,因此,战略是规划的基础,规划又是计划的基础,应当先有战略,再有规划,再订计划,使其成为可以部署、可以检查的具体行动方案。从这个意义上来讲,规划和计划又是战略的继续、深入和细化。

从实施的范围来看,企业战略是全面的,企业规划和企业计划可以是全面的,也可以是局部的;从实施的时间来看,企业战略是长期的,企业规划一般是中期的,也可以是长期的,企业计划是短期的;从实施的内容来看,企业战略是原则性的,企业规划是轮廓性的或为粗线条的,企业计划是细线条的;从实施的方法来看,企业战略以定性为主,企业规划是定性与定量并重,企业计划以定量为主。

◎ 战略专栏 1-1

战略的精髓

战略是支持企业家梦想的导航仪,是考量各种因素后的量体裁衣,是基于既有体系和前瞻性探索的科学规划,是在定期回顾和适时调整中有方向地摸着石头过河,是最适合自己企业的发展路径设计,所以战略可以最大限度地保障企业的可持续健康发展。可是又有多少人真正懂得制定战略、解读战略、执行战略呢?

1. 什么是战略

为什么这个看似"简单"的问题,90%以上的企业家都不能系统地回答呢?那是因为战略学是关于企业长期盈利的唯一学科,而影响一个企业长期盈利的因素很多,大部分企业家都没有这种系统的战略思维。

战略学在创立以来的六七十年的时间里,对战略最早的系统定义是由钱德勒教授提出的:战略是确定一个企业的长期目标,设计行动方案,并据此分配资源的决策。这是战略学科里的经典定义。后来很多学者提出了不同程度的修改,包括哈佛商学院著名战略学教授迈克尔·波特在1996年的《哈佛商业评论》上发表过同名论文"什么是战略?"("What is Strategy?"），但其核心内容在指出"经营效率不是战略"后，除了强调战略的精髓是"适配"外，对到底什么是战略并没有给出学术上的定义。我在一次学术会议上提出了自己对战略的定义，供企业家们参考：战略是指导一个企业为其利益相关者持续地创造和获取价值的整体思路和行动方案。

2. 战略的核心要点

第一，战略必须为企业所有的利益相关者提供价值。所谓企业的利益相关者（stakeholder）就是企业的经营行为可能会影响其利益的那些人和组织。如果从交易成本经济学（transaction cost economics，TCE）的角度来看，企业的本质是一些利益相关者的集体合同。这些利益相关者包括客户、供应商/合作伙伴、员工、股东、政府、社会公众等。这些利益相关者通过投资协议、销售合同、劳动合同等契约方式形成了企业这个利益共同体。企业的存在和发展离不开这些利益相关者，但这些利益相关者的利益诉求却是相互矛盾的，其关系也不是线性的或直接的。如何动态平衡这些相互矛盾的利益诉求是企业经营管理挑战的主要来源。

第二，必须同时关注价值创造和价值获取。创造价值并不能保证获取价值，只关注价值创造而不关注价值获取的企业是在为他人作嫁衣裳。

第三，一家企业的战略是它对如何长期"赚钱"的系统思考和行动方案。用德鲁克的话说，企业战略是如何做自己企业的理论（theory of your business）。经营一个基业长青的企业需要不停地思考、探索、实践、提炼和完善自己的"企业理论"。

3. 战略的四大核心要素

我们建议大家制定战略时系统思考战略的四大核心要素：公司愿景与目标、公司战略定位、公司制胜逻辑与战略实施体系。这些是任何一个企业制定战略时都必须思考的关键问题。

（1）公司愿景与目标。大多数公司都具备战略的第一个要素，通常是用战略目标的方式表达出来，只是各公司错误地把公司的愿景与目标简单地等同于战略，它们以为公司有了明确的目标就有了明确的战略。许多公司还将价值观（values）或使命（mission）与战略目标（strategic goal）混为一谈。公司愿景是一个公司对其遥远未来的集体理想：作为一个企业的经营团队，通过10年、20年的努力到底要做一个什么样的企业？公司目标是未来3~5年推动公司业务经营可量化的明确目标。愿景需要抽象地抓住各个利益相关者最本质的诉求；而战略目标应该具体、可衡量，并有时限，最好是一个单一的目标。

（2）公司战略定位。战略定位主要回答"做什么""不做什么"，这些设定战略边界的范畴性问题，是决定"战场"的大问题。大部分企业家确定战略定值时经常犯的错误是把"我想做什么"简单等同于战略定位（战略定位成了练习想象力的游戏），其实科学的战略定位需要由"我想做什么""我能做什么"和"我有机会做什么"三个方面的交集决定，其决策过程是一个艺术、科学与工程的完美融合的过程。战略定位决定了公司的活动范围，包括多个维度，最重要的是客户、产品、地域、价值链等。战略定位清楚后，企业家应该在一定时期内坚持深思熟虑后的选择，不要轻易地被诱惑到其他战场中去。

（3）公司制胜逻辑。制胜逻辑是企业的战略精髓：面对日益激烈的竞争，你的企业凭什么打败对手？如果战略定位解决了战场问题，那么制胜逻辑则成功地解决了道理问题。事前就想清楚制胜逻辑比事后总结经验教训成本更低、效率更高，而且可持续性更强。提炼公司的制胜逻辑是实现从"蒙着打"到"想着打"转变的关键步骤。

（4）**战略实施体系**。战略从构想到结果必须经过层层递进的五道关：知不知道？想不想做？能不能做？怎么做？做得怎么样？

战略梳理清楚后，需要将战略在组织层级和时间维度上进行分解，设定任务，动员组织能量，提高组织能力，适时进行业绩监控与管理。

经过系统地进行战略思考之后，接下来就可以提炼战略陈述。战略陈述的提炼过程也是战略一贯的过程，应让各个层级的核心员工都参与进来，群策群力，用大家都能听懂的语言精练地表达公司的战略。战略陈述应精准地反映出所制定战略的核心内容，措辞也需要精准、新颖、富有穿透力和感召力。最终的结果应该是一段简洁的话，反映出有效战略的四个核心要素，能够用来指导和协调企业的"千军万马"实施选定的战略。

资料来源：葛定昆.战略的精髓[J].销售与管理，2017（4）：103-105.

1.2 战略管理概述

1.2.1 战略管理的概念

"战略管理"这一概念最早由安索夫提出。1972年安索夫发表了《战略管理概念》（"The Concept of Strategic Management"）一文，正式提出了"战略管理"（strategic management）的概念，由于他对战略管理的开创性研究，便成为管理学科的一代宗师，被誉为战略管理的"鼻祖"。1976年安索夫在其出版的《从战略规划到战略管理》（*From Strategic Planning to Strategic Management*）一书中，将战略管理定义为"企业高层管理者为保证企业的持续生存和发展，通过对企业外部环境与内部条件的分析，对企业全部经营活动所进行的根本性和长远性的规划与指导"。他认为，战略管理与以往经营管理的不同之处在于：战略管理是面向未来，动态地、连续地完成从战略决策到战略实现的过程。

斯坦纳（Steiner）则认为，企业战略管理是确立企业使命，根据企业外部环境和内部经营要素设定企业组织目标，保证目标的正确落实，并使企业使命最终得以实现的一个动态过程。

迄今，许多战略管理学者与企业家对什么是战略管理提出了不同的见解，以下是具有代表性的三种观点。

（1）企业战略管理是决定企业长期表现的一系列重大管理决策和行动，包括战略的制定、实施、评价和控制。

（2）企业战略管理是企业制定长期战略和贯彻这种战略的活动。

（3）企业战略管理是企业在处理自身与环境关系过程中实现其宗旨的管理过程。

从以上观点可看出，企业战略管理可以理解为两种情形，第一种情形是指对企业的战略性管理，运用战略对整个企业进行管理，管理的客体是企业，即如何使企业持续地建立竞争优势，满足利益相关者群体的各种需求，实现持续发展；第二种情形是指对企业战略的管理，管理的客体是战略，是指对企业战略的制定、实施、控制和评价进行的管理，是对战略本身的管理。从目前已有的各种战略管理著作所包含的内容来看，这两种情形是融为一体、兼而有之的。

1.2.2 战略管理的层次

在大型多元化经营的公司里，重要的经营管理决策通常会牵涉公司总部的高级经理、业务单元及事业部门的经理、业务单元或事业部内主要职能领域（如生产制造、市场营销、财务会计、人力资源等）的经理，以及产品经理、区域性销售经理和工厂负责人员。在这类公司里，战略可分为三个不同的层次：针对公司整体和所有业务的战略，即公司层战略（corporate level strategy）；针对多元化业务中各个具体业务领域的战略，即业务层战略（business level strategy），也称经营层战略或者事业部战略；针对各个业务领域中各个具体职能部门的战略，即职能层战略（functional level strategy）。每一个业务领域通常都有生产战略、市场营销战略、财务战略、人力资源战略等职能层战略。

在中小型公司里，如果从事单一业务经营，其业务层战略可能就是公司层战略，那么这样的公司只有两个层次的战略，即业务层战略和职能层战略。总之，不同的战略层次对应相应的战略管理层次。

1. 公司层战略管理

公司层战略管理（即总体战略管理），是指公司总部关于公司发展方向和跨业务协同关系的管理，是从事多元化经营的公司对总体战略的管理。公司层战略管理主要关注两个问题：一是公司进入什么业务领域；二是如何管理多个业务单元来为公司创造价值。其具体包括四个方面的内容。

（1）解决应该进入什么样的业务领域、各个业务之间应该形成怎样的关系、采取怎样的方式进入新的业务领域、在进入的各个业务领域中分别应该建立怎样的市场地位等问题。

（2）确定要采取的合适的战略行动，以提高公司的长期竞争地位和各项业务的综合盈利能力。当公司确立了业务领域和要建立的市场地位后，就要确立公司总部对各业务子公司的支持方式和途径。这些方式和途径通常包括：提高业务单位的效能，进而提高其运营能力效率；提供资金，提供子公司所需的技能、技巧和管理诀窍；并购子公司所在行业中的企业，提高相应业务的能力和市场地位。

（3）解决跨业务的战略协同效应的问题，将协同效应转化成竞争优势。如果一家公司所涉足的多元化业务之间具有相关联的技术、经营特色、相同的分销渠道或客户等，那么，与不相关联的多元化经营公司相比，这家公司就应该拥有了某种竞争优势的来源。例如，当Y公司采用多元化经营战略，进入音乐CD销售领域和在线拍卖业务领域时，这一战略就为公司创造了这些协同效应：①将公司在在线销售书籍方面的技巧和专业知识转移到在线销售音乐领域；②利用同样的分销设施订单完成技术书籍和CD的送货（利用共同的设施和资源意味着具有更低的共同成本）；③充分发挥 Y 公司原有品牌的价值；④为公司日后拓展其产品线奠定了基础。这种跨业务的"战略协同"强化了公司的竞争优势，为公司进一步提高盈利能力奠定了基础。

（4）确定公司资源配置的优先序列，以便将公司的资源投向最有吸引力的业务单元。从投资的角度来看，各种业务的吸引力和发展前景是不一样的，将公司资源投向吸引力强的业务，撤出吸引力弱的业务，是公司层战略必须考虑的问题。

公司层战略通常表现为增长型战略（growth strategy）、稳定型战略（stability strategy）和紧缩型战略（retrenchment strategy）三种类型，其具体内容将在第 5 章详细介绍。

2. 业务层战略管理

业务层战略管理（即经营层战略管理）是指针对特定业务的竞争战略的管理，它所涉及的问题是如何在特定的业务领域有序地展开竞争。业务层战略的核心是解决公司在特定业务领域中建立竞争优势、提高竞争地位的问题。业务层战略的内容主要包括：①对业务所在行业、宏观经济形势、政治形势以及其他相关领域中的变化做出积极反应；②制定恰当的竞争战略方案和市场经营策略，以持续地获取竞争优势；③培养具有竞争力价值的公司能力；④协调和统一各职能部门的战略行动；⑤解决公司具体业务领域所特有的战略问题。业务层战略充分体现在公司为取得某项特定业务经营的成功而制定的行动方案与经营模式之中。对于一家从事单一业务经营的公司来讲，上面介绍的公司层战略与这里的业务层战略合二为一。

衡量业务层战略有效性的标准是公司制定的行动方案和经营策略能否带来持续竞争优势。有了竞争优势，公司就有希望在所进入的行业赢得市场竞争，就有希望获得超过一般盈利水平的经营业绩。相反，如果不能建立竞争优势，公司就很难获取有利的市场地位，那么就要去审视所采取的业务层战略到底哪里有问题。一个能带来持续竞争优势的业务层战略通常需要解决三个方面的问题：①立足特定的细分市场，确定产品和服务的特性（成本低、质量高、服务佳等），以利用各种能产生竞争优势的最佳机会；②积累能将公司与其竞争对手区别开来的专业技能、资源优势和特殊技巧；③尽可能地避开与强有力对手硬碰硬的竞争。

业务层战略还必须将本业务领域中各个职能范围内所采取的所有行动协调统一起来。各个职能领域必须采取相应的战略行动支持公司的整体业务层战略，各个职能领域之间战略上的统一和协调可以促进业务层战略的实现。

根据波特的竞争理论，业务层战略有三种基本竞争战略，即成本领先战略、差异化战略、集中化战略，其具体内容将在第 6 章详细介绍。

3. 职能层战略管理

职能层战略管理是指对公司内特定的职能活动或业务领域所制定的有关生产运作战略、市场营销战略、新产品开发战略、人力资源战略、财务战略等的管理。

职能层战略的侧重点在于发挥各部门的优势，提高组织的工作效率和资源的利用效率，以支持公司层战略和业务层战略目标的实现。如果说公司层战略和业务层战略是强调"做正确的事"（do the right things），那么职能层战略则是强调"把事情做好"（do the things right）。职能层战略管理会在很大程度上影响公司层战略目标和业务层战略目标的实现，相比公司层战略和业务层战略，职能层战略具有更详细、更具体、可量化和操作性强等特点，如确定生产规模和生产能力、设定财务目标和人力资源管理目标等可以量化的指标。

职能层战略的制定工作通常由各个职能部门的负责人和职能活动主管承担，但必须强调的是，制定职能层战略必须从公司的整体利益出发，各管理层之间要相互交流与沟通，因为只有这样，才能制定出协调一致、相互促进的职能层战略，从而使业务层战略及公司层战略获得强有力的支撑。如果职能部门各自为战，就会产生互不协调甚至彼此冲突的职能层战略，也就无法发挥层战略的协同效应，最终影响业务层战略乃至整个公司层战略目标的实现。

关于职能层战略的具体内容将在第7章详细介绍。

1.2.3 战略管理的本质

1. 战略管理是整合性管理理论，是企业最高层次的管理理论

从管理理论的层次来看，战略管理理论属于最高层次的管理理论。自20世纪初泰勒创立科学管理理论以来，企业管理理论有了极大的发展。尤其是第二次世界大战后，管理理论的大发展进入管理"丛林时代"，各种管理学说不断涌现。按照内容涉及的范围和影响的程度，人们将管理理论分成三个不同的层次。

（1）**管理基础理论**。它是指管理中带有共性的基础理论、基本原则和基本技术，主要包括管理数学、管理经济学、管理心理学、管理学原理、管理组织学以及管理思想史等。

（2）**职能管理**。它将管理基础与特定的管理职能相结合，以提高组织职能部门的效率，主要包括生产（运作）管理、市场营销管理、财务管理、人力资源管理、研究与开发管理等。

（3）**战略管理**。它是管理理论的最高层次的管理，不仅要以管理基础和职能管理为基础，还要融合政治学、法学、社会学、经济学等方面的知识。

从这种分类可以看出，战略管理是管理理论中顶级的、整合性的管理理论，只有掌握了战略管理理论，企业管理人员才可能处理涉及企业整体性的管理问题。

2. 战略管理是企业高层管理人员最重要的活动和技能

美国学者罗伯特·卡茨将企业管理工作对管理者的能力要求划分为三个方面，即技术能力（战术操作能力）、人际能力（社会关系能力）和概念能力（战略思维能力）。

（1）**技术能力**。技术能力即操作能力，它与一个人所做的具体工作有关，是一个人运用一定的技术来完成某项组织任务的能力，包括方法、程序和技术。

（2）**人际能力**。这种能力涉及管理人员和与之接触的人们之间的人际关系，是一个人与他人共事、共同完成工作任务的能力，包括领导、激励、排解纠纷和培养协作精神等。

（3）概念能力。这种能力包括将企业看作一个整体，洞察企业与外部环境之间的关系，以及处理整个企业各个部分应如何互相配合、协调发展的能力。

对于企业不同管理层次的管理人员而言，上述三种能力的要求是不相同的。一般而言，低层管理者所需要的能力主要是技术能力和人际能力；中层管理者的有效性主要依赖于人际能力和概念能力；高层管理者最需要的能力是概念能力，这是保证他们工作有效性的最重要因素。因此，对于企业高层管理者来说，最重要的活动是制定战略和进行战略管理，以保证企业整体运营的有效性。

3. 战略管理的目的在于使企业持续而有效地适应变化，实现可持续发展

战略管理过程基于这样一种认识：企业应连续不断地注视内部事件和外部事件及其发展趋势，以便必要时及时做出调整。企业是社会这个大系统中一个不可分割的、具有开放性的组成部分，它的存在和发展在很大程度上受其外部环境因素的影响。对企业产生影响的外界变化速度与规模越来越引人注目。为了生存，所有企业都必须能够做到敏捷地识别和适应变化。

曾有人说："当今环境的一个突出的特点是，唯一不变的就是变化。"对此，人们都有同感。成功的企业能够有效地适应变化，不断地调整其战略、组织机构、产品与营销策略，从而能够经受冲击，在残酷的竞争中得以稳健发展。

为适应环境变化，企业必须回答的关键战略问题有：我们要成为什么样的企业？我们是否处于合适的业务领域？我们是否应改变经营内容？哪些新竞争者正在进入我们的行业？我们应采取何种战略？我们的用户正在发生何种变化？正在发展着的新技术是否会将我们淘汰？等等。

1.2.4 战略管理的作用

战略管理的作用是由其本质特征决定的。战略管理作为一种企业管理方式或思想，其主要作用表现在以下四个方面。

1. 谋划企业的整体发展

这是由战略管理的全局性所决定的。企业是一个由若干相互联系、相互作用的局部构成的整体，但整体性问题绝不是局部性问题的简单加总，与局部性问题具有本质的区别。企业发展面临很多整体性问题，如对环境重大变化的反应问题，对资源的开发、利用与整合问题，对生产要素和经营活动的平衡问题，对各种基本关系的理顺问题等。企业战略管理解决的就是谋划企业整体发展的问题，并起着统率局部的作用。

2. 筹划企业的长远发展

这是由战略管理的长远性所决定的。为了谋求企业的长远发展，企业要面对很多问题，如企业发展目标、产品与技术创新、品牌与信誉、人力资源规划、企业文化建设等，这些问题并不是短期发展问题的加总，与短期发展问题具有本质区别。企业战略管理关注的就是企

业的长远利益，是着眼于未来的。

3. 指导企业的发展方向

这是由战略管理的指导性所决定的。企业战略规定了企业在一定时期内的基本发展目标，是企业发展的宏伟蓝图。加强战略管理，有利于引领企业未来的发展方向，指导企业的一切经营管理活动，并指引和激励全体员工为实现企业美好蓝图而努力工作。

4. 提高企业的应变能力

这是由战略管理的应变性所决定的。企业加强战略管理，不仅可以防范财务危机，还可以帮助企业提高对外部威胁的认识，增强对竞争者战略的了解，提高员工的生产效率，给本来混乱的企业带来秩序和纪律，恢复人们对现行战略的信心，并且可以通过对企业自身所处的外部环境做出全面的考察和分析，预测未来变化，在此基础上确定自身发展的方向，做出全局性的谋划，使企业内部条件更好地适应外部环境的要求，以增强企业的应变能力和市场竞争能力。

● **战略专栏 1-2**

战略管理与企业绩效

关于战略管理与企业绩效的关系，人们曾做过大量的研究。这些研究涉及一大批处于不同发展阶段和不同环境条件下的经营企业，并采用了多种不同的分析方法和技术。下面介绍其中的一些研究成果。某项开始最早、内容也最广泛的关于战略管理与企业绩效相互关系的研究囊括了医学、化学、机械、石油、食品及钢铁制造等行业的许多公司。这项研究把这些公司分为两组，分组的依据是看它是具有一套正式的战略管理系统，还是只具有非正式的管理系统。然后，分别从销售额、股票价格、每股收益率、净资产利润率以及全部资本利润率等几项指标分析每一组公司的经营绩效。研究结果表明，那些具有正式的战略管理系统的企业在每股收益率、净资产利润率以及全部资本利润率方面显著优于其他公司。虽然这些公司的平均销售额和股价增值同样较大，但其数值明显受单个公司具体情况的影响，因此，在这两项指标上没有得出什么一般性结论。这项研究还对那些具有正式战略管理系统的公司，在实行这一系统前后相同时期的绩效做了对比。同样，在实行该系统后，企业绩效要比实行前好得多。对上面这些公司的跟踪研究也表明，那些具有正式战略管理系统的公司在此后的运行中绩效水平仍然比那些只具有非正式战略管理系统的公司高出一大截，而且，实际上这个差距已经在拉大。某项对 70 家大商业银行的研究从是否具有一个正式战略管理系统的角度考察了这些机构的金融业绩（表现为净收入和净资产利润率的增长）。结果同样表明，那些具有正式战略管理系统的机构要比其他机构表现得出色。某项对澳大利亚 20 家颇有名气的企业的研究也得出了相同的结论：在盈利能力和投资利润率方面的良好业绩同高水平的战略管理存在着密切联系。

一些没有正式战略管理系统的企业，或者由于幸运，或者由于它们的领导者的天才直觉,同样获得了成功。然而,从长期来看,比较保险的结论也许是:那些具有正式战略管理系统的企业,会比那些不具有这一系统的企业运行得更好。

资料来源:王方华,吕巍.战略管理[M].2版.北京:机械工业出版社,2011.

1.3 战略管理过程

战略管理一般包括以下四个行动步骤或基本环节,如图1-1所示。第一步是建立和发现战略行动的约束条件,这是战略制定与决策的依据,因为在特定的约束条件下就会有特定的战略与之对应。如果不能准确、完整地把握关键的约束条件,战略决策就是盲目的。所谓科学决策,主要就体现在这个方面。这一步的战略管理活动用战略分析来概括。第二步是根据特定的约束条件,评价有关战略及战略组合,这一步的战略管理活动用战略选择来概括。第三步是对已确定的战略付诸行动,这一步的战略管理活动用战略实施来概括。第四步是战略管理过程的最后一个阶段,主要以企业高层管理者为主体,对战略实施的各种状况、因素和绩效进行控制(战略控制)。

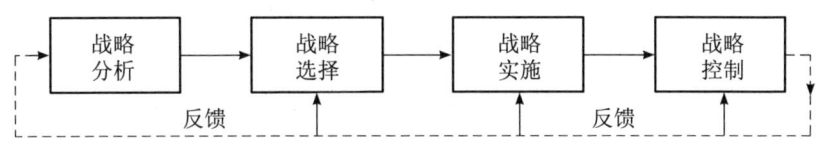

图1-1 战略管理过程图

1.3.1 战略分析

战略分析的目的是评析影响企业目前和今后发展的关键因素,并确定在战略选择步骤中的具体影响因素。就企业来讲,它包括如下两方面内容。

一方面确立企业的使命、愿景和目标,它们是制立战略的依据。由于企业的使命和愿景,特别是前者,一般要长期坚持,因此它们直接决定企业选择何种战略,对企业发展的影响是系统性的、长期性的,具体内容将在本书第2章专门介绍。应指出的是,企业的使命和愿景既是战略分析的结果,又是战略分析、制定的依据。

另一方面找到那些能对企业未来发展起决定性作用的环境因素,包括企业的外部环境因素和企业的内部条件因素。在同样的使命、愿景和目标下,如果环境因素不同,最适宜的战略行动就会不同。进行环境分析的最简单的方法是SWOT分析法。SWOT由表达四个战略因素的英文单词的第一个字母组合形成:优势(strength)、劣势(weakness)、机会(opportunity)和威胁(threat)。

企业的外部环境因素包括存在于企业外部的各种变量,它们最终表现为机会和威胁,这些变量在短期内不受企业的控制,它们构成了企业存在的基础。这些外部环境变量中有些是一般性因素或趋势,它们构成了总体社会环境;还有一些是特殊因素,它们形成了企业特定的任务环境,即产业环境。这部分内容将在第3章详细介绍。

企业的内部条件因素包括存在于企业内部的变量，它们最终表现为优势和劣势，这些变量短期内一般可以由企业控制，它们构成了企业开展工作的基础。这些内部条件包括组织结构、文化、资源和竞争力，特别是核心竞争力。企业的关键优势构成了企业可以用来获得竞争优势的专长。这部分内容将在第 4 章详细介绍。

1.3.2 战略选择

战略选择是指根据战略分析所获得的结果，即在已建立和发现的特定约束条件下，制定和选择有效的管理环境机会和环境威胁的战略计划与行动。对于任何企业，要想持续发展，就必须首先避免重大的战略决策失误。一般来讲，战略选择包括制定备选方案、评估备选方案和最终选择方案三个阶段。

（1）**制定备选方案**。在对企业的使命和愿景、外部环境和内部条件分析结果的基础上，企业要拟订多种备选方案。参与备选方案制定的人员需要充分掌握企业内外部的情况，在一次或若干次会议中进行讨论和拟订。在这一过程中，企业管理者应鼓励方案制定者尽可能地发挥自己的创造性。

（2）**评估备选方案**。企业拥有的资源是有限的，在可供选择的战略方案中，企业战略制定者应了解每一种战略方案的长处和局限性，然后根据参与制定者的综合判断来对这些战略方案进行排序。评估战略方案主要有两个标准：一是选择的战略是否充分利用了环境中的机会，规避了威胁；二是选择的战略能否使企业在竞争中获得优势地位。

（3）**最终选择方案**。在考虑战略方案的可能收益时还要分析它的风险，确定这种战略在哪些情况下是不适用的，并考虑如果发生了意外情况，对整个战略方案的影响有多大，需要做出哪些调整或更换什么样的备选方案。

上述战略选择、制定的具体内容，将在本书第 5~8 章详细介绍。

1.3.3 战略实施

战略实施是通过规划、预算和一定程序将战略方案与政策付诸行动的过程。这一过程涉及分解战略目标、资源配置以及整个企业的文化、组织结构、内部治理和人员调整等诸多问题。"战略实施"是本书要特别强调的战略管理主题。对一个企业而言，战略实施的效果将直接影响其整个战略推行成功与否。战略实施一般由中层管理者和基层管理者来领导和施行，高层管理者主要负责战略决策并对战略执行情况进行督查。对一个企业而言，高层管理者必须具有"事业心"，中层管理者应具有"进取心"，基层管理者则应具有"责任心"。企业上下只有具备了这"三心"，才能在未来把企业打造成企业"明星"。关于战略实施，本书将在第 9~12 章重点介绍。

1.3.4 战略控制

战略控制就是将战略实施过程中反馈的成效结果与战略目标进行比较，评估两者的偏差度，并采取相应的纠正措施，以确保战略目标的完成。战略控制是企业高层战略活动的控制，它不同于中下层（业务层和作业层）的控制。但为了实现有效的控制，高层管理者需要从中下层员工中获取准确、无偏差的信息，而这往往是难以做到的。关于战略控制，本书将在第 13 章专门讨论。

战略专栏 1-3

成亦战略，败亦战略

三株公司（以下简称三株）成立于 1992 年，坐落于历史悠久的山东省的省会城市——济南，1995 年已发展成三株医药产业集团和三株生态美化妆品产业集团。1994—1996 年的短短三年间，三株的销售额从 1 亿多元涨至 80 亿元；三株在全国几乎所有大城市和省会城市以及绝大部分地级市注册了 600 个子公司，在县、乡、镇设有 2 000 个办事处，吸纳了 15 万名销售人员，成为当时中国发展最快的企业之一。三株的成功主要得益于其独特的"农村包围城市"的战略。它通过在广大农村地区建立庞大的销售网络，以低价策略和强大的营销能力迅速占领市场，实现了销售的快速增长。

然而，1998 年 3 月，湖南常德的一名消费者发生了意外事件，三株口服液的销售受到重大影响。

1996 年 6 月，湖南常德市陈伯顺购买了 10 瓶三株口服液，服用后引起高蛋白过敏反应，两个月后死亡。1997 年，其子陈然之状告三株药业，要求其赔偿经济损失和精神损失共 30 万元。1998 年 3 月 31 日，湖南常德中级人民法院一审判决，责成三株药业集团向死者家属赔偿 29.8 万元，并没收三株非法收入 1 000 万元。

一审过后，许多新闻媒体进行了广泛报道，并进一步对三株和管理机制进行了深入剖析与探讨。一时间沸沸扬扬，谣言四起。经销商与消费者纷纷退货索赔，三株口服液及其系列产品的销售陷入困境。

继而三株提出上诉，最终由湖南省高级人民法院作出终审判决。1999 年 3 月 25 日，持续了一年的官司以三株胜诉告终。但是，法律上的胜诉，却不能挽回三株的商业帝国倾覆的命运。

其实，三株的失败也与其战略密切相关。在快速发展的过程中，三株过于追求速度和规模，而忽视了产品质量和企业管理的重要性。当湖南常德的意外事件发生时，三株公司未能及时采取负责任的态度，主动停止问题产品的销售，并配合司法机关进行调查。相反，它选择了回避和隐瞒，这导致公众对三株的信任度大幅下降，最终导致其销售陷入瘫痪状态。此外，三株在事件发生后也未能及时召开新闻发布会，邀请权威机构对产品进行检测和认证，以还原事实真相。这些战略上的失误最终导致了三株的衰败。

三株公司的案例充分说明了战略在企业经营中的重要性。一个成功的战略可以帮助企业实现快速发展和市场份额的扩张；而一个失败的战略则可能使企业陷入困境，甚至走向破产。因此，企业在制定战略时，必须充分考虑市场环境、消费者需求、产品质量和企业管理等多方面的因素，以确保战略的有效性和可持续性。

资料来源：作者根据相关资料改编。

1.4 战略管理者

在大多数企业中，存在着两类管理者：一类是综合管理者，又称战略制定者，他们负责企业的总体绩效或其中某一独立的单位或部门的绩效；另一类是职能性管理者，他们对某一具体职能负责，其中包括任务、活动或运营，例如企业中的财务、营销、研发、信息技术或物料管理等。企业战略管理者是企业战略管理的主体，他们是企业内外环境的分析者，是企业战略的制定者，是战略实施的领导者和组织者，是实施过程的控制者和结果的评价者。一般来说，企业战略管理者包括企业的高层管理者、各事业部的经理、职能部门的管理者以及战略专职人员。可见，企业战略家是在企业家阶层形成的基础上发展而来的，但企业战略家不等于企业家，企业战略家除了应具有企业家的基本素质与技能外，对其能力还有独特的要求。

1.4.1 公司层管理者

公司层管理者包括首席执行官（chief executive officer，CEO）、其他高级经理、董事会和公司层职员，这些人占据了公司内决策的最高点。CEO是综合管理者的核心。在其他高级管理者的协助下，公司层管理者的任务是负责公司的整体战略。这一角色包括定义公司的使命和目标，决定开展哪些业务，在不同的业务间分配资源，制定和实施跨业务的战略，领导整个公司。

以通用电气公司为例，这家公司涉足多种多样的业务，从照明设备到大型家电、发电机和运输设备、涡轮发电机、建筑和工程服务、工业电器、医疗设备、航天、航空引擎，还有金融服务。曾任首席执行官的杰夫·伊梅尔特指出，其主要职责是在不同的业务领域间分配资源，决定公司是否应当推出某些业务或是否应当购买新的业务。也就是说，伊梅尔特有权决定跨部门的战略，他所关注的是建立和管理业务组合以保证公司利润最大化。

在某一具体领域内（例如金融业务）采取什么样的战略不是伊梅尔特的工作，而是负责这些分部的高层管理者或称为业务层管理者的责任。然而，伊梅尔特有责任要求业务层管理者保证他们所采用的战略有助于通用电气公司的长远利润最大化，并且将其列入对他们的绩效考评。

除了负责资源分配和掌握行业进退外，公司层管理者还要充当公司战略设计者与公司所有者（股东）之间的联系人。公司层管理者，特别是CEO，同时也是股东福利的保卫者。保证公司和业务层的战略符合股东福利最大化是公司层管理者的职责。如果没有做到，那么最终CEO必须承担责任。

1.4.2 业务层管理者

业务单位是一个事业部（具备各种职能，比如财务、采购、生产和营销部门），它为某一特定的市场提供产品和服务。业务层管理者是事业部的负责人。这些管理者的战略角色是将公司层的指示和意图转换成具体的业务战略。例如，通用电气公司的主要目标是在所经营的全部业务领域中占据数一数二的竞争地位。下一层各个事业部的管理者则据此制定自己部门的具体战略。

1.4.3 职能层管理者

职能层管理者负责组织公司或事业部的具体业务的职能或运营（例如人力资源管理、采购、产品开发、客户服务等），职能层管理者的职责通常局限于某一具体的活动，而公司层管理者则要检查公司或事业部的总体运营。尽管无须为公司的整体绩效负责，但职能层管理者也有自己的主要战略角色：制定涉及本领域内的职能战略，协助达成业务层管理者和公司层管理者的战略目标。

此外，公司层管理者和业务层管理者为了推行战略，所需要的信息可能大多来自职能层管理者，因为他们比上层管理者更接近顾客，而且他们本身也可能贡献出未来能够成为整个企业战略的重要思想。因此，上层管理者必须注意倾听职能层管理者的意见。职能层管理者另一项同样重大的责任是战略实施，他们必须执行公司层战略和业务层战略。

以上阐述了公司战略管理者主要包括公司的最高层管理者、各事业部的经理、职能部门负责人。但是，需要指出的是，战略管理不只是高层管理者的特权，其他中基层管理者，乃至普通员工也必须理解公司战略，积极支持公司战略，公司战略只有做到了上下同"欲"，才能最终达成战略目标。

1.5 战略管理理论的演进与发展

1.5.1 企业战略管理理论的演进过程

企业战略管理理论是随着企业环境的变化和面临的种种挑战而发展起来的。企业战略管理思想真正萌芽于20世纪初，那时人们就开始关注企业的高层管理活动、组织与环境的关系以及企业长期发展的问题等，并逐渐形成系统的战略管理理论。纵观企业战略管理理论的演进过程，大致经历了以下六个阶段。

1. 20世纪60年代以前的战略管理理论

20世纪初，亨利·法约尔（Henri Fayol）将企业经营活动划分为技术、商业、财务、安全、会计和管理六大类，并对企业内部的管理活动进行整合，提出了管理具有计划、组织、指挥、协调和控制五项职能，且强调计划是企业管理的首要职能。这可以说是最早出现的企业战略思想，被哈佛大学的迈克尔·波特（Michael E. Porter）教授称为企业战略的第一种观点。

1938年，巴纳德（Barnard）在《经理人员的职能》一书中，首次将组织理论从管理理论和战略理论中分离出来，认为管理工作应注重组织的效能，强调组织与环境相适应。这种组织与环境相匹配的思想奠定了现代战略分析方法的基础，被波特称为企业战略的第二种观点。

由此不难看出，尽管这一阶段还没有形成系统的战略管理理论，但已有了战略管理思想的萌芽。

2. 20 世纪 60 年代的战略规划理论

进入 20 世纪 60 年代，随着社会经济的发展，人们的消费需求结构也发生了变化，欧美国家出现的最大变化就是卖方市场逐渐被买方市场取代，国际市场逐步开放，关税壁垒逐步打破。一些企业注意到或采取了新的管理模式。

1962 年，美国著名管理学家钱德勒通过对通用汽车公司、杜邦化学公司、西尔斯－罗巴克公司和标准石油公司等 70 多家大型公司发展历史进行研究，出版了《战略与结构：美国工商企业成长的若干篇章》一书，在这本著作中分析了环境、战略和组织结构三者之间的关系，认为企业战略应适应环境变化，而组织结构则应适应企业战略的要求，并随战略的变化而变化。他被公认为研究"环境－战略－组织结构"之间相互关系的第一位管理学家，提出了"结构追随战略"的著名观点，由此揭开了现代企业战略管理研究的序幕。

哈佛大学的安德鲁斯（Andrews）接受了钱德勒的战略思想，1965 年，他与哈佛大学的其他学者合作出版了《商业政策：原理与案例》一书。他与克里斯坦森（Christensen）教授使用单向法构建了战略规划的基本理论体系，两人都被称为战略管理设计学派的代表人物。

安德鲁斯对战略进行了四个方面的界定，将战略划分为四个构成要素，即市场机会（企业可能做什么，might do）、企业实力（企业能够做什么，could do）、个人激情（企业想做什么，want to do）、社会责任（企业应该做什么，should do）。其中市场机会和社会责任是外部环境因素，企业实力与个人激情则是企业内部因素。他还主张公司应通过更好地配置自己的资源，形成独特的能力，以获取竞争优势。波特将这一主张称为企业战略的第三种观点。

1965 年，美国学者安索夫出版了《公司战略》一书，首次提出了"企业战略"这一概念，并将战略定义为"一个组织打算如何去实现其目标和使命，包括各种方案的拟订和评价，以及最终将要实施的方案"。他认为，战略应包括产品与市场范围、增长向量、竞争优势和协同效应四个要素，并根据产品的特点和顾客的类型进行不同组合，将多元化分为横向多元化、纵向多元化、同心多元化和不相关多元化。他还详细描述了战略制定过程的一系列步骤和应考虑的因素，尽可能地使战略制定过程条理化、系统化。从此，战略管理理论的研究逐渐由单纯的组织内部转向对组织与环境的关系研究。安索夫也被称为战略管理计划学派的代表人物。

由此可见，这一时期的战略规划理论是以未来可以预测为前提假设的，认为战略必须使企业的内部条件与外部环境相适应，使企业自身的能力与其所面临的商机相匹配。因而，战略规划的制定包括有关信息的收集与分析、战略制定、评估、选择与实施等程序。

3. 20 世纪 70 年代的环境适应理论

20 世纪 60 年代后期—20 世纪 70 年代初期，战略规划与长期规划在战略领域扮演重要角色。然而，1973 年的石油危机使得企业经营环境变幻莫测，这种环境的不确定性动摇了战略规划的垄断地位。因此，环境的不确定性成为 20 世纪 70 年代战略管理研究的主要内容，以环境变化分析为中心的战略理论占据主导地位。

1971年，安德鲁斯在其所著的《公司战略概念》一书中提出，企业外部环境对企业战略形成有着重大影响，战略的形成过程实际上是把企业内部条件与企业外部环境进行匹配的过程，这种匹配能够使企业内部的强项和弱项与企业外部的机会和威胁相协调。他提出了著名的战略制定的 SWOT 分析模型。该模型考察了企业面临的威胁和机会（外部评价）以及企业本身的优势和劣势（内部评价），充分体现了组织内外部关系对制定战略的重要性。这一模型也是设计学派的重要基础。

1979年，安德鲁斯又出版了《战略管理》一书，他区分了战略的制定与实施，认为战略的实施是"管理性的"，而战略的制定则是"分析性的"，应由企业高层管理者负责。

环境适应理论强调战略的动态变化。林德布洛姆的"摸着石头过河"（muddling through）、奎因（J. B. Quinn）的"逻辑渐进主义"、明茨伯格和沃特斯（J. Waters）的"应急战略"都把战略视为意外的产物，认为战略就是对环境变化的应急对策。

这一时期的战略管理思想强调企业战略与环境相适应的重要性，注重对环境、市场的分析，把企业的经营活动看作统一在战略指导下的相互关联的整体，构建了战略分析框架，为以后的理论研究奠定了基础。

4. 20 世纪 80 年代的产业组织理论

迈克尔·波特深受以美国的梅森（Mason）和贝恩（Bain）为代表的产业结构学派的影响，于1980年出版了《竞争战略》一书。他指出，企业在考虑竞争战略时必须将企业与所处的环境相联系，而行业是企业经营的最直接的环境；每个行业的结构又决定了企业的竞争范围，从而决定了企业潜在的利润水平，进而提出了最著名的用于产业结构分析的"五力模型"，以及"三种通用战略"（成本领先战略、差异化战略和集中化战略）。1985年，他又出版了《竞争优势》一书，运用价值链的概念来系统识别和分析企业竞争优势的来源，使战略研究进入一个全新的领域。

迈克尔·波特的产业组织理论，以竞争优势为中心，将战略制定和战略实施有机地结合在一起，其五力模型和价值链理论为战略管理的研究提供了新的分析方法。

5. 20 世纪 90 年代的资源基础论与核心竞争力理论

进入20世纪90年代，企业经营环境的显著特点是竞争的全球化，顾客需求日趋多样化和个性化，产品更新换代的速度日益加快。所有这些变化都要求企业必须重视其内部要素条件，提高自身能力，以形成企业的竞争优势。

1984年，沃纳菲尔特（Wernerfelt）在《战略管理杂志》上发表了《企业的资源基础论》一文，这意味着资源论的诞生。经过不断发展，资源基础论在20世纪90年代非常盛行。

1991年，巴尼（Barney）在《管理学杂志》上发表了《企业资源和持续竞争优势》，指出企业具有持续竞争能力的条件是其资源具有价值性、稀缺性、不可模仿性和不可替代性。

1995年，柯林斯（Collins）和蒙哥马利（Montgomery）在《哈佛商业评论》上发表了《资源竞争：90年代的战略》，提出了企业资源价值评估的五项标准。

而在1990年，普拉哈拉德（Prahalad）和哈默尔（Hamel）在《哈佛商业评论》上发表了《公司的核心竞争力》("The Core Competence of the Corporation")一文，掀起了核心竞争力研究的高潮，标志着战略管理研究进入一个新的阶段。

这一时期的战略管理研究，注重如何运用企业内部的独特资源与能力来获取竞争优势，构造"能力－战略－绩效"的基本理论。

6. 21世纪初的战略管理理论

进入21世纪，信息技术和网络技术迅猛发展，企业环境的不确定性日益增强，国际竞争日益激烈，企业保持竞争优势的难度越来越大。因此，企业战略管理的实践需要新的理论和方法来支撑。

美国学者詹姆斯·弗·穆尔（James F. Moore）曾在1996年出版的《竞争的衰亡：商业生态系统时代的领导与战略》一书中首次提出"商业生态系统"的概念，认为商业生态系统就是以组织和个人的相互作用为基础的经济联合体，包括供应商、主要生产者、竞争者和其他风险承担者，并从现代生态学的角度透视整个商业活动。系统论反思竞争含义认为，在商业活动中"共同进化"是一个比竞争或合作更为重要的概念，打破了传统的以行业划分为前提的战略理论的限制，构建了基于共同进化模式的企业战略全新设计思路。同年，内勒巴夫（Nalebuff）和布兰登勃格（Brandenburger）在合著的《合作竞争》一书中，提出了可以实现双赢的合作竞争（competition）的新理念。

1998年，迈克尔·波特在《产业集群与竞争》中阐述了企业集群对维持企业竞争优势的重要性。同年，肖纳·L. 布朗（Shona L. Brown）和凯瑟琳·M. 艾森哈特（Kathleen M. Eisenhardt）合作出版了《边缘竞争：混沌时代的竞争法则》(Competing on the Edge: Strategy as Structure Chaos)一书，提出企业应不断利用变革的动态本质来构建一系列的竞争优势，而边缘竞争战略的五个基本要素是即兴发挥、相互适应、再造、实践和时间节奏。

可见，这一时期的战略理论，对外注重构建企业集群的整体优势以维持和发挥企业自身的竞争优势，对内注重寻求动态战略以适应环境的变化。

● 战略专栏1-4

模范战略管理者：戴维·格林

世界上最大的私人工艺品家居装饰公司之一——霍比罗比工艺品公司是一家美国公司，有750家商店，年销售额为43亿美元。该公司的CEO戴维·格林说："成为一名优秀管理者的秘诀就是要照章办事。"他的公司在周日关门，让员工和家人在一起，公司提供慷慨的员工福利，所有商店晚上8点关门。该公司的员工积极向上，流失率很低，而其他零售公司计时工的流失率约为65%。格林认为：永远把诚信放在企业的核心位置；永远不要为了赚更多的钱而妥协；确保你永远不会停止考虑客户的观点。

资料来源：弗雷德·戴维，福里斯特·戴维，梅雷迪思·戴维. 战略管理：建立持续竞争优势 [M]. 徐飞，译. 北京：中国人民大学出版社，2021.

1.5.2 企业战略管理理论的代表性学派

在企业战略管理理论的演进过程中，由于人们对战略本质的认识存在差异，因而形成了许多不同的战略学派。明茨伯格曾在《战略历程：纵览战略管理学派》中把战略管理分为十个学派：设计学派、计划学派、定位学派、企业家学派、认识学派、学习学派、权力学派、文化学派、环境学派、结构学派。

1. 设计学派

以安德鲁斯为代表的设计学派（design school）认为，战略是一个主观的概念化过程。不论是钱德勒"结构追随战略"的观点，还是安德鲁斯提出的战略的四种构成要素，都充分考虑了企业的内外部环境对制定战略的影响。设计学派认为，战略形成应当是一个受到控制的有意识的思想过程；主要领导者应当承担整个战略形成过程的责任；制定战略时，必须经过充分的设计；战略必须简明扼要，应该是清晰的、易于理解和传达的。

设计学派对于战略管理理论的发展做出了很大贡献，尤其是SWOT模型的建立，充分体现了组织内外部关系对制定战略的重要性。但是，设计学派将战略制定与战略实施割裂开来，因而也具有一定的局限性。

2. 计划学派

以安索夫为代表的计划学派（planning school）认为，战略形成是一个程序化的过程。计划学派与设计学派的出现时间大体相近，其最早的代表著作当属安索夫1965年出版的《企业战略》。计划学派继承了设计学派的SWOT思想，强调战略是一个正式规划过程。基于这样的假设，计划学派引进了许多数学、决策科学的方法，提出了许多复杂的战略计划模型。在20世纪60年代—70年代，计划学派的理论得到广泛推广。在斯坦纳、艾可夫（Ackoff）等人的推动下，该理论进一步与实践相结合，产生了如经验曲线、增长-份额矩阵、市场战略对获利能力的影响（profit impact of market strategy，PIMS）等概念和研究方法，大大丰富了战略管理理论。

3. 定位学派

定位学派（positioning school）的代表人物是哈佛大学商学院的迈克尔·波特教授，其代表作是1980年出版的《竞争战略》和1985年出版的《竞争优势》。定位学派把战略形成看作一个分析过程，认为企业战略的核心是获得竞争优势，而决定能否获得竞争优势的因素是行业吸引力和企业在行业中的相对竞争地位。因此，战略管理的首要任务就是选择最有盈利潜力的行业，为此，该学派采用了五力要素模型、价值链等一系列分析方法和技巧，分析企业所处行业的状况。这一学派在战略形成方面的意义在于，在制定战略时给出了分析的一种优先顺序，使企业可以在行业的范围内系统考察所面临的机会和威胁，合理选择适用的战略。此外，定位学派将战略分析的重点第一次由企业转向行业，强调了外部环境的重要性。

从本质上说，定位学派的观点依然承袭了设计学派和计划学派的大部分前提条件和基本模式。后来，波特等人进一步发展了定位学派，认为定位不仅要考虑产业的经济特征，还要考虑环境的文化、制度等各个方面的因素。

4. 企业家学派

企业家学派（entrepreneurial school）又称创新学派、创意学派、创业学派。这一学派把战略形成看作一个预测过程，认为具有战略洞察力的企业家是企业成功的关键，其最大特点在于强调领导者的积极性和战略直觉的重要性。该学派主要代表人物及著作有奈特的《企业家精神：处理不确定性》(1967)、柯林斯和莫尔的《组织的缔造者》。这一学派观点的核心概念就是愿景，它是领导者的灵感，是对战略任务的感知，是战略思想的表现。在总体思路和对方向的判断方面，战略是深思熟虑的；在具体细节方面，战略又可以是随机应变的，在战略的执行过程中可以灵活地进行变更。因而，该学派将对战略形成过程的研究集中在主要领导者身上，提出了最核心的概念"愿景"，以及"企业家精神""内部企业家精神"（Pinchot，1985）等概念，认为战略形成是一个企业家对企业未来图景的构筑过程。

5. 认识学派

认识学派（cognitive school）又称认知学派，起源于西蒙等学者的研究，形成于20世纪80年代中后期。认识学派提出，战略实质上是一种直觉和概念，战略形成是战略管理者的一个心智过程。战略管理者所处的环境是复杂的，而这种复杂性限制了他们的认识能力，更何况面对大量真假难辨的信息和有限的时间，战略过程也可能被扭曲。由于战略在很大程度上依赖于个人的认知，所以不同战略管理者在战略风格上会有很大差异。

6. 学习学派

学习学派（learning school）起源于20世纪50年代末期，兴起于20世纪80—90年代。该学派代表人物及著作主要是奎因于1980年出版的《应变战略：逻辑渐进主义》（*Strategy for Change*：*Logical Incrementalism*）、彼得·圣吉（Peter Senge）的《第五项修炼：学习型组织的艺术与实践》（*The Fifth Discipline*：*the Art & Practice of the Learning Organization*）、野中郁次郎和竹内弘高于1995年合著的《创造知识的企业：领先企业持续创新的动力》（*The Knowledge-Creating Company*：*How Japanese Companies Greate the Dynamics of Innovation*）等。学习学派认为环境是复杂的、不可预测的，只有通过学习，尤其是组织学习，企业才能应对不确定性。战略的形成是不断学习的过程，战略规划和执行的界限变得不可辨别；学习以应急的方式进行；在管理战略学习过程中可能出现新战略。高层管理者的职责不是制定战略，而是管理组织学习的过程。

总之，学习学派实际上是将战略视为一个复杂的、进化的、渐进的、文化和政治的、想象的过程，这一学派的主要贡献是提出在学习的过程中理解战略。

7. 权力学派

权力学派（power school）起源于20世纪70年代初期，主要代表人物及著作有麦克米兰（MacMillan）的《论战略形成：政治概念》(1978)、菲佛和萨兰基克的《组织的外部控制：对组织资源依赖的分析》(1978)。权力学派将战略形成看作一个协商的过程。其主要观点是：组织是不同的个人和利益集团的联合体，战略的制定是一个在相互冲突的个人、集团以及联盟之间讨价还价、相互制约和折中妥协的过程；整个战略制定的过程实际上是各种正式和非正式的利益团体运用权力、施加影响和不断谈判的过程。对战略制定发生作用的不再是某个人，而是一群人。这时组织的活动不再受某一共同利益的驱使，而是受一些局部利益的驱使。在这种情况下，总是存在对战略认识的争议，不存在共同认可的战略意图，很难形成统一的战略和对战略的执行活动。

8. 文化学派

文化学派（cultural school）认为战略过程是一个集体思维过程。该学派代表人物和著作主要有埃里克·瑞安曼（Eric Rhenman）的《长远规划的组织理论》(1973)、彼得斯（Peters）和沃特曼（Waterman）的《追求卓越》(1982)。英国学者安德鲁·佩蒂格鲁等揭示了文化因素在战略中的重要性。美国学者巴尼（1986）提出，文化能形成企业对付对手最有效、最坚固的壁垒。文化学派认为：战略形成是社会交互的过程；个人通过文化潜移默化地实现适应性学习；组织成员只能部分描述深层组织文化信念；战略采取共享观念而非个体立场的形式；组织观念体系不鼓励战略改变。文化学派的缺点在于其概念的模糊性，此学派观点的一个潜在危害是过度强调文化可能阻碍组织的必要改变。

9. 环境学派

环境学派（environmental school）产生于20世纪70年代后期，代表人物有汉南（Hannan）、弗里曼（Freeman）。环境学派认为战略管理的形成是一个反应的过程。其主要观点是：环境作为一种综合力量是企业战略形成过程中的中心角色，企业战略管理就是企业观察、了解环境并保证自己对环境的适应性。环境学派将注意力转移到组织外部，重点研究组织所处外部环境对战略制定的影响。

10. 结构学派

结构学派（configuration school）把战略形成过程看作一个转变过程，其主要观点是：组织可被描述为某种稳定结构，这种结构可被偶然因素影响向另一结构飞跃，结构转变有某种周期，战略最后采取的模式都是依自己的时间和情形而定的。其主要代表人物有坎德瓦拉、明茨伯格、米勒等。结构学派给战略形成带来了秩序，尤其是贡献了众多的文献和实践活动。虽然结构学派吸取了其他学派的一些观点，但它却运用了自己的独特视角。它与其他学派的根本区别在于：它提供了一种调和的可能，一种对其他学派进行综合的方式。结构学派一方面将组织和组织周围的状态描述为结构，另一方面将战略形成过程描述为转变。

1.5.3 战略管理理论最新发展动态

随着经济的全球化、市场的国际化、环境变化和市场竞争的不断加剧，在战略管理中，企业已不能只从自身角度出发来思考和决策，也不能只适应环境，必须创造环境、抓住未来。实践中的这些要求使得战略管理理论有了新的发展，其主要体现在以下几个方面。

1. 动态战略理论的深化

进入 21 世纪，战略管理理论发展到动态战略阶段，强调企业在快速变化的市场环境中做出快速响应，制定灵活多变的战略。这一阶段的主要概念和理论包括适应性企业、快速反应战略和情境规划等。当前，动态战略理论继续深化，企业更加注重战略的敏捷性和灵活性，以适应不断变化的市场环境。

2. "不间断战略理论"的提出

近年来，"不间断战略理论"逐渐成为战略管理领域的新趋势。该理论强调战略管理是一个持续的过程，需要不断地发展、执行、评估和优化战略。与传统的战略规划不同，"不间断战略理论"要求企业持续地审视市场变化，及时调整战略，并从执行中关注学习，以实现持续改进。这种理论有助于企业更快地响应市场变化，更有效地执行战略计划，并持续优化战略以实现更好的绩效。

3. 全球化背景下的战略调整

随着全球化进程的加速，企业需要更加关注国际市场和全球竞争。在全球化背景下，企业面临的市场环境更加复杂多变，因此需要根据不同地区的文化、法律、经济等因素制定相应的战略。同时，企业还需要加强跨国合作，整合全球资源，以提升自身的竞争力。

4. 数字化转型对战略管理的影响

随着互联网、大数据和人工智能等技术的快速发展，企业需要加快数字化转型的步伐。数字化转型不仅改变了企业的运营模式，也对战略管理产生了深远影响。企业可以利用大数据和人工智能等技术来分析市场趋势、客户需求和竞争对手的动态，从而制定更加精准的战略。此外，数字化转型还有助于企业提高运营效率、降低成本并增强客户体验。

5. 可持续发展战略的兴起

随着社会对可持续发展的日益重视，越来越多的企业开始将可持续发展纳入战略管理的范畴。可持续发展战略不仅有助于企业实现经济效益和社会效益的双赢，还有助于塑造企业的社会形象和提升品牌价值。在制定可持续发展战略时，企业需要关注环境保护、社会责任和公司治理等方面的问题，并积极采取相应的措施来推动战略实施。

综上所述，战略管理理论的最新发展动态呈现出多元化、动态化和持续化的特点。企业需要不断适应市场环境的变化，加强战略创新和动态调整，以实现可持续发展和竞争优势的提升。

◉ 战略专栏 1-5

战略的第三条路——连续跳跃理论

传统战略理论已经过时

在诸多战略理论中，迈克尔·波特的五力模型可能最经典且广为人们所接受。波特认为，一家企业要取得持续成功，必须在所处行业中寻找到最有利的地位，波特的理论风靡一时，他是将主宰行业竞争状况系统性地描述出来的第一人。他的理论不但影响了大量企业CEO和他们制定战略的思考方法，同时在全球各MBA课程里，波特的理论更是必修课。波特的理论有其前瞻性和系统性，但它基于几个重要的假设：每个企业都是处于某一个行业的；该行业的界定是清晰的；同时行业的界定是不会改变的，包括它的竞争对手；企业战略是简单的，只有三种类型：成本领先战略、差异化战略和集中化战略。简单来说，波特的理论是"定位论"的鼻祖。

20世纪60年代是企业战略发展的新时代。波士顿咨询公司（BCG）的创始人布鲁斯·亨德森（Bruce Henderson）发表了几篇在企业界产生巨大震撼的文章，他在其中的一篇中提出了现在人们称为BCG矩阵的理论。他利用行业的增长速度和企业在该行业的相对市场占有率，将企业的业务组合进行了识别，并将其分为四种类型：现金牛、瘦狗、明星和问题。BCG矩阵于20世纪60年代在西方企业界产生了巨大反响，这种新观念也同时让BCG业务出现了极快的增长，将传统的咨询对手杀了个措手不及。不过，正如波特的理论，BCG矩阵也基于一个简单的假设：行业、企业、竞争对手都是静态的，业务的吸引力和竞争力用行业增长速度和相对市场占有率两个简单维度便能充分描述。

由欧洲工商管理学院的金伟灿（W. Chan Kim）和勒妮·莫博涅（Renée Mauborgne）于2005年提出的蓝海战略（blue ocean strategy）也是定位论领域的理论之一。其本质上与上述理论没有很大的区别。

1990年，两个密歇根大学的管理学教授普拉哈拉德和哈默尔在《哈佛商业评论》上发表了《公司的核心竞争力》（"The Core Competence of the Corporation"）一文。作者提出了核心竞争力的概念，认为公司的成功来自其核心竞争力。他们对核心竞争力的定义包含三个要素：能够为公司进入多个市场提供方便；应当对最终商品为客户带来的可感知价值有重大贡献；竞争对手难以模仿。

差不多同一时间，BCG的两位合伙人乔治·斯托克（George Stalk）和菲利普·埃文斯（Philip Evans）发表了《以能力来竞争》（"Competing on Capabilities"）一文。作者的概念与普拉哈拉德和哈默尔的"核心竞争力"雷同，认为企业的持续成功来自企业已建立的内部能力，而战略的精华在于它能否以动应变，从而确立并形成一种他人难以效仿的组织能力。他们提出了基于能力竞争的四项基本原则：企业战略的基本因素不是产品和市场，而是业务流程；要竞争成功就须将企业的主要业务流程转化为战略能力，能够不断为顾客提供超值服务；企业获取这些能力要靠对其基础设施投资，以将传统的战略业务单位及其功能联系起来；由于这种能力是跨职能的，所以基于能力的战略需要得到CEO的全力支持。

直至今天，能力理论在企业界还有很大的市场。许多学者和管理顾问还在大力推销能力理论的同时，全球的商业社会正在快速地转变。随着全球一体化的形成，移动互联网的高速发展和普及，以及个人认为最重要的因素——中国的崛起，已经大大改变了商业世界。在创新活跃的环境里，诸如中国或美国硅谷，企业家和创业家不断地涌现。他们擅长在看到（或预测到）未来的市场机会时，考虑是否应该在目前企业的能力基础上，做适当的伸展来争取这些新的机会。在快速增长的市场里，新的市场机会往往是以非线性、突破性的方式出现的。要抓住这些新的机会，很少有企业具备所有所需的能力。

西方传统的静态定位论和能力理论，在今天快速转变的环境里已经过时。

在控制与混沌之间取得平衡

随着时代的演变，商业环境更加复杂多变。20世纪90年代末期，肖纳·L. 布朗和凯瑟琳·M. 艾森哈特共著的《边缘竞争：混沌时代的竞争法则》，以及2013年 Rita Gunther McGrath 所著的《竞争优势的终结》（*The End of Competitive Advantage*）指出，在快速改变的环境里动态地保持竞争优势才是当今企业发展的核心。

在企业能力中，有形的是产品、品牌、价格和渠道，而无形的则是企业的弹性、韧力、适应性和发展节奏。无形的部分相对于有形的部分更难以达到：弹性主要表现在对于市场的灵活应对，韧力所代表的是不断自我修复的能力，适应性所表现出的是对潜在新环境、新市场的反应能力，而发展节奏更多体现在企业革新过程中可以循序渐进的演变能力。

如今，战略的要点是在动态环境中进行多维度的平衡，控制或是释放，集中或是授权，维持或是变革等等一系列的问题都需要找到一个平衡点。极端的管理方式会对企业的长期发展产生隐患。在瞬息万变的经营环境中发展，企业的发展战略指的其实就是在控制与混沌之间取得平衡的思想和做法。

边缘竞争战略把"如何制定战略目标"和"如何实现战略目标"这两个方面的内容紧密联系起来，不断地寻找新的战略目标以及实现目标的方法，这种战略充分显示出业绩的关键动力，即应变能力。边缘竞争理论认为，公司应根据市场及自身变化，不断调整组织结构形式。未来企业经营环境的主要特征是快速变化和不可预测。因此，战略管理最重要的是对变革进行管理，这主要表现在三个方面：一是对变革做出反应；二是对变革做出预测；三是领导变革，即走在变革的前面，甚至是改变竞争的游戏规则。

行业边界改变中的边缘竞争是不断寻求新的战略目标以及实现目标的方法，优化组织结构和调整企业战略使其相互适应，在组织结构的"固定"和"松散"中平衡，寻求最佳模式并把握节奏。互联网时代的出现使行业边界变得模糊，行业间出现融合和裂变。因此，在这种新型商业环境下，企业应当考虑是致力于边界内的边缘竞争，还是打破边界进入更大范围的竞争。

战略的第三条路

在西方，特别是美国，企业管理战略的思想框架经历了不同时代的发展和演变。第一个主流应是20世纪70年代—80年代所兴起的"多元化集团式经营"（diversified conglomerate）战略理论。按照此概念，企业应由"做大"而"做强"，故不少企业便追求做到越大越好，集团里可以包罗万象，什么业务都可以有，在此之后，许多多元化集团开始瓦解。随之而来的是于20世纪90年代初期出现的核心竞争力理论（core competence theory）。它在接下来的20多年里支配着西方的主流战略思想理论。沿着此理论，西方资本市场主张企业应该聚焦，而不应在所聚焦的业务范围外发展，管理理论与方法偏离了焦点就是不务正业，资本市场会因此惩罚企业（在估值上打折扣），所以绝大部分西方企业的CEO都不敢贸然离开企业的核心业务或从之延伸。

核心竞争力理论在中国也有不少支持者，因为它有它的道理。但不少中国企业家也对此理论有所怀疑，因为它未能充分解释在中国的环境里，企业应该如何发展。

核心竞争力理论的最大缺点在于，它仅仅从企业内部来看问题。核心竞争力是企业的内部能力，与外部环境几乎无关，即无论外部环境水平是升、是跌还是停滞不前，企业的战略思考原则都不用改变。

这当然是一种不完整的思考。在中国的市场化发展过程中，一部分中国企业沿着多元化集团的（第一条）道路去做，一些的确能成功，但不少遭遇了失败；另一部分中国企业沿着核心竞争力的（第二条）道路去做，同样一部分成功，但不少也失败了，或至少未能完全把握中国改革开放带来的机会。对于许多中国企业家而言，他们以为只有两条路可走，不是多元化就是聚焦。

与此同时，一些中国企业家却发掘了另外一条战略路径，与前两者很不一样，既非无核心的多元化经营，也非死板的核心竞争力所衍生的"聚焦"经营。我们称之为战略的第三条路。

当某企业刚开始创立时，它会选择某种业务，也会建立它所需的核心竞争力，但往往市场会出现新的机会，而这些机会往往是以非线性、S形的方式出现的。新来的机会可能是真实的，也可能是虚幻的；可能是庞大的，也可能是比较小的；可能是现在的，也可能是过一段时间才会成熟的。面对这些新的机会，企业家会做出判断：在企业未具备所有新业务需要的核心竞争力的情况下，要不要从现在的业务跳跃到新的机会？

此时，企业家会碰上三种场景：想要跳过去，并成功地跳跃，在跳过去之余，尽快建立新能力和弥补能力的空缺；尝试跳过去，却跳不成功，并跌下来；不跳，停留在原地。

在过去20多年的中国的市场化发展过程中，这三种场景都发生过，但总的来说，因为中国市场高速发展所带来的机会，成功跳跃的概率相对比较高。而且某些企业进行了多次的连续跳跃，由小跳到大，再到巨大。换句话说，在跳跃的过程里，企业同时在驱动机会的发展。这是主动的，而非被动的。

在跳跃的过程中，企业在弥补能力空缺时一般会采取两种方法，一是自建，二是透过构建生态系统来建立，这是第三条路与传统核心竞争力理论最大的差异。核心竞争力理论指出，企业必须具有足够的核心竞争力才能去经营某种业务；连续跳跃理论却认为，企业在遇到或预见比较新的机会和风险时，就算没有足够的能力也可跳过去，但必须在跳跃的同时建立所需的能力，可部分自建，也可部分通过与合作伙伴合作发展新的能力。连续跳跃理论与多元化集团理论的最大区别则在于多元化集团往往缺乏核心，业务是多元的，没有协同，而连续跳跃的企业不管跳得多远，还是有其原始核心点的。

连续跳跃是基于中国市场发展经验归纳的战略第三条路。当然，科技的发展，特别是移动互联网的出现也为跳跃创新提供了条件。此理论弥补了西方传统的第一、二条路的空缺。不能说哪一条路比较好或比较差，中国市场的特定环境使西方学者或咨询公司原本没有观察到的一些维度凸显了出来，故需要新的思想框架来将全景描绘出来。

连续跳跃的战略思想框架可以说是中国企业实践者对世界企业战略思想的一个突出贡献。

结语

源自西方的传统静态"定位"战略理论在如今瞬息万变的经营环境中已经不合时宜。企业家和高管必须认识到动态战略的重要性和它的理论基础。边缘竞争理论颠覆了传统静态的理论，而它所提倡的在混沌和秩序之间不断地、动态地取得平衡是非常可取的思想。而在此理论基础上所延伸的连续跳跃的思想，作为战略的第三条路，给企业家和高管提供了在快速转变时代的新的战略思维，弥补了传统战略思维的空白。

企业的战略由领导力推动，没有领导力，就无法实现战略，因而实现战略最重要的仍是领导者的素质：领导者所应具备的，是帮助企业在变革与维持之间寻找最佳平衡点的能力素质，以及更适合快速变化市场的战略思维，即在边缘上竞争的动态思维。

面对国际竞争格局，中国企业要在新形势下保持对外部的警觉，关注环境和市场的变化。行业在变化，行业的边界也在变化，因而需要思考和重新界定企业的边界。企业只有从核心竞争力出发，建立拓展新业务的判断标准，不断挖掘自身能力，才能实现新的跨越。

资料来源：谢祖墀. 战略的第三条路：连续跳跃理论[J]. 清华管理评论，2017（101）：28-34.

● 复习思考题

1. 什么是战略？企业战略有哪些特征？
2. 什么是战略管理？战略管理的层次、本质和作用是什么？
3. 战略管理过程主要分哪几个阶段？
4. 在战略管理中，各级战略管理者的职责是什么？
5. 战略管理理论的发展主要经历了哪几个阶段？有哪些代表性学派？

● 实践项目

调查你所在地一家公司的战略制定（规划）部门，了解该公司战略管理工作的基本程序是什么，并撰写一份调查报告。

第二篇
战略分析

第2章　企业的愿景、使命与战略目标
第3章　企业外部环境分析
第4章　企业内部条件分析

第 2 章　企业的愿景、使命与战略目标

◉ 学习目标

1) 了解企业使命和企业愿景的概念
2) 理解企业使命和企业愿景的区别所在
3) 理解企业的使命、愿景和战略目标在战略管理中的特殊作用
4) 掌握如何确立企业的使命、愿景和战略目标

◉ 先导案例

佳洁福的企业愿景与使命

佳洁福公司（以下简称佳洁福）成立于 2011 年，是一家致力于日化洗涤用品领域的实业公司。该公司专注于研发、生产与销售高品质、创新性的洗涤产品，以满足消费者的多样化需求。佳洁福依托先进的生产设备和高科技的生产工艺，在完善产品供应链、深耕渠道拓展、加强品牌建设等方面进行升级。在竞争白热化的家用清洁市场，佳洁福以直击消费者痛点的自主研发、自主生产能力，不断挖掘品牌潜力。本着"扬我国威，打造世界洗护用品行业领军品牌"的责任与期望，佳洁福通过不断地进行技术研发和市场拓展，在日化行业树立了良好的品牌形象，赢得了广泛的认可与信赖。

1. 佳洁福的企业愿景

佳洁福致力于成为世界领先的洗护用品品牌，以创新的产品和卓越的服务，为人们的生活带来健康与舒适，实现可持续发展的行业地位。

2. 佳洁福的企业使命

（1）研发高品质洗护产品：不断投入研发，创新洗护技术，确保产品安全、环保、高效，满足消费者多样化的清洁与护理需求。

（2）提升消费者生活品质：通过提供优质的洗护用品，帮助消费者解决日常清洁与护理问题，提升生活品质，享受健康、舒适的生活。

（3）推动行业可持续发展：积极参与行业交流与合作，倡导环保理念，推动洗护行业的可持续发展，为环境保护贡献力量。

资料来源：http//www.jiajiehome.com，作者根据相关资料及实地考察结果进行改编。

2.1 企业愿景

著名管理学家德鲁克曾认为,一个企业不是由它的名字、章程和条例来定义的,而是由它的使命来定义的。企业只有具备了明确的使命和目的,才可能制定明确和现实的企业目标。另一位学者约翰·凯恩指出,企业愿景能集聚资源、指挥行动、激励员工,进而推动企业取得出色的业绩,战略家的职责就是明确和设计清晰的愿景。企业的愿景、使命与战略目标为战略分析、战略选择和战略控制提供了依据,它们是制定企业战略方案的前提,也是企业战略管理实践的指南。因此,企业的愿景、使命与战略目标的确定在战略管理中具有十分重要的地位。

2.1.1 企业愿景的概念

企业愿景的概念表述有广义与狭义之分,广义的愿景概念包括使命,狭义的愿景概念不包括使命。国外学者大多采用广义的愿景概念,而国内学者大多采用狭义的愿景概念。

国外学者关于愿景的描述,例如:

《愿景》一书的作者加里·胡佛(Gary E. Hoover)认为,关于愿景最为重要的是,一个愿景所定义的事物必须是那些不随市场的反复无常而不断变化的事物,必须是那些应对竞争但并不发生改变的事物,必须是那些不随着当前流行的趋势变化的事物。在愿景的描述中,必须突出企业发展的远景目标,突出自己长期形成的经营风格和经营核心理念,语言文字应该鲜明、简练和易懂。

罗杰·福尔米萨诺(Roger A. Formisano)认为,强有力的企业愿景包含三个要素,即目标——聚集企业每位员工力量的长期目标;宗旨或使命——驱使企业存在和经营的理由;价值观——指导企业朝向目标前进的原则。

莉·汤普森(Leigh L. Thompson)等人认为,战略愿景是企业未来的线路图,它描绘了一幅企业未来的图画并提供了一条合理的实现路径,而且认为,战略愿景描绘了企业未来的经营范围——我们要去哪里;而企业的宗旨概括性地描述了企业目前的经营范围和经营意图——我们做什么、为什么我们在这里,以及现在我们在哪里。

柯林斯和杰里·波拉斯(Jerry I. Porras)认为,一个构思良好的愿景规划包括两个主要部分:核心经营理念和生动的未来前景。核心经营理念即上面谈到的广义的愿景概念;生动的未来前景包括10~30年的大胆目标和对实现目标后将会是什么样子的生动描述。

查尔斯·希尔(Charles W. L. Hill)和加里斯·琼斯(Gareth R. Jones)认为,使命或愿景是组织正式发布的关于组织在中长期希望实现的目标的宣言(使命和愿景这两个词经常混用)。典型的使命陈述包含三个部分:企业存在的理由、核心价值与行为标准、主要目标和目的。

国内学者关于愿景的描述,例如:

项保华认为,愿景是对使命所做的生动解说,它通过在大脑中形成可供想象的意境,从具象情形角度,描绘企业演化的生动意境。

徐二明认为，远景（即愿景）实际上是为企业描述未来的发展方向，回答企业要成为一个什么类型的企业、要占领什么样的市场位置、具有什么样的发展能力等问题。

黄旭认为，企业愿景是企业未来的一幅前景蓝图，是企业前进的方向、意欲占领的业务位置和计划发展的能力，它具有塑造战略框架指导管理决策的作用。

肖海林认为，愿景是指企业期望经过长期的努力所要实现的未来发展状况，典型的愿景宣言由大胆的长期目标及对实现目标后企业将会是什么样子的生动描述构成，即愿景＝愿望＋景象＝大胆的长期目标＋预期状态的生动描述。

综合以上国内外学者的观点，本书采用狭义的愿景概念，对愿景的概念做如下表述：

愿景（vision）是企业根据目前所处的状况确立的未来发展目标而描述的理想蓝图。它是综合组织使命、发展规划、实现目标途径的认识结果，是一个企业的最高层管理者用来统一企业成员思想和行动的宣言，也是最高层管理者回答"我们代表什么？""我们希望成为什么样的组织？"的承诺。

愿景通常是企业发展的阶段性目标，是企业在实践核心目的和核心价值观过程中的一种体现，是企业期望实现的发展蓝图。不过，随着时间的推移、市场的变化和企业的发展，可对愿景做相应的调整或改变，即当企业进入新的发展阶段时，就需要设计新的愿景。例如，蒙牛公司提出要成为"百年老店"和先做"中国牛"再做"世界牛"，前者是长期性愿景，百年不变；后两者是阶段性愿景，要进行阶段性的调整或升级。

2.1.2 企业愿景的功能、特点和确立

1. 企业愿景的功能

首先，明确企业发展方向，指导企业战略决策。企业往往在战略方向性问题上出现分歧，或者对某项战略行动的必要性感到困惑与怀疑，有效的愿景可以使这些问题迎刃而解。例如，是否收购某一公司，或是否应出资雇用更多的销售代表，或是否真正需要进行重组，或国际化进程的速度是否足够迅速等，人们只需要考虑这些问题是否与愿景相符，就可以化解既费时又吃力的争论。好的愿景有利于消除那些代价高昂的混乱发生，因为有了清晰的方向，就可及时发现和终止那些不合适的战略行动，从而将资源投入符合愿景的战略行动中。

其次，协调利益相关者之间的关系，指引企业应对危机。企业与利益相关者之间是一种互动共生的关系。企业在制定企业愿景时，必须考虑利益相关者的类型、利益诉求以及相应的策略。如何识别各种各样的利益相关者，并通过企业愿景加以反映和协调，是企业高层管理者的重要任务。如果利益相关者的利益不能在企业愿景中得到尊重和体现，就无法使他们对企业的主张和做法产生认同，企业也无法找到能对他们施加有效影响的方式。比如，一家化工企业如果只是以盈利为目标而没有将环保责任融入企业愿景，必将遭到环保组织、当地社区甚至消费者的抵制。

在动态竞争条件下，环境的关键要素复杂多变且具有很大的随机性。企业的生存时刻面临极大挑战，处理不慎就可能演变为致命危机。企业应对危机、摆脱困境迫切需要愿景，明

确的企业愿景是动态竞争条件下企业应对危机的必要条件和准则。一方面，企业不能停留于简单的刺激 – 反应模式，只顾着埋头救火而忘记抽出时间进行长远规划。如果以未来的不可预测性或情况紧急为托词而不去明确企业愿景，只是在危机到来时被动应付，那么即使能勉强渡过难关，最终也会因迷失方向而无所适从。另一方面，已经拥有愿景的企业在制定危机处理方案时，必须努力遵循源于经济理论、社会道德的企业愿景，必须从企业愿景出发去寻找行动方案，考虑所采取的行动是不是与企业一贯的方针和自身承担的使命和社会责任相一致。

最后，凝聚人心并给人们以希望，激励人们高效地开展工作。愿景是对企业未来的美好憧憬，可以帮助人们克服内在的惰性，激励人们采取行动，以实现战略的成功。好的愿景总是使人们燃起火热的希望，给人们一个有吸引力的理由，使人们为之奋斗并坚信美好蓝图一定能够实现。

2. 企业愿景的特点

约翰·科特（John P. Kotter）认为，有效的愿景至少具备以下特点（见表 2-1）。

表 2-1 有效愿景的特点

特点	解释
可想象性	有效的愿景传达了关于未来景象的图画
鼓舞人心	以员工、客户、股东和企业的利益相关者的长期利益为诉求
可行性	包含现实可达到的目标
聚焦性	中心突出，对决策制定过程起指导作用
灵活性	具备足够的概括性，允许在条件变化的情况下推行个性化的计划
可沟通性	易于沟通，可在几分钟之内得到很好的解释

3. 企业愿景的确立

有效的企业愿景对一家企业来说，其重要性非同寻常。如果愿景设计得不好，就有可能使企业陷入尴尬的境地，比如会导致员工对战略行动产生怀疑甚至误解，从而使企业战略难以得到顺利推进。因此，企业高层管理者在制定愿景时，一定要做好充分的部署和安排。具体来说可按以下步骤进行。

（1）**高调宣传**。在制定企业愿景前，要做好相应的准备工作，特别是要重点宣传制定企业愿景的重要意义。

（2）**召开会议**。在正式会议上向成员阐述企业愿景的概念，并通过头脑风暴法获得初步的意向。

（3）**分类筛选**。收集初步意向后，按照企业愿景本身的要求，进行分类筛选，形成初步结论。

（4）**反复修改**。企业愿景设计往往经历进两步退一步、左行后又右行的曲折过程，必须进行反复修改。

（5）**最终定稿**。企业愿景设计过程的最后，形成一个上下都认同的企业愿景，该愿景应具备这几个特点：可想象、鼓舞人心、可行、聚焦、灵活、易于沟通，可以在几分钟之内得到很好的解释。

◆ **战略专栏 2-1**

企业愿景宣言举例

正如前面所提到的，愿景宣言应当具备可想象性、可沟通性，而且能够鼓舞企业的所有成员，还应当是简短、容易记忆的。随着时间的推移、市场的变化和企业的发展，企业可对愿景做适当的调整或改变。表 2-2 所列的是一些企业有效的愿景宣言举例。

表 2-2 有效的愿景宣言举例

企业	愿景宣言
微软（更新后）	确保全世界的人们和企业实现全部潜能
微软（最初）	每张桌子上的个人计算机都运行微软的软件
雅芳公司	成为一家最了解女性需要，为全球女性提供一流的产品和服务，并满足她们自我成就感的公司
贵州茅台酒股份有限公司	让世界爱上茅台，让茅台香飘世界
万科集团	以人民的美好生活为己任，以高质量发展领先领跑，做伟大新时代的好企业
红蜻蜓集团有限公司	以鞋文化融合多元文化，打造"华流"鞋企
惠而浦公司	成为最好的厨房和洗衣方案供应商，不断追求改善用户的家居生活

资料来源：根据相关企业网站信息及资料整理而成。

2.2 企业使命

2.2.1 企业使命的概念

企业使命是指企业在社会进步和社会经济发展中所应担当的角色和责任，是企业战略管理者为企业确定的较长时期内生产经营的总方向、总目的、总特征和总的指导思想。企业使命的确定过程常常会从总体上引起企业方向、发展道路的改变，使企业发生战略性的变化；确定企业使命也是制定企业战略目标的前提，是战略方案制定和选择的依据，是企业分配企业资源的基础。

企业使命是在界定了企业愿景的基础上，回答企业生存和发展的理由。它是对企业经营范围、市场目标等的概括描述，它比企业愿景更具体地表明了企业的性质和发展方向。它回答了这样一些问题：我们到底是什么样的企业？我们将去向何方？谁是我们的客户？我们经营范围是什么？等等。

企业使命一般包括企业哲学（核心价值观）和企业宗旨（核心目的）两方面的内容。

1. 企业哲学（核心价值观）

企业哲学是指一个企业为其经营活动方式所确立的价值观、态度、信念和行为准则，是企业在社会活动及经营过程中起何种作用或如何起这种作用的抽象反映。

企业哲学是以企业家文化为主导的企业核心群体对企业如何生存和发展的哲理性思考。曾任 IBM 公司董事长的沃森论述过企业哲学的重要性，他说，一个伟大的组织能够长久生存下来，最主要的条件并非结构形式或管理技能，而是我们称为信念的那种精神力量，以及这种信念对于组织的全体成员所具有的感召力。换言之，一个组织与其他组织相比较取得何等成就，主要取决于它的基本哲学、精神和内在动力。这些比技术水平、经济资源、组织结构和选择时机等重要得多。

企业哲学的核心是"企业为什么而存在"，解决企业存在的价值，即"我是谁"的问题。它与企业的发展阶段、企业家的精神密切相关。德鲁克认为，创办企业的第一个问题就是"本企业是一个什么样的企业"。这个问题貌似简单，但回答起来并不那么简单。

2. 企业宗旨（核心目的）

企业宗旨是指企业现在和将来应从事什么样的事业活动，以及应成为什么性质的企业或组织类型。

在确定企业宗旨时，企业高层管理者要避免两种倾向：一种倾向是将企业宗旨确定得过于狭隘，另一种倾向是过于宽泛。狭隘的企业宗旨束缚管理者的经营思路，可能使企业丧失许多可以发展的机会。相反，如果企业宗旨过于宽泛，远远超出企业的业务范围和实际能力，则对企业的发展决策没有实际意义。

2.2.2 企业使命的作用

企业使命在战略中的主要作用如下所述。

1. 明确企业核心业务与发展方向

企业使命回答了这样一些基本问题：我们要成为什么？我们的业务是什么？我们的业务应该是什么？也就是说，一个好的企业使命应当指明企业未来的发展方向，明确企业经营的核心业务。确定企业使命，能够为企业确立一个始终贯穿各项业务活动的共同主线，建立一个相对稳定的经营主题，为进行企业资源配置、目标开发以及其他活动的管理提供依据，以保证整个企业在重大战略决策上做到思想统一、步调一致，充分发挥各方面的协同作用，提高企业整体的运行效率。

2. 协调企业各种利益相关者的分歧

一般而言，股东较为关心自己的投资回报；员工比较关心福利待遇和发展前途；公众比较关心企业的社会责任；政府主要关心税收与公平竞争；地方社团更为关心安全生产与稳定就业。这样一来，各方就有可能在企业使命与对目标的认识上产生意见分歧与矛盾冲突。因此，一个良好的使命表述应能说明企业致力于满足这些不同利益相关者需要的相对关心与努力程度，注意协调好这些相互矛盾冲突的目标之间的关系，对各种各样的利益相关者之间所存在的矛盾目标起到调和作用。

3. 帮助企业树立用户导向思想

一个好的企业使命体现了对用户的正确预期。企业经营的出发点应当是确认用户的需要，并提供产品或服务以满足这一需要，而不是首先生产产品，然后再为它寻找市场。理想的企业使命应认定本企业产品对用户的功效。美国电话电报公司的企业使命关注的不是电话而是通信，埃克森公司的企业使命突出能源而不是石油和天然气，联合太平洋公司强调的是运输而不是铁路，环球电影制片公司强调的是娱乐而不是电影，其道理就在于此。

4. 表明企业的社会责任

社会问题迫使战略制定者不仅要考虑企业对股东的责任，而且要考虑企业对用户、环境、社区等所负的责任。企业在定义使命时必然要涉及社会责任问题。社会与企业间的相互影响越来越引人关注。社会政策会直接影响企业的用户、产品、服务、市场、技术、盈利、自我认识及公众形象。企业的社会政策应当贯彻所有的战略管理活动，这当然也包括定义企业使命的活动。

5. 为战略和目标实现打下基础

实践证明，那些持续发展走向辉煌的企业，关键是有一个全体员工共同高擎的战略旗帜——企业使命。因此，企业必须在思考使命方面多下功夫，因为它是企业长远发展的行动纲领和灵魂，是战略和目标得以实现的前提与基础。

2.2.3 企业使命的定位与陈述

美国学者韦恩·麦金尼斯认为，一项使命陈述应关注这几点：①对企业进行定义并表明企业的追求；②内容要窄到足以排除某些风险，宽到足以使企业实现创造性的增长；③将本企业与其他企业进行区别；④可作为评价现在及将来活动的基准；⑤叙述足够清楚，以便在组织内被广泛理解。

1. 企业使命的定位

企业使命的定位，就是企业确定的自己在消费者心目中的关于企业业务范围的位置或印象。一般企业使命的定位包括以下四个方面的内容。

（1）**企业生存目的定位**。企业存在的主要目的是创造顾客，只有顾客才能赋予企业存在的意义。因此，企业生存目的定位主要应说明企业要满足顾客的什么需求，而不是说明企业要生产什么产品。对企业生存目的的具体定位要回答两个基本问题：企业的业务是什么？企业未来的业务应该是什么？下面用实例来说明企业生存目的定位，见表2-3。

表 2-3　企业生存目的定位

企业	生产的产品	所满足的顾客需求
化妆品公司	生产化妆品	出售希望和美丽
化肥厂	生产化肥	帮助提高农业生产力
石油公司	出售石油	提供能源
电影公司	制作影片	经营娱乐

由于围绕着满足某种顾客需要可以开发出许多不同的产品和服务，所以将满足顾客需要作为企业生存的基础，可以促使企业不断开发出新产品，从而使企业在创新中不断得到发展。

（2）企业经营理念的定位。企业经营理念是对企业经营活动本质性认识的高度概括，是企业和企业高层管理者所持有的基本价值观念，是企业内共同认可的行为准则及与信仰等有关的管理哲学。例如，海尔集团提出的"真诚到永远"；同仁堂公司的"同修仁德，济世养生"；日产公司提出的"品不良在于心不正"；通用电气推崇的"坚持诚信，注重业绩，渴望变革"等，这些都是各个企业根据自身的情况所做出的经营理念定位。

（3）顾客需求的定位。顾客需求是企业必须关注的焦点。企业使命的确立必须以顾客需求的动态变化为依据。研究顾客需求定位应当把重点放在"谁是我们的顾客""顾客的现实需求是什么""顾客需求的变化趋势是什么""如何满足顾客需求"等这几个方面。例如，华为技术有限公司提出的企业使命就很有启发性：把数字世界带入每个人、每个家庭、每个组织，构建万物互联的智能世界。

（4）企业形象的定位。企业形象是指企业以其产品和服务、经济效益和社会效益给社会公众和企业员工所留下的印象。换言之，企业形象也就是社会公众和企业员工对企业整体的看法和评价。良好的企业形象意味着企业在社会公众心目中形成了长期的信誉，是吸引现在的和将来的顾客的重要因素，也是形成企业内部凝聚力的重要原因。因此，企业在设计自己的使命时，应对企业形象的塑造给予足够的重视。

2. 企业使命的陈述

企业使命的陈述，就是用恰当的语言将企业使命表述出来。企业使命的陈述需要突出公司当前的战略目标，并提出实现这一目标的独到方法。

（1）确定企业使命时应考虑的因素。

1）企业发展历史。每个企业都有自己的发展历史，它记载了企业的辉煌业绩，也反映了它的经验和教训。现实和未来是相互衔接的，不了解过去，就无法预测未来。所以，确定企业使命应当以史为鉴，面向未来。

2）企业领导者的个人偏好。企业领导者在企业使命的确定上发挥着非常重要的作用。不同的领导者，在个人世界观、人生观和价值观方面都存在着差异，会对企业的各种问题形成自己独特的偏好，这种偏好对企业使命的确定有很大的影响。

3）企业资源和管理能力。企业资源是实现其使命的物质基础，任何企业在确定企业使命时，都不能够脱离企业的实际情况，而应当认真分析企业目前面临的资源优势和劣势，以及未来可能形成的资源优势，做到扬长避短、优势互补。企业管理能力是自身竞争优势最主要的体现，企业生产经营规模越大，经营业务越复杂，越需要管理经验丰富、管理能力强的管理者。现代企业竞争在很大程度上是由人力资源的素质，尤其是管理者的素质决定的。企业使命的确定必须充分考虑企业目前和未来管理者的管理能力问题。

4）企业外部环境变化。企业外部环境是指企业生存和发展的基本条件。企业外部环境发生某些重大变化，企业使命也可能做相应的改变。特别是对这些变化可能带来的威胁和机遇，企业更要善于发现和及时做出反应。

5）其他与企业利益相关者的要求和期望。每一个企业都有许多利益相关者，如果忽视了他们的需要，可能会造成很严重的消极后果。一个企业的利益相关者是指有能力对这个企业施加影响的，或者受这个企业的行为的显著影响的个人或群体。因此，企业在确定使命时须考虑内外利益相关者对企业的要求与愿望。这些利益主体的要求与愿望可能是企业生存和发展的支持力量，也可能是企业生存和发展的制约力量。

（2）**企业使命的构成要素**。尽管每个企业的认识水平和经营环境不同，它们所制定的企业使命在构成要素、形式和具体内容等方面有着较大的差异，但对其进行优劣评价，应该有一定的判别的标准。一种观点认为，一个企业使命是否描述得好，主要看它是否体现了企业使命的作用。即明确企业核心业务与发展方向，能协调企业内外部各种分歧，能帮助企业树立用户导向思想，能表明企业的社会责任。另一种观点则认为，优秀的企业使命描述，应尽可能多地包括以下基本要素。

1）顾客——谁是企业的主要顾客。
2）产品或服务——企业的主要产品或服务是什么。
3）市场——企业主要在哪一个地区或行业展开竞争。
4）技术——企业的主导技术是什么。
5）对企业生存、发展和盈利的关注——对企业近期、中期、远期的经济目标的态度。
6）经营理念——企业的基本信仰、价值观念和愿望是什么。
7）自我意识——企业的长处和竞争优势是什么。
8）对公众影响的关注——企业期望给公众塑造一个什么样的企业形象。
9）对员工的关心——企业应当怎样对待自己的员工。

显然，以上关于企业使命的描述应包含什么要素的两种观点，其实并无本质区别，只是其考察角度和详细程度不同而已。

（3）**企业使命陈述的原则和要诀**。

1）企业使命陈述的原则。制定企业的使命陈述需要企业的高层管理者将以下五条原则融会贯通。

A. 简短。能印在咖啡杯上。
B. 简单。适合企业的所有员工学习并理解。
C. 企业特性。使命陈述需要确切地告诉员工企业做什么以及不做什么。
D. 可执行性。可以指导所有员工的日常工作。

E. 可度量性。企业可以根据使命陈述制定其度量标准。

以上五条原则没有先后顺序，企业需要综合考虑以上所有原则。

2）企业使命陈述的要诀。

A. 企业使命陈述应突出"需求导向"而不是"产品导向"。立足于需求特别是创造需求来概括企业的存在目的，可以使企业围绕满足不断发展的需求开发出众多的产品和服务，获得新的发展机会。表 2-4 反映了以"产品导向"与"需求导向"两种不同的思路陈述企业使命的差异所在。

表 2-4 "产品导向"与"需求导向"企业使命陈述比较

企业	"产品导向"陈述	"需求导向"陈述
玛丽化妆品公司	生产化妆品	创造希望和美丽
美国电话电报公司	生产电话设备	提供信息沟通工具
埃克森公司	出售石油和天然气	提供能源
迪士尼公司	提供娱乐场所	组织娱乐休闲活动

B. 企业使命陈述应范围适当。企业使命陈述的难点在于限定业务范围的"宽"与"窄"的问题。企业使命陈述的范围太宽或太窄都会给企业战略运行带来不利影响。使命陈述范围太宽可能由于在语言上太模糊而显得空洞无物，不着边际，从而丧失了企业的特色；使命陈述范围太窄会由于语言上的局限而失去指导意义，失去与目标市场相似领域中的重要战略机会而限制企业的发展。表 2-5 列举了不适宜和适宜的企业使命陈述实例。

表 2-5 不适宜和适宜的企业使命陈述实例

企业类型	不适宜的陈述	适宜的陈述
制笔公司	提供信息传递服务（太宽）	提供信息记录手段
电影公司	制作影片（太窄）	提供文化娱乐服务

C. 企业使命陈述语言措辞要精准。要使企业使命陈述措辞精准，就必须做到这三点：一是要下苦功，不能马虎了事；二是要高标准、严要求，努力追求最佳表达效果；三是贴切自然，不要堆砌辞藻。无论是理念创意、词汇选择，还是句意酝酿、语言定格，都要千锤百炼，使之达到炉火纯青。只有这样，才能引人入胜，让人心驰神往。

● 战略专栏 2-2

企业使命陈述举例

表 2-6 所列的是一些企业使命陈述的例子。

表 2-6　企业使命陈述的例子

企业	使命
浙江绿城公司	为员工创造平台，为客户创造价值，为城市创造美丽，为社会创造财富
麦肯锡公司	帮助领先的企业机构实现显著、持久的经营业绩改善，并打造能够吸引、培育和激励杰出人才的优秀组织机构
迪士尼公司	让人们快乐
宝洁公司	提供名优产品，真正改变客户的日常生活，这就是宝洁的使命
一汽－大众公司	造价值经典汽车，创卓越出行服务，促人、车、社会和谐
华为技术有限公司	把数字世界带入每个人、每个家庭、每个组织，构建万物互联的智能世界
红蜻蜓集团有限公司	传承鞋履文化，专注鞋业科技，创造顾客体验
吉林粮食集团公司	为耕者谋利，为食者造福，为企业富强，为员工富裕

资料来源：根据相关公司网站信息及资料整理而成。

2.2.4　企业愿景与企业使命的关系

从广义上看，企业愿景和企业使命的内涵是相通的，所以现实中经常被混用。但从狭义上看，企业愿景侧重于从企业自身的角度出发，描绘的是企业未来希望达到的一种境界，而企业使命则更侧重于从企业所从事的经营活动内容和性质的角度出发，所关注的是企业经营的总方向和总目的，以及如何满足顾客需求的总体原则和经营思想。

从战略管理的角度来看，企业愿景和企业使命是极为重要的两个概念。若企业仅有使命没有愿景，则企业不能有效地界定其所希望达到的、最终可以评估的目标是什么。从本质而言，仅仅对照使命，组织成员无法衡量和评估他们所做的事情，使命是不能够达到的。如果说使命为企业注入了激情，那么愿景使激情得以延续。使命给予了公司一盏引路明灯，愿景则把使命转变为真正富有意义的预期结果，并指导组织如何分配时间、精力和资源。举例来说，沃尔玛（Wal-Mart）的使命是"永远低价"（always low prices），其所有的业务活动都是围绕这一原则来展开的。在确定了这一使命之后，沃尔玛在各个阶段都制定了愿景，"10年内成为阿肯色州收益最高的企业之一"（1945年）；"到2000年，将店铺数扩增至两倍，每平方英尺①的销售额增长60%"（1990年）；"4年内成为10亿美元企业"（1997年）。可见，只有激荡人心的愿景，才能唤起使命的活力。使命和愿景相结合，使员工既有了一个目标，也有了一种前进的动力，这使得企业能够做出非同凡响的业绩。

企业愿景与企业使命的比较见表 2-7。

表 2-7　企业愿景与企业使命的比较

比较项目	企业愿景	企业使命
出发点	企业自身	外部利益相关者，尤其是顾客
关注的焦点	企业未来的理想状态	试图满足的顾客需求和相关者的潜在利益

---

① 1 英尺^2=0.092 9 米^2。

(续)

比较项目	企业愿景	企业使命
涉及的时间	相对较长的时间段	漫长的时间段
强调的重点	令人激动、富有创新	明晰方向、激发士气
设计的效果	可望也可及的理想	可望而暂不可及的梦想

资料来源：陈忠卫.战略管理[M].3版.大连：东北财经大学出版社，2011.

2.3 企业战略目标

2.3.1 企业战略目标的特点和作用

1. 企业战略目标的特点

企业战略目标也有广义与狭义之分。广义的战略目标包括愿景、使命和目标，即愿景、使命和目标都属于战略目标范畴，可以统称为企业的目标或战略目标。狭义的战略目标不包括愿景和使命，但狭义的战略目标又可分为非财务目标和财务目标，非财务目标往往也称战略目标。因此，"战略目标"到底是指什么，要根据具体的情况来确定。这里所讨论的是狭义的目标或战略目标概念。

战略目标是指企业根据内外部条件、使命和愿景，设定的在一定时期内预期要达到的成果。它是使命和愿景的具体化和明确化，通过将愿景转化为可以计量或测量的具体明确的成果或绩效指标，可以引导、跟踪和衡量企业具体的经营管理活动，最终使战略愿景得以实现。战略目标具有以下特点。

（1）**宏观性**。战略目标是对企业全局的一种总体设想，其着眼点是整体而不是局部。它是从宏观角度对企业未来的一种较为理想的设定。它所提出的是企业整体发展的总任务和总要求。它所规定的是整体发展的根本方向。因此，人们所提出的企业战略目标总是高度概括性的。

（2）**长期性**。战略目标是着眼于未来和长远的，是关于未来的一种设想，它所设定的是企业通过自己的长期努力而达到的一种期望的结果。战略目标所规定的是一种长期的发展方向，它所提出的是一种长期任务，绝不是一蹴而就的，而是要经过企业全体员工相当长时间的努力才能够实现。

（3）**相对稳定性**。战略目标既然是一种长期目标，那么它在其所规定的时间内就应该是相对稳定的。战略目标既然是总方向、总任务，那么它就应该是相对不变的。这样，企业员工的行动才会有一个明确的方向，大家对目标的实现才会树立起坚定的信念。当然，强调战略目标的稳定性并不排斥根据客观需要和情况的变化而对战略目标做必要的修正。

（4）**全面性**。战略目标是一种整体性要求。它虽着眼于未来，但没有抛弃现在；它虽着眼于全局，但又不排斥局部。科学的战略目标是对现实利益与长远利益、局部利益与整体利益的综合反映。科学的战略目标虽然是概括性的，但它对人们行动的要求又总是全面的，甚至是相当具体的。

（5）**可分性**。战略目标作为一种总目标、总任务和总要求，总是可以分解成某些具体目标、具体任务和具体要求。这种分解既可以在空间上把总目标分解成多个方面的具体目标和具体任务，又可以在时间上把长期目标分解成多个阶段的具体目标和具体任务。人们只有把战略目标分解，才能使其具有可操作性。可以说，因为战略目标是可分的，因此才是可实现的。

（6）**可接受性**。企业战略的实施和评价主要是通过企业内部人员和外部公众来实现的。因此，战略目标必须被他们理解并符合他人的利益。但是，不同的利益集团有着不同的甚至是相互冲突的目标，因此，企业在制定战略时一定要注意协调。一般而言，越是能反映企业使命和功能的战略，越易于为企业成员所接受。另外，企业的战略表述必须明确，有实际的含义，不至于产生误解；易于被企业成员理解的目标也易于被接受。

（7）**可检验性**。为了对企业管理活动进行准确的衡量，战略目标应该是具体的和可以检验的。目标必须明确，具体地说明在何时达到何种结果。目标的定量化是使目标具有可检验性的最有效的方法。但是，仍有许多目标难以被数量化，时间跨度越长、战略层次越高的目标越具有模糊性。此时，应当用定性化的术语来描述其达到的程度，要求一方面明确目标实现的时间，另一方面须详细说明工作的特点。

（8）**激励性**。目标本身是一种激励力量，特别是当企业目标充分体现企业成员的共同利益，使战略目标和个人目标很好地结合在一起时，就会极大地激发企业员工的工作热情和奉献精神。

2. 企业战略目标的作用

（1）**战略目标是企业制定战略的基本依据和出发点**。企业战略目标是制定企业战略的前提和关键。正确的战略目标对企业行为具有重大指导作用，它是企业制定战略的基本依据和出发点。战略目标指明了企业的努力方向，体现了企业的具体期望，表明了企业的行动纲领，一个企业如果没有合适的战略目标，则势必使企业日后的经营活动陷入盲目的境地。

（2）**战略目标能够使企业使命具体化和数量化**。企业使命需要被具体化和数量化，这样才可以被有效地贯彻到企业的经营活动中。战略目标是企业使命的具体化，这是一个包含众多子目标的庞大系统，其中既有企业现实、具体和短期的目标，又有抽象、长远的目标。目标之间相互影响、相互制约，呈现一定的层次性。目标的完成与否需要用数据来衡量，因此这些目标还必须被量化，才便于企业各部门的执行和监控。

（3）**战略目标是企业战略控制与评价的标准**。战略目标定量化，使其具有可衡量性，可以帮助检查和评价目标实现的程度，便于查找执行目标过程中存在的差距，并及时调整。战略目标一般用数量指标和质量指标来表示，这样才能明确、清晰，并具有可比性。

（4）**战略目标能够有效激励各级管理人员和广大员工**。战略目标激励企业的全体成员朝着企业所期望的目标前进，需要企业给予动力，这种企业动力就是战略目标所要达到的。战略目标本身是具有先进性和挑战性的，需要付出一定的努力才能实现，也只有那些可行而先进的战略目标才具有激励和挑战作用，才能挖掘出人的巨大潜能。

2.3.2 企业战略目标的制定

1. 企业战略目标的内容

确切地讲,企业战略目标实际上是一个目标体系,由众多的子目标和各种类型的目标项目组成。目标体系的建立是指将企业的使命和愿景转化成具体的业绩目标。目标体系是企业的管理者对实现具体的经营结果所做的承诺。如果企业的长期发展方向没有转化成具体的业绩目标,企业的管理者没有实现这些目标的压力,那么企业的使命和愿景最后只能是一些美丽的词句,或者说是无法实现的梦想。无数企业及其管理者的经历都表明:如果一家企业的管理者能为每一个关键的成果领域都建立目标体系,直接以实现这些既定的业绩为目标采取适当的行动,带领企业奋发有为,那么这样的企业就会比仅有良好愿望而没有实际行动的企业取得更好的业绩。正如德鲁克指出的,每个企业都需要制定目标,并形成一定的目标体系,其内容包括以下八个方面。

(1) **市场地位方面的目标**。该目标应表明本企业希望达到的市场占有率或在竞争中达到的地位。

(2) **技术改进和发展方面的目标**。该目标是指对于改进和发展新产品、提供新型服务内容的认识和措施。

(3) **生产力方面的目标**。该目标是指有效地衡量原材料的利用,最大限度地提高产品的数量和质量。

(4) **物资和财力资源方面的目标**。该目标是指获得物质和财力资源的渠道并有效利用。

(5) **利润方面的目标**。该目标是指用一个或几个经济目标表明希望达到的利润率。

(6) **人力资源方面的目标**。该目标是指人力资源的获得、培训和发展,管理人员的培养及其个人才能的发挥。

(7) **职工积极性发挥方面的目标**。该目标是指对职工激励、报酬等方面采取的措施。

(8) **社会责任方面的目标**。该目标是指关注企业对社会产生的影响。

● 战略专栏 2-3

企业战略目标分类

企业战略目标体系是由各不相同的战略子目标组成的,其分类见表 2-8。

表 2-8 企业战略目标分类

分类	目标项目	目标项目构成
业绩目标	收益性	资本利润率、销售利润率、资本周转率
	成长性	销售额成长率、市场占有率、利润增长率
	稳定性	自有资本比率、附加价值增长率、盈亏平衡点

(续)

分类	目标项目	目标项目构成
能力目标	综合	战略决策能力、集团组织能力、企业文化、品牌商标
	研究开发能力	新产品比率、技术创新能力、专利数量
	生产制造	生产能力、质量水平、合同执行率、成本降低率
	市场营销	推销能力、市场开发能力、服务水平
	人事组织	职工安定率、职务安排合理性、直接人员和间接人员比率
	财务能力	资金筹集能力、资金运用效率
社会贡献目标	顾客	提高产品质量、降低产品价格、提高服务水平
	股东	分红率、股票价格、股票收益性
	职工	工资水平、职工福利、能力开发、士气
	社区	公害防治程度、利益返还率、就业机会、企业形象

2. 企业战略目标制定的原则

企业在制定战略目标的过程中，主要遵循以下原则。

（1）**关键性原则**。企业在确定战略目标时必须突出有关企业经营成败的全局性问题和关键性问题，切不可把次要的目标作为企业战略目标，以避免抓不住关键而浪费企业资源。

（2）**平衡性原则**。在制定企业战略目标时，需要注意这几个方面的平衡：一是不同利益相关者之间的平衡；二是长期利益与短期利益之间的平衡；三是总体战略目标与职能战略目标之间的平衡。

（3）**权变性原则**。由于客观环境变化的不确定性、预测的不准确性，要求企业在制定战略目标时应考虑多种方案以供选择。权变性原则让企业做好充分的准备，使企业增强应变能力。

（4）**定性定量相结合原则**。企业战略目标既要有定量的指标，也要有定性的指标，只有使两者有机结合才能发挥出战略目标体系的作用。

3. 企业战略目标制定举例

以下所列，是企业经常需要制定的战略目标具体实例。

（1）**盈利能力方面**。用利润、投资收益率、每股平均收益、销售利润率等来表示。例如，5年内税后投资收益率增加到12%。

（2）**市场方面**。用市场占有率、销售额或销售量等来表示。例如，3年内洗衣机的销售量每年递增100万台。

（3）**客户方面**。用客户保留率、客户获得率、客户满意度等来表示。例如，3年内使客户满意度提高5个百分点。

（4）**生产率方面**。用投入产出比率或单位产品成本等来表示。例如，5年内每个工人的日产量提高15%。

（5）**产品方面**。用产品线或产品的销售额和盈利能力、开发新产品的速度等来表示。例如，3年后淘汰利润率最低的产品。

（6）**资金方面**。用资本构成、新增普通股、现金流量、流动资本、回收期等来表示。例如，5年内流动资金增加到500万元。

（7）**生产方面**。用生产能力、工作面积、固定费用或生产量等来表示。例如，5年内上海分厂的生产能力提高20%。

（8）**研究与开发方面**。用花费的费用、完成的项目、专利数量等来表示。例如，10年内陆续投资2亿元开发一种新型汽车。

（9）**组织方面**。用将实行的组织变革或将承担的项目等来表示。例如，3年内建立一种分权制的组织机构。

（10）**人力资源方面**。用缺勤率、迟到率、人员流动率、培训人数或将实施的培训计划数等来表示。例如，5年内以每人至少5 000元的费用实施对300个员工每人30小时培训的计划。

（11）**社会责任方面**。用活动的类型、服务天数、资金资助或提供的就业岗位等来表示。例如，5年内公司工程部面向当地贫困户，寻找合适的劳动对象，平均每年提供200个工作岗位。

● 战略专栏 2-4

企业如何基于战略目标导向开展原始创新

原始创新是企业技术创新和成果转化的原动力，对企业可持续发展具有支撑引领作用。任志宽、郑茜、田思苗于2024年发表研究成果《企业如何基于战略目标导向开展原始创新：基于双案例的对比研究》，基于华为和科大讯飞两个企业样本，以战略目标导向为前提，探索了企业原始创新的主要模式和实现路径，揭示了科技型企业开展原始创新的内在机理，给我们带来了有益的启迪。

1. 研究介绍

这项研究聚焦于科技型企业如何有效地开展原始创新的问题，从组织创新理论视角出发，基于企业长期发展需求，以战略目标为导向，构建了企业原始创新路径选择的分析框架，着重分析了华为和科大讯飞在开展原始创新过程中路径选择的相似性和差异性，探索了其背后的深层逻辑，并得出三点主要结论。第一，企业开展原始创新的模式存在差异，华为主要开展以战略目标为导向的战略性原始创新，而科大讯飞主要开展以知识应用为导向的前沿性原始创新。企业开展原始创新分为"联合引智→自主研发→开放合作"三个阶段，并在路径选择中表现出自主性和开放性持续增强的特征。第二，企业原始创新能力本质上反映为"知识聚焦能力→知识整合能力→知识再创造能力"的内生性演化。内外部因素相互作用影响企业原始创新的路径选择，内部因素包括企业自身的发展情况等，外部因素包括行业发展情况及外部技术环境等。第三，即使企业选择了相似的原始创新路径，在整体上历经了大致相同的发展阶段，但是受到企业类型和外部技术环境的影响，在每一阶段企业所选择的发展模式也存在差异，如合作研究的主体范围及研究机构设立的作用等。

2. 研究的理论贡献

知识基础观认为，企业开展原始创新是对行业内先进知识的探索，企业可以由此增加知识存储，提高全要素生产率，获得较大的持续性产业竞争优势。战略性原始创新和前沿性原始创新虽然起点不同，但均以应用为导向，研究成果将投入市场，最终目的是实现盈利。由于原始创新的不确定性、研究成果的公共属性和利润获得的滞后性，企业在开展原始创新的过程中会非常谨慎，同时企业也会倾向于提高原始创新合作广度来降低研究风险，提高原始创新绩效。在原始创新能力薄弱时，企业会进行知识消化、吸收，充分利用原始创新的外部经济性和知识溢出效应；完成知识积累后，企业开始注重提升知识创造能力和自身的核心竞争力；为了使原始创新能力有跨越式的提升，企业会积极加入全球知识网络，充分利用全球范围内的创新资源，最终呈现出"联合引智→自主研发→开放合作"的发展路径。这项研究基于双案例对比分析，总结了当前我国企业开展原始创新的主要模式和阶段性路径，是对当前企业原始创新理论的补充，可以为提升企业原始创新的内在动力提供一定的理论依据。

3. 研究的实践启示

这项研究给我们带来的实践启示主要有三点。第一，科技型企业应该在观念上加强对原始创新的重视程度，认识到原始创新是企业创新发展的原动力，从长远利益的角度出发考量原始创新的价值。企业可以借鉴华为和科大讯飞开展原始创新的经验，自创立之初就选择合适的路径和发展方式来推进原始创新，并在后续的发展过程中不断地加大对原始创新的投入力度，丰富创新合作主体，扩大原始创新合作范围，逐渐在所从事的领域内形成独特的技术优势。第二，由于原始创新具有高风险性，科技型企业不能盲目地开展原始创新，应当循序渐进、步步深入。虽然科技型企业没有必要完全按照"联合引智→自主研发→开放合作"的路径开展原始创新，但是两家案例企业路径选择的深层逻辑仍然有很高的参考价值。企业应该关注自身发展情况、行业发展情况及技术环境等内外部因素，根据发展模式的变化，及时调整原始创新路径。第三，科技型企业需要认识到个体差异性对于企业开展原始创新的影响，即便企业遵循了"联合引智→自主研发→开放合作"的发展路径，也需要结合企业自身的类型、特点及所处的行业特性，考虑企业可以与哪些主体、在哪些范围内开展原始创新方面的合作，以及设立怎样的研究机构发挥自主性和现有创新资源作用等问题。

资料来源：任志宽，郑茜，田思苗.企业如何基于战略目标导向开展原始创新：基于双案例的对比研究[J].管理案例研究与评论，2024，17（5）：675-687.作者根据该资料进行了改编。

● 复习思考题

1. 企业愿景的功能和特点是什么？
2. 企业使命有何作用？确定企业使命应考虑哪些因素？
3. 企业使命陈述应遵循什么原则？有哪些要诀？

4. 企业愿景与企业使命的关系是什么?
5. 什么是企业战略目标?制定企业战略目标应遵循什么原则?

实践项目

请你为所熟悉的大学、学院或公司制定愿景和使命,并与同学或同事讨论,反复修改,最后写下你的结论并加以解释。

第 3 章　企业外部环境分析

● 学习目标

1）理解企业外部环境的基本分类
2）理解企业宏观环境因素
3）理解产业环境因素
4）了解竞争对手分析模型
5）掌握外部环境分析方法

● 先导案例

五部门打出重磅"组合拳"业界预计楼市信心将加速回升

国务院新闻办公室于 2024 年 10 月 17 日 10 时举行新闻发布会，住房城乡建设部时任部长倪虹与财政部、自然资源部、中国人民银行、国家金融监督管理总局（以下简称金融监管总局）相关负责人，介绍促进房地产市场平稳健康发展的有关情况。

倪虹表示，党中央高度重视房地产市场平稳健康发展，2024 年 9 月底的系列房地产新政出台以来，各地房地产市场的新房到访、成交、签约量大幅度增长，二手房成交量大幅度增长，楼市全面回暖。

新增实施 100 万套城中村、危旧房改造

《中国经营报》记者了解到，2024 年 9 月 26 日召开的中共中央政治局会议强调"要促进房地产市场止跌回稳"，释放了迄今最强"稳地产"信号，自 2024 年 9 月底以来，一线城市接连出台楼市新政，多部门召开新闻发布会，介绍"一揽子"增量政策举措，均极大地振振了市场信心，居民置业意愿有所改善。

本次五部门联合召开新闻发布会，彰显了稳定房地产在"稳增长"中的重要作用，也体现出更加强调政策的协同一致性，进一步明确了促进房地产市场平稳健康发展的多项"组合拳"，包括"四个取消""四个降低""两个增加"。

据倪虹介绍，"四个取消"主要包括取消限购、取消限售、取消限价、取消普通住宅和非普通住宅标准；"四个降低"包括降低住房公积金贷款利率、降低住房贷款的首付比例、降低存量贷款利率和降低"卖旧买新"换购住房的税费负担;"两个增加"包括通过货币化安置等方式,新增实施100万套城中村改造和危旧房改造。

据了解,100万套城中村和危旧房改造主要支持政策有五项:一是重点支持地级以上城市;二是开发性、政策性金融机构可以给予专项借款;三是允许地方发行政府专项债;四是给予税费优惠;五是商业银行根据项目评估情况可以发放商业贷款。

"白名单"信贷规模增加到 4 万亿元

"两个增加"包括2024年年底前将"白名单"房地产项目的信贷规模增加到4万亿元。

据金融监管总局时任副局长肖远企介绍,2024年以来,城市房地产融资协调机制将合规房地产项目纳入"白名单"。截至2024年10月16日,"白名单"房地产项目已审批通过的贷款达到了2.23万亿元。

此外,对于进入"白名单"的房地产项目,商业银行要做到"应贷尽贷",原则上,如果有关条件和要求没有发生变化,对于进入"白名单"的房地产项目,商业银行就应做到"应贷尽贷"。

他表示,今后商业银行可以在与房地产项目公司协调一致的前提之下,根据房地产项目公司提供的用款计划,将全部贷款提前发放至房地产项目公司开立的项目资金监管账户,后续依据实际用款申请,从监管账户受托支付到用款对象,把资金拨付的时间提前,只要授信审批通过,就可以把全部贷款发放到房地产项目公司开立的项目资金监管账户。这样就能够确保房地产项目、住房项目能够及早甚至提前开工建设。

利用专项债推动收储工作

据了解,在2024年10月12日国务院新闻办公室举行的新闻发布会上,财政部就已经介绍了"加大财政政策逆周期调节力度、推动经济高质量发展"有关情况,明确提出叠加运用地方政府专项债券、专项资金、税收政策等工具,支持推动房地产市场止跌回稳。其中包括支持地方政府使用专项债券回收符合条件的闲置存量土地;用好专项债券来收购存量商品房用作各地的保障性住房;用好保障性安居工程补助资金;抓紧研究明确与取消普通住宅和非普通住宅标准相衔接的增值税、土地增值税政策。

在2024年10月17日的新闻发布会上,财政部时任部长助理宋其超进一步解释称,在具体操作上,关于专项债用于土地储备,主要是支持各地结合实际情况,与存量土地的业主企业合理确定收购价格,妥善处理回收存量土地涉及的债权债务关系,合理确定专项债券项目内容和地块范围,及时安排债券发行和支出,提高土地资源的利用效率和债券资金的使用效益。

一线城市楼市全面回暖

2024年9月24日,中国人民银行公布了降低存量房贷利率,统一房贷首付比例等一揽子房地产金融政策。

在2024年10月17日的新闻发布会上,据中国人民银行时任副行长陶玲介绍,目前商业银行正在加班加点,修改合同、修改系统,做好各项准备。预计大部分存量房贷将在2024年10月25日完成批量调整,意味着还款人在2024年10月26日就可以通过贷款银行的指定渠道查看调整结果。部分中小银行完成调整的时间可能会略晚,总体预计会在2024

年 10 月 31 日前全部完成。

据了解，在房贷首付比例方面，目前，除北京、上海、深圳三个一线城市自主采取差异化安排外，全国绝大多数城市不再区分首套、二套住房，最低首付比例统一调整为 15%。此外，不少城市同步调整了限购、税收等房地产调控政策，市场信心和销售都出现了改善。

2024 年国庆节之前，北京、上海、广州、深圳四大一线城市纷纷发布楼市新政，调整限购政策，优化购房信贷支持。据中原地产研究院统计，2024 年国庆期间，北京新房成交同比上涨超过 200%；深圳新房认购量较去年同期增长 664.14%；上海新房成交也同比出现翻倍增长；广州新房项目的到访量及认购量均大幅上升。

倪虹表示，自 2024 年 9 月底以来，重点城市一手房的看房量、到访量、签约量明显增加，二手房的交易量持续上升，市场出现了积极变化。特别是一线城市，2024 年 10 月以来全线回稳。房地产在系列政策的作用下，经过三年的调整，市场已经开始筑底。

资料来源：吴静，卢志坤. 五部门打出重磅"组合拳"业界预计楼市信心将加速回升[N]. 中国经营报，2024-10-17.

3.1 企业外部环境概述

为何各地房地产市场的新房到访量、成交量、签约量大幅度增长，二手房成交量大幅度增长，楼市全面回暖？这是国家有关部门对房地产业出台了一系列新的利好政策的缘故，是该行业、企业及市场对新政出台后的直接反应。

企业作为社会的经济细胞，它的生存与发展有赖于社会的各个方面，如人力资源状况、原材料供应、融资成本、相关科学技术的发展、法律法规、政府政策等。企业是现代化分工的产物，不是孤立存在的，它必然与外部环境产生各种交换关系，因此企业经营活动受到各种各样外部环境因素的影响。

任何企业都是在一定环境中从事活动的，环境的特点及其变化必然会影响组织活动的方向、内容以及方式的选择。外部环境是企业生存和发展的土壤，它既为企业的生产经营活动提供必要的条件，同时也对其生产经营活动起着制约的作用。所有间接或直接影响企业经营的外部因素，形成了企业的外部环境。

外部环境的种种变化，可能会给企业带来两种性质不同的影响：一是为企业的生存和发展提供新的机会，二是可能会对企业造成威胁。从战略分析的角度来划分，一般把企业的外部环境分为宏观环境、产业环境两类。外部环境因素很多，不同企业的情况差异也很大，因此每个企业的外部环境都是唯一的。企业在制定战略时，可以参考相似企业的情况，但只是复制相似企业战略分析的话，是要吃大亏的。企业外部环境不是一成不变的，不同企业的外部环境只有变化大小的差别，没有不变的情况。在确认企业外部环境因素时要注意以下三点。

（1）**关联性**。外部环境因素必须与企业的经营活动有明显的相关性。

（2）**关键性**。外部环境因素很多，需要把分析的重点放在对企业经营活动有重要影响的那些关键因素上。

（3）**可分析性**。外部环境因素应该内涵清楚，有合法、合理取得相关信息的渠道。

3.2 企业宏观环境分析

宏观环境对处在该环境中的所有相关企业都会产生影响，而且这种影响通常间接地、潜在地影响企业的生产经营活动。

一般分析企业的宏观环境采用的是 PEST 分析模型，如图 3-1 所示。

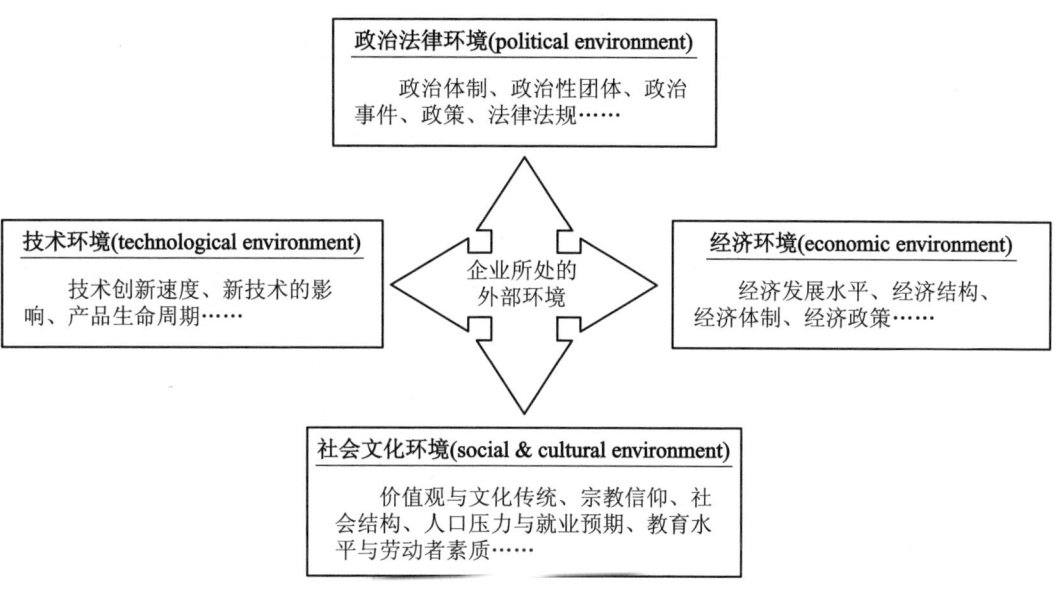

图 3-1　企业宏观环境 PEST 分析模型

3.2.1　政治法律环境分析（P）

政治法律环境泛指一个国家的社会制度，执政党的性质，政府的方针、政策，以及国家制定的有关法律法规等。不同的国家有着不同的社会制度，不同的社会制度对企业生产经营活动有着不同的限制和要求。即使在社会制度没有发生变化的同一个国家，政府在不同时期的基本路线、方针、政策也是在不断变化的。对于这些变化，企业必须进行分析研究。通过对政治法律环境进行研究，企业可以明确其所在的国家和政府目前禁止它们干什么，允许它们干什么以及鼓励它们干什么，以便使它们活动符合社会利益并受到有关方面的保护和支持。

● **战略专栏 3-1**

多项税收政策调整，促进房地产市场平稳健康发展

加大住房交易环节契税优惠力度，降低土地增值税预征率下限……多项促进房地产市场平稳健康发展的税收政策于 2024 年 11 月 13 日对外公布。当日，财政部、税务总局、住房城乡建设部发布相关公告，明确了上述安排。

三部门有关司负责人介绍，此次政策调整，加大住房交易环节契税优惠力度，积极支持居民刚性和改善性住房需求；降低土地增值税预征率下限，缓解房地产企业财务困难。

具体来看，在契税方面，将现行享受 1% 低税率优惠的面积标准由 90m² 提高到 140m²，并明确北京、上海、广州、深圳四个城市可以与其他地区统一适用家庭第二套住房契税优惠政策，即调整后，在全国范围内，对个人购买家庭唯一住房和家庭第二套住房，只要面积不超过 140m² 的，统一按 1% 的税率缴纳契税。在土地增值税方面，将各地区土地增值税预征率下限统一降低 0.5 个百分点。各地可以结合本地区情况对实际执行的预征率进行调整。

同时，三部门有关司负责人介绍，明确与取消普通住宅和非普通住宅标准相衔接的增值税、土地增值税优惠政策，降低二手房交易成本，保持房地产企业税负稳定。

在增值税方面，在有关城市取消普通住宅和非普通住宅标准后，对个人销售已购买 2 年以上（含 2 年）住房一律免征增值税，原针对北京、上海、广州、深圳四个城市个人销售已购买 2 年以上（含 2 年）非普通住房征收增值税的规定相应停止执行。在土地增值税方面，取消普通住宅和非普通住宅标准的城市，对纳税人建造销售增值额未超过扣除项目金额 20% 的普通标准住宅，继续实施免征土地增值税优惠政策。

记者了解到，为确保纳税人及时享受税收优惠政策红利，税务部门将会同有关部门采取一系列措施，持续优化纳税服务，提升纳税人的满意度和获得感。

资料来源：申铖，王雨萧. 多项税收政策调整！促进房地产市场平稳健康发展 [N]. 新华每日电讯，2024-11-14（5）.

3.2.2　经济环境分析（E）

经济环境主要是指构成企业生存和发展的社会经济状况及国家的经济政策，包括社会经济结构、经济体制、宏观经济发展水平、宏观经济政策等因素。其中影响最大的是宏观经济发展水平和政府所采取的宏观经济政策。衡量宏观经济发展的指标主要有国民收入、国内生产总值及其变化情况，这些指标能够反映国民经济发展水平和发展速度。宏观经济的发展和繁荣显然会为企业的生存和发展提供有利机会，而萧条、衰退的形势则可能给所有企业带来生存的困难。宏观经济的发展会导致企业所在区域和所服务市场区域的消费者收入水平、消费偏好、储蓄情况和就业程度等因素的变化，这些因素直接决定着企业目前及未来的市场规模。政府所采取的宏观经济政策主要是指国家经济发展战略、产业政策、国民收入分配政策、金融货币政策、财政政策、对外贸易政策等，往往从政府支出总额和投资结构、利率、汇率、税率、货币供应量等方面反映出来。例如，国家实施信贷紧缩政策会导致企业流动资金紧张，周转困难，投资难以实施；而政府支出的增加，则可能给许多企业创造良好的销售机会。

经济因素影响国家或地区的经济是否健康运行，从而决定了企业或者行业是否能够获得足够的回报。经济因素影响的水平和强度因企业而异，企业在进行经济环境分析时，需要结合企业自身的实际情况，着重考虑对企业影响甚大的关键经济因素。经济因素分析的主要内容包括经济周期、GDP 的变化趋势、货币供给量、通货膨胀、失业率、可支配收入、能源以及劳动力的供给与成本等。

战略专栏 3-2

我国的 GDP 年度增长率及其变化趋势

GDP 是指按市场价格计算的一个国家（或地区）所有常住单位在一定时期内生产活动的最终成果，是公认的衡量国家经济状况的最佳指标。GDP 增长率是宏观经济的四个重要观测指标之一（其他三个分别是失业率、通货膨胀率和国际收支）。具体来说，GDP 增长率是指一个时期（年）的 GDP 与上一时期（年）比较的百分比的变化。它的作用主要是可以反映出一个国家（或地区）经济规模和财富的增长速度。

在我国经济发展历程中，GDP 指标有以下比较重要的节点。

我国 GDP 1986 年超过 1 万亿元，2001 年超过 10 万亿元，2012 年超过 50 万亿元，2014 年超过 60 万亿元，2016 年超过 70 万亿元，2017 年超过 80 万亿元，2018 年超过 90 万亿元，2019 年接近 100 万亿元，2020 年中国 GDP 总量为 1 015 986 亿元，突破 100 万亿元大关。表 3-1 所示为中国 1961—2023 年 GDP 增长率。

我国 GDP 平减指数整体有一定涨幅且波动较大，给 GDP 的名义增长率带来了较大的不确定性。一般在对比中美或者其他各国的 GDP 增长时，用的是当时的名义数据，所以以某年的 GDP 和 GDP 增长率数据为基础来推算后面几十年的发展趋势，往往会产生很大的误差。

表 3-1 中国 1961—2023 年 GDP 年度增长率

年份	中国 GDP 年度增长率	年份	中国 GDP 年度增长率	年份	中国 GDP 年度增长率
2023	5.20%	2011	9.55%	1999	7.67%
2022	3.00%	2010	10.64%	1998	7.84%
2021	8.10%	2009	9.40%	1997	9.23%
2020	2.30%	2008	9.65%	1996	9.93%
2019	6.10%	2007	14.23%	1995	10.95%
2018	6.60%	2006	12.72%	1994	13.05%
2017	6.90%	2005	11.40%	1993	13.87%
2016	6.74%	2004	10.11%	1992	14.22%
2015	6.91%	2003	10.04%	1991	9.29%
2014	7.30%	2002	9.13%	1990	3.91%
2013	7.77%	2001	8.34%	1989	4.19%
2012	7.86%	2000	8.49%	1988	11.23%

(续)

年份	中国 GDP 年度增长率	年份	中国 GDP 年度增长率	年份	中国 GDP 年度增长率
1987	11.69%	1978	11.13%	1969	16.94%
1986	8.94%	1977	7.57%	1968	-4.10%
1985	13.44%	1976	-1.57%	1967	-5.77%
1984	15.14%	1975	8.72%	1966	10.65%
1983	10.84%	1974	2.31%	1965	16.95%
1982	8.93%	1973	7.76%	1964	18.18%
1981	5.17%	1972	3.81%	1963	10.30%
1980	7.81%	1971	7.06%	1962	-5.58%
1979	7.60%	1970	19.30%	1961	-27.27%

以 GDP 年度增长率在 8% 以上为标准，中国从 2000 年起至 2011 年连续 12 年 GDP 年度增长率超过 8%。从 2012 年起滑落至 7.86%，2013 年为 7.77%，2014 年为 7.30%，2015 年为 6.91%，2016 年为 6.74%，2017 年为 6.90%，2018 年为 6.60%，2019 年为 6.10%。在宏观经济分析中，GDP 是人们最为关注的宏观经济指标之一。从 2012 年开始，中国经济进入结构性减速阶段。其原因主要有以下几点。第一，低劳动成本优势正在消失。在过去相当长一段时间，由于农村存在大量富余劳动力，我国通过将劳动力从低生产率的农业部门转移到高生产率的工业部门，实现了经济的高速增长。根据文献显示，在内地，某年间一个农民在农村的年收入大约是 5 000 元，到城市打工的年收入大约是 20 000 元。可见，一个农民从农村转移到城市，就他的个人收入而言，为 GDP 做出的贡献就提高了 3 倍。但是，目前我国劳动年龄人口下降，农村富余劳动力正在消失（刘易斯拐点的到来）。受此影响，过去那种结构性的增长方式无以为继，导致潜在增长率下降。第二，从国外引进先进技术的空间正在变小。部分发展中国家之所以可以在短时间内走完发达国家长时间走过的道路，是因为可以通过引进发达国家现有的先进技术和制度，实现全要素生产率的高速增长。但是，随着发展中国家技术逐渐接近先进水平，可以低成本引进的先进技术或者知识逐渐减少。第三，高投资率无以为继。长期以来，我国的投资率一直保持在较高的水平，在工业化过程中，特别是进入重化工业阶段，产业链条不断加长，中间投入持续扩大；同时，人口和生产向城市集中，国内市场一体化程度不断提高，城市化水平迅速上升，对基础设施建设和房地产的需求不断扩大，这给资本逐利提供了许多机会。随着工业化和城市化水平的提高，高收益的投资机会逐渐减少，投资收益边际递减。除了工业化和城市化之外，在过去，出口也为包括外资企业在内的境内企业创造了许多投资机会，目前，出口引致的投资也在减少。

资料来源：潘泽清. 战略管理：理论与实践 [M]. 北京：经济科学出版社，2016. 此外，作者还根据国家统计局官网上的有关资料进行整理，编写成了本专栏。

3.2.3 社会文化环境分析（S）

社会环境包含的内容十分广泛，如人口数量、结构及地理分布、教育文化水平、信仰与价值观念、行为规范、生活方式、文化传统、风俗习惯等。其中，人口因素是一个极为重要的因素。人口数量制约着个人或家庭消费品的市场规模，如我国的移动电话起步较晚，但现在移动电话的用户数量为世界第一位，这就与我国拥有庞大的消费市场密切相关。人口的地理分布决定消费者的地区分布，消费者的地区分布范围越广，消费者的爱好就越多样化，这就意味着会出现多种多样的市场机会。年龄分布决定了以某年龄层为对象的产品的市场规模，如我国有大量的独生子女和老年人，这些分别形成了独特的消费市场。中国乳制品业在近年来发展十分迅速，生产规模不断扩大。这有多方面的原因，人们的可支配收入增多、人口结构的变化、消费观念和习惯的改变等都在起着作用。社会文化环境中还包括一个重要的因素是企业所处地理位置的自然资源与生态环境，包括土地、森林、河流、海洋、生物、矿产、能源、水源等自然资源以及环境保护、生态平衡等方面的发展变化。

3.2.4 技术环境分析（T）

技术环境是指与企业生产经营活动相关的科学技术要素的总和。它既包括导致社会巨大发展的革命性的产业技术进步，也包括与企业生产直接相关的新技术、新工艺、新材料的发明情况、应用程度和发展趋势，还包括国家和社会的科技体制、科技政策和科技水平。当前，一场以数字化为核心的新技术革命正在迅猛发展，它既促使了一些新兴产业的高速发展，也推动了老产业的革新，同时也对企业管理产生了重要影响。科学技术是第一生产力，它可以让企业创造新的产品、新的市场，降低成本、缩短生产周期，改变企业的竞争地位和盈利能力。世界上成功的企业无不是对新技术的采用予以极大的重视。

3.3 产业环境分析

产业环境是指对处于同一产业内的企业都会发生影响的环境因素。与宏观环境不同的是，产业环境只对处于某一特定产业内的企业以及与该产业存在业务关系的企业发生影响。产业环境分析一般分为产业环境总体分析与产业环境中的竞争状况分析。

3.3.1 产业环境总体分析

不同的产业之间在其特征和结构方面有着很大的差别，所以产业环境分析往往首先应从整体上把握产业中最主要的经济特性。各个产业之间在以下因素上往往存在很大的差异。

（1）市场规模。小市场一般吸引不了大的或新的竞争者；大市场常常能引起实力雄厚的公司的兴趣，因为它们希望购并有吸引力的市场中已建立稳固地位的竞争者。

（2）市场增长率。快速增长的市场鼓励公司进入该市场；增长缓慢的市场使市场竞争加剧，并导致弱小的竞争者退出。

（3）市场竞争的地理区域。该行业的市场是当地性的、区域性的、全国性的、国际性的，还是全球性的？例如，水泥的销售主要是区域性的，由于长距离运输成本很高，所以生产商很少将其产品销往离生产工厂较远的地区。

（4）竞争厂商的数量及其相对规模。考虑行业是被众多的小公司细分，还是被几家大公司垄断。

（5）购买者的数量及其相对规模。到达购买者的分销渠道的种类。

（6）前向一体化及后向一体化的普遍程度。

（7）产品生产工艺革新和技术变革的速度。技术变革会使风险迅速增加，且使产品生产工艺革新更为迅速，因为一方面，投资的技术设施或设备往往在尚未破损之前就已经"陈旧过时"；另一方面，技术迭代使竞争中存在交替"执牛耳"的机会，也会使风险增加。

（8）竞争对手的产品服务是标准化的，还是差别化的。

（9）规模经济和经验曲线效应的程度如何，行业中的公司能否实现采购、制造、运输、营销或广告等方面的规模经济，行业中的某些活动是否有学习及经验效应方面的特色，从而使单位成本会随累积产量的增长而降低。

（10）生产能力利用率高低是否在很大程度上决定着公司能否获得成本生产效率。

（11）必要的资源以及进入和退出的难度。进入困难往往可以保护现有公司的地位和利润，而退出困难则会加剧行业内的竞争。

（12）行业的整体盈利水平如何。高利润的行业更容易吸引新进入者，行业盈利水平低往往会使部分竞争者退出。

不同的产业的发展阶段也有很大差异。行业生命周期是指一个行业从出现直至完全退出社会经济领域所经历的时间。一般来说，它可以分为开发期、成长期、成熟期、衰退期四个阶段。在开发期，产品设计尚未成熟或定型，产品的开发、销售成本很高，销售量增长缓慢且不稳定，利润很低甚至亏损，行业内竞争较少，进入壁垒主要来自产品的设计和开发能力以及投入水平，市场风险很大。处于该阶段的行业领域一般不会成为企业的战略焦点，大多是行业先驱者在做基础性的研究与开发工作。在成长期，产品的设计工艺与方法已初步成熟并被迅速模仿，顾客对产品的认知程度迅速提高，销售额和利润迅速增长，规模的增大使得企业的生产成本不断下降，生产能力出现不足，丰厚的利润空间使得大量企业以各种方式加入该行业，企业间的竞争在迅速形成和展开，行业内企业应对风险的能力增强。在成熟期，原来潜在的市场份额已被"瓜分"完毕，产品销售趋于饱和，利润不再增长。顾客的重复购买行为成为企业生存发展的重要支撑。经过市场竞争"大浪淘沙"式的选择后，生存下来的企业彼此实力相当、竞争激烈，它们往往依靠不同的竞争战略和市场细分策略在行业领域内占据一席之地。规模效应的存在使得进入壁垒进一步提高，行业内现存的企业面临的风险不大。在衰退期，由于替代品的出现或生产能力严重过剩等原因，产品销售量和利润水平大幅度下降，原有企业纷纷退出该行业领域，市场竞争程度因企业的退出行为而趋于缓和，但企业面临较多难以预料的风险因素。在这一阶段，成功的退出战略或转移战略的制定与实施成为企业战略管理活动的主要内容。

3.3.2 产业环境中的竞争状况分析

产业环境中的竞争状况分析一般采用波特五力模型,如图 3-2 所示。

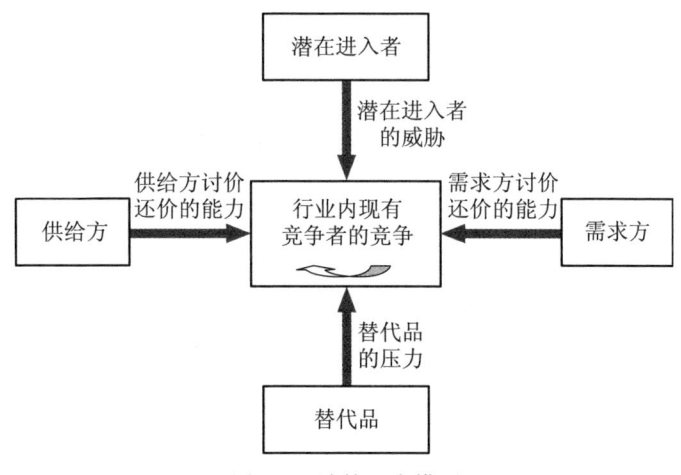

图 3-2 波特五力模型

1. 潜在进入者的威胁

所谓潜在进入者是指产业外随时可能进入某行业成为竞争者的企业。由于潜在进入者的加入会带来新的生产能力和物质资源,并会要求获得一定的市场份额,因此对本产业的现有企业构成威胁,这种威胁称为进入威胁。进入威胁的大小主要取决于进入壁垒的高低以及现有企业的反应程度。

进入壁垒是指要进入一个产业需要克服的障碍和付出的代价。影响进入壁垒高低的因素主要有:规模经济、产品差异、资本需求、转换成本、销售渠道、与规模经济无关的成本优势。

2. 行业内现有竞争者的竞争

行业内现有竞争者的竞争是指产业内各个企业之间的竞争关系和程度。不同产业竞争的激烈程度是不同的。如果一个产业内的主要竞争对手基本上势均力敌,无论产业内企业数目有多少,产业内部的竞争必然激烈,在这种情况下,某个企业要想成为产业的领先者或保持原有的高收益水平,就要付出较高的代价;反之,如果产业中只有少数几个大的竞争者,形成半垄断状态,企业间的竞争便趋于缓和,企业的获利能力就会增大。

决定产业内企业之间竞争激烈程度的因素有:竞争者的多寡及力量对比、市场增长率、固定成本和库存成本、产品差异性及企业的转换成本、产业生产能力的增加幅度、产业内企业采用策略和背景的差异以及竞争中的利害关系、退出壁垒。

3. 替代品的压力

替代品是指那些与本企业产品具有相同功能或类似功能的产品。决定替代品压力大小的因素主要有:替代品的盈利能力、替代品生产企业的经营策略、购买者的转换成本。

4. 供给方讨价还价的能力

供给方是指企业从事生产经营活动所需要的各种资源、配件等的供应商。它们往往通过提高价格或降低质量及服务的手段，向产业链的下游企业施加压力，以此来榨取尽可能多的产业利润。

决定供给方讨价还价能力的因素主要有：供方产业的集中度、交易量的大小、产品差异化程度、转换供给方成本的大小、前向一体化的可能性、对信息的掌握程度。

● 战略专栏 3-3

与供应商谈判的技巧

与供应商讨价还价是一个既考验智慧又需要策略的过程。以下是基于多维视角，为你（需求方）提供的一些建议。

1. 充分准备
- 了解市场：深入调查市场，了解同类产品或服务的价格区间、质量差异以及供应商的信誉等信息。这有助于你设定一个合理的砍价目标。
- 分析需求：明确自己的采购需求，包括数量、规格、质量等，以便在谈判中更有针对性地提出要求。
- 制定策略：根据市场和需求信息，制定砍价策略，如采用量大压价、长期合作吸引等策略。

2. 建立信任与沟通
- 展现诚意：通过微笑、握手、目光交流等非语言行为来展示友好和尊重，让供应商感受到你的诚意。
- 倾听与提问：善于倾听供应商的讲解，了解其产品特点和优势。同时，通过提问引导供应商思考，挖掘可能的降价空间。
- 运用语言技巧：采用恰当的语言表达你的需求和期望，避免过于强硬地提出无理的要求，可以使用一些委婉的措辞，如"能否再考虑一下价格""这个价格有点超出我们的预算"等。

3. 运用心理学策略
- 利用锚定效应：避免首先出价或还价，尽量让对方先报价，从而锚定价格区间。在此基础上，你可以根据对方的报价进行砍价。
- 制造僵局：在谈判过程中，可以适时制造僵局，通过提出看似不合理的要求或条件来试探对方的底线。当对方感到有压力时，可能会做出让步。
- 运用情感因素：在砍价过程中，可以适当运用情感因素来增强说服力。例如，强调双方合作的长期性和互惠互利的关系，让对方感受到你的真诚和热情。

4. 逻辑分析与判断
- 分析成本：从供应商的角度分析其生产成本和利润空间，以便在砍价时提出合理的价格。

- 评估风险：考虑采购的风险因素，如质量风险、交货风险等。在砍价时，可以提出相应的风险补偿要求。
- 逻辑推理：运用逻辑推理来分析供应商的报价是否合理。例如，比较不同供应商的价格和质量，以及考虑采购量对价格的影响等因素。

5. 灵活应对与妥协
- 灵活调整策略：在谈判过程中，要根据实际情况灵活调整砍价策略。例如，当对方坚决不降价时，可以考虑要求赠品或延长保修期等替代方案。
- 学会妥协：在砍价过程中，也要学会适时妥协。通过适当的利益出让，可以增进双方的合作意愿和信任感。

6. 书面协议与跟进
- 达成书面协议：在砍价成功后，要及时与供应商签订书面协议，明确价格、数量、质量、交货期等关键条款。
- 跟进与执行：在协议签订后，要密切关注供应商的履约情况，确保采购的顺利进行。

总之，与供应商讨价还价是一个需要综合运用多学科知识和策略的过程。通过充分准备、建立信任与沟通、运用心理学策略、逻辑分析与判断以及灵活应对与妥协等方法，你可以更有效地与供应商进行谈判。

资料来源：作者根据有关资料整理而成。

5. 需求方讨价还价的能力

作为需求方（顾客、用户），必然希望所购买的产品物美价廉、服务周到，且从产业现有企业之间的竞争中获利。因此，他们总是为压低价格、要求提高产品质量和服务水平而同该产业内的企业讨价还价，使得产业内的企业相互竞争，导致产业利润下降。

影响需求方讨价还价的能力的因素主要有：需求方的集中度、需求方从本产业购买的产品在其成本中所占比重、需求方从本产业购买的产品的标准化程度、转换成本、需求方自身的盈利能力、需求方后向一体化的可能性、需求方对信息的掌握程度。

● 战略专栏 3-4

元气森林的竞争态势分析

元气森林是一家互联网创新型饮品公司，其基本理念是生活美学与健康科学共存的饮品研发与生产。元气森林是最近几年发展得非常快的饮料品牌，在无糖饮品市场的占有率在国内处于头部位置，仅用几年时间，其估值已经达到 45 亿元。公司的销售额对比其他饮料品牌，在无糖饮品市场中遥遥领先。2020 年上半年的销售额达到 6 亿元。在如今的软饮及茶饮市场中有很多的饮料品牌，如传统龙头品牌百事可乐、可口可乐及农夫山泉，或者新锐品牌喜茶等，但是没有一家公司能够像元气森林一样，不论是市场占有还是品牌塑造都用了很短的时间。元气森林同时开启线上与线下渠道——在线上利用互联网的便利，扩大品牌的知名度，吸引更多的人群，与此同时大力发展线下渠道。在选择线下渠道方面，元气森林改变传统策略，摒弃与大型商场的合作，开展与便利店的深层次合作交流，把握住了便利店发展的风口，通过便利店来进行线下销售。在这段时间里，便利店发展利好的同时也拉动元气森林气泡水的知名度迅速上升。

进入市场以来，元气森林已经在无糖饮品的市场中占据了有利的战略地位，品牌影响力和市场占有率都处在市场中顶端的位置。但随着时间的推移，由于自身资源能力薄弱及外部环境的变化，元气森林面对的挑战也接踵而来，以下运用波特五力模型，对其竞争态势进行分析。

（1）新进入者的威胁。在我国饮品市场中，百事可乐、可口可乐、农夫山泉等品牌占据着大半份额。在初创时期，元气森林以网红爆款产品元气森林气泡水出名，迅速占领无糖饮品的市场，前期成效明显。截至 2020 年，元气森林完成 25 亿元的销售额，在淘宝"双 11"等活动中，多次在饮品销量榜单中登顶，但其产品的爆火，也引起了其他商业巨头的虎视眈眈。不少大企业强势进入，百事可乐、可口可乐大力开发无糖饮品，从无糖可乐到无糖气泡水再到无糖咖啡或无糖益生菌饮品，依靠自身优势，通过降低成本换来价格优势；其利用自身资金、生产、仓储、运输等优势，不断缩小成本差，压迫元气森林市场。农夫山泉参照元气森林的产品口味，推出农夫山泉"汽茶"气泡水，不仅在定价上低于元气森林，还推出了气泡茶这一新的形式，增加了更多的风味；基于长期的经营优势，农夫山泉大举进驻大型商超，拓展自己的线下市场，进一步抢占元气森林的市场份额。

另外，同类竞争者的出现也使元气森林的市场份额不断压缩。喜茶、清泉出山等网红品牌也不断开展气泡水的研发，运用社交平台宣传、网红带货、简约包装等形式不断开拓市场。对比元气森林，该类品牌有着自己的优势，其本身并不是依靠气泡水成名的，比如喜茶本是致力于发展现场制作饮品市场的，它进军气泡水市场，依靠自身的门店优势及长期以来的品牌优势，使元气森林面对此类品牌竞争时捉襟见肘。究其原因，是元气森林气泡水并没有核心技术，没有建立品牌壁垒，导致被模仿的成本很低。根据元气森林的产品特征与新颖形式，饮品品牌不断进行产品包装风格与产品定位的改进，导致现在市场上已经出现多种类似元气森林气泡水的饮品。

（2）供应商的议价能力。三元生物是生产赤藓糖醇的专业厂商，也是元气森林赤藓糖醇的主要供应商。2021 年，元气森林成为三元生物最大的客户。三元生物是元气森林发展的重要伙伴，随着无糖饮品的发展和消费者减糖、控糖意识的广泛提升，赤藓糖醇的市场需求旺盛。由于市场的火热，伴随着元气森林的成长掀起了一股使用赤藓糖醇的热潮。可口可乐、百事可乐、农夫山泉、统一、今麦郎、喜茶等知名品牌，纷纷与三元生物展开合作，随着合作的加强，元气森林在三元生物客户名单中的地位受到了冲击。随着赤藓糖醇带来的收益不断增加，三元生物于 2022 年正式上市，但伴随着供应商的发展壮大和成功上市，元气森林的议价能力被进一步削弱了。同时，随着更多品牌的进入，赤藓糖醇的价格也被逐渐抬高，虽然因为产能的增加，价格方面的变化幅度还不是很大，但相较于其他行业巨头，元气森林的成本问题亟待解决。不论是百事可乐、可口可乐拥有的庞大资金规模及企业体量，还是农夫山泉等国有品牌的工厂及物流优势，都是元气森林不可比拟的。供应商的强大议价能力给元气森林带来了棘手的成本问题。

（3）消费者的讨价还价能力。众多品牌竞相效仿元气森林进入无糖饮品市场，导致市场中出现很多类似的产品。由于这些产品在口味、包装、宣传方式上如出一辙，消费者在进行选择时有了更多的比较与筛选。在无糖饮品市场打开的初期，消费者在选择新的产品时，对于品牌的选择寥寥无几，考虑的只有健康和无糖，但随着可选择项增多，消费者会考究多个要素，如口味、价格、包装、折扣活动等，这就导致企业面对消费者时的讨价还价能力减弱。再者，对于第三方销售者，元气森林在便利店和网上商城的份额也会减少，便利店与网上商城有了更多的选择去增加自身利润，它们不再局限于一个品牌，会尝试降低进价，使得品牌之间通过降低价格来竞争，以占领市场，从而降低自身成本，获取更多利润。由于品牌的选择增多，不论是第三方销售者，还是所面向的消费群体，在这一方面，元气森林的议价能力进一步被削弱。当元气森林的竞品品牌增多时，消费者的议价能力便会随之提升，根本原因是品牌壁垒薄弱，被替代、被模仿的可能性太大，导致品牌产品力减弱。

（4）替代产品和服务的威胁。元气森林一直营造的是"0糖0脂0卡"的健康专家形象，在为客户提供服务时均本着健康的理念，以塑造品牌。但如今，"0糖"标签引发的争议使元气森林一度站上了风口浪尖，这源于蔗糖与"0糖"的概念混淆。虽然针对代糖算不算糖、代糖对身体是否有危害的问题，元气森林在第一时间做出了解释（选用的是区别于阿斯巴甜的代糖，对身体没有危害），但依然在消费者心中留下了疑惑。在竞品方面，元气森林的效仿者已经进入了市场，并加入了竞争。在理念上，替代产品站在元气森林带来的健康饮品的风潮中，积极响应健康理念，宣传本企业产品具有同样的功效，将控糖、健康的标签嫁接到自身产品上。在营销手段上，替代产品借鉴元气森林的营销方式，吸取文化理念与新媒体营销理念上的优点，通过互联网手段，积极开展社交平台宣传。社交平台活跃不再是元气森林的专属代名词，各大网红品牌相继到来。延伸到销售渠道，成本与价格使分销商在不同的产品之间摇摆。对于线下的便利店模式，喜茶、健力宝等品牌已加入；对于线上的销售，同样有替代产品大肆宣传并投入大额营销资金以拓展渠道。产品同质化问题已影响元气森林自身品牌的建设。

（5）行业内已有竞争者的威胁。在进入无糖饮品市场之前，康师傅、伊藤园等大品牌已经在布局，虽然收效甚微，但是已有部分客户存量，如农夫山泉的东方树叶、伊藤园的伊藤绿茶都占有一定的市场份额。随着元气森林的崛起，蓝海"原住民"认识到了市场的正确打开方式，纷纷利用自身独特的资源能力抢占市场，学习元气森林模式，打造自身产品，基于自身资源能力禀赋降低成本、降低价格，在营销和销售渠道投入更多的资金，挤压元气森林的份额。由于受到已有的无糖饮品竞争者的影响，元气森林的外部环境更加严峻。元气森林波特五力模型如图3-3所示。

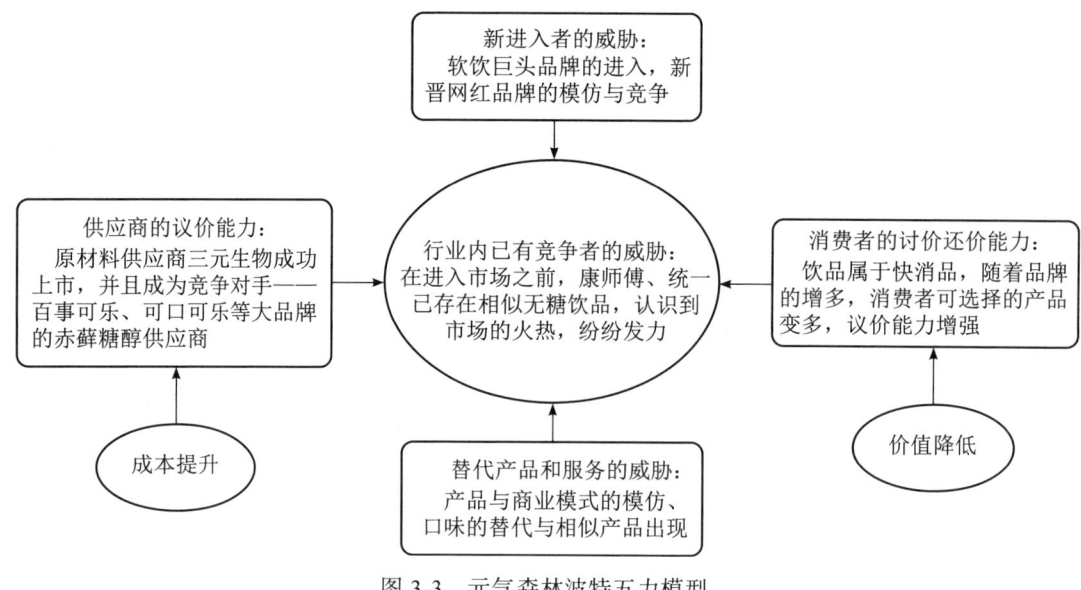

图 3-3　元气森林波特五力模型

资料来源：徐海卿，云乐鑫.互联网情境下企业不同时期战略研究：以元气森林为例[J]. 经营与管理，2023（5）：50-55.

3.3.3　行业关键成功因素分析

1. 行业关键成功因素的识别

行业的关键成功因素（key success factor，KSF）是指那些影响行业成员生存和成功的能力以及在市场上获取竞争优势的能力的最重要因素。

大前研一（Kenichi Ohmae）认为，关键成功因素的识别不仅要关注行业中组织自身所拥有的资源，而且应考虑组织所处的竞争环境，并提出了有助于识别行业中关键成功因素的 3C 分析视角，即顾客（customer）、竞争（competition）、合作（cooperation）。

（1）**顾客角度**。

1）顾客。谁是我们的顾客？谁是我们的潜在顾客？我们是否主导了某些特定的市场？顾客为何购买我们的产品？又为何购买竞争者的产品？

2）价格。市场是按低价、中等价还是高价划分的？

3）质量。一些顾客愿意为实际上或可见的质量差别支付更高的价格，这是否可以成为企业获取成功的一个途径？

4）服务。一些顾客是否想得到有价值的服务，而另一些顾客仅仅想购买产品？

（2）**竞争角度**。企业是否能够击败竞争者或者至少能够在竞争中生存？使竞争对手非常成功的资源和拥有顾客的原因是什么？企业在质量、价格等方面如何与竞争者相比较？企业拥有的分销网络较之于竞争对手是否更强大？

1）成本比较。哪家企业的成本最低？为什么？

2）质量比较。哪家企业的产品质量最高？高到何种程度？为什么？

3）价格比较。哪家企业的价格最高？

4）分销商比较。哪家企业拥有最好的分销商？最低的成本是多少？最快的速度是多少？具有竞争力的分销商是否了解企业的产品或服务？

(3) 合作角度。

1）优势互补。每个企业都有自己的优势，即使是同一行业的生产经营同样的产品或服务的企业，其优势也不完全相同，这是企业合作的基础之一。

2）存在互补性产品。产品的互补性是企业合作的又一基础，因为一种产品的生产与销售可以带动另一种产品的生产与销售。

3）有可能形成供需链。在现实中，交易是由不同的环节组成的一条链，每个环节都直接或间接地影响买卖决策。因此，企业通过合作就可能形成供需链。

4）寻求合作伙伴。当相互竞争的企业对有限的资源进行争夺时；当有必要对有限的资源进行重新分配利用时；当存在瓶颈，企业单靠自己的力量在短时期内难以突破时；当企业无法完成自己的目标或自己完成所有的任务目标成本太高时，都可以考虑寻求合作伙伴。

2. 行业关键成功因素分析的战略意义

每个企业的资源都是有限的，那些在市场上获得成功的企业并非在所有方面都比对手要强，而是在对行业竞争起关键作用的某一个或几个方面表现突出。因此，识别、明确行业的关键成功因素具有重要的战略意义。如果一个企业的战略管理者能够敏锐洞察所处行业的关键成功因素，使企业的战略有效建立在本行业的关键成功因素之上，该企业就可以在此后的战略实施过程中通过不断强化这些关键成功因素来获取持久的竞争优势。

3. 几种常见的行业的关键成功因素

(1) 与生产制造相关的关键成功因素。

1）以低成本达到一定的生产效率（获得规模经济，获得经验曲线效应）。

2）低成本的产品设计和产品工程（有效降低制造成本）。

3）固定资产的利用率高（对于资本密集型或高固定资产投入的行业尤其重要）。

4）能够获得足够的娴熟劳动力。

5）劳动生产率高（对于劳动力成本很高的商品而言尤其重要）。

6）低成本的生产工厂定位。

(2) 与技术相关的关键成功因素。

1）在产品生产过程中工艺创造性改进的能力。

2）基础科学研究技能及专利保护。

3）产品革新能力。

4）在既定技术上的专有技能，如利用互联网发布信息、承接业务订单和提供服务的能力。

战略专栏 3-5

超级制造的未来，是可能与选择

理查德·戴维尼的《超级制造》一书，为我们前瞻了全球经济变革的大图景。这位战略与管理思想家，试图描绘未来制造业的发展逻辑——以3D打印技术为代表的增材制造技术，如何与数字化工业平台结合，催生泛工业组织的大联盟。

新制造技术赋能经济变革

相较于生产中的切割、研磨、钻孔等"减材制造"，增材制造则凭借堆积材料制造产品。戴维尼认为，3D打印技术体现了增材制造的优势，如实现材料选择自由化，高度适配个性化，能大幅减少浪费与错误。从某种程度来看，它奠定了制造业的自我解放——全球定制、精准提效、降低成本，为绿色持续的大变革提供技术支撑。它是从0到1的基础性质变，后续进程将是从1到100的叠加，是技术的不同延伸与组合。

增材制造并非仅是传统制造的附属或优化，而是更具有颠覆传统制造的潜在力量。在初始阶段，它或许只是传统制造的助力，如工厂把3D打印与传统装配线结合，生产匹配的零件与工具，借此减少预购和存储成本，但在深化阶段，新的增材制造技术将越来越多地与其他高新技术相结合，比如机器人、激光、云计算、人工智能、机器学习和物联网等。这些"技术组合"将会展现出制造业的超级形态，如混合制造系统、多模式工厂、24小时数字工厂等。

如何在扩大产品范围的基础上，实现多快好省的规模生产，是增材制造的发展目标。传统制造商只能局限于已有设备，难以扩大产品范围，更不可能经常改变设计、原料或其他生产环节。其后果就是生产系统变得僵化，在面对时刻变化的消费需求时，反应能力极其有限。而增材制造设施可生产不同行业的零件产品，多模式工厂旨在解决单一化的生产功能，无法随时调试置换，满足产品设计变化的难题。它甚至可以随时根据市场变化的需要，切换到不同的产品乃至行业。

规模经济与范围经济得到兼顾

范围经济的出现是由于企业能够生产更多产品及产品类别，因此可以服务于范围极广的市场，可涵盖众多客户类型和不同地域。戴维尼认为，增材制造与工业4.0承诺的愿景并不相同。工业4.0指向以机器人、激光器和其他形式的新设备推动传统工厂制造，以此提高生产效率；而增材制造指向综合性的协调、诸多要素的平衡。制造商可以根据特定客户和市场需求，以理想比例同时利用规模经济和范围经济的优势，使定制化、多元化、细分化和复杂性产品也能走向规模生产。

从以往的商业逻辑来看，规模经济与范围经济往往有冲突。追求规模通常要缩小产品范围。只有当范围有限，批量生产的成本优势才能凸显。增材制造能使范围经济与规模经济得到兼顾。增材制造正在以多种方式达成规模经济，而且不需要牺牲范围经济这一特征。这源于增材制造技术的自我迭代提升——不再局限于产品原型、一次性定制品、小批量专项品生产，而是有能力大批量生产标准化产品。混合制造系统的开发、推广和数量倍增同样为大规模增材制造的突破提供了动力。这种优势体现在产品全覆盖，从特殊定制品到标准化产品，构成完整产品谱系。

技术革新时刻在改变原有的预判和认知。新制造技术降低成本，是间接性、总体性和关联化的，并不在制造过程中直接体现。例如，更加灵活轻便的制造设施使工厂完全可以本地化选址，降低运输和仓储成本；凭借一次性打印，不必分别生产组件，可简化诸多装配环节；合并繁多生产工序，在一个连续的流程中依次完成原料加工，零件、组件制造，直至制造出最终的成品。最终，研发、设计与市场测试过程也将趋向一体化。

资料来源：俞耕耘.超级制造的未来，是可能与选择[N].解放日报，2024-11-23（6）.

（3）与技能相关的关键成功因素。

1）员工素质高，专业能力出色（对于诸如咨询事务所、投资顾问事务所、会计师事务所等专业服务型企业尤其重要）。

2）优良的专有设计技能（对于时装等行业尤为重要）。

3）质量控制诀窍。

4）创造性改进和开发产品的能力。

5）快速将新产品成功推向市场的能力。

6）组织能力。

7）完善的信息系统。

8）拥有较多的诀窍和经验。

9）对市场环境变化的快速反应能力。

（4）与分销相关的关键成功因素。

1）具有与众不同、独具匠心的营销策略。

2）拥有强大的批发分销商或特约经销商网络支持。

3）能够获得零售商充足的货架空间。

4）能够使分销成本控制在一个相对较低的水平上。

5）及时、快速、高效的物流配送系统。

（5）其他类型的关键成功因素。

1）总成本领先或很低。

2）在消费者中享有良好的声誉，形成了良好的形象。

3）便利的设施和选址（对很多的零售业务非常重要）。

4）获得财务资本支持的能力。

3.4 竞争对手分析

3.4.1 竞争对手分析模型

当今企业处在一个超竞争的环境中，新的竞争对手不断进入，行业内整合不断加剧。在这样一个瞬息万变的市场环境中，谁能掌握市场的先机，谁能及时把握竞争对手的动态，谁就能在竞争中掌握主动权。分析竞争对手的目的是了解竞争对手当前的经营状况、竞争对手可能采取的战略行动、对于行业环境的变化可能采取的应对措施等，从而有效地制定自己的战略方案及战略措施。

在进行竞争对手分析时，需要对那些当前或今后对本企业战略可能产生重大影响的主要竞争对手进行有针对性的分析，但必须注意区分竞争参与者与竞争对手的概念。每一个企业都在某一个行业环境里生存，在这个行业中，有许多的竞争参与者，但不是每一个竞争参与者都是竞争对手。首先，只有那些有能力与该企业抗衡的竞争参与者才能称为竞争对手，所以在分析竞争对手的时候要有的放矢，不能追求面面俱到。其次，需要认识到竞争对手分析只是竞争分析的一部分。竞争分析除了竞争对手分析之外，还包括行业的竞争环境分析、波特五力模型中的供给方分析、需求方分析、潜在进入者分析、替代品分析、行业内现有竞争者分析等。

根据迈克尔·波特在《竞争战略》一书中提出的竞争对手分析模型，从未来目标、现行战略、竞争实力和自我假设四个方面分析竞争对手的行为和反应模式，如图3-4所示。

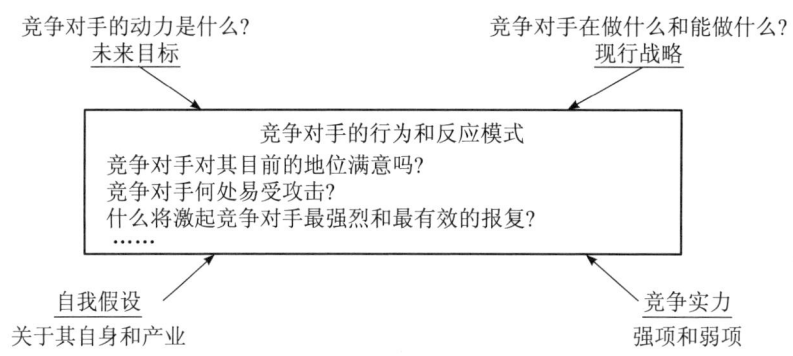

图 3-4　竞争对手分析模型

1. 未来目标

通过对未来目标的分析，可以看出是什么驱使竞争对手向前发展的。在企业常用的目标体系中，分析竞争对手的目标时多是关注财务目标。实际上，这里不仅要分析财务目标，还要分析其他方面的目标，如对社会责任、环境保护、技术领先等方面的目标设定。同时，目标是分层级的，不仅要了解总公司的目标，还要了解各个事业单位的目标，甚至各职能部门相应的目标。

2. 现行战略

现行战略分析是要了解竞争对手目前正在做什么，做到什么程度，与其目标是否有差距，如果存在较大差距，通常竞争对手会采取新的战略行动。

3. 竞争实力

竞争实力分析是指了解竞争对手的潜在能力，分析其潜在能力能够支持的战略行动，同时找出本企业与竞争对手的差距，找出企业在市场竞争中的优势和劣势，从而更好地改进自身的工作。通常，判断竞争对手潜在能力的强弱主要关注以下四个方面。

（1）**竞争对手的快速反应能力**。能否快速感知外部环境的变化，并迅速采取应对措施。

（2）**竞争对手适应变化的能力**。能否迅速适应和应对外部环境的变化，这受到竞争对手的分析判断能力、资源和现金储备状况、借贷能力、新产品的推出情况等方面的影响。

（3）**竞争对手持久竞争的能力**。能否持久地与竞争对手进行竞争，特别是在价格战、品牌战等方面，这取决于竞争对手资源和现金储备状况、技术能力、管理层意见的一致性等。

（4）**竞争对手的增长潜力**。是否具有良好的发展前景，这可以从竞争对手的人力资本状况、资金储备能力、研发能力、战略能力等方面进行评估。

4. 自我假设

分析竞争对手对自身和产业的假设，可以很清楚地看到竞争对手对自身的战略定位，以及它对行业未来发展前景的预测。竞争对手对自身和对产业的假设有的是正确的，有的是不正确的，通过掌握这些假设，可以从中找到发展的契机，从而使本企业在竞争中处于有利的地位。

3.4.2 竞争情报系统

为了做出正确、有效的分析，企业通常需要建立竞争情报系统，但一定要保证情报系统反映的是基本事实，而不能是个人的主观判断。企业竞争情报系统一般包括三个方面：竞争对手情报系统，据此建立竞争对手档案；供应商情报系统；客户情报系统。企业只有建立了竞争情报系统，才会将对竞争对手的监测和分析变成一项日常的工作，才可能及时地掌握竞争对手的动态，为决策提供及时的信息。同时，竞争对手基础数据库的建设也非常重要。现代企业的决策，强调科学性和准确性，更强调基于事实和数据的决策。只有建立了完善的竞争对手的数据库，对竞争对手的分析才不会成为空中楼阁，才可能落到实处。

外部环境分析需要大量的有关资料，这有赖于众多的信息来源渠道，如用户、供应商、银行家、咨询顾问、公开及非公开出版物、个人观察调查、上级领导、下级员工、同级伙伴等。为使整个企业的各种信息能够及时汇总到从事环境分析的人员手中，使得他们能够通过对这些信息的加工整理，及时给出关于企业外部环境情况的综合分析报告，必须建立适当的企业战略管理信息系统。

由于竞争性是战略的基本特征，所以在收集和使用战略信息时，竞争对手的信息至关重要，有关竞争情报的研究也是战略管理的热点之一。竞争对手的情报往往牵涉商业秘密，不当的收集方式会受到法律的制裁。下面是一些合法收集竞争情报的途径。

1. 互联网

互联网是世界上最大的信息容器，已经成为企业扩散自己产品信息和个人表达思想的场所。许多网站还开发出非常快捷的搜索引擎，使我们从互联网上获取信息变得非常方便。互联网上的信息发布速度非常快，具有很好的时效性。把互联网作为竞争情报的信息源，关键是要掌握搜索工具和进行分析整理的手段。以注册网站为线索的包括新浪、搜狐等，配备了搜寻机器人采集网站信息的有 Goolge 等，这些搜索引擎所得到信息都是在网站上公开的。利用简单的关键词进行组合，便能找到大量的信息。Dialog 数据库、万方数据库等一些专业的信息数据库，其内容更为专业，企业产品设计、价格或科技文献方面的内容更为准确，也成为可以进行检索查询的平台。这些信息数据库中的内容是更有价值的数据来源，可以进行比较深入的挖掘分析。

2. 技术交流

利用技术交流会收集产品和技术方面的竞争情报是成本非常低廉的做法，进行适当培训，派出或委托略懂技术的人员参加技术交流会，便可能大有收获。其实，技术交流会上的新技术很多是还没有进入市场的，科技含量相对较高，对企业长期发展策略的影响可能更大，其情报价值也就更高。

来自技术交流中的情报主要包括产品的功能设计、工艺方法、材料特性等内容，对于企业调整发展战略具有很大的指导意义。进行竞争情报研究或服务，不能忽视这一渠道。

3. 展览会

展览会是企业进行产品比拼的最佳场所，也是竞争情报的最好来源。在展览会上，企业都会将最新的成果拿出来展示，在向客户展示自己的产品的同时，许多属于竞争情报的资料也被公布出来。竞争对手的产品状态几乎可以一览无余，只要细心收集，所获一定不菲。

利用展览会进行竞争情报的收集非常容易。由于参观者甚多，企业不容易分辨参观者的身份，其资料发放往往是公开和无限制的，以任何身份参观几乎都可以获得产品资料，甚至是关于产品功能的详细说明书。

当然，从展览会上获得的资料需要进一步分析整理，甚至跟踪调研。从竞争情报分析的角度来看，不仅要对自己的产品进行市场调研，还要对来自竞争者的产品进行市场调研，包括成本估算、技术含量的分析。这些更深入细致的情报，对企业决策具有重要的支持意义。

4. 市场调查

市场调查、市场分析是企业进行决策的重要步骤，已越来越受到企业的重视，一些建立了市场部的企业一般都会进行市场调查。一般来说，市场调查的主要目的是为自己的产品进行市场定位、价格定位和渠道定位，是展开销售和制定市场策略的前奏。

利用市场调查获得竞争情报，可以把自己的产品与竞争者的产品进行比较，更能帮助企业确定市场策略，对市场的发展形成正确的预期。进行同比研究具有更高的可靠性和参考性。

市场调查所得到的竞争情报还可以包括品牌分析、服务分析、客户满意度分析等多方面的资料，通过市场调研来研究竞争对手在这些方面的表现，展开产品之外的竞争，是企业发展战略的新发展趋势。

服务和客户满意度两项指标是竞争情报需要特别关注的方面，通过市场调查中的问卷设计、调查者抽样安排，便可以很方便地获得相关的情报。利用市场调查展开竞争情报的研究活动，可以更好地提升市场调查在企业发展中的作用和价值。

战略专栏 3-6

关于商业道德的思考

企业收集竞争情报时应当遵从社会认可的伦理标准。行业协会通常会制定伦理标准供企业参考。既符合法律要求又符合伦理标准的获取竞争情报的途径包括：①获取对公众披露的信息（如竞争对手的招聘广告、公司年报、上市公司的财务报告等）；②参加交易会和展览会，获取竞争对手的公司介绍，参观它们的展品并听取有关它们产品的讨论。

相反地，另外一些做法（如敲诈勒索、私闯禁地、窃听，以及窃取图纸、样品、文件等）被广泛地认为是不道德的，甚至是不合法的。为了使自己免遭损失，防止由于员工的计算机遭到入侵而引起网络诈骗和信息失窃，一些企业正购买保险以对抗计算机黑客。

某些收集竞争情报的做法是合法的，但企业仍然需要仔细考虑这些做法是否符合伦理标准、是否符合公司文化，以及与它作为一个企业公民所应具有的形象是否相吻合。尤其是有了各种电子传送渠道之后，合法和符合伦理标准之间的界限越来越难界定。比如说，有些企业的网站地址跟竞争对手的非常相似，有时企业甚至收到实际上是发给竞争对手的邮件。这样做合法吗？根据法律专家的说法，这个问题的答案仍然不清楚。不管怎样，这些做法给企业提供了一些警示，并说明当决定如何收集情报时，企业将要面对哪些事情，以及如何保护自己，以免情报落入竞争者手中。

曾经有这样一个例子，某一年宝洁告知联合利华，它在收集联合利华业务信息的过程中认为自己违反了准则。宝洁将从联合利华办公室垃圾箱中获取的超过 80 份文件归还给联合利华。之后双方就可能的解决方法进行磋商。联合利华要求宝洁推迟几个新产品的推出，但被宝洁拒绝了。另外，双方在谈判过程中还必须特别小心，以免违反反垄断法。因此，出于种种考虑，公开讨论企业竞争情报的收集技巧是一个极为有效的方法。它可以使大家了解到企业在收集竞争情报时，什么是符合伦理标准的并可以接受的做法。这里有一个原则可供企业在指导类似讨论时参考：企业应当遵守公共伦理，遵从竞争对手不愿公开某些有关产品、运作和战略意图的信息的权利。尽管研究竞争对手非常重要，但有资料表明，把竞争情报的收集和散布列入正式流程的企业相当少。此外，还有一些企业在设法了解竞争对手当前的战略想法和能力时，忘了分析它们未来的目的，这将导致对竞争对手的片面了解。

资料来源：希特，爱尔兰，霍斯基森.战略管理：概念与案例：第 10 版 [M]. 刘刚，吕文静，雷云，等译. 北京：中国人民大学出版社，2012.

3.5 外部环境分析方法

3.5.1 外部因素评价矩阵

弗雷德·R. 戴维在其所著的《战略管理：概念与案例》一书中，介绍了名为"外部因素评价矩阵"（external factor evaluation matrix）的方法，简称 EFE 矩阵。利用这个矩阵，可帮助战略决策者在制定战略的过程中，归纳和评价经济、社会、政治法律、技术和竞争等方面的信息。建立该模型主要包括以下五个步骤。

（1）列出在外部分析过程中确认的外部因素。因素总数为 10～20 个。因素包括影响企业及其所在行业的各种机会与威胁。首先列举机会，然后列举威胁。

（2）给每个因素（即每个机会、威胁）确定一个权重。数值应在 0（不重要）到 1（很重要）之间。每一个因素的数值说明这个因素在行业中对企业成功的重要性，各个因素数值总和应该等于 1。

（3）按照企业现行战略对各关键因素的有效反应程度给各关键因素进行评分，范围为 1～4 分，4 分代表"最好"，3 分代表"超过平均水平"，2 分代表"等于平均水平"，1 分则代表"最差"。评分反映了企业战略的有效性，因此它是以企业为基准的，而步骤（2）中的权重则是以行业为基准的。需要注意的是，威胁和机会都可以被评为 1 分、2 分、3 分和 4 分。

（4）将每一个因素的权重和分数相乘得到该因素的加权分数。

（5）将所有因素的加权分数加起来，其总和就是一个企业环境评价的总加权分数。

无论这个模型包括多少重要机会或威胁，企业的总加权分数最高就是 4 分，最低是 1 分，平均是 2.5 分。总加权分数为 4 分说明企业在整个行业中对现有机会与威胁做出了最出色的反应。换言之，企业的战略有效地利用了现有机会并将外部威胁的潜在不利影响降至最低。而总加权分数为 1 分，则说明企业的战略不能利用外部机会或回避外部威胁。

表 3-2 运用 EFE 矩阵对比亚迪公司的外部环境因素进行评价。比亚迪公司在市场中拥有领先地位，而它的电池和 IT 在国际上也占据了可观的份额，并且比亚迪公司一直以来关注技术创新，它的混合电动汽车技术也处于世界领先水平。面对其他汽车品牌的新能源汽车价格偏高这一外部机会，比亚迪公司的把握能力很强。相对于国外汽车制造企业而言，比亚迪公司的成本控制能力很突出，正如其得 4 分所示，它的价格对其占据市场非常有利，这要归功于它实行的自主研发成长战略。丰田与通用汽车将新能源汽车作为发展重点对比亚迪公司的影响也是很大的，这两大汽车制造商拥有雄厚的资本与技术积累。对于其他因素，如市场机制进一步完善、能源与生态环境约束政策出台等，比亚迪的反应都超过平均水平，得 3 分。

比亚迪公司的 EFE 矩阵的总平均分为 2.65，高于平均分 2.5，说明比亚迪公司的现状能够对外部的机会和威胁做出合理反应，可以通过适当的方式去利用有利的机会和避开不利的威胁。

表 3-2　比亚迪公司的 EFE 矩阵

外部环境因素	权重	评分	加权分数
机会			
国际市场上要求的排放标准越来越高	0.12	2	0.24
国家政府的政策支持	0.10	2	0.20
未来国内需求强劲	0.08	3	0.24
国内外传统汽车产业发展的能源与生态环境约束政策出台	0.10	3	0.30
其他汽车品牌企业的同类新能源汽车价格偏高	0.12	4	0.48
国内外新能源汽车行业的市场机制进一步完善	0.06	3	0.18
巴菲特曾入股比亚迪	0.02	2	0.04
威胁			
消费者对自主品牌新能源汽车的消费信心不足	0.20	2	0.40
汽车消费市场管理制度存在不足	0.03	2	0.06
丰田和通用汽车将新能源车作为发展重点	0.05	4	0.20
国内其他自主品牌如长城汽车逐渐进入新能源汽车领域	0.05	3	0.15
国内外新能源汽车的安全质量标准高	0.03	2	0.06
消费条件与消费环境的制约	0.02	2	0.04
全球经济形势的变化	0.02	3	0.06
合计	1.00	—	2.65

3.5.2　竞争态势矩阵

竞争态势矩阵（competitive profile matrix，CPM）用于确认企业的主要竞争者及其相对于该企业的战略地位，以及这些主要竞争者的特定优势与弱势。CPM 与 EFE 矩阵中的权重和总加权分数含义相同。但是 CPM 中的因素包括内部和外部两个方面的问题，评分则表示优势与弱势，4分表示"最强"，3分表示"次强"，2分表示"次弱"，1分表示"最弱"。EFE 矩阵与 CPM 之间存在一些重要的区别：首先，CPM 中的关键因素更为笼统，它们不包括具体的或实际的数据，而且可能集中于内部问题；其次，CPM 中的因素不像 EFE 矩阵中的那样被分为机会与威胁两类；最后，在 CPM 中，竞争公司的评分和总加权分数可以与被分析公司的相应指标相比较，这一比较分析可提供重要的内部战略信息。

表 3-3 所示是一个竞争态势矩阵的实例。在这个例子中，广告和全球竞争的权重最高，为 0.2，说明是最为重要的影响因素。本公司的产品质量评分为 4 分，说明产品质量上乘。竞争者 2 的总加权分数为 2.80 分，说明整体表现最弱。

表 3-3 竞争态势矩阵

行业关键战略因素	权重	本公司		竞争者 1		竞争者 2	
		评分	加权分数	评分	加权分数	评分	加权分数
广告	0.20	1	0.20	4	0.80	3	0.60
全球竞争	0.20	4	0.80	2	0.40	2	0.40
财务状况	0.15	4	0.60	3	0.45	3	0.45
价格竞争力	0.10	3	0.30	3	0.30	4	0.40
用户忠诚度	0.10	4	0.40	4	0.40	2	0.20
市场份额	0.05	1	0.05	4	0.20	3	0.15
管理	0.10	4	0.40	3	0.30	3	0.30
产品质量	0.10	4	0.40	4	0.40	3	0.30
总计	1.00	—	3.15	—	3.25	—	2.80

除了表 3-3 中所列举的各项关键战略因素之外，还有产品品种、销售、配送效率、专利、设施布局、生产能力及效率、经验、劳资关系、技术优势以及电子商务技能等，也可以列为关键战略因素。

需要说明的是：不能仅仅因为在竞争态势矩阵中一家公司总得分比另一家公司高，便认为这家公司就比那家公司强。数字反映了公司的相对优势，但表面现象有时会让人们产生错觉。数字不能说明一切，分析的目的不是得到一个好看的数字，而是对信息进行有实际意义的吸收与评价，以便有助于决策。

● 复习思考题

1. 确认企业外部环境因素时要注意什么？
2. 企业宏观环境分析对企业战略制定有何影响？
3. 以个人计算机（PC）行业为例，分析该行业的竞争结构和格局。
4. 以房地产行业为例，分析该行业的关键成功因素。
5. 以某一个你感兴趣的行业为分析对象，列出该行业中 3 个以上企业的竞争态势矩阵。

● 实践项目

选择你最感兴趣的企业，审视其外部环境的主要因素，分析每个因素中未来可能对该企业有影响的两个主要发展趋势，并预测这些趋势中哪些是机遇、哪些是挑战。你预计未来 5 年内对你感兴趣的这家企业影响最大的因素是什么？为什么？

第4章 企业内部条件分析

● 学习目标

1）了解企业资源的分类
2）掌握核心竞争力的概念和特征、企业核心竞争力的成因
3）掌握SWOT分析法、内部因素评价矩阵、波士顿矩阵分析法等
4）掌握价值链的概念与分析

● 先导案例

芯片迎管制风暴,"用芯大户"汽车业如何突围

2024年12月2日,美国政府宣布新一轮对华出口限制措施,将140余家中国企业列入贸易限制清单,涉及半导体制造设备、电子设计自动化工具等多个种类的半导体产品,尤其升级了对华芯片出口管制。

1. 芯片是决定车企核心竞争力的关键部件

作为全球最大的汽车及新能源汽车产销国,近年来,我国对汽车芯片的需求量急剧攀升。芯擎科技创始人、董事兼CEO（首席执行官）汪凯在近期的一场芯片会议上分享道:"从电动化到智能化与网联化,汽车搭载的芯片数量急剧增加,以前（一辆车）需要600多颗芯片,现在每辆车至少需要3 000颗芯片。这里面有控制芯片、传感器芯片、计算芯片等不同的芯片。"

然而,与前几年"芯片荒"背景下,车企为防止影响产能而过量采购芯片不同,面对此番来自美国的半导体制裁风暴,汽车圈的反应较为平淡。

从忧虑到平淡,汽车圈为何会有这种表现?《中国经营报》记者了解到,这与本次制裁对象是先进制程芯片有关。相比消费电子产品（如智能手机）对先进制程芯片的依赖,汽车的大部分芯片对制程工艺要求较低。

以2021年"芯片荒"中大量短缺的微控制单元（MCU）芯片为例,目前,MCU芯片的制程主要集中在40纳米及以上的成熟制程,先进车用MCU芯片采用28纳米制程。而美国的限制针对的是7纳米及以下的先进制程,这使芯片出口管制对中国车企的直接影响有限。

一位整车企业人士告诉记者:"部分车规级芯片的技术门槛并不高,而且这两年大家都刻意做了供应链布局,所以无须恐慌,也就是在稳定性和价格上有差异,这方面影响不会很大。"

"这几年,大部分车企都已经做了国产化备份,而且国产化份额也在持续提高,国产芯片相比3年前有更多解决方案。"一位芯片供应商告诉记者。

"在国产化芯片(方面),我们做了很多试验,建立了国产化芯片选型库。"国内一家头部整车厂技术工程师分享道。

此番芯片出口管制,将在一定程度上影响7纳米以下制程高性能芯片的生产,但从长远来看,将提升中国汽车厂商采用国产芯片的意愿。

2. 智"芯"代工遇阻专家:从设计环节创新

在全球芯片代工领域,目前7纳米及更先进制程的芯片制造主要被台积电、三星等公司主导。

半导体产业链主要包括芯片设计、晶圆制造、封装测试三大环节以及半导体设备、半导体材料两大辅助环节。

芯片设计环节是指运用EDA(电子设计自动化)软件与IP(知识产权)核,产出各类芯片的设计版图;晶圆制造环节是指根据设计版图进行掩膜制作,形成模板,并在晶圆上进行加工;封装测试环节是指对生产出来的合格晶圆进行切割、焊线、塑封,并对封装完成的芯片进行性能测试。

尽管目前华为、地平线、蔚来等厂商已经能够设计出7纳米先进制程的车规级智能驾驶芯片,但在制造方面存在挑战。国内缺乏7纳米及更先进制程芯片代工生产能力,这使先进制程芯片的生产面临现实难题。

《汽车芯片产业发展报告(2023)》中指出:"台积电作为全球最大晶圆代工企业,占据全球八成以上先进制程市场份额。我国受限于设备与技术工艺,最先进制程工艺仅达到14纳米水平,相比台积电仍有很大的追赶空间。"

据多家外媒报道,继台积电暂停向中国大陆AI/GPU客户供应所有7纳米及更先进工艺的芯片后,三星同样受到美国禁令限制。不少业内人士认为,如果三星和台积电7纳米芯片制造都暂停供应,短期内,中国大陆自研AI智驾芯片生产将受阻,但从长期来看,会激励供应链走向自主可控。

中国半导体行业协会集成电路设计分会理事长魏少军建议,应大力发展不依赖先进工艺的芯片设计技术。魏少军表示:"有两条技术路径值得大家探索。一是架构的创新,有识之士早就预见到'当前是计算机架构创新的黄金年代';二是微系统集成,从封装技术演进而来的三维集成技术正逐渐走向台前。"

资料来源:陈茂利.芯片迎管制风暴 "用芯大户"汽车业如何突围[N].中国经营报,2024-12-23(26).

4.1 企业资源分析

4.1.1 企业资源的概念

在不同的企业发展阶段，对资源的理解不尽相同。现代一些学者认为，企业资源是指企业在向社会提供产品或服务的过程中所拥有、控制或可以利用的，能够帮助实现企业经营目标的各种生产要素的集合。我们应从更加广泛的角度来理解企业资源——凡是能转化为支持、帮助和优势的一切物质和非物质都是企业资源。

企业资源的界定可以分为广义和狭义两类。狭义的界定是把资源和能力分开；而广义的界定则把能力也纳入资源的范畴，这里的能力是指资源组合的能力，包括管理、创新、风险承担以及应用分析等方面。这里我们基于狭义的范畴，把资源定义为：企业资源是指企业可以全部或者部分利用的、能为企业创造价值的一切要素的集合。需要注意的是，企业资源除了企业所拥有的各种资源要素，还包括那些不归企业所有，却可以被企业利用的"合作"组织的资源和公共资源要素，也称为边缘性资源要素。企业不拥有它们的产权，但可以通过契约、付费或者公共关系活动获得对它们暂时的或者部分的使用权。企业所能够利用的这类资源的多少，取决于企业的需要和能力。

企业经营资源是企业竞争优势的根本源泉。围绕企业战略目标，对企业经营资源进行有效组合，开展创造价值的活动，能够支持、提供、创造企业的战略能力，形成高效益的产业结构和竞争优势，保证企业获得最大限度的利润，有利于企业的成长，把握未来命运。

4.1.2 企业资源的分类

1. 按是否容易辨识和评估来划分

企业资源按是否容易辨识和评估来划分，可以分为有形资源和无形资源。

（1）有形资源。有形资源是指看得见的并且可以量化的资产。有形资源不仅容易识别，而且也容易算出其价值，如机器、设备、房屋、资产等。有形资源又可进一步细分为财务资源、物质资源、人力资源和组织资源（见表4-1）。有形资源是企业参与竞争的硬件要素，但有些可以被竞争对手轻易取得的类似的有形资源，不能成为企业竞争的优势来源。稀缺性的有形资源可以使公司获得竞争优势。

表 4-1 企业资源的分类、特征与评估内容

企业资源		主要特征	主要的评估内容
有形资源	财务资源	企业的融资能力和内部资金的再生能力决定了企业的投资能力和资金使用的弹性	资产负债率、资金周转率、可支配现金总量、信用等级
	物质资源	企业物资和设备的规模、技术及灵活性，企业土地和建筑的地理位置与用途，获得原材料的能力等决定企业成本、质量、生产能力和水准	固定资产现值、设备寿命、先进程度、企业规模、固定资产用途

(续)

企业资源		主要特征	主要的评估内容
有形资源	人力资源	员工的专业知识、接受培训的程度决定其基本能力。员工的适应能力影响企业本身的灵活性。员工的忠诚度和奉献精神以及学习能力决定企业维持竞争优势的能力	员工知识结构、受教育水平、平均技术等级、专业资格、培训情况、工资水平、与产业平均水平的比较
	组织资源	企业的组织结构类型与各种规章制度决定企业的运作方式	企业的组织结构以及正式的计划、控制、协调机制
无形资源	技术资源	企业专利、经营诀窍、专有技术、专有知识和技术储备、创新开发能力、科技人员等技术资源的充足程度决定了企业工艺水平、产品品质，决定了企业的竞争优势	专利的数量和重要性、从独占性知识产权所得收益、全体员工中研究开发人才的比重、创新能力
	商誉	企业商誉反映了企业内部、外部对企业的整体评价水平，决定着企业的生存环境	品牌知名度、美誉度、品牌重购率、企业形象；对产品质量、耐久性、可靠性的认同度；供应商和分销商认同的有效率、支持性的双赢关系以及交货方式

我们可以从以下三个方面对企业的有形资源进行评估。

1）有没有机会更经济地使用企业有形资源，即用更少的资源去完成相同的事业，或用同等规模的资源去完成更大的事业，例如，通过有形资源的优化重组实现上述目的。

2）有没有可能使现有的有形资源在具有更高利润的渠道中被利用，例如，通过资源重组和开发或与他人建立战略联盟，甚至将部分有形资源出售，来提高企业资产利润率。

3）评估未来战略期内环境变化以及企业核心竞争力、竞争优势的发展目标，例如，企业有形资源的缺口有多大、如何进行先期投入。

（2）无形资源。无形资源是指植根于组织历史，伴随着组织的成长而积累，以独特形式存在，并且不能被竞争对手了解和模仿的资产，主要包括技术资源、商誉等（见表 4-1）。这类资产的外在特点是"无形"——看不见、摸不着，但其存在是可以意会和感知的。

与有形资源相比，无形资源更具潜力。目前，在全球经济中，相对于有形资源，企业的成功更多地取决于知识产权、品牌、商誉、创新能力等无形资源。例如，从事经济发展驱动力研究的经济学家约翰·肯德里克（John Kendrick）的研究表明，自 20 世纪 90 年代以来，无形资产对美国经济增长的贡献在逐渐增加。据统计，1929 年，无形商业资本与有形商业资本的比例为 3∶7；到 1990 年，该比例变为 6.3∶3.7。由于无形资源更难被竞争对手了解、购买、模仿或替代，企业更愿意将其作为企业能力和核心竞争力的基础，所以无形资源越来越成为企业竞争不可或缺的战略性资源。

战略专栏 4-1

知识资源与物质资源的区别

知识作为企业中的一项重要资源，与一般的物质形态的资源有重大区别。知识资源与物质资源的主要区别见表 4-2。

表 4-2 知识资源与物质资源的主要区别

物质资源	知识资源
稀缺	丰富
有限性	无限性
排他性	共享性
价值转移	价值增值
投入产出关系清晰，符合柯布－道格拉斯生产函数	投入产出关系模糊
复制成本高	复制成本低
损耗速度快，一般不可再生，可能会衰亡	不会损耗，可以多次和重复交易，可能会永生
效用递减	效用递增
可能会破坏自然环境	不破坏自然环境
具有一定的功能、效用	具有一定的品位、情趣

第一，作为物质形态的资源永远具有稀缺性，即便不是绝对稀缺的，起码也是相对稀缺的。经济学所要解决的核心问题，就是以最小的投入得到最大的产出，其缘由就在于资源的稀缺性。知识资源具有丰富性，人们的想象力无限、创造力无限，由此创造的知识也是无限的。

第二，物质形态的资源具有强烈的排他性。但知识资源不排他，可以共享。例如，对于东方人的智慧，西方人可以分享，反之亦然。

第三，物质资源在运动、交换、变化的过程中，通常只发生价值形态的转移，比如，从实物形态变成货币形态。知识资源则不然，在运动、交换、变换过程中不仅有价值形态的转移，更重要的是产生增量，发生价值增值。英国大文豪萧伯纳讲过这样的话：你有一个苹果，我有一个苹果，彼此交换后，每个人手上仍然只有一个苹果；你有一个思想，我有一个思想，彼此交换后，每个人都有两个思想。作为物质形态的苹果，在交换过程中一个还是一个；而作为知识形态的思想，在交换过程中从"一"增加为"二"。

第四，物质资源的投入产出关系是清晰的、确定的、可以预见的，这种关系如此清晰，以至于可以用数学公式来表达。经济学中著名的柯布－道格拉斯生产函数（Cobb-Douglas production function）就是用来刻画这种投入产出关系的。该函数为 $Y=A_t K^\alpha L^\beta$。其中，Y 表示产出；K 和 L 分别表示资本和劳动力的投入量；α 和 β 分别为资本和劳动力的产出弹性，满足 $\alpha \geq 0$，$\beta \geq 0$，$\alpha+\beta=1$；A_t 为所在行业的效率系数。然而，知识资源的投入产出关系并不清晰，具有高度的模糊性和不确定性。其情形可能是投入巨大，产出也巨大，也可能是投入巨大，但产出甚微，这样的例子比比皆是。医药企业为研发某种新药，往往需要投入几十亿元的资金。如果研发成功，利润自然可观，但不成功则会血本无归，而且后一种结果的可能性更大，因为在研发的过程中充满了太多的不确定性。毒理实验、病理实验、一期临床、二期临床……哪个环节出了纰漏都将导致投资失败。当然，相反的情形也不乏其例。比如，某些商标的设计很可能是创意者的灵感乍现、神来之笔，可以说其投入几乎为零，然而其产出却价值连城。

第五，物质资源的重置成本或边际成本很高，差不多和初始成本相当。在某地盖一栋建筑物若需要 100 万元，那在旁边建造类似的建筑物也需要 100 万元。然而，知识资源的重置成本或边际成本则几乎为零（尽管其初始成本往往很高，比如，开发一个软件或系统的费用绝非小数目），许多情况下只需要"另存为"或"复制"即可。

第六，物质资源随着使用次数的增加会发生损耗、折旧、效用递减，直至消耗殆尽废弃或自行衰亡，一般不会再生；另外，在使用过程中或多或少可能会对自然环境和生态造成损害甚至破坏。知识资源不会损耗，可以多次使用、重复交易，且随使用频率的增加，其效用随之增加，出现网络外部性。知识资源不会自行消亡，可以穿越时空，长存永生；在使用时也不会损害自然环境和生态。

此外，对物质资源加工后形成的产品，通常只能实现某种功能或效用，具有某种使用价值（function value）。然而，知识资源则可以更多地产生精神价值或观念价值（concept value），可以给使用者带来精神的愉悦和心灵的慰藉，可以提升使用者的品位和情趣。

资料来源：徐飞. 战略管理 [M]. 4 版. 北京：中国人民大学出版社，2019.

2. 按维持竞争优势可持续性的不同来划分

企业资源按维持竞争优势可持续性的不同来划分，可分为长周期的资源、标准周期的资源和短周期的资源，如图 4-1 所示。

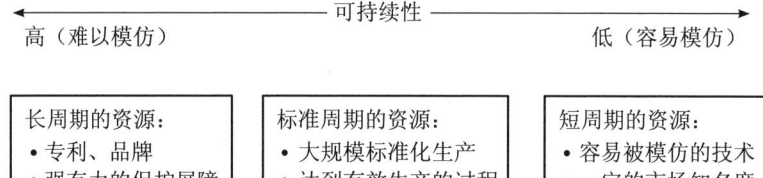

图 4-1　企业资源可持续性层次

真正帮助企业在长期水平上建立起竞争优势的资源，往往是那些标准周期的资源和长周期的资源，其中无形资源扮演着重要的角色。因此，从战略角度来看，战略管理者应尽力设法将更多短周期的资源发展成为标准周期的资源和长周期的资源。唯有如此，才能保持企业长期的战略竞争能力。

3. 按暂时性或可否及时调整来划分

企业资源按暂时性或可否及时调整来划分，可分为流量资源和存量资源。

资源基础理论的代表人物认为，给企业带来持久竞争优势的战略资源要通过内部开发获得，而无法从市场上购买。据此，他们将企业资源划分为流量资源和存量资源。流量资源是暂时的，可以及时调整；存量资源（如品牌等）则是经过漫长时间积累而形成的，对企业持久竞争优势的形成来说，存量资源的作用比流量资源的作用要大得多。存量资源的差异构成了战略不对称，随着时间的延伸，许多流量资源演变成企业宝贵的存量资源。

● 战略专栏 4-2

2024 全球最佳品牌排行榜　小米位列中国品牌榜首

2024 年末，国际知名品牌咨询公司 Interbrand 公布了备受瞩目的"2024 全球最佳品牌排行榜"。苹果连续 12 年位列榜首。其他排名进入前十的公司有：微软、亚马逊、谷歌、三星电子、丰田汽车、可口可乐、梅赛德斯－奔驰、麦当劳和宝马。

2024 年是该榜单发布的第 25 个年头。从 2000 年至今，已经有 185 个品牌登上过该榜单，但只有 35 个品牌一直在每年的百强品牌榜上。只有两个品牌一直保持在前十名：微软和可口可乐。

据了解，该榜单调查对象是在母国等主要市场以外的销售额比例达到 30% 以上的企业。Interbrand 将财务实力、发展潜力等指标换算为金额，对品牌价值进行了比较。

值得一提的是，排名第 87 位的小米（品牌价值为 80 亿美元）和第 93 位的华为（品牌价值为 68 亿美元），成为中国上榜的两个品牌。

这是小米首次在中国品牌中位列第一，并且超越了华为，体现了小米在全球市场中的崛起和中国品牌的强大竞争力。

小米近年来在全球市场取得了显著的成绩，不仅在智能手机领域取得了突破，还在智能硬件、物联网等领域不断拓展。小米的产品线涵盖了手机、智能穿戴设备、家电等多个领域，形成了完善的生态系统，深受全球消费者的喜爱。

小米的成功得益于其独特的市场策略和品牌建设。公司以高性价比的产品满足消费者需求，同时通过线上线下的多元化销售渠道，拓展了市场覆盖范围。此外，小米还注重技术研发和用户体验，不断提升产品质量和服务水平，增强了品牌影响力。

Interbrand 在评估品牌价值时，综合考虑了财务实力、市场表现、品牌影响力等多个维度。小米在这些方面的表现均十分出色，在全球品牌竞争激烈的环境中脱颖而出。

在全球市场，小米积极拓展海外业务，通过在印度、欧洲、东南亚等地的市场布局，实现了品牌的全球化。此次入选"2024 全球最佳品牌排行榜"，不仅是对小米过去一年在全球市场上取得成绩的肯定，也是对其未来发展的积极预期。

作为中国品牌的代表，小米的成功展示了中国企业的创新能力和国际竞争力。在未来的发展中，小米有望继续引领更多中国品牌走向世界，为推动全球经济发展贡献力量。

资料来源：根据网络资料编写。

4.1.3　企业资源分析过程

企业资源分析旨在确定企业资源的状态、企业在资源上表现出的优势和劣势以及相对未来战略目标存在的资源缺口等。企业的成功源于对资源的成功开发和利用，因此，必须做好企业资源分析工作。企业资源分析可按以下步骤进行。

1. 分析现有资源

对现有资源进行分析是为了确定企业目前拥有的资源量和可能获得的资源量。分析中既包括对有形资源的分析，也包括对无形资源的分析。经过分析之后，要列出企业目前拥有的和可能获得的资源的清单。资源清单包括以下内容。

（1）**管理者和管理组织资源**。它包括管理部门的构成特征及由此形成的管理优势；管理人员的知识结构、年龄结构、专业资格、管理风格、管理模式、综合素质，以及管理人员拥有量与需要量的平衡情况、与产业平均水平的比较；企业内有关信息和沟通系统的有效程度；高级管理人员制定战略的能力等。

（2）**企业员工资源**。它包括企业员工的实际拥有量与需要量的平衡情况，现有员工的经验、能力、素质、责任心、奉献精神，员工平均技术等级、专业资格、出勤率和流动率、与产业平均水平的比较，以及工资水平、激励政策的功效等。

（3）**市场和营销资源**。它包括企业的营销力量状况、营销决策和营销管理水平；企业产品或服务所在的市场及市场地位；企业对用户需求和竞争对手的了解程度。

（4）**财务资源**。它包括企业资本结构的平衡状态；企业的现金流动水平、债务水平以及盈利情况；企业与银行的关系、融资能力、信用等级；企业财务状况对战略成功的影响。

（5）**生产资源**。它包括生产效率和规模、低成本制造水平、存货水平、瓶颈所在、企业与供应商的关系等。

（6）**设备和设施资源**。它包括设备和设施的现代化程度、加工制造的灵活性、对战略目标的满足程度等。

（7）**组织资源**。它包括企业的组织结构类型以及各种计划体系、控制体系对战略的适应性和保障程度，以及是否需要进行组织再造。

（8）**企业形象资源**。它包括企业商誉、品牌知名度、美誉度、品牌重购率、与供应商及分销商之间的关系等。

企业在进行上述资源分析时，不仅要分析目前已经占有的资源，还要分析经过努力可能获得的资源。

2. 分析资源利用情况

分析资源利用情况，原则上是通过分析产出与资源投入的比例来进行的，具体可采用一些财务指标。另外，对于企业的不同职能活动还要采用其他一些指标，如对营销活动效率进行分析时，可采用销售额与广告费用的比例、销售额与销售费用的比例、销售额与销售人员工资的比例以及销售额与销售场地面积的比例等进行分析；对生产活动的分析可使用产出数量与废/次品或返工产品的比例等指标进行分析。

分析资源利用情况还可以运用比较法，如将本企业资源的实际利用情况分别与企业计划中设定的目标、企业的历史最高水平、企业所在产业的平均水平以及最高水平、竞争对手的情况进行比较。

3. 分析资源应变力

分析资源应变力的目的是确定一旦战略环境发生变化，企业资源对变化的适应程度。特别是对那些处于多变环境的企业来说，更应做好资源应变力分析工作，它是建立高度适应环境变化的资源基础的出发点。另外，在具体分析时，还要把分析重点放在那些对环境变化特别敏感的资源上。

4. 进行资源平衡分析

关于资源平衡分析存在两种观点。一种观点认为，为了保持资源的稳定平衡，应在企业内设置资源余量，例如，设置一定水准的保险库存量，以防止物流供应上发生意外；保持一定的备件数量，以防止出现废/次品；保持一定的富余生产能力，以应付订货量的突然增加等。另一种观点认为，设置资源余量只会在企业内助长容忍差错和低效率管理的风气，日本企业采取的准时生产制就是基于这一观点。其实，这两种观点都有其合理性，应加以有机结合。对于反映管理水平、受企业可控因素影响大、重置容易的资源，应通过加强管理来逐步降低甚至取消其余量；对于受企业不可控因素影响大（如受外部环境影响大）、重置困难的资源，应保持合理的余量，以应付环境变化。

进行资源平衡分析应主要做好以下四个方面的平衡分析。

（1）**业务平衡分析**。它是指对企业各项业务的经营现状、发展趋势进行分析，以确定企业在各项业务上的资源分配是否合理。

（2）**现金平衡分析**。其分析内容主要是企业是否拥有必要的现金储备或能够应付战略期内现金需要的资本金来源。

（3）**高级管理者资源平衡分析**。其分析内容主要是企业高级管理者资源的数量、质量、管理风格、管理模式等与制定、实施战略所需人力资源的适应程度。

（4）**战略平衡分析**。其分析内容主要是企业现有资源和战略期内可能获得的资源，对企业战略目标、战略方向的保证程度，即要确定企业资源是否符合战略目标、战略方向的要求。若不符合，缺口有多大，哪些缺口需要填补以及巩固企业未来的资源基础需要采取什么措施等。

总之，通过上述步骤进行企业资源分析，关键是要确定企业的资源强势和弱势。资源强势指的是企业所特有的能提高企业竞争力的资源，往往表现为：重要的专门技能（如低成本制造诀窍、独特的广告和促销诀窍）、宝贵的有形资产（如现代化生产工厂和设备、遍布全球的分销网络）、宝贵的人力资源（如经验丰富、能力强大的劳动力，积极上进、学习能力强的员工队伍，关键领域的特殊人才）、宝贵的组织资源（如高质量的计划体系和控制体系）、宝贵的无形资源（如品牌形象、企业声誉、员工忠诚度、积极的工作环境和强大的企业文化）、宝贵的技术资源（如短周期的新产品开发和上市、大量的专利和专有技术）。资源强势是形成企业核心竞争力的重要基础。

● **战略专栏 4-3**

资源分析和竞争优势——资源基础观

1. 资源基础观发展的原因

学界普遍认可，构建可持续的竞争优势是制定有效战略的基础。这就会产生一个问题，即怎样才能使资源变得具有特殊性。1984—2007 年，战略专家针对这个问题给出了答案。该回答并非一蹴而就，而是基于在此期间的各种书籍和研究论文逐渐形成的。因此，将资源基础观的发展归因于一个人是不恰当的。战略发展的资源基础观（resource-based view，RBV）强调了组织中单个资源在打造其竞争优势和创造附加值方面的重要性。它标志着 20 世纪八九十年代初迈克尔·波特等人所强调的基于企业所处竞争环境的战略管理理论发生了重大转变。

这一转变的发生是因为战略专家对同一行业中不同公司的长期利润有差别而感到困惑。他们认为，如果行业是利润的主要决定因素，那么某个行业的所有公司都应该有相似的盈利水平。但事实并非如此。例如，当美国家乐氏的早餐麦片业务利润下降时，通用磨坊的利润却在继续增长。当日本丰田和本田在全球的汽车行业大踏步前进时，通用汽车和福特却丢城失地，甚至在本土市场出现了亏损。为什么会这样？战略专家认为，行业分析肯定没有错，但还需要明确可持续的竞争优势和客户需求，只做行业分析显然远远不够。

资源基础观的本质是关注组织中的特定资源，而不是某个行业中所有公司共同采取的战略。了解行业固然非常重要，但组织应该在这种共同的背景下寻求自己独特的解决方案。与其他组织相比，可持续竞争优势来源于对组织中特定相关资源的有效利用。相关性意味着要识别出比竞争对手更好的资源，这些资源对客户要有说服力，还可以从组织内部包含的一系列优势中获得。例如，葛兰素史克的药物开发战略应该集中在比竞争对手更有效的药物上，为顾客带来真正的好处，并发挥其在治疗哮喘和抗病毒药物等现有领域的优势。不要进入公司不熟悉的新技术领域，因为那里已经有强生这样的竞争对手，它在手术设备和敷料等方面早已站稳了脚跟。

在行业分析的背景下，资源基础观的出发点是仔细研究组织的资源。除了一般性分析，还有必要区分那些能给组织带来特定优势的属性。

2. 可持续竞争优势和 RBV

可持续竞争优势（sustainable competitive advantage，SCA）是指相对于竞争对手的一种不易被模仿的优势。分析竞争对手的主要目的是使组织能够针对竞争对手打造竞争优势，尤其是可以长期保持的优势。可持续竞争优势涉及组织在市场上竞争的方方面面——价格、产品范围、制造质量、服务水平等。然而，其中一些因素很容易被模仿。例如，价格可以在一夜之间改变——一旦葛兰素史克失去其专利保护，其他公司就可以立即制造仿制药。

真正的收益只能来自竞争对手无法轻易模仿的优势，而不是那些只能暂时缓解竞争压力的优势。为了实现可持续发展，竞争优势需要更深入地融入组织，包括资源、技能、文化和投资。例如，路易威登在时尚界的优势就来自其品牌投资、质量声誉、时装设计师以及与供应商和顾客的关系网络。

3. 竞争优势的来源

在寻求竞争对手无法轻易复制的优势时，不仅要研究竞争对手，更要研究组织本身及其资源。虽然没有特定的"公式"来完成这项工作，但有一些可供参考的出发点。

（1）**差异化**。这就是指在产品或服务中开发独有的特征或属性，使其对整个市场中的某一领域特别有吸引力。品牌化就是一个例子。

（2）**低成本**。低成本生产使公司能够以较低的价格或至少是与竞争对手相同的价格参与竞争，但附加更多的服务。例如，东南亚一些国家的生产活动可能拥有西方无法比拟的低劳动力成本优势。

（3）**利基市场营销**。公司可以选择一个小的细分市场，集中所有力量来实现在这一细分市场中的优势。这种利基市场需要通过特殊的买方需求来区分。圣罗兰或登喜路这类时尚品牌就是专门针对特定细分市场生产产品的。

（4）**高性能或技术**。可以开发出其他公司无法匹敌的特殊水平的性能或服务。例如，通过专利产品或招聘特别有才能的人员来实现这一目的。知名的全球咨询公司和商业银行就是这样运作的。

（5）**质量**。有些公司提供的产品质量是其他公司无法比拟的。例如，一些日本汽车的可靠性已经达到了西方公司难以企及的水平。

（6）**服务**。一些公司刻意寻求提供其他人无法或不愿意提供的优质服务。例如，麦当劳就为其快餐店设置了高服务水平目标。

（7）**纵向一体化**。向后收购原材料供应商和（或）向前收购分销商可能会让本公司拥有其他公司无法比拟的优势。

（8）**协同效应**。这是各部分业务的组合，它们的总和比单个部分简单相加有更大的价值，即达到"2+2=5"的效果。这可能是因为各部分可以共享固定管理费用，可以实现技术转移或共享销售团队。在进行并购时，公司通常会打出这样的旗号，但实际上这种协同作用不一定能实现。尽管如此，这仍然是值得深入研究的领域。

（9）**组织的文化、领导力和风格**。组织领导、培训和支持其成员的方式可能是其他公司无法比拟的优势来源。它将带来创新的产品、卓越的服务、对新市场的快速反应等。这个领域比上述其他领域更难量化，但会增加组织独特的吸引力。

一些组织和战略专家几乎痴迷于可持续竞争优势的前三个来源——通常所说的波特的一般战略的核心内容。但是，只关注这三个领域是不合适的，因为上面列出的其他领域（以及更多未列出的领域）也很重要。波特的著述也相当详细地探讨了其他许多可能的领域。可以说，上面列出的某些来源其实就是某种形式的差异化。然而，如果将其全部归为差异化，会让我们忽视优势的特定属性，还会放弃由这些理念所开辟的重要战略领域。

约翰·凯（John Kay）认为，竞争优势的基础就是组织各个部分之间关系的稳定性和连续性。他认为，关键的优势都不是一蹴而就的，也不能通过某种特殊的并购或其他特别的战略获得。真正的优势涉及整个组织的文化和风格，需要多年的时间来开发。从这个意义上讲，将优势概括为前述简短的清单可能会误人子弟。但是，列清单的确可以为进一步的分析提供支撑。

重要的是，识别可持续竞争优势没有唯一的路径和战略"公式"。当然，在特定类型的行业或企业中，也可以确定一些可能的典型可持续竞争优势来源（见表4-3）。

表 4-3　不同类型行业或企业的典型可持续竞争优势来源

高科技行业	服务行业	小公司	制造业
技术卓越	良好的服务质量、信誉	良好的质量	低成本
良好的质量、信誉	高素质的员工	及时的服务	强大的品牌
良好的客户服务	良好的客户服务	个性化服务	有效分销
财务资源充足	品牌知名	灵活的价格	优质的产品
低成本制造	以客户为导向	当地的可用性	物有所值

资料来源：林奇.战略管理：第 7 版 [M].赵雁海，姚烨，译.北京：中国人民大学出版社，2021.

4.2　企业能力分析

企业能力是指企业对各种资源进行有效的整合以发挥最大潜在价值的技能。一般而言，资源本身并不能产生竞争优势，竞争优势源于对多种资源的特殊整合。企业的竞争优势源于企业的核心竞争力，核心竞争力又源于企业能力，而企业能力源于企业资源。也就是说，企业可持续的竞争优势是在企业长期运行过程中，由将具有战略价值的资源和能力进行整合、升华而形成的核心竞争力所产生的。这样一个整合过程正是企业素质的提升过程，也是一个以资源为基础的战略分析过程，如图 4-2 所示。

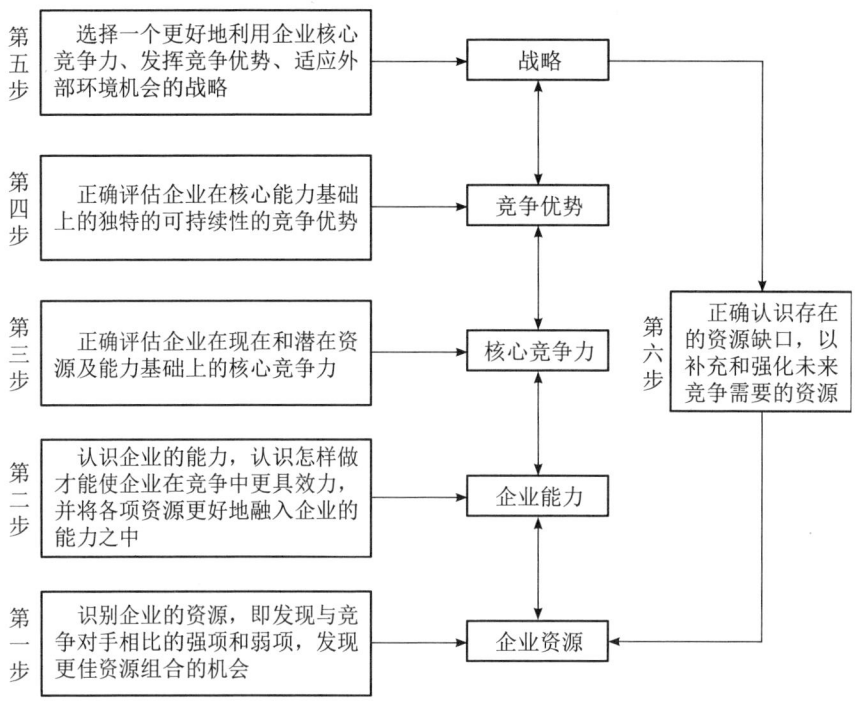

图 4-2　以资源为基础的战略分析

4.2.1 企业基本能力分析

在识别、判定一个企业的核心竞争力之前,首先要弄清一个企业的基本能力状况。对企业基本的能力,可从企业生产经营所必需的各项功能的角度分别加以分析。

1. 企业财务能力分析

要分析、判断一个企业的经营能力,首先必须分析企业的财务状况,因为企业的财务报表和资料记录了企业经营的整个过程和绩效水平。分析企业财务状况广泛使用的方法是财务比率分析。财务比率分析通常从两个方面进行。一是计算本企业的有关财务比率,并与同行业的竞争对手进行比较或与同行业的平均财务比率进行比较,借以了解本企业与竞争对手或行业一般水平相比的财务状况和经营成果水平。二是将计算得到的财务比率与本企业过去的财务比率和预测得出的未来的财务比率相比较,借以测定企业的财务状况和经营成果水平在一个较长时间段内的变动趋势。

财务比率分析评价体系主要由五类指标构成,即收益性指标、安全性指标、流动性指标、成长性指标和生产性指标。

(1) **收益性指标**。收益性指标分析的目的在于观察企业一定时期内的收益及获利能力。其主要指标的基本含义及计算公式见表 4-4。

表 4-4 收益性指标

收益性指标	基本含义	计算公式
资产报酬率	反映企业总资产的利用效果	(净收益 + 利息费用 + 所得税) / 平均资产总额
所有者权益报酬率	反映所有者权益的回报	税后净利润 / 所有者权益
每股利润	反映股东权益的报酬	(净利润 − 优先股股利) / 普通股发行在外平均股数
股利发放率	反映股东权益的报酬	每股股利 / 每股利润
市盈率	反映股东权益的报酬	每股市价 / 每股利润
销售利税率	反映销售收入的收益水平	利税总额 / 净销售收入
销售毛利率	反映销售收入的收益水平	销售毛利 / 净销售收入
销售净利率	反映销售收入的收益水平	净利润 / 净销售收入
成本费用利润率	反映企业为取得利润所付代价	(净收益 + 利息费用 + 所得税) / 成本费用总额

(2) **安全性指标**。安全性是指企业经营的安全程度,也指资金调度的安全性。分析安全性指标的目的在于观察企业一定时期内的偿债能力。其主要指标的基本含义及计算公式见表 4-5。

表 4-5　安全性指标

安全性指标	基本含义	计算公式
流动比率	反映企业短期偿债能力和信用状况	流动资产/流动负债
速动比率	反映企业立刻偿付流动负债的能力	速动资产/流动负债
资产负债率	反映企业总资产中有多少是负债	负债总额/资产总额
所有者（股东）权益比率	反映企业总资产中有多少是所有者权益	所有者权益/资产总额
利息保障倍数	反映企业经营所得偿付借款利息的能力	税息前利润/利息费用

其中，流动比率和速动比率均反映企业的变现能力，二者越高，流动负债得到偿还的保障就越大，但指标过高则表明企业滞留在流动资产上的资金过多，未能有效利用，可能会影响企业的获利能力。一般而言，流动比率以 2∶1 较为合适，速动比率以 1∶1 较为合适。

资产负债率越高，在负债所支付的利息率低于资产报酬率的条件下，股东的投资收益率就越高，这说明企业经营有方、善用借债，但是该指标越高、借款越多，偿债能力就越差，财务风险也就越大，因此资产负债率要保持在适当水平。一般来说，低于 50% 的资产负债率较为稳妥。所有者（股东）权益比率与资产负债率之和为 1，所有者（股东）权益比率越大，财务风险就越小。而利息保障倍数若低于 1，则说明企业经营所得还不足以偿付贷款利息，因此该指标越高，说明按时、按量支付利息就越有保障。

（3）**流动性指标**。流动性指标分析的目的在于观察企业在一定时期内的资金周转状况，是对企业资金活动的效率分析。其主要指标的基本含义及计算公式见表 4-6。

表 4-6　流动性指标

流动性指标	基本含义	计算公式
存货周转率	反映存货的周转速度	销售成本/平均存货
应收账款周转率	反映年度内应收账款转为现金的平均次数	销售收入/平均应收账款
流动资产周转率	反映流动资产的使用效率	销售收入/平均流动资产总额
固定资产周转率	反映固定资产的使用效率	销售收入/平均固定资产总额
总资产周转率	反映全部资产的使用效率	销售收入/平均资产总额

其中，流动资产周转率、固定资产周转率、总资产周转率分别反映流动资产、固定资产、总资产的使用效率，三者越高，说明资产利用越好、获利能力越强；存货周转率是衡量和评价企业购入存货、投入生产、销售收回等各环节管理状况的综合性指标，该指标越高，说明资金回收越快、效益越好；应收账款周转率反映年度内应收账款转为现金的平均次数，该指标越高，说明企业催收账款的工作做得越好，坏账损失的可能性越小。

（4）**成长性指标**。成长性指标分析的目的在于观察企业在一定时期内经营能力的发展变化趋势。一个企业即使收益性高，如果成长性不好，也表明其发展后劲不足，未来盈利能力有可能较差，因此分析企业的成长性对战略的选择至关重要。其主要指标的基本含义及计算公式见表 4-7。

表 4-7 成长性指标

成长性指标	基本含义	计算公式
销售收入增长率	反映销售收入变化趋势	(本期销售收入 − 前期销售收入)/前期销售收入
税前利润增长率	反映税前利润变化趋势	(本期税前利润 − 前期税前利润)/前期税前利润
固定资产增长率	反映固定资产变化趋势	(本期固定资产 − 前期固定资产)/前期固定资产
人员增长率	反映人员变化趋势	(本期职工人数 − 前期职工人数)/前期职工人数
产品成本降低率	反映产品成本变化趋势	(前期产品成本 − 本期产品成本)/前期产品成本

（5）**生产性指标**。生产性指标分析的目的在于判断企业在一定时期内的生产经营能力、生产经营水平和生产成果分配等状况。其主要指标的基本含义及计算公式见表 4-8。

表 4-8 生产性指标

生产性指标	基本含义	计算公式
人均销售收入	反映企业人均销售能力	销售收入/平均职工人数
人均净利润	反映企业经营管理水平	净利润/平均职工人数
人均资产总额	反映企业生产经营能力	资产总额/平均职工人数
人均工资	反映企业经营成果分配状况	工资总额/平均职工人数

上述企业财务能力的五性分析结果可以用雷达图的形式表示出来。雷达图的绘制步骤如下。首先，画出三个同心圆，并将其五等分，形成五个扇形区域，分别表示生产性指标、安全性指标、收益性指标、流动性指标和成长性指标。通常，最小的圆代表同行业平均水平的 1/2 或最低水平；中间的圆代表同行业平均水平，又称标准线；最大的圆代表同行业先进水平或平均水平的 1.5 倍。其次，在五个扇形区域内分别以放射线的形式画出相应的财务指标线，并标明指标名称或代号。最后，将企业同期的相应指标值用点标在图上，以线段依次连接相邻点，形成折线闭环，就构成了雷达图，如图 4-3 所示。

雷达图可以清楚、直观地反映企业财务水平及经营管理的优势和劣势。当指标值处于标准线以内时，说明该指标低于同行业平均水平，需要查找原因加以改进，其中当指标值接近最小的圆或处于其内时，说明该指标处于极差的状态，是企业经营的危险状态，应重点加以分析改进；当指标值处于标准线外侧时，说明该企业处于较理想的状态，相应领域是企业的优势所在，应及时总结以便巩固和发扬。

2. 营销能力分析

一个企业营销能力的强弱往往体现在其产品竞争能力、销售活动能力、新产品开发能力和市场决策能力上。因此，营销能力分析通常从以下五个方面来进行。

1）**市场环境分析**：从行业动向（销售趋势、产品普及率、竞争关系、技术发展趋势）、消费者行为（销售对象、购买动机、购买过程）和企业形象（知名度、消费者意见、中间商意见）等方面分析。

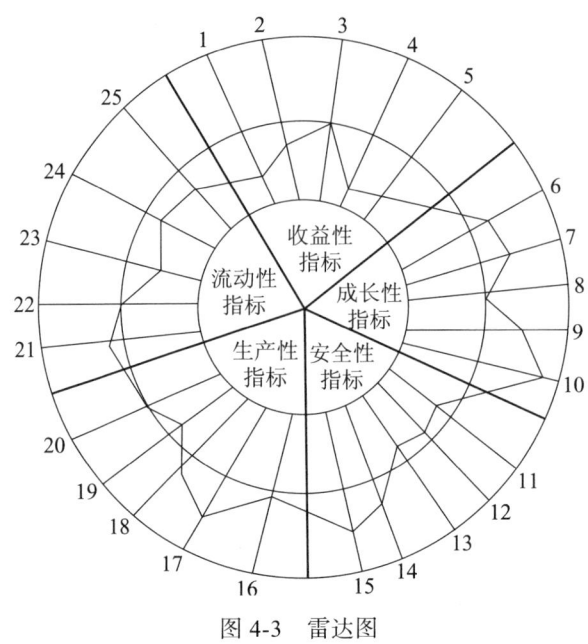

图 4-3 雷达图

注：1，2，3，…，25 分别为"五性"中各个具体指标的代号。

2）产品竞争能力分析：从产品的市场地位（市场占有率、市场覆盖率）、收益性、成长性（销售增长率、市场扩大率）、竞争性（产品强度）和结构性（产品构成）等方面进行分析。

3）销售活动能力分析：从销售组织、销售绩效、销售渠道、促销活动、销售计划等方面进行分析。

4）新产品开发能力分析：从新产品开发计划、开发组织、开发过程和开发效果等方面进行分析。

5）市场决策能力：从经营方针、经营计划、决策过程和信息系统等方面分析。

3. 生产管理能力分析

企业的生产功能包括将投入品转变为产品或服务的所有活动。生产管理主要包括五种功能或决策领域：生产过程、生产能力、库存、劳动力和质量。因此，生产管理能力分析也应从这五个方面展开。

1）生产过程分析：涉及整个生产系统的设计，具体分析内容包括技术的选择、设施的选择、工艺流程分析、设施布局、生产线平衡、生产控制和运输分析。

2）生产能力分析：涉及确定企业的最佳生产能力，具体分析内容包括产量预测、设施和设备计划、生产计划、生产能力计划及排队分析。

3）库存分析：涉及原材料、在制品及产成品存量管理，具体分析内容包括订货的品种、时间、数量以及物料搬运。

4）劳动力分析：涉及对熟练工人与非熟练工人及管理人员的管理，具体分析内容包括岗位设计，绩效测定，丰富工作内容、工作标准和激励等。

5）质量分析：分析质量控制、质量检验、质量保证和成本控制。

4. 组织效能分析

组织是实现目标的工具，是进行有效管理的手段。进行组织效能分析，首先必须明确评价组织效能的一般标准。良好的组织应符合的基本标准有：目标明确、组织有效、统一指挥、权责对等、分工合理、协作明确、信息通畅、沟通有效、管理幅度和管理层次有机结合、重视人才的培养和合理使用等。

按照以上评价标准，可以从多个角度进行组织效能分析。

1）从分析组织任务分解入手，对组织任务的分解结果进行逻辑分析，进而对组织任务分解的合理性做出判断。

2）从分析岗位责任制、职责权限的对等性入手发现改善的机会。

3）从分析管理体制入手，对企业集权与分权的有效性进行分析。

4）从分析组织结构入手，确定是否适应未来战略方向。

5）从分析管理层次和管理幅度入手，发现新增或合并管理职能部门的可能性。

6）从分析人员入手，根据组织任务分解、职位标准和职务手册等对企业所有现职管理者承担现职工作的能力和职业前景进行分析判断，看现职管理者的胜任程度和职位标准等是否应当修正。

5. 企业文化分析

企业文化是基于共同价值观之上，企业全体职工共同认可并遵循的目标、行为规范和思维方式的总称。对企业文化进行分析应注意把握以下内容。

1）企业文化现状分析。

2）企业文化建设过程分析。

3）企业文化特色分析。

4）企业文化与战略目标、战略和内外部环境的一致性分析。

5）企业文化形成机制分析。

上述内容逐一讨论了进行企业财务能力、营销能力、生产管理能力、组织效能、企业文化分析的基本内容和方法。通过以上分析，企业便可了解其基本能力的强项和弱项是什么，进而对是继续执行现行战略，还是对现行战略进行重大变革做出重大决策。

4.2.2 企业核心竞争力分析

一个企业具备基本的能力，是其在行业中获取利润以求得生存的最基本的条件。然而企业要想更好地发展，做大、做强、做久，还必须在基本能力的基础上打造能够撬动市场、赢得竞争的杠杆——核心竞争力。企业的核心竞争力才是保持持久竞争优势的源泉。

1. 核心竞争力的概念

核心竞争力，一般又称为核心能力，是 1990 年由两位管理学家哈默尔和普拉哈拉德在发表于《哈佛商业评论》的《企业核心竞争力》一文中提出的。其原始定义为："核心竞争力是组织中的积累性学识，特别是关于如何协调不同生产技能和有机结合多种技术流派的学识。"

核心竞争力概念一提出，就在理论界和实业界引起强烈的反响。核心竞争力理论在企业发展和企业战略研究方面迅速占据了主导地位，成为指导企业经营和管理的重要理论之一。它的产生代表了一种企业发展的观点：企业的发展由自身所拥有的与众不同的资源决定，企业需要围绕这些资源构建自己的能力体系，以实现自己的竞争优势。企业核心竞争力是企业的整体资源，它涉及企业的技术、人才、管理、文化和凝聚力等各方面，是企业各部门和全体员工的共同行为。

2. 核心竞争力的特征

核心竞争力至少具有三个方面的特征：一是核心竞争力特别有助于实现顾客所看重的价值；二是核心竞争力是竞争对手难以模仿和替代的，故能取得竞争优势；三是核心竞争力具有持久性，它一方面维持企业竞争优势的持续性，另一方面又使核心竞争力具有一定的刚性（Leonar-Barton，2000）。具体来说，核心竞争力的特征如下。

（1）**价值特征**。其表现在三个方面：

1）核心竞争力在企业创造价值和降低成本方面具有特殊功效，核心竞争力应当能显著提高企业的运营效率。

2）核心竞争力能实现顾客所特别看重的价值，它给顾客带来的好处应是关键的。

3）核心竞争力是企业有别于竞争对手且比竞争对手做得更好的原因。因此，核心竞争力对企业、顾客具有独特的价值，对企业赢得和保持竞争优势具有特殊的贡献。

（2）**资产专用性特征**。核心竞争力可以看作企业的一种专门资产，具有"资产专用性"的特征。核心竞争力的资产专用性还体现在积累的自然属性上，因为核心竞争力具有历史依存性，是企业积累性学习的结果，即企业的"管理遗产"，它使仿制者处于时间劣势，即使仿制者知道核心竞争力，也由于资源的积累需要一段时间而无法参与竞争（福斯、哈姆森，1998）。核心竞争力的资产专用性特征对潜在进入者构成一种进入壁垒，以保护垄断利润的获得，同时又对企业本身构成一种退出壁垒，这种退出壁垒对企业产生一种推动作用，激励企业员工为实现共同的目标而努力。

（3）**知识特征**。知识可以分为两大类：显性知识和隐性知识。具有信息特征的显性知识很容易被仿制，而具有方法论特征的知识则相对来说较难仿制。如果核心竞争力必须是异质的，必须是完全不能被仿制和替代的，那么核心竞争力必须以隐性知识为主。正因为隐性知识不公开、内容模糊、无法传授、使用中难以觉察、复杂而又自成体系（Winter，1987），核心竞争力才具有"普遍模糊"的特征。因此，"核心竞争力可以被认为是关于如何协调企业各种资源用途的知识形式"。

3. 核心竞争力成因分析

从企业自然发展的过程来看，优秀的企业在各种能力因素的复杂演变过程中，逐渐形成了自己的核心竞争力，塑造了企业的个性。尽管企业核心竞争力的形成比较复杂，并且因企业性质、目标不同而有所侧重和差异，就如找不到完全相同的两片树叶一样，但我们完全可以将其概括为内因与外因两种。企业核心竞争力的形成的内因是企业自身内部因素，外因是企业外部环境因素。企业核心竞争力的形成是企业自身内部因素与外部环境因素共同作用的结果。

（1）**自身内部因素**。企业核心竞争力形成的内因是指存在于企业系统之内的，促使企业核心竞争力形成的自身内部因素。通过分析可知，外部环境因素具有诱导、推动企业核心竞争力形成的功能，只有在外部环境因素的作用之下发挥内部因素的整合协调作用，才能实现核心竞争力的形成效能，形成企业自身的核心竞争力。决定或影响企业核心竞争力形成的内部因素主要有以下几点。

1）核心技术。核心技术包括公开但受法律保护的专利技术以及一系列技术秘密。拥有自己的核心技术是企业获得核心竞争力的必要条件，但不是充分条件，关键是拥有持久保持和获得核心技术的能力。

2）人力资本。在知识与资本日益对等甚至是知识雇佣资本的时代，人力资本对企业竞争力的作用已毋庸置疑，问题是对于企业的所有者来说，怎样进行机制设计才能将人力资本与企业有机地结合在一起，使特殊人才竭力为企业做出贡献。

3）声誉。声誉是一种无形资产，包括真诚、信任、尊重、同情和信守承诺等。在实际企业经营中，声誉往往成为决定性因素，比任何有形资产都更为重要。在产品市场上，声誉是卖者对买者做出的不卖假冒伪劣产品的承诺。在资本市场上，声誉是经营者（企业家）对投资者（股东、债权人）做出的不滥用资金的承诺。这种承诺通常不具有法律上的强制性，但如果卖者、经营者不履行这种承诺，就会失去买者的光顾和投资者的青睐。对于生产复杂产品（如汽车、房地产）以至于买者或投资者一时无法判定其质量的企业，以及买者靠承诺购买未来产品或服务的服务业和资本市场，声誉是企业获得核心竞争力甚至生存的根本和生命线。

4）营销技术和网络。营销技术即企业通过高效的产品、价格、促销和营销渠道组合向顾客提供满足其个性化需求的商品和劳务的方法及手段。营销技术既取决于企业人力资本和经验的积累，又与技术手段和营销信息系统的应用有很大关系。在网络经济时代，积极发展以电子商务为核心技术的网络营销技术和实现营销技术的标准化，有利于在更大的范围拓展销售空间。先进的营销技术是企业竞争力的重要方面，在消费者主导市场的时代，营销技术甚至是比制造技术更重要的竞争力因素。销售网点是企业推销产品和服务的前沿阵地，其主要功能是产品销售、市场调查、营销宣传、技术支持和市场开拓。营销网络构建是通过一定的管理技术将配送中心、销售网点、信息系统等联系在一起，形成覆盖较大区域市场的营销集散结构。而从企业竞争力的角度分析，企业一旦在消费者中形成了营销网络，将成为后来者进入该市场的壁垒，从而在相当长的时期内获得超额利润；后来者只有通过大量投资与先入企业进行广告和销售网争夺战，才有可能在市场上获得一席之地。

5）企业文化。企业文化是企业经营理念及其具体体现的集合，从概念上看，企业文化不难理解，通常难度在于找到适合企业特色的文化理念和具体落实问题。优秀的企业文化是企业整合更大范围资源、迅速提高市场份额的利器。

（2）外部环境因素。 企业核心竞争力形成的外因是指存在于企业系统之外的，促使企业核心竞争力形成的外部环境因素。这些外部环境因素能够诱导、唤起、驱动或转化为企业的内部因素，进而推动企业核心竞争力的形成。企业只有借助于外部环境因素的诱导和推动，才能不断地构建、培育和优化自己的核心竞争力。外部环境因素主要分为产业环境因素与宏观环境因素两种。产业环境因素是指与产品所处产业直接相关的因素，主要包括企业间的竞争、产品间的竞争、消费者需求等；宏观环境因素是指对企业核心竞争力的形成产生间接影响的因素，主要包括自然环境、社会环境、经济环境、法律政策环境等。

● 战略专栏 4-4

资源和能力分析：实践指导

以下将提供一种简单的、循序渐进的方法，来说明如何评估公司的资源和能力，然后将这种评估的结果运用到战略制定中。

步骤一，识别关键资源和能力

为了列出一个公司的资源和能力清单，我们可以从公司外部或公司内部着手。立足于公司外部视角，我们从关键成功因素开始着手。哪些关键成功因素决定了同一行业中部分公司比另外一些公司更成功？这些成功是建立在哪些资源和能力上的？假设我们正在评价德国汽车制造商——大众汽车公司的资源和能力，我们可以从全球汽车行业的关键成功因素着手分析：低成本生产、精心设计、融合最新技术的新车型，满足该行业投资需求大、资金循环慢特征的强大资金实力。这些关键成功因素意味着哪些资源和能力呢？它们包括生产能力、新产品开发能力、有效的供应链管理能力、全球分销能力、品牌优势、拥有最新资本设备和规模效益的工厂、良好的资产负债表等。

为了组织这些资源和能力，有必要来看看大众汽车公司的内部并检查一下该公司的价值链，识别一系列活动——从新产品开发、采购、供应链管理、零部件生产和组装一直到经销商支持和售后服务。然后我们再看一下支撑价值链不同环节能力的资源。表 4-9 列出了大众汽车公司资源和能力的评估。

表 4-9　大众汽车公司资源和能力的评估

	重要性评分[①]	大众汽车公司的相对优势评分[②]	注释
资源			
R1. 财务	6	6	信用排名处在全行业平均水平以上，但是现金流仍不乐观
R2. 技术	7	5	拥有技术优势，但大众汽车公司并不是汽车行业的领军人物
R3. 工厂和设备	8	8	大众汽车公司投入大量资金用于技术升级

(续)

	重要性评分[①]	大众汽车公司的相对优势评分[②]	注释
资源			
R4. 位置	4	4	在成本相对较低、快速成长的重要市场（中国、墨西哥、巴西）设立了工厂，但是德国的生产基地仍然成本高昂
R5. 分销（经销商网络）	8	5	经销网络地理分布广泛，特别是在新兴市场优势明显，在美国市场却一直都很薄弱
R6. 品牌	6	5	大众、奥迪、宾利都是十分响亮的品牌，但加上斯柯达、西亚特后，大众汽车公司的品牌组合就显得缺乏连贯性并且市场定位不明确
能力			
C1. 产品开发	9	4	大众汽车公司历来的弱势。尽管大众汽车公司有一些热销产品，如甲壳虫（1938年开始生产）、高尔夫（1974年）、帕萨特（1973年），但始终不是行业中新产品开发的领军人物
C2. 采购	7	5	传统弱势
C3. 设计	7	9	大众汽车公司的核心技术优势
C4. 生产	8	4	大众汽车公司是一个高成本生产商，它试图达到行业平均水平以上的质量
C5. 财务管理	6	4	一直缺乏强有力的财务导向
C6. 研发	5	4	尽管有一些技术优势，但大众汽车公司仍不是汽车创新的领导者
C7. 营销与销售	9	4	尽管一直都在认知和满足不同国家市场的顾客需求方面存在劣势，但大众汽车公司提高了对市场的敏感性，加强品牌营销，更加灵活地处理广告和促销
C8. 政府关系	4	8	在新兴市场上十分重要
C9. 战略管理	7	4	大众汽车公司能有效地重组和削减成本，但是高级管理层缺乏一致性和共识

① 取值范围为 1～10（1分表示在相应方面水平非常低，10分表示在相应方面水平非常高）。
② 大众汽车公司的资源和能力与通用汽车、福特、丰田、戴姆勒-克莱斯勒、尼桑、本田、菲亚特和标致雪铁龙进行比较，5分表示平均水平。这些评分都基于主观判断。

步骤二，评估资源和能力

用两个标准来评估资源和能力。首先是重要性，即哪些资源和能力在产生可持续竞争优势时最重要；其次是相对优势，即与竞争对手相比，资源和能力的相对优势是什么。

（1）评估重要性。在评估哪些资源和能力在产生可持续竞争优势时最重要的过程中，主要集中考虑顾客选择的标准。然而，我们必须记住我们最终的目标不是吸引顾客，而是通过建立持续的竞争优势获得超额利润。出于这个目的，我们需要从顾客选择中看到资源和能力的根本战略特征。在上述大众汽车公司的案例中，许多资源和能力对于参与商业竞争而言是十分必要的，不过，有一些并非稀缺（例如，在行业内普及的全面质量管理能力和先进的装配工厂），还有一些（如信息技术能力和设计能力）则可以外包给外部供应商——这两种能力中的任何一种都是"经营所必需的"而不是"获得成功所必需的"。而诸如品牌优势和全球分销网络的资源，以及快速研发和全球物流系统这类资源和能力，不能轻易获得或靠内部发展出来——它们对于建立或维持优势非常重要。

（2）**评估相对优势**。将公司的资源和能力与竞争对手相比，客观地评估其相对优势是非常困难的事情。在评估自身竞争能力的过程中，组织常常成为过去的荣耀、对未来的期望以及它们自己的"痴心妄想"的牺牲品。在公司和高级管理层中的傲慢倾向意味着商业成功的同时散播下了毁灭自己的种子。在美国和英国失败的工业公司之中，有许多正是由于昔日的成功使它们无视于停滞不前的能力和日益衰败的竞争力。

为了识别和评估一家公司的能力，管理者必须同时关注公司内部和公司外部。在内部讨论对于分享见解和证据，以及达成关于公司资源和能力组合的共识十分有用。在讨论哪些公司表现得好和表现得差时，可以用典型案例作为很清晰的历史证据。

最后，从主观分析转入客观分析。基准衡量已经成为比较某公司与其他公司表现的重要工具。基准衡量是"认识、理解和采用世界上其他公司出色的活动来帮助自己改善表现的过程"，它提供了一个系统的分析框架和分析方法用来认识特定功能和过程，然后比较自己的公司和其他公司的表现。

资料来源：格兰特.现代战略分析：第 7 版 [M].艾文卫，杭鑫，蒋东霖，等译.北京：中国人民大学出版社，2016.

4.3 价值链的概念与分析

4.3.1 价值链的概念

美国哈佛商学院著名战略学家迈克尔·波特在他所著的《竞争优势》一书中提出了"价值链"（value chain）这一概念。将一个企业的生产经营活动分解为若干自成一体但在战略上相互关联的活动，这些活动是企业的价值活动，构成了价值链。逐一研究这些活动，可以使人们知道一个企业的竞争优势源自何处。由于每一项价值活动都与企业最终创造的竞争优势有关，所以它们是构建竞争优势的基石。

"价值链分析法"把企业内外价值增加的活动分为基本活动和支持性活动。基本活动涉及进料后勤、生产运营、发货后勤、市场营销、售后服务等。支持性活动涉及采购、技术开发、人力资源管理、企业基础设施等。基本活动和支持性活动构成了企业的价值链。价值链模型如图 4-4 所示。

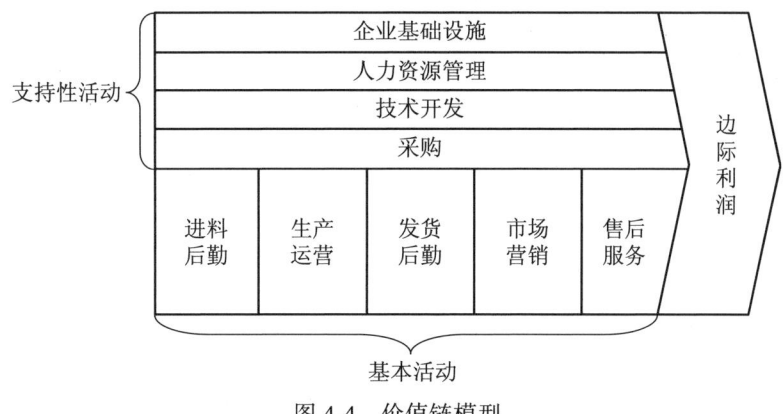

图 4-4 价值链模型

4.3.2 价值链分析

在不同的企业参与的价值活动中,并不是每个环节都创造价值,实际上只有某些特定的价值活动才真正创造价值,这些真正创造价值的经营活动,就是价值链上的"战略环节"。企业要保持的竞争优势,实际上就是企业在价值链某些特定的战略环节上的优势。运用价值链分析方法来确定核心竞争力,就是要求企业密切关注组织的资源状态,要求企业特别关注并培养在价值链的关键环节上获得的核心竞争力,以形成和巩固企业在行业内的竞争优势。企业的竞争优势既可以来源于价值活动所涉及的市场范围的调整,也可以来源于企业间协调或合用价值链所带来的最优化效益。

1. 价值链基本活动分析

(1) **进料后勤**。如原材料进厂处理、库存管理、存货控制、接收、储存、次品退换、车辆调配和材料管理。

(2) **生产运营**。把输入的物资转换为最终产品所必要的加工、包装、装配、设备维护以及其他运营行为。

(3) **发货后勤**。收集、存储以及发送最终产品给客户的行为,例如最终产品的仓储、订单处理、安排送货日期和调配送货车辆。

(4) **市场营销**。向客户介绍产品,确定价格,选择销售渠道;为了有效推广和销售产品,企业开展广告和促销活动,管理推销人员,处理好与经销商的关系等。

(5) **售后服务**。为了维持和提高产品销售额,提高产品的附加价值,企业会参与一系列与服务相关的行为,包括安装、修理、培训和调试。每种行为都应该与竞争对手的情况对比。

2. 价值链支持性活动分析

(1) **采购**。购买企业生产产品所需要的材料的行为。采购的物资包括生产过程中要消耗的所有材料(如原材料以及固定资产——机器、实验设备、办公室设备、办公楼)。

(2) **技术开发**。用于改进企业的产品以及生产产品的过程的行为。技术开发采用很多种形式，如改良设备、基础研究和产品设计以及服务等。

（3）**人力资源管理**。规划所有员工的招聘、聘用、培训、职业发展以及薪酬的行为。

（4）**企业基础设施**。总体管理、计划、财务、会计、法律支持、政府关系管理等对整个价值链起支持作用的行为。通过这些基础设施，企业不断识别外部机会和威胁、识别资源和能力，从而构建核心竞争力。

价值链是分析一个企业的竞争优势时应关注的基本概念。一个企业必须在具体作业过程中找出竞争优势形成的原因。只有理解一个企业的价值链才谈得上创造和保持竞争优势。企业要根据价值链的逻辑，系统地组织好生产、营销、研发、采购等性质不同的部门的工作，最佳地协调它们之间的业务，以充分利用价值活动间的联系作用。要促使各部门交流信息，帮助从事支持性活动的部门，并认识到人力资源管理和技术开发对企业总的竞争地位有重大的意义。一个符合价值链需要的企业组织结构，必然会提高企业创造和保持竞争优势的能力。

战略专栏 4-5

联邦快递利用价值链分析重塑自我

传说弗雷德·史密斯（Fred. Smith）早年创建联邦快递时，曾去拉斯维加斯赌博，凭运气赢得了 28 000 美元，并在第二天用这些钱发工资。不过，他将联邦快递重塑为物流信息化公司的分析和决策，为世界各地经营该业务的公司带来了一场改革，并使得联邦快递实现了业务流程价值的最大化。联邦快递逐渐成为所有客户业务的物流基础支撑，处理从客户订单到交货过程的一切活动，往往还包括装配及仓储。

"将产品从甲地运往乙地已经不是什么大问题了。"曾任联邦快递信息战略工程师的詹姆斯·巴克斯代尔（James Barksdale）说，"获得有关物品的实时信息，包括物品的位置和状态，才能创造价值。谁能使信息系统价值最大化，谁就是最大的赢家。"联邦快递的价值长期建立在大型飞机和货车的基础上，史密斯吸收了上述理念，并成功预见何时该把价值建立在信息系统、计算机和联邦快递品牌吸引力的基础上。

属于联邦快递的时代到来了，联邦快递成为全球各地企业开展实时递送改革的关键。联邦快递的飞机和货车都是移动型仓库，需在其操作装配中心完成调度，为客户提供服务。几乎在任何时间，联邦快递都在帮助全世界的客户降低成本、提高生产力。

联邦快递的飞机和货车等传统运输设备的价值链贡献占比减少，总体来看，增加的物流服务价值占公司年度收入的 90% 以上。由于联邦快递具有远见，构造出基于为客户创造最大价值活动的价值链，并从中挖掘自己的核心竞争力，从而重塑自我，为未来的成功奠定了基础。

通过价值链重构，联邦快递从传统的物流商转型为物流信息化解决方案提供商，而这一转变正是在价值链分析的基础上实现的。

资料来源：Various FedEx Annual Reports，www.fedex.com。

4.4 内部条件分析技术——内部因素评价矩阵

内部因素评价矩阵（internal factor evaluation matrix，IFE 矩阵）可以帮助企业经营战略决策者对企业内部各个职能领域的主要优势与劣势进行全面、综合的评价。其具体分析包括以下五个步骤。

（1）列出在内部分析过程中确定的关键因素。通常列出 10～20 个为宜。

（2）为每个因素指定一个权重，以表明该因素对于企业经营战略的相对重要程度。权重取值范围为 0（表示不重要）到 1（表示很重要），但必须使各因素权重值之和为 1。不管该因素是否具有优势，只要它对企业经营战略产生最重要的影响，就可以指定为最高的权重值。

（3）为各因素进行评分。1 分代表"重要劣势"；2 分代表"次要劣势"；3 分代表"次要优势"；4 分代表"重要优势"。需要注意的是，优势的评分必须为 4 分或 3 分，劣势的评分必须为 1 分或 2 分。评分以企业为基准，而权重则以产业为基准。

（4）用每个因素的权重乘以它的评分，即得到每个因素的加权分数。

（5）将所有因素的加权分数相加，得到企业的总加权分数。

得到企业的总加权分数之后，就可以对组织内部的总体情况做出判断。根据内部因素评价矩阵的取值规定可知，不管矩阵中的关键因素有几个，总加权分数的结果都会是 1～4 分，平均值为 2.5 分。如果总加权分数低于 2.5 分，表明企业组织处于弱势状态，数值越小，企业势力越弱；反之，如果高于 2.5 分，表明企业组织处于强势状态，数值越大，企业势力越强。

表 4-10 所示为 A 公司的内部因素评价矩阵。通过 IFE 矩阵可以总结和评价该公司的内部优势和劣势。

表 4-10　A 公司的内部因素评价矩阵

	关键内部因素	权重	评分	加权评分
内部优势	公司知名度	0.05	4	0.20
	市场份额	0.05	3	0.15
	产品质量	0.06	3	0.18
	创新效率	0.03	4	0.12
	地理覆盖面	0.02	4	0.08
	成本、资金利用率	0.05	3	0.15
	资金稳定	0.05	3	0.15
	设备	0.05	3	0.15
	技术制造工艺	0.03	3	0.09
	能干、富有想象力的领导集团	0.15	3	0.45
	具有奉献精神的员工	0.15	3	0.45
	设计创新能力	0.04	3	0.12

(续)

	关键内部因素	权重	评分	加权评分
内部劣势	服务质量	0.05	1	0.05
	销售队伍效率	0.04	2	0.08
	现金流量	0.05	2	0.10
	准时交货能力	0.03	1	0.03
	规模经济	0.03	2	0.06
	灵活性或反应能力	0.07	2	0.14
	合计	1.00	—	2.75

从以上评价数据可知，A 公司的内部优势在于其公司知名度、创新效率和地理覆盖面这几个方面，正如它们被评为 4 分所表明的；内部劣势在于服务质量和准时交货能力方面，因而评分为 1 分。总加权分为 2.75 分，表明 A 公司内部优势高于平均水平 2.5 分，处于强势状态。

4.5 战略综合分析方法

4.5.1 波士顿矩阵分析法

波士顿矩阵（也称成长－份额矩阵）是美国波士顿咨询公司（boston consulting group，BCG）在 20 世纪 60 年代为一家纸业公司提供咨询服务时提出的一种投资组合分析方法。这种方法是多元化企业进行战略制定的有效工具，它把企业生产经营的全部产品或业务的组合作为一个整体进行分析，用来分析企业相关经营业务之间现金流量的平衡问题。通过这种方法，企业可以找到企业资源的产生单位和这些资源的最佳使用单位。

波士顿矩阵的横坐标表示某项业务的相对市场占有率，是指企业某项业务的市场份额与该市场中作为比较对象的竞争对手的市场份额之比，以 1.0 为界限划分为高、低两个区域，代表企业在该项业务上拥有的实力；波士顿矩阵的纵坐标表示市场增长率，是指企业某项业务两年内市场销售额增加的百分比，代表的是某项业务在市场上的吸引力，与该项业务在市场上所处的地位无关，选这一指标来代表市场吸引力是出于对产品生命周期理论的思考，因为产品生命周期理论主要是以市场销售量的变化来判断产品所处生命周期阶段的。销售增长率的确定一般分为两种情况，若企业经营的多项业务属于同一行业，则可以把行业的平均增长率作为分界线。在分界线以上的业务，正处在成长期或投入期；在分界线以下的业务，则处于成熟期或衰退期。若企业经营的各项业务很分散、缺乏共性，则可以用各项业务的加权平均增长率作为分界线，还可以把企业的目标增长率作为分界线，以区别哪些业务拉高或降低了企业的目标增长率。图中圆圈面积的大小表示该业务的收益占企业全部收益的比例大小（见图 4-5）。

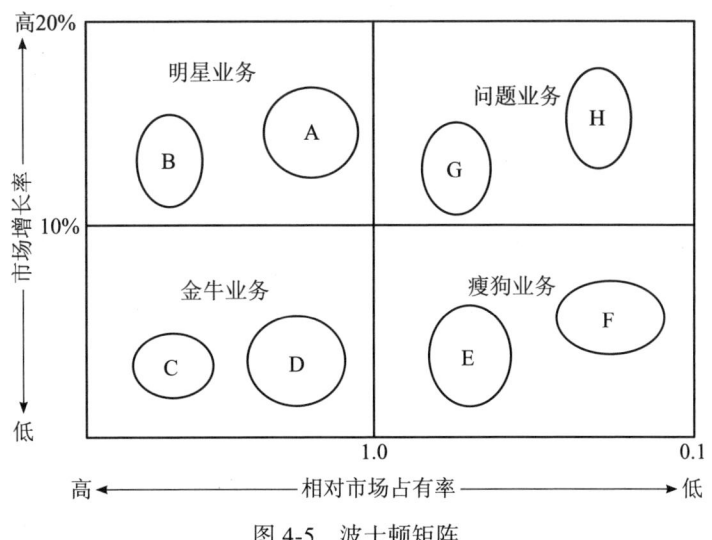

图 4-5 波士顿矩阵

1. 波士顿矩阵分析

根据有关业务或产品的市场增长率和相对市场占有率,波士顿矩阵把企业全部的经营业务定位在四个区域中。

(1) **明星业务区**。这类业务处于迅速增长的市场,具有很大的市场份额。在客户的全部业务中,明星业务的增长和获利有着极好的长期机会,但它们是客户资源的主要消耗者,需要大量的投资。为了维护或推动明星业务在增长的市场中占主导地位,客户应在短期内优先供给它们所需的资源,支持它们的发展。

(2) **问题业务区**。这类业务通常处于最差的现金流量状态。一方面,所在行业的市场增长率高,企业需要大量的投资支持其生产经营活动;另一方面,其相对份额少,能够产生的资金回报很少。所以,企业要对处于这类区域内的业务是否进一步投资进行分析,要判断使其转移到明星业务区所需要的投资量,分析其未来的盈利情况。

(3) **金牛业务区**。这类业务处于增长率低的成熟市场中,市场地位有利,盈利率高,本身不需要投资,反而能为企业提供大量资金,用以支持其他业务的发展。

(4) **瘦狗业务区**。这类业务处于饱和的市场中,竞争激烈,可获利润很少,不能成为企业资金的来源。如果这类经营业务还能自我维持,则应缩小经营范围,加强内部管理;如果这类业务预期会彻底失败,企业应及早采取措施,清理该类业务或退出经营。

2. 波士顿矩阵的应用

通过波士顿矩阵模型,企业的管理层能迅速看到企业每项业务在整个业务组合中的位置,以便制定出整个企业未来发展的动态战略。一般来说,企业可以采取四种不同的战略。

(1) **发展战略**。采用这种战略的目的是扩大产品的市场份额,甚至不惜放弃近期收入来达到这一目标。这一战略特别适用于问题业务,如果它们要成为明星业务,其市场份额必须有较大的增长。发展战略也适用于明星业务。

（2）**维持战略**。采用这种战略的目的是保持产品的市场份额，这一战略适用于金牛业务，因为这类业务能够为企业带来大量的现金流。

（3）**收获战略**。采用这种战略的目的在于增加短期现金收入，而不考虑长期影响。这一战略适用于处境不佳的金牛业务，这类业务前景欠佳，而当前还可以从它们身上获得大量现金收入。收获战略也适用于问题业务和瘦狗业务。

（4）**放弃战略**。采用这种战略的目的在于出售或清理某些业务，以便把资源转移到更有潜力的领域。它适用于瘦狗业务和问题业务，如果这些业务前景暗淡、扭亏无望，不如尽早处理，做出适宜的战略转移。

战略专栏 4-6

应用成长－份额矩阵的成功与失败路线

值得注意的是，随着时间的推移，一个产品在成长－份额矩阵中的位置会发生变化。成功的产品都有一个完整的生命周期。它们通常从"问题"类开始，转向"明星"类，然后成为"金牛"类，最终成为"瘦狗"类，从而走向生命周期的终点。因此，一个企业不能只注意其产品在成长－份额矩阵中现有的位置，还要注意它们变化的位置。对于每一个产品，都应该回顾它以前处在哪里，同时还要展望它今后将处在哪里。如果某项产品的预期发展轨迹不太令人满意，企业就应该调整其战略。

应用成长－份额矩阵时，尤其要注意在产品组合发展策略上有一条成功的路线。所谓成功的路线是指不应该将从"金牛"类产品赚来的钱全部投资在原来的业务上，而应该投资在"问题"类产品上，将"问题"类产品转变成"明星"类产品，同时保证"明星"类产品向"金牛"类产品转化。

例如，格兰仕曾经为了使其新产品——微波炉（"明星"类产品）的总成本绝对领先于竞争者，先后卖掉年盈利上千万元的金牛业务——羽绒厂和毛纺厂，然后把资金集中投入到微波炉生产中，最后大获成功。

又如，2014 年，专业运动品牌 Under Armour 从阿迪达斯手中夺取了美国运动用品市场第二名的位置。尽管连年遭遇挫折，但阿迪达斯并未跟随竞争对手走专业产品（强调性能）的路线，而是将投资保持在自己的明星产品上。它认为，并不是只有狂热的运动人士才喜欢购买和穿运动鞋。通过强调复古和时尚，吸引广大普通消费者，阿迪达斯成功地提升了"明星"类产品的销量，在 2017 年夺回了市场第二名的位置。

同时，经营者如果投资不当，也会陷入失败。

首先，有的企业将从"金牛"类产品赚来的钱，重新投资在该产品上，而对"问题"类产品投资不足。结果"问题"类产品变成了"瘦狗"类产品，而未变成"明星"类产品，即用将来的机会换取了现在的金钱。例如，许多大型汽车生产企业虽然开发了电动汽车产品，但长期以来对电动汽车投资不足，在以特斯拉为代表的新型产品的冲击下难以快速转型。

其次，一些企业对竞争对手或新进入者没有足够的警惕，允许它们在高速增长的市场上增加市场份额，结果在"明星"类产品上投资不足，"明星"类产品变成了"问题"类产品，进而变成了"瘦狗"类产品。例如，在 20 世纪 70 年代，阿迪达斯任由耐克在跑鞋市场上增加份额，结果失去了该市场。我国同样也有很多企业犯了类似的错误，有些企业凭借生产的产品本来已成为市场领先者，但在地位并未完全巩固时就过早地将目光移向其他产品，结果极大地削弱了自己的竞争地位。

最后，一些企业从"金牛"身上挤了太多的奶，结果导致"金牛"死亡。以诺基亚为例，在智能手机时代，它陷入了困境：操作系统不如苹果，兼容性不如安卓，硬件不如三星。但诺基亚不愿意断然采取措施，放弃不具备优势的原有系统，从零做起。相反，它寄希望于功能机市场的延续，以及个别产品（如 Lumia）的市场好评为自己争取时间。没想到功能机市场的衰退速度超出诺基亚的预期，连带其手机业务全部沦陷。

资料来源：李振福，孙忠. 战略管理：企业持续成长的理论 [M].2 版. 北京：中国市场出版社，2018.

4.5.2 SWOT 分析法

1. SWOT 分析法的基本原理

SWOT 分析方法是一种最常用的企业内外部环境战略因素综合分析方法。SWOT 分析思想最早是由安索夫于 1956 年提出的，后来经过发展成为一个用于战略分析的经典、实用的方法。它根据企业拥有的资源和能力，分析企业内部优势与劣势以及企业外部环境的机会与威胁，进而选择适当的战略。SWOT 中的 S（strength）是指企业内部的优势；W（weakness）是指企业内部的劣势；O（oppotunity）是指企业外部环境的机会；T（threat）是指企业外部环境的威胁（见表 4-11）。

表 4-11 SWOT 分析矩阵

战略选择		内部分析	
		企业内部的优势（S） 1. ……，…… 2. ……，…… 3. ……，……	企业内部的劣势（W） 1. ……，…… 2. ……，…… 3. ……，……
外部分析	企业外部环境的机会（O） 1. ……，…… 2. ……，……	SO 战略 利用内部优势 抓住外部机会	WO 战略 利用外部机会 改进内部劣势
	企业外部环境的威胁（T） 1. ……，…… 2. ……，……	ST 战略 依靠内部优势 回避外部威胁	WT 战略 克服内部劣势 回避外部威胁

2. SWOT 分析法的应用

在使用 SWOT 分析法时，根据企业的总体目标和总体战略的要求，列出对企业发展有大影响的内部及外部环境因素；确定标准进行评价，判断是优势还是劣势，是机会还是威胁。企业内部的优势和劣势可以表现在资金、技术设备、产品、市场、管理者素质等方面。判断企业内部的优势和劣势有两项标准：一是单项标准，如市场占有率低表示企业在市场上存在问题，处于劣势；二是综合标准，对影响企业的一些重要因素根据其重要程度进行加权计分评价。企业外部环境的机会是指环境中对企业有利的因素，如政府政策支持、先进技术的应用、良好的客户关系等。企业外部环境的威胁是指环境中对企业不利的因素，如新竞争对手的出现、市场增长率减缓、供应者和购买者讨价还价能力的增强、技术老化等影响企业目前竞争地位或未来竞争地位的主要因素。

下面是以奥克斯空调公司为例，对其外部环境的机会与威胁和内部的优势与劣势做出判断、选择，建立奥克斯空调公司的 SWOT 分析矩阵（见表 4-12）。通过 SWOT 分析矩阵对奥克斯空调公司的内外部环境因素进行综合评估，这些因素的平衡决定了奥克斯空调公司应该做出怎样的战略选择。

表 4-12 奥克斯空调公司 SWOT 分析矩阵

战略选择		内部分析	
		企业内部的优势（S）	企业内部的劣势（W）
		1. 产品质量高，消费者口碑较好 2. 市场销量较大，所占份额较大 3. 价格优惠，销路比较宽 4. 在互联网领域具有优势，较早从事电子商务业务 5. 售后服务良好，消费者比较满意	1. 市场品牌影响力不是很强 2. 经济效益因价格战而不断下滑 3. 核心技术缺乏，产品较单一 4. 领导者对员工技能提升重视程度不够
外部分析	企业外部环境的机会（O） 1. 主推性价比 2. 来自大型企业的需求增量 3. "家电下乡"政策的推动作用 4. 有进入国际市场的可能性	SO 战略（发展战略） 把握机会 发挥优势 加快发展步伐 向更高水平迈进	WO 战略（转型战略） 改善条件 转换发展模式、运行机制或发展方向 把握机会 重新制定战略方向
	企业外部环境的威胁（T） 1. 原材料价格上涨 2. 价格战的胁迫，难以形成规模优势 3. 同行业企业竞争激烈 4. 消费者偏好变化	ST 战略（灵活战略） 根据市场的变化、需求的变化，而制定灵活的战略目标	WT 战略（防御战略） 保持自己的市场份额，密切关注形势变化，时刻等待出现新的机会

● **复习思考题**

1. 如何对企业资源进行分类？其意义何在？
2. 企业能力分析包括哪些方面的内容？
3. 什么是核心竞争力？其特征有哪些？
4. 波士顿矩阵的应用有哪些？

5. 什么是价值链？对价值链进行分析的目的是什么？
6. 说明内部因素评价矩阵的分析步骤。

实践项目

学习建立个人战略。个人与企业一样，都要参与社会竞争，也都要对未来进行规划。每个人都有自己的优势与劣势，也都要面对某些外部机会与威胁。个人同样要树立目标、进行资源配置。鉴于这些及其他与企业的相似性，个人也可以应用战略管理理论与方法建立个人战略。本实践项目旨在利用SWOT分析矩阵对个人的未来进行规划。试建立一个SWOT分析矩阵，在其中记录你认为自己所面对的主要外部机会和威胁，以及自己所具备的主要优势和劣势。将外部机会及内部优势进行匹配，找出可以使你发挥优势、克服劣势、利用外部机会、减少面对的外部威胁的战略或行动方案。由于每个人都是特殊的，故本实践项目不存在唯一的标准答案。

本篇讨论案例

友邦人寿的业务扩张

第三篇

战略制定

第 5 章　公司层战略
第 6 章　经营层战略
第 7 章　职能层战略
第 8 章　国际化战略

第 5 章　公司层战略

◎ 学习目标

1) 理解战略思维应遵循的原则及提高战略思维能力的途径
2) 明确公司层战略的类型及各类战略的特点、适用条件
3) 掌握并购的概念、类型、动因和整合
4) 理解战略联盟的动因和应着重考虑的问题

◎ 先导案例

美的集团的先进制造业战略

美的集团股份有限公司（以下简称美的），注册于 2000 年，注册地址为广东省佛山市，是一家以从事通用设备制造业为主的企业。美的集团的主营业务涵盖智能家居、楼宇科技、工业技术、机器人与自动化和创新型业务等。

美的集团的先进制造业战略主要体现在以下五个方面。

1. 战略定位

美的集团将自身定位为"多品类、多产业和全球运营的科技集团"，并坚持"科技领先、用户直达、数智驱动、全球突破"的四大战略主轴。

2. 科技创新

（1）**研发投入**。美的持续加大在先进制造业领域的研发投入，依托四级研发体系及全球化研发网络，在多个技术领域取得了重大突破。

（2）**技术专利**。通过不断地研发和创新，美的在空调蒸发器和冷凝器的制造等领域申请了多项专利，显著提升了产品的竞争力。

3. 数智化转型

（1）**智能制造**。美的致力于通过精益智能工厂的数字化转型，实现制造中心的全面转型升级。其通过精益化、自动化和数字化的深度融合，打造了世界级精益智能工业园。

（2）**数字化管理系统**。美的引入先进的制造技术和管理系统，如 EHS 管理系统[一]、自动化组装线、精密加工设备，以及数据采集、分析和可视化系统等，提升了生产效率和产品质量。

4. 全球化布局

（1）**海外制造基地**。美的在全球范围内建立了多个制造基地，包括在巴西等地新建的家电制造工厂，这些基地不仅提升了美的的全球供应链能力，还有助于其更好地服务当地市场。

（2）**本土化策略**。美的在海外市场的拓展中，注重本土化策略的实施，包括与当地企业合作、建立本土研发中心等，以更好地适应不同市场的需求。

5. 绿色制造

（1）**可持续发展**。美的积极践行可持续发展理念，推动绿色制造和循环经济。其绿色工业解决方案已在多个行业落地，并与多家领军企业达成战略合作。

（2）**环保措施**。美的在生产过程中采取了一系列环保措施，如减少能源消耗、降低废弃物排放等，以实现更加环保和可持续的生产方式。

综上所述，美的集团的先进制造业战略是一个全面、系统的体系，旨在通过战略定位、科技创新、数智化转型、全球化布局和绿色制造等举措，不断提升自身的核心竞争力和市场地位。

资料来源：根据美的集团官方网站及有关资料整理而成。

5.1 公司层战略的类型及战略思维逻辑

5.1.1 公司层战略的类型

公司层战略即企业总体的、最高层次的战略，是公司最高层指导企业在今后一定时期内总体发展的战略行动纲领，是制定企业各个经营领域战略和各职能战略的依据。公司层战略要重点解决两个关键问题。一是从全局出发，根据外部环境的变化及企业内部条件状况，选择企业所从事的经营业务领域和范围，即要回答这样的问题：公司的业务是什么？应该是什么？二是在确定所从事的业务后，要在各战略业务单位之间进行资源分配，以实现公司整体的战略意图和战略目标。

公司层战略可以从"领域"和"地域"的角度加以分类。领域是指企业经营的行业范围，即"公司做什么，公司未来要做什么"地域是指企业经营的地理空间，即"公司在何处做""领域战略"依其经营业务的数目分为专业化经营和多元化经营；"地域战略"依其经营的地理空间范围可分为本地、全国、跨国、全球化几种类型。

公司层战略一般按照战略态势进行分类。所谓战略态势是指企业在目前的战略起点上，决定企业的各战略经营单位（strategic business unit，SBU）在战略规划期限内资源的分配状况、业务拓展的发展方向。因此，公司层战略可分为以下类型。

[一] EHS 管理系统是一种集环境（environment）、健康（health）、安全（safety）于一体的综合性管理系统。

（1）**增长型战略**。它又称为发展型战略，是指通过内部发展、并购、合资经营或战略联盟等方式扩大产销规模，提高市场地位的战略。该战略以发展为导向，引导企业不断地开发新产品、开拓新市场，采用新的生产方式和管理方式，以扩大企业的产销规模、提升企业的竞争地位、增强企业的竞争实力。

增长型战略具体可分为三种形式。①集中发展型战略，集中资源提高一种产品的市场地位。②一体化发展战略，包括纵向一体化和横向一体化两种形式。③多元化发展战略，包括两种形式，即相关多元化和非相关多元化。

（2）**稳定型战略**。它是指企业目前的经营方向、市场地位和战略目标都大致保持不变，且稳定增长的战略。企业采取稳定型战略的原因主要包括：行业结构和市场需求稳定；企业决策层不希望承担改变战略所带来的风险；战略改变需要改变资源配置格局，所付出代价较大，比如大企业；发展太快可能导致资源和能力无法跟上，从而使企业陷入困境。

（3）**紧缩型战略**。企业的资源总是有限的，它可能在必要时退出某些业务，也可能因环境的变化收缩目前的经营活动或实施企业清算（即采用紧缩型战略）。

5.1.2　企业的战略思维逻辑

战略思维是指思维主体（个人或集体）对关系事物全局的、长远的、根本性的重大问题的谋划（分析、综合、判断、预见和决策）。战略思维涉及的对象大多是复杂的经济、管理系统和人与自然的复合系统及复杂过程。

1.战略思维应遵循的原则

思考战略问题应当遵循一定的原则，这样能使我们更容易建立正确的战略方向。

（1）**关联思维原则**，即用联系的观点看问题。事物往往存在千丝万缕的联系，割裂了这些联系的看法是片面的、不准确的。

（2）**矛盾思维原则**，即用矛盾的观点看问题。矛盾是事物发展的客观规律，体现为对立统一的关系。事物之间相互制约、相互依存，这是事物达到平衡状态的必然约束。

（3）**动态思维原则**，即用发展的观点看问题。事物的发展是有一定规律可循的，但必须明白事物发展的路线可能是波浪形的，不总是一帆风顺的。

思考的基本程序为：提出问题，分析问题，解决问题。从难易程度来看：提出问题最难，只要找准了问题就可以说成功了一半；分析问题次之；解决问题最简单。从重要程度来看：提出问题不重要；分析问题次之；解决问题最重要。提出问题是指提出需要解决的正确问题，这是关于方向性的讨论，方向正确了，以后的所有过程才有可能是正确的，这是关于问题的质量的探讨。分析问题是指分析问题的前因后果，明确各种关系及其影响。解决问题是指找出可能的所有方案并一一进行评价，选择最优的解决问题的方法。这三者是相互交叉、不可分割、紧密联系的。

2.提高战略思维能力的途径

（1）**通过调查研究获取战略决策所需要的充足、准确的信息**。能够正确把握住事物的现状和变化发展趋势是树立战略思维的前提。如果思维主体获取的信息失真或者信息量不足，就不能准确地判断对象的现状，更不可能准确地预测对象未来的发展趋势，就会做出错误的战略决策。实践表明，任何成功的战略决策的产生，必须以大量的调查研究、情报部门和统计部门的工作为基础。如果信息不准确，根据其做出的战略决策必然是错误的。

（2）思维主体必须具备较高的理论素质及知识储备。思维主体要有科学的世界观、方法论、知识、经验等，且在关键时刻能灵活加以运用。具体来说，应该做到几下以点。

1）加强理论学习，掌握科学的世界观、方法论。
2）具备广阔的视野、丰富的知识，拥有正确的价值取向。
3）具有专业知识。不同领域和行业的战略制定是以特定的专业知识为基础的。
4）积累丰富的经验，包括直接的经验和间接的经验，即要读万卷书、行万里路。
5）发挥参谋、智囊机构的作用，利用外脑。
6）具有多个方案备选（择优，选择满意的方案，但不一定是最优的方案）。
7）人机结合（充分人工智能技术，如专家信息系统，提高决策的效率）。
8）建立民主科学的决策机制（战略问题关系重大，一般情况下，采用民主、集体决策犯错误的概率小于个人独裁）。
9）战略思维必须与"群众路线"相结合，既需要领导者的统筹规划，也要注重民主参与，并使战略目标与组织利益一致。

● 战略专栏 5-1

《孙子兵法》中的管理之道：战略选择

孙子曰：夫用兵之法，全国为上，破国次之；全军为上，破军次之；全旅为上，破旅次之；全卒为上，破卒次之；全伍为上，破伍次之。是故百战百胜，非善之善者也；不战而屈人之兵，善之善者也。故上兵伐谋，其次伐交，其次伐兵，其下攻城。攻城之法，为不得已。

管理启示：在企业管理上，能兼并收购其他企业为上策；与其他企业联盟合作为中策；与其他企业进行商业竞争为下策。在与其他企业竞争时，以挖走对方核心管理人员与技术人员为上策；以夺取对方技术、专利、资源为中策；以发动价格战，或者破坏对方商誉为下策。

管理的最高境界是用战略战术打败竞争对手，其次是通过人际关系与合作态度来取胜，最后是诋毁，以破坏对方商业网络取胜。

善于管理的人，能以合作与双赢的方式来使对方信服。不善于管理的人，往往是企业外部矛盾与内部矛盾的制造者。

当企业的资金、人力资源、科研技术、先进设备、品牌商誉是企业的优势，并且在这些方面超过其他竞争对手时，可以利用优势取得领先地位，甚至可以兼并竞争对手。当企业的资金、人力资源、科研技术、先进设备、品牌商誉与竞争对手相当，或者超越竞争对手但不多时，可与其合作，以利用对方的优势。当企业的这些方面弱于竞争对手时，可与其他二流企业、三流企业合作，形成企业联盟，以对抗最强大的竞争对手。

管理顾问与总经理助理、副总经理是总经理的助手，辅助得好，企业就会强盛，辅助得不好，企业就发展不好。

总经理对企业管理造成危害的情况有三种。一是不了解自己的优劣势，也不了解竞争对手的优劣势，盲目制定企业的战略目标。二是干涉副总经理、经理等管理人员的工作，打乱他们的工作计划，安排工作不根据实际情况，指手画脚，甚至替员工工作。三是多头领导，使管理混乱，以及在决策时搞"一言堂"，不能从善如流。

管理者应该既了解竞争对手，又了解自己的实际情况，然后选择正确的战略与战术，从而夺取竞争的胜利。

资料来源：李文武，《孙子兵法》中的管理之道：战略选择，致信网。

5.2 增长型战略

5.2.1 增长型战略的特点

增长型战略又称为发展战略，其核心就是企业发展。凡是能够实现企业规模扩大、经营领域扩张、产品品种增加、经营利润增加、经营网点增加的战略，都属于增长型战略。从本质上说，企业只有实现增长才能不断地扩大规模，进而实现从竞争力弱小的小企业发展成为实力雄厚的大企业的跨越。成功的企业都会在特定的时期实施增长型战略，实现迅速发展，从小变大，由弱变强。

增长型战略的特点有以下四种。

（1）**扩大规模**。增长型战略提倡企业投入大量资源，扩大产销规模，提高产品的市场占有率，增强企业的竞争实力。

（2）**创造需求**。增长型战略强调企业要通过开发新产品来创造需求，以把握发展机遇，谋求更大的回报。

（3）**改善企业绩效**。由于发展迅速，实施增长型战略的企业更容易获得较好的规模经济效益，从而降低成本，获得超额利润。有关研究表明，实施增长型战略的企业与那些处在同等条件下的企业相比，具有销售收入和利润增长方面的优势。

（4）**采用非价格手段参与竞争**。由于采用增长型战略的企业强调在市场开发、新产品开发上下功夫，力求拥有竞争优势，因此很少采用低价竞争方式损伤自己与竞争对手。

5.2.2 增长型战略的利弊

1. 增长型战略的有利之处

（1）**企业可以通过发展扩大自身价值**。这体现为经过扩张后的企业的市场份额和绝对财富的增加。这种价值既可以成为企业员工的一种荣誉，又可以成为企业进一步发展的动力。

（2）**企业能通过不断变革来创造更高的生产经营效率与效益**。由于企业实施增长型战略，因此可以获得过去不能获得的崭新机会，避免组织的老化，充满生机和活力。

（3）**增长型战略能提升企业的竞争实力，实现特定的竞争优势**。如果企业采用增长型战略，而竞争对手还在采用稳定型战略或紧缩型战略，那么企业就很有可能抓住这个机会在未来实现竞争优势。

2. 增长型战略的弊端

（1）企业在采用增长型战略获得初期的效果后，有可能导致盲目的发展，从而破坏其资源平衡。为了克服这一弊端，企业应该在做每一个战略决策之前重新审视和分析其内外部环境，判断其资源状况和外部机会。

（2）过快的发展很可能降低企业的整体素质，导致企业内部出现危机和混乱。这主要是企业新增机构、设备、人员太多而未能形成一个有机的、协调的系统引起的。针对这一情况，企业可以考虑设立一个战略管理的临时性机构，负责统筹和管理扩张后企业内部各部门、人员，在各方面情况好转和理顺后，再考虑撤销这一机构。

（3）增长型战略有可能使企业管理者更多地注重投资结构收益率、市场占有率、企业的组织结构等问题，而忽视产品的服务质量，重视宏观发展而忽视微观问题，从而使企业不能达到最优状态。要想克服这一弊端，需要企业管理者对增长型战略有一个正确而全面的认识，从而在战略实施过程中进行通盘考虑和决策。

5.2.3 增长型战略的实施动因和适用条件

1. 增长型战略的实施动因

（1）谋求发展是企业的本性。不断地变革能够不断地创造更高的生产经营效率和效益，从而使企业能在不同的竞争环境中求得更好的发展。

（2）扩大生产规模和销售量可以使企业利用经验曲线效应或规模经济效益来降低生产成本。

（3）企业家强烈的发展欲望是企业发展的第一推动力。

（4）许多企业管理者把增长等同于成功（而实际并非如此），因而追求增长型战略。

（5）企业增长得越快，管理者就越容易得到升迁或奖励，这是由最高管理者或高管层集体所持有的价值观决定的。

从以上这些动因中可以看出，有时追求增长型战略并不是简单地出于经营上的考虑，而是与经营者自身的利益相关。

2. 增长型战略的适用条件

（1）**企业必须分析战略规划期内宏观经济景气度和产业经济状况**。企业要实施增长型战略，就必须从环境中获得更多的资源。在选择增长型战略之前，企业必须对经济走势做详细的分析。良好的宏观经济形势往往是增长型战略成功的背景条件。

（2）增长型战略必须符合政府部门的政策法规和条例等的要求。实践证明，当今世界上的大多数国家都支持和鼓励高新技术产业的发展，因而这类行业企业可以考虑采取增长型战略。

（3）企业必须有能力获得充分的资源来满足增长型战略的要求。由于采用增长型战略需要较多的资源投入，因此从企业内部和外部获得资源的能力十分重要。在对资源充分性的评价中，如果有肯定的结论，则企业有实施增长型战略的资源保障，反之则缺乏保证，增长型战略不适用。

（4）判断增长型战略的适用性还要分析企业文化。如果一个企业的文化是以稳定性为主旋律的话，那么实施增长型战略还要在克服相应的文化阻力上下功夫。

增长型战略是一个整体的概念，下面介绍增长型战略的具体类型。

5.2.4 增长型战略的类型

1. 单一化发展战略

（1）单一化发展战略的含义。单一化发展战略又称为专业化发展战略，是指企业集中资源生产（或提供）单一产品（或服务）的战略。采取这种战略，要以快于过去的增长速度来增加销售额、利润额或提高市场占有率。

（2）单一化发展战略的应用。单一化发展战略考虑的是在既有产品或服务的基础上，扩大规模，提高市场占有率，增加销售量。具体应用方式有：

1）充实现有生产线（如为现有生产线提供新尺寸、新花样、新颜色的产品）。
2）在现有产品线内开发新产品。
3）扩大实体分配及销售范围，向国内外新地域扩张。
4）在一个地域内扩充分配及销售网点。
5）在现有的销售网点内扩充货架、改善地点和产品的陈列方式。
6）通过广告、促销和特殊的定价方法来鼓励未曾使用者使用企业的产品，鼓励很少使用者更经常地使用本企业的产品。
7）通过定价策略、产品差别化和广告手段，向竞争对手的市场渗透。

采用单一化发展战略最大的优势是可以实现规模经济，但企业同时面临一个主要的风险，即如果市场对企业的产品或服务的需求下降，则会遇到麻烦。一些非企业所能控制的因素可能会引起对企业产品或服务的需求的下降。如顾客偏好的不稳定性增加，竞争的激烈程度和复杂性增强，技术变革，政府政策改变，这些都对实行单一化发展战略的企业构成主要威胁。

● **战略专栏 5-2**

长尾战略在中小企业中的应用

1. "长尾"的内涵

长尾研究始于美国学者克里斯·安德森（Chris Anderson），但至今尚无正式定义。安德森认为，最理想的长尾定义应解释长尾理论的三个关键组成部分：①热卖品向利基品的转变；②富足经济（economics of abundance）；③许许多多小市场聚合成一个大市场。其他学者对长尾的定义进行了各种诠释，瑞克·弗格森和凯里·哈维于2006年发现通过特殊的市场法则（长尾原理），公司不仅能保留原有的顾客，而且能捕获新的顾客，特别是那部分不在头部的80%的顾客将成为利润的主要来源。

国内学者认为长尾经济是内部和外部范围经济的结合，但长尾经济不等于范围经济，长尾经济甚至可以不是范围经济，而是差异经济、个性化经济、创意经济等异质性的经济。企业界一直奉行的"二八原理"铁律，随着互联网的崛起也许将被打破，99%的产品都有机会销售，这就是长尾效应。而另一些研究人员认为长尾理论是指在网络化、电子数据管理条件下，研究以最低的成本生产和推广宣传产品，以最高的质量搜索和找到产品，以边际成本效益的改变影响潜在市场利润空间出现并产生新的具有差别化和异质化的可交换市场的理论。

2. 长尾战略在中小企业中的应用

(1) 对企业客户群体的细分。 对于传统的"二八定律"，企业在市场营销中的主要精力集中在"二"上，而鲜少关注另外的"八"，而长尾理论的提出是对企业市场定位的重新洗牌。为什么企业要更关注"八"呢？因为在存储和流通空间足够大的时候，更多的大众对象就像一片很广阔、分散的区域，如果可以把握这一块地盘，收获不一定会比集中的区域成就少。长尾理论是基于信息技术兴起所带来的信息流储存、交流成本的急剧降低而形成的一种新的理念，为企业提供了新思路。

首先，企业对市场需要重新细分，根据不同客户群体间的需求差异划分不同的市场。然后，企业依据自身的情况选择服务于其中的一个或少数几个细分市场或利基市场。为不同的细分市场提供多种不同产品的企业可以更好地满足更广泛的顾客需求。由此产生的结果则是：如果企业对产品进行了正确的定价，顾客需求将会上升，来自整个市场的收入可能会比只生产一种产品时更多。

(2) 对企业顾客关系的有力辅助。 在现实的顾客关系管理过程中，顾客关系管理水平除了与企业具体营销业务本身的成熟度有关外，还与企业所从事的具体营销业务所处的竞争环境相关。尤其是中小企业受到资源的限制，所获信息明显不对称，那么此时遵循"长尾理论"无疑能扬长避短，中小企业可以以顾客数量为突破口，抓住顾客关系中占多数的"八"。

市场越接近于完全竞争状态，越要重视大多数包含中小顾客的利基市场。随着全球经济市场化程度不断深化，"长尾理论"在顾客关系管理中起着越来越重要的作用。在具体的顾客关系管理中，中小企业要审时度势、抓大放小，短期内抓住重点，重视单个顾客业务的绝对数量以及大量中小顾客形成的利基市场，把服务做到最细微处。这要求企业不仅应有懂得逆向思考的管理思想，更重要的是应具有与实现这种管理思想相匹配的充足服务能力。

(3) 对企业市场营销的重新定位。 在网络经济下，由于技术、资源等诸多方面的原因，中小企业在热门市场、大众市场的竞争中明显处于弱势地位，无法与大企业抗衡。而热门市场的过分拥挤将导致产品的滞销以及市场的消亡。另外，少数的大众主流产品不能满足消费者个性化的需求，大量利基市场生产的非主流产品、小众产品正走向消费者。

在传统工业经济下，由于行业供给达到饱和，企业可以集中全部资源开发"热门市场"。但目前随着技术的发展，市场的供给日益饱和，企业的生产能力开始过剩，所谓的"热门市场""热门产品"变得并不"热门"，市场价值潜力渐失。相反，"长尾市场"在新的商务运营环境中的潜力日益明显，因此开发"长尾市场"在中小企业的市场营销定位中显得尤为重要。

剑走偏锋，放弃热门市场，深耕长尾利基市场不失为中小企业一个明智的选择。根据中小企业自身的竞争优势，选择并尽早进入一个或多个小众市场，能更快地使企业自身处于竞争中的优势地位。

（4）推进企业信息化技术的应用。长尾市场具有的边缘化、小规模等特性都非常符合当前市场上中小企业及其产品的特征。中小企业由于自身的劣势，要想搏击大企业，必须采用信息化技术更快地掌握市场动态。同时，今天的信息技术使得企业之间可以用较低的成本快速地传递信息，在某种程度上，这意味着过去的高度集成变得没有那么必要，企业可以选择专注于自己所擅长的领域与环节。所以，从这一点看，大量的专业化的小企业会诞生。

资料来源：霍春晖.战略管理[M].北京：清华大学出版社，2016.

2. 一体化发展战略

一体化发展战略是指企业充分利用自己在产品、技术、市场上的优势，将原来可独立进行的、相互衔接或相似的活动整合起来，使企业不断地向深度和广度发展的一种战略。一体化发展战略是企业的一个非常重要的成长战略，它有利于深化专业分工协作，提高资源的深度利用效率和综合利用效率。一体化发展战略分为纵向一体化和横向一体化两大类。相互衔接的活动组合称为纵向一体化；相似的活动组合称为横向一体化。

（1）纵向一体化。纵向一体化，也称为垂直一体化，是指生产或经营过程相互衔接、紧密联系的企业之间实现一体化。按一体化方向又可以分为前向一体化和后向一体化。

1）前向一体化。它是指企业与用户企业之间的联合，目的是促进和控制产品的需求，做好产品营销。如纺织印染厂，原来它只是将坯布印染成各种颜色的花布供应服装厂，现在纺织印染厂与服装加工厂联合，即该厂不仅做印染而且还制成服装出售，这样就促进和有效控制了产品需求，促进了产品营销。

有效的前向一体化应符合以下条件或遵循以下准则。

A. 企业现在利用的销售商或成本高昂，或不可靠，或不能满足其销售需要。

B. 可利用的高质量销售商数量很有限，采取前向一体化的企业将获得竞争优势。

C. 企业具备销售自己产品所需要的资金和人力资源。

D. 企业需要稳定的生产。企业通过前向一体化可以更好地预见消费者对自己产品的需求。

E. 现在的产品经销商或产品零售商可获得较高的利润。这意味着通过前向一体化，企业可以从自己的产品中获得高额利润，并可以为自己的产品制定更有竞争力的价格。

2）后向一体化。它是指企业与供应企业之间的联合，目的是确保产品或劳务所需的全部或部分原材料的供应，加强对所需原材料的质量控制。如汽车制造厂原来要向橡胶厂购买轮胎，现在汽车制造厂与橡胶厂联合起来，让橡胶厂专门生产汽车轮胎，保证了汽车的轮胎供应。

有效的后向一体化应符合以下条件或遵循以下准则。

A. 企业现在的原材料供应商要价太高，供货不稳定，或者在质量方面不能满足生产的需要。

B. 原材料供应商少，而同行业的竞争者很多。

C. 企业具有自己提供原材料所需要的资金和人力资源。

D. 价格的稳定性至关重要，这是由于通过后向一体化，企业可稳定其原材料的成本，进而稳定其产品的价格。

E. 现在的原材料供应商获得的利润丰厚。这意味着它所经营的领域属于十分值得进入的产业。

F. 企业希望迅速并长期拥有某种资源。

● 战略专栏 5-3

福特公司的后向一体化

福特汽车公司实施了程度较高的后向一体化。它曾把生产经营范围向后延伸至钢铁、矿山、轮胎、橡胶、玻璃等领域，通过后向一体化控制原材料成本，并通过统一、严密的生产控制系统使其生产流程大大加快。

福特公司宣称：星期一，它从其拥有的矿山中开采出铁矿石，由自己的船队运入钢铁厂；星期二，把铁水浇入铸模，当天晚上生产出发动机；星期三下午发动机就被装配到车辆中；星期四即进入市场销售环节。最快时，福特在矿山开采阶段投入的资金经过 100 小时左右就完成流动过程被收回了。

资料来源：黄炜. 企业战略管理精要 [M]. 上海：上海财经大学出版社，2019.

（2）横向一体化。横向一体化，也称为水平一体化。它是指与处于相同行业、生产同类产品或工艺相近的企业实现联合，实质是资本在同一产业和部门内的集中，目的是扩大规模、降低产品成本、巩固市场地位。如海尔集团整体兼并红星电器公司，就是为了进一步扩大海尔洗衣机的生产规模。横向一体化可以通过契约式联合、合并同行业企业等形式实现。

有效的横向一体化应符合以下条件或遵循以下准则。

A. 企业可以在某一地区或市场中减少竞争，获得某种程度的垄断，以提高进入障碍。

B. 企业在一个成长着的行业中竞争。

C. 需要扩大规模经济效益来获得竞争优势。当竞争者是因为整个行业销售量下降而经营不善时，不应用横向一体化对其进行兼并。

3. 多元化发展战略

多元化发展战略是指企业为了更多地占领市场或者开拓市场，或者避免经营单一带来的风险，而选择进入新领域的战略，所以又称为多样化发展战略或多角化发展战略。多元化发展战略的特点是企业经营业务已经超出一个行业的范围，在多个行业中谋求企业的发展，该战略通常被认为是保障现代企业投资回报率的有效方法。

5.3 稳定型战略和紧缩型战略

5.3.1 稳定型战略

1. 稳定型战略的特点

稳定型战略是指企业在战略规划期内，资源分配和经营状况基本保持在目前状态和水平上的战略。企业目前的经营方向、业务领域、市场规模、竞争地位以及生产规模都大体不变，继续向同类消费者提供同样的产品和服务，保持市场份额。从企业经营风险的角度来说，稳定型战略的风险相对较小，对于那些曾经成功地在一个行业中经营或在一个变化不大的环境中活动的企业来说，采取这一战略不失为较好的选择。

由于稳定型战略从本质上追求的是在过去经营状况基础上的稳定发展，因此，它具有如下特点。

（1）企业对过去的经营业绩表示满意，决定追求与过去相似的经营目标。例如，企业过去的经营目标是在行业竞争中处于市场跟随者的地位。稳定型战略意味着在今后的一段时期里依然以这一目标作为企业的经营目标。

（2）企业战略规划期内所追求的绩效按一定的比例递增。与增长型战略不同，这里的增长是一种稳定意义上的增长，而非大规模的、迅速的增长。例如，稳定型增长可以指在市场占有率保持不变的情况下，随着总的市场容量增长，企业销售额实现增长。实行稳定型战略的企业，总是在市场占有率、产销规模或总体利润率上保持现状或略有增加，从而稳定和巩固企业现有的竞争地位。

（3）企业准备以与过去相同的或基本相同的产品或服务满足市场需求，这意味着企业的产品创新较少。

从以上特点可知，稳定型战略主要依据前期战略。它坚持前期战略对产品和市场领域的选择，并以前期战略所达到的目标作为本期希望达到的目标。因此，实行稳定型战略的前提条件是企业过去的战略是成功的。对于大多数企业来说，稳定型战略也许是在一定时期内最常见的选择。

2. 稳定型战略的类型

稳定型战略的分类方法较多，一般按照战略目标和资源分配方式可以分为以下几种。

（1）无增战略。无增战略是指企业不用制定新的战略，也不用进行战略调整，而是维持原有战略的一种方式。企业之所以这样选择，一是因为企业内外部环境没有发生什么重大变化，基本稳定，而且企业高管认为企业过去经营得相当成功，因此，没有必要对战略进行修正。二是因为企业经营中没有什么重大问题或隐患，如果强行调整战略反而可能使企业受损，所以企业高层管理者也不愿意对战略做重大调整。

(2) **维持利润战略**。这是一种牺牲企业未来发展来维持目前利润的战略。维持利润战略注重短期效果而忽略长期利益，其根本意图是渡过暂时性的难关，因而往往在经济形势不景气时被采用，以维持过去的经济状况和效益，实现稳定发展。但如果使用不当的话，维持利润战略可能会使企业的"元气"受到伤害，影响企业长期发展。

(3) **暂停战略**。暂停战略通常被认为是企业的内部临时休整战略。企业经过一段时间的高速发展后，可能会在某些方面显得力量不足或资源紧张，或者管理跟不上要求，此时就可能采取暂停战略，也就是在一段较短的时间内放慢企业的发展速度，集中精力做好企业内部管理的整顿，缓解资源供应紧张的状况，以积蓄能量，为企业今后的发展做好准备。

(4) **谨慎前行战略**。采取这一战略主要是由于企业内外部环境发生了显著变化，而企业对未来环境的发展变化趋势难以预测，所以要有意识地降低实施进度，慎重考虑是否继续追加投资或者转产。

3. 稳定型战略的利弊

(1) **稳定型战略的有利之处。**

1) 企业的经营风险较小。由于企业基本维持原有的产品和市场领域，所以可以利用原有的生产领域、渠道，避免开发新产品所面临的巨大资金投入、开发失败及陷入激烈的竞争的风险。

2) 避免因改变战略而改变资源分配的困难。由于经营领域主要与过去大致相同，因而稳定型战略不必考虑对原有资源进行大的调整，相对于其他战略态势来说，显然要容易得多。

3) 保证企业用人有一个较好的休整期。该战略可以保持人员安排上的相对稳定，充分利用已有的人才，发挥他们的积极性和潜力，减少人员调整、安置所造成的种种矛盾，以及招聘、重新培训所带来的费用。

4) 有利于保持企业平衡发展。稳定型战略比较容易保持企业经营规模和经营资源、能力的平衡协调，有助于防止过快、过急发展而导致的问题，避免重大损失。

(2) **稳定型战略的弊端。**

1) 稳定型战略的执行是以市场需求、竞争格局等内外条件基本稳定为前提的。一旦企业的这一判断没有得到验证，就会打破战略目标、外部环境、企业实力之间的平衡，使企业陷入困境。因此，如果环境预测存在问题的话，稳定型战略也会出现问题。

2) 特定细分市场的稳定型战略会有较大的风险。由于企业资源不充分，企业会在部分市场上使用竞争战略，这样做实际上是将资源重点配置在这几个细分市场上，因而如果对这几个细分市场把握不准，企业的发展状况可能会更加被动。

3) 稳定型战略也会使企业的风险意识减弱，甚至使企业害怕风险，形成一种回避风险的文化，企业对风险的敏感性、适应性会大大降低并丧失冒风险的勇气。

稳定型战略的利弊都是相对的，企业在具体的执行过程中必须权衡。只有准确估计风险和收益，并采取适当的风险防范措施，才能更好地获取实行稳定型战略的利益。

4. 稳定型战略的适用条件

采取稳定型战略的企业，一般处在市场需求及行业结构稳定或者动荡较小的外部环境中，因而企业所面临的竞争挑战和发展机会都相对较少。但是，有些企业在市场需求变化较大或是外部环境提供了较多的发展机遇的情况下也会采取稳定型战略。这些企业一般来说是由于资源状况不足以使其抓住新的发展机会，而不得不采用相对保守的稳定型战略。下面讨论稳定型战略的适用条件。

（1）外部环境。 外部环境的相对稳定性会使企业更趋向于选择稳定型战略。影响外部环境稳定性的因素有很多，大致包括以下几个方面。

1）宏观经济状况。如果宏观经济在总体上保持总量不变或总量低速增长，就势必会影响企业所处行业的发展，使其无法以较快的速度增长。因此，宏观经济增速放缓会使某一产业的增长速度降低，这就会使该产业内的企业倾向于采用稳定型战略，以适应外部环境。

2）产业的技术创新度。如果企业所在的产业技术相对成熟，技术更新速度较慢，企业过去采用的技术和生产的产品无须经过较大的调整就能满足消费者的需求，并能与竞争者抗衡，那么产品及其需求就能保持稳定，从而使企业倾向于采用稳定型战略。

3）消费者需求偏好的变动。这一点其实是决定产品系列稳定度的一个方面，如果消费者的需求较为稳定的话，企业可以考虑采用稳定型战略。

4）产品生命周期或行业生命周期。对于处于行业或产品的成熟期的企业来说，产品需求和市场规模趋于稳定，产品技术成熟，新产品的开发和以新技术为基础的新产品的开发难以取得成功，因此以产品为对象的技术变动频率低，同时竞争对手的数目和企业的竞争地位都趋于稳定，这时提高企业的市场占有率、改变市场的机会很少，因此较适合采用稳定型战略。

5）竞争格局。如果企业所处行业的进入壁垒非常高，或出于其他原因该企业所处的竞争格局相对稳定，竞争对手之间很难有差距悬殊的业绩改变，则企业采用稳定型战略可以获得最大的收益，因为改变竞争战略所带来的业绩增加往往是不尽如人意的。

（2）企业自身实力。 企业战略的实施一方面需要与外部环境相适应，另一方面要有相应的资源和实力，也就是说，既要分析外部的威胁与机会，又要评估自身的优势与劣势。

当外部环境较好，行业内部或相关行业市场需求增长，为企业提供了有利的发展机会时，并不意味着所有的企业都适于采用稳定型战略。如果企业资源不充分，如资金不足、研发力量较弱或人力资源有缺陷无法满足稳定型战略的要求时，就无法采用提高市场占有率的战略。在这种情况下，企业可以采取以局部市场为目标的稳定型战略，以使企业将有限的资源集中在自己有优势的细分市场，维护其竞争地位。

当外部环境相对稳定时，资源较为充足和资源较为稀缺的企业都应当采取稳定型战略，以适应外部环境；但两者的做法可以不同，前者可以在更为广阔的市场上选择自己的资源分配点，而后者应当在相对狭窄的细分市场上集中自身的资源，以求稳定发展。

当外部环境不利时，如行业处于生命周期的衰退阶段时，资源丰富的企业可以采用稳定型战略。而对于那些资源不够充足的企业，如果它在某个特定的细分市场上有独特的优势，那么也可以考虑采用稳定型战略。

5.3.2 紧缩型战略

紧缩型战略，又称防御型战略，是指企业从目前的战略经营领域收缩和撤退，且偏离战略起点较大的一种经营战略。采取紧缩型战略可能出于多种原因，但基本的原因是企业现有的经营状况、资源条件等不能适应外部环境的变化，难以为企业带来满意的绩效，以致威胁企业的生存、阻碍企业的发展。只有采取收缩和撤退的措施，才能抵御对手进攻，避开环境威胁，保存企业实力。一般而言，企业实施紧缩型战略是一种短期行为，其根本目的是积蓄力量，等待时机，抓住有利机会，重新组合资源，进入新的经营领域，谋求企业的长远发展。因此，紧缩型战略是一种以退为进的战略。

1. 紧缩型战略的特点

1）对企业现有的产品/市场领域实行收缩、调整和撤退等措施，削减某些产品的市场规模，放弃某些产品系列，甚至完全退出目前的经营领域。

2）逐步缩小企业的产销规模，降低市场占有率，同时降低某些经济效益指标的水平。

3）紧缩型战略的重点目标是改善企业的现金流量，争取较大收益。为此，在资源的运用上，采取严格控制和尽量削减各项费用支出、只投入最低限度经营资源的方针和措施。

4）紧缩型战略具有过渡的性质。一般说来，企业只是短期内奉行这一战略，其基本目的是使自己摆脱困境、渡过危机、保存实力，或者消除经济赘瘤、集中资源，然后转而采取其他战略。

2. 紧缩型战略的利弊

（1）紧缩型战略的有利之处。

1）在衰退或经营不善的情况下实行紧缩型战略，有利于正确判断经营领域的盈亏状况，及时清理、放弃无利可图或亏损的业务，清除经营障碍，提高效率，降低费用，增加收益，改善财务状况，使企业渡过难关。

2）采用转向、放弃战略，使企业有可能更加有效地配置资源，提高经营质量，发挥甚至增强企业的优势，在不断适应市场需要的同时，使自身获得新的发展机会。

3）避免竞争，防止两败俱伤。采用紧缩型战略能改善资金流量，及时清算资金还有助于避免发生债款拖欠，防止因到期不能清偿而引起的麻烦和信用危机，从而保持一个相对有利的竞争局面。

（2）紧缩型战略的弊端。

1）采取缩减经营规模的措施，往往会削弱技术研究和新产品开发能力。投资较少，往往使企业陷于消极的经营状态，影响企业长远发展。

2）影响企业员工的满意度。收缩战略、转移战略、放弃战略的实施，都需要对人员进行调整，如裁减人员、更换高层领导者等，处理不好会导致员工士气低落、带来员工与管理者的矛盾冲突，从而会限制企业扭转不利局面的能力。

3）当宏观经济或行业衰退时，紧缩经营将导致经济总体的供需关系向缩小后的均衡方向发展，影响经济的回升甚至加速行业的衰退，从而会抑制企业的进一步发展。

3. 紧缩型战略的类型

按实现紧缩型战略的基本途径划分，可以把紧缩型战略分为以下三种类型。

（1）**转向战略**。转向战略是指企业在现有的经营领域不能维持原有的产销规模和市场占有率，而不得不缩小产销规模和市场占有率，或者当企业有新的、更好的发展机遇时，对原有的业务领域进行压缩投资、控制成本，以改善现金流来为其他业务领域提供资金的战略方案。例如，西方石油公司先后变卖了基本食品、汽车零件、服装、家具、重型设备等资产，价值达35亿美元，然后集中力量经营娱乐和金融服务等少数几个领域的业务。转向战略可以通过以下措施来配合进行：①调整企业组织；②降低成本和投资；③减少资产；④加速回收企业资产。

转向战略要实现经营重点转移，有时会涉及基本宗旨的变化，导致经营方向的大幅转变，比如由制造单一采掘煤矿的设备转为生产煤矿成套设备；有时则是向具有不同技术的新产品转变，比如从传统照相机转向数码照相机，由机械手表转为电子手表等。

（2）**放弃战略**。放弃战略是指企业卖掉其下属的某个战略经营单元，或将企业的某个部门转让、出售或停止经营。这个部门可以是一个子公司、一条生产线或者一个事业部。例如，IBM公司将其所属的PC（个人计算机）事业部出售给联想集团，就属于这种战略。

一般来说，这是企业采取转向战略无效果后而采取的一种紧缩型战略。放弃战略的目的是淘汰冗余业务，收回资金，集中资源，加强其他部门的经营实力，或者利用获得的资源发展新的业务领域，或者用来改善企业的经营素质，抓住更有前途的发展机会。

（3）**清算战略**。清算战略是指当企业受到全面威胁、濒临破产时，通过将自己的资产转让、出卖或者停止全部经营业务来结束自己的生命。毫无疑问，对任何一个企业管理者来说，清算战略都是其最不愿意也是最痛苦的选择，通常只有在其他战略全部失效时才采用。但在确实毫无希望的情况下，尽早地制定清算战略，企业可以有计划地逐步降低企业股票的市场价值，尽可能多地收回企业资金，从而减少企业的损失。及时进行清算，比顽固地坚持经营无法挽回败局的事业要明智得多。因为如果坚持经营无法挽回败局，其结果只能是破产，到那时可清算的有价值的资产就更少了。20世纪90年代初，位列美国500强企业之一——西尔斯·罗巴克公司遭遇了百货商店业衰落的打击，在恶劣的局势下，它果断地实行了紧缩型战略，将其旗下100多家经营不善的百货商店停业清算，终止了批发业务，从而减轻了各种压力，渡过了难关。

4. 紧缩型战略的适用条件

紧缩型战略是企业在对外部环境、企业经营实力和发展趋势进行分析、判断及预测的基础上做出的战略抉择。紧缩型战略的常见适用条件如下。

（1）**外部环境恶化**。宏观经济调整或不景气会导致某一行业的供应、需求等方面发生突发性、暂时性萎缩；行业本身进入衰退期也必然出现市场需求减少，规模缩小。这些外部环境恶化都会致使企业在现有的经营领域中处于不利地位，财务状况不佳，难以维持下去。当企业为了避开环境的威胁，摆脱当前的经济困境以求发展时，常采用紧缩型战略。

（2）**企业自身经营失误**。当企业自身经营失误，如产品开发失败、内部管理不善等，造成企业竞争力减弱、资源匮乏、财务状况恶化，只有撤退才有可能最大限度地保存企业实力时，企业被迫采取紧缩型战略。在此种情况下，目的是通过收缩和撤退，尽可能地保存企业实力，以便转移阵地或东山再起。

（3）**利用有利机会**。如果在经营中出现了更加有利的机会，企业要谋求更好的发展，就需要集中并更有效地利用现有的资源和条件。为此，要对企业中那些不能带来满意利润、发展前景不够理想的经营业务采取收缩或放弃的处理方式。这是一种以长远发展目标为出发点的积极的紧缩型战略。

● **战略专栏 5-4**

老牌房企冠城新材的"去地产化"战略

老牌房企冠城大通在更名为冠城新材后，正在加快"去地产化"步伐。

公开资料显示，冠城新材的主营业务为电磁线制造与销售、房地产开发，以及锂电池电解液添加剂的生产经营，它连续多年荣获"福建企业百强""福建民营企业百强"等称号。

早在 20 世纪 90 年代初，冠城大通作为第一个参与北京旧城改造的外资企业，就开发了京城高档住宅代表作——冠城园，此后陆续布局江苏省苏州市、南京市、南通市等地，推出苏州冠城水岸风景、南京冠城大通蓝郡和冠城大通蓝湾等项目。

受多重因素影响，享受到早期房地产红利的冠城大通，选择在 2015 年前后进行转型。冠城大通曾在 2015 年年度报告中坦言，受房地产市场整体环境、公司不同区域项目权益结算面积差异，以及本年计提大额存货减值准备的影响，2015 年度归母净利润为 2.12 亿元，较上年同期大幅下滑。

记者查阅冠城大通历年年报发现，近年来，冠城大通房地产业务分别在 2021 年、2023 年陷入亏损境地，如 2021 年，冠城大通实现合同销售额 60.83 亿元，同比增长 77.55%，但受部分项目计提存货跌价准备的影响，房地产业务净利润为 –6 亿元，同比下降 196.77%，而 2023 年，冠城大通房地产业务净利润为 –2.96 亿元。

"为适应转型时期发展需要，公司近几年已不再新增土地储备。"在 2023 年年度股东大会上，冠城大通高管如此表示。冠城新材证券部相关负责人也向记者坦言，公司"去地产化"战略提了很久，自 2019 年后就没有再拿地。

据了解，冠城新材开发销售项目目前已大部分处于尾盘状态，主要位于北京市、南京市及福州市。该公司负责人公开表示，2024 年下半年，将继续加速现有地产项目开发和销售进度，推进地产业务剥离工作，加快"去地产化"步伐，轻装上阵，提高整体资产运营效率和效益，扎实推进战略转型。

2024年7月11日，冠城大通公告拟将持有的房地产开发业务相关资产及负债转让至控股股东（或实控人指定的关联公司）。2024年11月13日，冠城大通公告称，经公司申请，并经上交所办理，公司证券简称将于2024年11月19日起由"冠城大通"变更为"冠城新材"，公司证券代码"600067"保持不变。

值得注意的是，在"去地产化"战略提速后，冠城新材是否将彻底摆脱房地产业务？

"转型是一步一步进行的，我们后面也许会留一些自持资产，这也不是没有可能，比如用于租赁之类。"上述冠城新材证券部相关负责人向记者表示。该公司2024年半年报显示，报告期内，其房地产出租总收入为0.53亿元，仅占公司营业收入的1.23%。

资料来源：方超，张家振.老牌房企冠城新材"去地产化"得与失[N].中国经营报，2024-12-23（16）.作者根据该资料进行改编。

5.4 公司战略实施的方式

公司战略选定以后，付诸实施的具体方式主要包括以下两种：并购和战略联盟。

5.4.1 并购

1. 并购的概念

并购（merger and acquisition，M&A）的内涵非常广泛，一般是指兼并和收购的合称。兼并是指两家或者更多的独立企业或公司合并组成一家企业，通常由一家占优势的公司吸收另一家（或者多家）公司。与并购意义相关的另一个概念是合并（consolidation），它是指两个或两个以上的企业合并成为一个新的企业，合并完成后，多个法人变成一个法人。

《中华人民共和国公司法》中规定了合并的两种形式，即吸收合并和新设合并。吸收合并是指一个公司吸收另一家公司，被吸收公司解散，并依法办理注销登记，丧失法人资格，被吸收公司的债权、债务由吸收公司承继，吸收公司的登记事项发生了变更，也应当依法办理变更登记。企业的吸收合并即狭义的企业兼并，可以概括为"A+B=A（B）"。新设合并是指两个以上的公司合并设立一个新的公司，原合并各方公司解散，合并各方的债权、债务由合并后新设公司承继，合并各方依法办理公司注销登记，合并各方同时放弃法人资格，并依法办理新设公司的登记，设立一个新的公司，成为新的法人实体，可概括为"A+B=C"。

收购是指一家企业用现金或者有价证券购买另一家企业的股票或者资产，以获得对该企业的全部资产或者某项资产的所有权或控制权。收购可进一步分为资产收购和股份收购。股份收购又可按收购方获得股权的比例分为控股收购和全面收购。

2. 并购的类型

根据并购的不同功能或根据并购涉及的行业情况，可以将并购分为三种基本类型。

（1）横向并购。横向并购是指生产相同或类似产品的企业之间的并购，比如一家生产汽车的公司并购另一家生产汽车的公司。近年来，由于全球性的行业重组浪潮，结合我国各行业实际发展需要，加上国家政策及法律对横向重组的一定支持，行业横向并购的发展十分迅速。横向并购最大的好处就是减少竞争，扩大市场份额，获得"1+1>2"的效果，在进行横向并购时，应注意遵守反垄断法的要求。

（2）**纵向并购**。纵向并购是指处在产业链上下游的企业之间的并购，比如一家钢铁公司并购一家生产铁矿石的公司。纵向并购的企业之间不是直接的竞争关系，而是供应商和需求商之间的关系。因此，纵向并购的基本特征是企业在市场整体范围内的纵向一体化。纵向并购可以减少企业因原材料价格的大幅波动而带来的风险，可以为企业带来因交易内部化而产生的缔约费用减少的好处。

（3）**混合并购**。混合并购是指发生在不同行业企业之间的并购。从理论上看，混合并购的基本目的在于分散风险，寻求范围经济。在面临激烈竞争的情况下，我国各行各业的企业都不同程度地想到多元化，混合并购就是实现多元化的一个重要方法，为企业进入其他行业提供了有力、便捷、低风险的途径。

上面的三种并购类型在我国的发展情况各不相同。目前，我国企业基本摆脱了盲目多元化的误区，更多的横向并购发生了，相关数据显示，横向并购在我国并购活动中的比重为50%左右。毫无疑问，横向并购对行业发展的影响是最直接的。混合并购在一定程度上也有所发展，主要发生在实力较强的企业中，相当一部分涉及不同行业的混合并购都有着比较好的效益，但发展前景不明朗。纵向并购在我国还不够成熟，基本发生在钢铁、石油等能源与基础工业行业。这些行业的原料成本对行业效益有很大的影响，因此，纵向并购成为企业强化业务的有效途径。

3. 并购的动因

产生并购行为最基本的动机就是寻求企业的发展。寻求扩张的企业面临着内生性扩张和通过并购发展两种选择。内生性扩张可能是一个缓慢而不确定的过程，通过并购发展则要迅速得多，尽管它会带来自身的不确定性。

具体到理论方面，并购最常见的动机就是协同效应（synergy）。并购交易的支持者通常会以达成某种协同效应作为支持并购的理由。并购产生的协同效应包括经营协同效应（operating synergy）和财务协同效应（financial synergy）。

在实际中，并购的动因归纳起来主要有以下几个方面。

（1）**扩大生产经营规模，降低成本**。通过并购，企业规模得到扩大，能够形成有效的规模效应。规模效应能够带来资源的充分利用、资源的充分整合，降低购买原材料、生产、管理等各个环节的成本，从而降低总成本。

（2）**提高市场份额，提升行业战略地位**。对规模大的企业而言，伴随生产力的提高、销售网络的完善，市场份额将会有比较大的提高，从而可以确立在行业中的领导地位。

（3）**取得充足、廉价的生产资料和劳动力，增强企业的竞争力**。并购使规模扩大，成为生产资料的主要客户，能够大大增强企业的谈判能力，从而为企业获得更优惠的生产资料提供可能。同时，高效的管理、人力资源的充分利用和企业的知名度都有助于企业降低劳动力成本,从而提高企业的整体竞争力。

(4) **提高企业的知名度,以获取超额利润**。品牌是创造价值的动力,同样的产品,甚至是同样的质量,名牌产品的价值可能远远高于普通产品。并购能够有效地提高品牌知名度,提高企业产品的附加值,让企业获得更多的利润。

(5) **通过并购取得各类资源**。并购活动收购的不仅是被收购企业的资产,还有被收购企业的人力资源、管理资源、技术资源、销售资源等。这些都有助于企业整体竞争力的提高,对公司发展战略的实现有很大帮助。

(6) **实施多元化战略,分散投资风险**。企业通过并购(如混合并购)能够跨入新的行业。随着行业竞争的加剧,企业通过对其他行业进行投资,不仅能有效扩充企业的经营范围,获取更广阔的市场和更高的利润,而且能够分散因本行业竞争带来的风险。

◉ 战略专栏 5-5

海尔并购 GE 家电

全球经济一体化的到来,给企业"走出去"提供了机会。为了加快更新换代的速度、满足市场需求,家电行业企业跨国并购成为一种趋势。海尔集团并购 GE 家电作为迄今为止家电行业最大的跨国并购事件,具有代表性。

1. 并购双方基本情况

(1) **海尔集团**。海尔集团于 1984 年创立,四十多年的发展使其成为家电行业的领军者。海尔集团坚持"创新"的文化核心,不断调整自身战略,由起初的"品牌战略"逐渐向全球化战略迈进,1999—2005 年建立了海外工业园,2006—2012 年建立了"三位一体"中心。2016 年,"互联网+"时代的到来给传统家电行业带来冲击,面对行业转型的挑战,消费升级、互联网智能化的趋势,海尔集团抓住海外整合的机遇,改变自身发展战略,走上全球化发展的道路,夯实长期可持续发展基础,积极改善产品市场布局。2017 年,海尔集团成功入榜"中国 500 最具价值品牌"。2024 年,海尔集团的全球利润总额为 302 亿元,全球员工数超过 13 万名,连续 7 年作为全球唯一物联网生态品牌蝉联"凯度 Brand Z 最具价值全球品牌 100 强"。

(2) **GE 家电**。美国通用电气公司(简称 GE 公司)是迄今为止全球最大的家电制造商之一。它是由爱迪生创立的爱迪生电灯公司逐渐发展壮大的。GE 家用电器(简称 GE 家电)是美国通用电气公司的一个营业额高达 56 亿美元的制造部门。GE 家电致力于开发创新技术,提高人们的生活水平,始终秉承着"创新"和"以人为本"的用户体验核心理念,在美国市场的占有率始终处于第一。

2. 并购过程

海尔集团并购 GE 家电属于横向的跨国并购,双方协商并达成一致。2008 年,GE 公司就有意出售 GE 家电,并且当时海尔集团已经明确表达其并购的意愿,但是由于金融危机的影响,双方并购未能实现。2014 年,GE 公司再次计划出售 GE 家电,海尔集团积极响应,表达并购的意愿,但当时欧洲最大的家电企业伊莱克斯最终取得并购的权利并达成协议。

2015年，美国的反垄断机构担心成功并购后会造成行业垄断，导致家电产品价格上涨，该协议未通过审查。2016年1月14日，海尔集团发布《股权与资产购买协议》；2016年3月12日，海尔集团发布公告称并购GE家电已经通过了美国的反垄断审查；2016年3月14日，海尔集团召开了董事会，审议并通过了该次并购的具体事宜；2016年3月15日，海尔集团发布《重大资产购买报告书（草案）》；2016年3月31日，海尔集团召开了临时股东大会；2016年6月6日，海尔集团签署并购GE家电所需的交易文件，并购对价约为55.8亿美元；2017年1月10日，并购双方签署了补充协议，确定了本次并购最终对价为56.1亿美元。

3. 并购动因

（1）**海尔集团并购动因**。在并购公告中，海尔集团披露，其并购GE家电的动因之一在于可以实现协同效应。并购双方都秉承"创新"的核心理念，通过这次跨国并购，双方都可以通过共享技术资源来提升自己的科技研发能力。同时，由于GE家电发展时间长、有一定的市场规模和较强的科研能力，海尔集团通过此次并购可以提高市场占有率，实现全球化的经营战略目标，稳定上下游供销关系。此外，这次跨国并购响应了国家政策，实现多元化发展，不仅提高了自身品牌的知名度，也加强了其产品的智能化水平，实现了产品的多样化，形成优势互补和强强联合的效应。

（2）**GE家电并购动因**。GE家电在转型期走"返璞归真"的发展道路，注重产业基础，减少多元化发展，加紧进行产业结构的调整，对于家电业务采取了缩减规模的策略。这次海尔集团跨国并购可以顺利实现也与GE家电降低经营风险、实现转型密不可分。一方面，海尔集团一直致力于"互联网＋制造业"的市场融合；GE家电将云计算、大数据视为工业发展的未来，与海尔集团合作也是为了自身实现全球化发展的战略需要。另一方面，由于中国有着较大的市场，GE家电与海尔集团合作可以相互交流管理经验和文化，提升自身竞争力。

因此，此次家电业务的跨国并购对双方来说都是一次良好的发展机会，双方可以优势互补，实现双赢，但企业并购属于非常规的重大战略事项，不只是简单地将资产合并在一块儿，而是涉及多方面的经济活动。由于不同国家之间的文化、法律、政治环境都有所差异，跨国并购所面临的风险大大高于国内并购，所以识别并购中存在的财务风险，合理有效地解决问题是保证跨国并购顺利进行的前提。企业不仅要重视并购带来的收益，更要关注并购所存在的风险，加强自身抵御风险和控制风险的能力。

资料来源：刘瑞泽．家电行业跨国并购财务风险及防范措施研究：以海尔并购GE家电为例[J]．经营与管理，2021（7）：21-25．作者根据该资料进行改编。

4. 并购的整合

企业并购后的预期效应能否实现，关键在于并购后的整合。研究表明，考虑到高额并购金额和数量，企业并购的成功率并不高，其中对并购后期的整合工作的忽视，是相当多的企业并购未能达到预期的主要原因。

（1）**战略整合**。并购后，如果被并购企业的战略不能与并购企业的战略相互配合、相互融合,那么两者之间很难发挥战略协同效应。因此,必须把被并购企业的战略纳入整个企业战略规划中,并且对被并购企业的战略进行调整,甚至要重新制定战略目标及相应的战略,使之与并购企业的战略形成一个相互配合的、紧密关联的战略体系,以充分发挥战略协同作用。

(2) **业务整合**。并购后,并购企业必须对被并购企业的业务进行整合,要基于被并购企业的有形资源、无形资源,结合本企业整体战略的需要,对被并购企业的原业务重新进行调整,使合并后的企业整个生产运作体系更趋合理,更好地发挥规模效应和业务协同优势,提高劳动生产率。

(3) **制度整合**。并购后,并购企业必须对被并购企业的管理制度进行整合。例如,当被并购企业的管理制度与并购企业的要求不符合时,并购企业应将自身的一些优良管理制度引入到被并购企业之中,如财务制度、人事制度等,通过这种制度植入,对被并购企业的原有资源进行整合,使其发挥出更好的效用。

(4) **组织整合**。并购后,并购企业必须对被并购企业的组织机构和运行机制进行整合。通过对双方的组织资源重新配置和组合,弥补双方内部能力的不足,加速企业核心竞争力的成长,充分发挥组织机制整合的重要功能。

(5) **人力资源整合**。并购后,并购企业必须对被并购企业的人力资源进行整合。企业要利用并购整合的契机进行劳动人事方面的改革,企业各部门和生产体系应具有开放性,使各级员工都有竞争上岗的机会。对多余的人员要进行分流,做出妥善安排。

(6) **文化整合**。文化整合涉及双方的价值理念、经营哲学、行为规范、工作作风等方面。因此,在实现以优质文化取代不良文化、提高组织间亲和力和默契的过程中,应根据不同企业文化的特点,因地制宜地采取有针对性的整合措施。比如,应深入分析被并购企业文化形成的历史背景,判断其优缺点,根据企业整体战略的需要,吸收双方企业文化的优点,摒弃缺点,从而形成更为优秀的、有利于企业整体发展的企业文化。应当说,双方企业文化能否有效融合,才是并购能否取得成功的关键。

● 战略专栏 5-6

万丰航空产业系列跨国并购整合策略

1. 万丰简介

万丰奥特控股集团有限公司(以下简称万丰)成立于 1994 年,是一家民营股份制大型工业企业。万丰以实业强国为责任和使命,致力于"营造国际品牌,构筑百年企业",是以先进制造业为核心的国际化企业集团,涉足汽车部件、航空工业、智能装备、金融投资等领域。

万丰坚持将"科技创新"作为企业发展的永恒主题,长期与中国科学院、中国工程院、中汽中心等开展产学研合作。在环保涂覆和智能机器人行业实现国内领跑,在铝轮毂和镁合金行业实现全球领跑,并与制造高端飞机的国际公司进行战略合作,研发拥有自主专利的飞机整机制造技术,建设了浙江省"特色航空小镇",打造了国家级航空产业示范区。

2. 万丰航空产业发展战略

万丰航空产业发展目标是推进实施"大航空、大交通、大平台"的产业整合,在"十三五"规划的发展下,将万丰航空建设成一家集飞机制造、机场建设与管理、通用航空(简称通航)运营、通用航空空中服务站等为一体的通航产业龙头企业,覆盖"长三角"地区空中交通,并在浙江新昌建设万丰航空小镇。依托各通用机场,发展航油供应、飞机保养维修、飞行服务、飞机租赁等配套产业,打造集高端服务、会展、通航培训、高端旅游、航空金融等业务于一体的通航产业链,全力融入浙江省"空中1小时交通圈"的"大交通"战略中,全力参与国家发展低空空域经济生态圈的建设。

3. 万丰航空产业系列跨国并购案例

(1) **并购加拿大DFC航校**。2015年12月,万丰收购了加拿大DFC航校(钻石飞行中心)。DFC航校是一家有着悠久历史传统的老航校,自成立至今始终保持着安全飞行的良好纪录,拥有完整的私商仪表、多发、教员、ATPL(航线运输飞行员执照)培训资质的飞行员学校(在加拿大拥有类似完整资质的仅有12所)。万丰通过收购DFC航校,为其航空业的发展提供了优质的飞行员培训服务,使其飞机制造、机场建设和通航运营拥有坚实的人才基础。

(2) **并购捷克DF公司**。2016年4月,万丰与捷克工贸部签署了合作备忘录,收购了捷克DF公司。DF公司是捷克轻型运动类飞机的知名制造商之一,有着深厚的实力,其产品性价比高,在全球拥有较大的影响力和客户群,并且在轻型运动航空领域处于国际领先水平。

万丰通过收购DF公司,不仅能引进先进的产品和技术,支撑万丰航空小镇的建设,也标志着万丰飞机制造业务迈出了实质性的一步。

(3) **并购钻石飞机工业公司**。2016年12月—2017年12月,万丰分别在加拿大、奥地利并购了加拿大钻石飞机公司、奥地利钻石飞机公司(被并购后改名为钻石飞机工业公司)。钻石飞机工业公司是世界通用飞机制造商中的前三强,拥有设计、制造、研发、销售等专业平台。其飞机制造材料主要采用碳纤维合成材料,这种材料操作简单,不仅能够有效保障飞行安全,而且经济适用。其产品主要向北美洲、欧洲、亚洲、澳大利亚等地出口。万丰通过并购钻石飞机工业公司,提升了自主研发水平和生产水平,这意味着万丰真正成为世界通用飞机制造的领导者。

万丰通过实施系列跨国并购,并在浙江新昌建设航空小镇,强化国外资源与国内资源的充分整合,成功实现了从传统制造业向航空产业的转型,并朝着将万丰航空打造成一家通航产业龙头企业迈出了坚实的一步。

4. 万丰跨国并购协同整合策略

万丰依托自身优势,抢抓我国低空领域开放政策的有利时机,推进实施"大航空、大交通、大平台"的产业整合,聚焦航空产业开展了一系列跨国并购。通过对其系列并购案例分析发现,其跨国并购协同整合策略有以下特点。

(1) **主动"走出去",在全球整合资源**。明确的战略导向和高瞻远瞩的市场把控,使得万丰总是能够在最合适的时机,做出具有远见的战略抉择。从2015年起,万丰就在通用航空产业开始布局，主动融入"一带一路"合作共建，在全球范围内整合资源。通过一系列跨国并购，加拿大DFC航校、捷克DF公司、加拿大钻石飞机公司、奥地利钻石飞机公司等"大交通"领域的优质资源，在不到两年的时间里都成为万丰的重要资产。

在万丰的大航空布局中，加拿大是通用飞机制造和飞行员培训中心，捷克是通用飞机的研发中心，而浙江新昌则作为大本营建设航空小镇，汇集整机制造、机场建设管理、通航运营、航校培训、飞行服务、配套生活社区。万丰通过系列跨国并购，主动"走出去"，在全球整合资源，形成国际研发、万丰制造、全球销售一体化的通航飞机制造产业格局。

（2）依托自身优势，开展跨国并购。万丰的发展战略非常明确，就是在全球范围内整合资源，从而成为大交通领域的领导者。未来万丰将定位于大交通领域，这个大交通就包括万丰人的"航空梦"。

航空产业是万丰大棋局中非常重要的一步，它将推动万丰转型升级至高端制造业。万丰本来以汽车零部件制造为主要发展方向，经过发展，拥有了先进的制造技术和良好的产业基础，但随着国内汽车产业的逐渐饱和，它想要实现进一步的发展就需要开拓一片新的市场。随着我国低空领域的逐渐开放和国内经济的发展，对航空业的需求将不断增加。航空产业是朝阳产业，万丰依托自身优势进行跨国并购，实现了从传统汽车制造向航空产业的发展，以及向大交通的转变。

（3）围绕航空产业，进行产业链整合。万丰之所以围绕航空产业发展，做起"航空梦"，一是因为我国是人口大国，人口数量是美国的数倍，但是在通航产业比例上，我国只占美国的1%，我国的通航市场潜力巨大、前景广阔；二是因为随着我国低空开放政策出台，国内消费观念发生了巨大转变，通航产业现在就如同几十年前的汽车产业；三是因为企业经营通航产业要有实力，需要考虑3～5年的经济亏损，现在万丰有这样的基础，可以通过其他产业的收入弥补亏损。

我国许多企业选择进入通航领域的路径相对较单一，大多数仅仅是从事简单的飞机零部件配套生产制造。但是万丰不一样，其目标是将万丰航空打造成一家具有"飞机制造、机场建设、航校培训、通航运营、低空保障"等完整产业链的通航领域龙头企业，覆盖"长三角"地区的空中交通，并在浙江新昌建设万丰航空小镇，成为通航产业的"航空母舰"。

（4）实现有效协同，推进全方位整合。在企业跨国并购过程中，并购双方由于所处国家或地域的不同，会形成较大的文化差异，有效应对企业跨国并购后的冲突问题是整合成功的关键要素。万丰为实现并购后的协同效应，在跨国并购的同时，同步推进内部的文化、人力资源、技术等的全方位整合。

1）文化整合。万丰分批组织外籍员工到企业交流，让他们更好地了解中国市场和中国文化，通过制定和实施有效的企业文化整合计划，实现企业内部的无缝融合。

2）人力资源整合。万丰管理人员每到一处工厂就召开交流会，倾听当地员工的想法，告诉对方收购后不仅不会裁员、换人，还会提高工资福利待遇，尽量满足他们的要求。

3）技术整合。万丰通过收购DF公司和钻石飞机工业公司，引进航空产业的核心技术，拥有了强大的整机设计和生产能力，填补了国内通用航空飞机在设计研发和生产制造上的一些空白，成为世界通用飞机制造的领导者。

5. 万丰跨国并购的启示和意义

万丰定位大交通领域，围绕航空产业开展了一系列跨国并购，在较短的时间内实现了从一家传统汽车零部件制造企业向航空产业的跨越，成为全国通航领域具有完整产业链的第一家民营企业，其系列跨国并购和协同整合过程对其他企业开展跨国并购具有较大的启示和意义。启示和意义主要有以下三点。

（1）**坚持"走出去"，立足在全球整合资源**。在"一带一路"倡议的推动下，我国越来越多的企业走上了国际化道路，跨国并购成为企业实现国际化的重要途径之一。在跨国并购过程中，我国企业应着眼于缩小自身在技术、管理等方面与发达国家的企业的差距，坚持"走出去"战略，通过收购国外优质资产，整合全球细分市场中领跑者的优质资源，成功实现跨越式发展。

（2）**依托自身优势，围绕产业链实现协同整合**。跨国并购并非国内外企业的简单合并，而是涉及企业全球战略、资源配置、产业链布局等多方面的整合。因此，我国企业在全球开展并购时，应依托自身优势，围绕产业链实现协同整合，使企业的人、财、物在产业发展的链条上合理流动，实现有效协同，只有这样，企业在跨国并购后才能实现"1+1>2"的协同效应。

（3）**尊重文化差异，实现跨国并购后的有效融合**。企业在跨国并购中，尊重文化差异是最基本的原则，并贯穿并购活动的始终。企业应认识到并购双方在文化上的差异性，尊重各自文化的特点，重视沟通。对准备开展跨国并购的企业而言，只有认真研究国外企业的管理理念、文化、方法、制度，制定一套整合的办法和步骤，才能在整合过程中减少文化冲突，降低收购成本，进而取得成功。

资料来源：吴道友，夏雨."一带一路"背景下浙商企业跨国并购协同整合策略研究：以万丰航空产业系列跨国并购为例 [J]. 经营与管理，2020（10）：30-33.

5.4.2 战略联盟

1. 战略联盟的含义

战略联盟（strategic alliances）的概念最早是由美国 DEC 公司总裁简·霍兰德和管理学家罗杰·内格尔提出的。战略联盟是指由两个或两个以上有共同战略利益和相应经营实力的企业（或特定事业、职能部门），为达成拥有市场、共同使用资源等战略目标，通过各种协议、契约而结成的优势互补、风险共担的一种松散的合作模式。

战略联盟概念提出后，立即成为管理学界和企业界关注的焦点。在实际中，战略联盟这种组织形式得到迅速发展，战略联盟的数量激增。战略联盟已成为企业广泛使用的战略之一，它可以使来自不同国家的企业共同分担风险、共享资源、获取知识、进入新市场。例如，1986—1995 年，美国合资企业的数目递增了 423%。战略联盟形式不仅包含股权合资，还包含涉及生产、营销、分销、R&D（研究与开发）的非股权协议。国际战略联盟是利用来自两个或多个国家的自立组织的资源和治理结构的跨国界合作协议。构建战略联盟现已成为进入新兴国际市场的常用方式。

2. 战略联盟的动因

(1) 直接动因。

1) 提升企业竞争力。在产品技术日益分散化的今天,已经没有哪个企业能够长期拥有生产某种产品的全部最新技术,企业单纯依靠自己的能力已经很难掌握竞争的主动权。为此,大多数企业的对策是尽量采用外部资源,并积极创造条件以实现内外资源的优势相长。其中一个比较典型的做法是与其他企业结成战略联盟,并将企业的信息网扩大到整个联盟范围。借助与联盟内企业的合作,相互传递技术,加快研究与开发的进程,获取本企业缺乏的信息和知识,不断提升本企业的竞争力。

2) 获得规模经济的同时降低风险和成本。激烈变动的外部环境对企业的研究和开发提出了三点基本要求:不断缩短开发时间、降低研究开发成本、分散研究开发风险。对任何一个企业来说,研究和开发一项新产品、新技术常常要受到自身能力、信息不完全、消费者态度等因素的制约,需要付出很大的代价,而且随着技术的日益复杂化,开发的成本也会越来越高。这些因素决定了新产品、新技术的研究和开发需要很大的投入,具有很高的风险。在这种情况下,企业自然要从技术自给转向技术合作,通过建立战略联盟、扩大信息传递的密度与速度来避免单个企业在研究开发中的盲目性和因孤军作战引起的全社会范围内的重复劳动和资源浪费,从而降低风险。与此同时,市场和技术的全球化,提出了在相当大的规模和多个行业进行全球生产的要求,以实现规模经济和范围经济,从而能在以单位成本为基础的全球竞争中赢得优势。

3) 低成本进入新市场。战略联盟是以低成本克服新市场进入壁垒的有效途径。例如,在 20 世纪 80 年代中期,摩托罗拉开始进入日本的移动电话市场,由于日本市场存在大量正式、非正式的贸易壁垒,摩托罗拉举步维艰。到 1987 年,它与东芝结盟制造微处理器,并由东芝提供市场营销帮助,此举大大提高了摩托罗拉与日本政府谈判的地位,最终使其获准进入日本的移动通信市场,成功地克服了日本市场的进入壁垒。1984 年,美国的长途电话业解除管制后,美国电话电报公司(AT&T)获得了产品经营的自由,进入了个人计算机市场。IBM 采取的反击措施是与 AT&T 在长途电话行业的主要竞争对手 MCI 结成联盟,并收购了 MCI20% 的股份,通过 MCI 在长途电话行业的低价战略来钳制 AT&T。与此类似,日本的几家汽车公司,如马自达、铃木和五十铃在进入美国市场时都采取了与美国汽车企业联营的办法,以克服进入壁垒。

4) 克服"大企业病"。企业规模的扩大、管理层次的增加、协调成本的上升使一些大企业的行政效率向着官僚式的低效率滑落,致使企业决策缓慢,难以对瞬息万变的市场做出敏锐的反应(所谓"大企业病"现象)。而战略联盟的经济性在于企业对自身资源配置机制的战略性革新,不涉及组织的膨胀,因而可以避免企业组织过大及僵化,使企业保持灵活的经营机制并与迅速发展的技术和市场保持同步。此外,战略联盟还可避免反垄断法对企业规模过大的制裁。

(2) 间接动因。

1) 组织学习理论的解释。组织学习理论一反传统竞争优势的分析思路,从组织学习的角度出发,强调企业学习能力与动态竞争优势的紧密相关性。它把企业视为一个学习型组织,认为企业可以通过内部的"干中学""用中学"以及外部的"从相互作用中学习""产业间外溢"等基本的学习途径,达到增强企业竞争优势,改善企业整体经营效率的目标。组织学习理论认为,战略联盟是组织学习的一种重要方式,其核心在于学习联盟伙伴的经验性知识。企业在技术创新中持久的竞争优势更多的是建立在企业拥有的经验性知识基础之上,而经验性知识存在于组织程序与文化中,其转移是一个复杂的学习过程。战略联盟是解决经验性知识转移的有效途径。通过缔结战略联盟,创造一个便于知识分享、移动的宽松环境,采取人员交流、技术分享、参观联盟伙伴的设施、增强联盟各方的联系频率等办法,经验性知识可以被有效地移植到联盟各方,进而扩充乃至更新企业的核心竞争力,真正达到企业间合作的目的。

2)基于资源(RBV)联盟动因的解释。基于资源的战略管理理论兴起于20世纪80年代末,以沃纳菲尔特、格兰特、巴尼等人为代表。该理论在探索企业竞争优势的形成机制中没有局限在具体的产品－市场层面上,而是聚焦于企业所拥有的一组资源,并试图用这些资源的构成和性质解释竞争中频繁出现的优胜劣汰现象。正是这些形态各异的异质性资源造就了企业持久的竞争优势,也正是这种异质性为企业"独占"某些资源提供了可能,从而造成了其他企业所难以模仿的资源位障碍。然而,异质性资源的动态性和维系持久竞争优势的要求使得企业必须不断利用外部渠道,扩充企业所需的稀缺资源。战略联盟正是实现这一目标的有效途径。国际企业与具有互补性资源的企业建立伙伴关系,可以充分利用其外部的"共享"要素,发挥各自异质技术优势和管理经验,从而形成一种新的国际竞争优势和新的利益源泉。

3)战略缺口假说联盟动因的解释。自20世纪90年代以来,国际竞争环境的深刻变化对企业的绩效目标造成了巨人压力。因而,当国际企业审视竞争环境并评价自身竞争力和资源时,经常发现在竞争环境要求它们取得的绩效目标与它们依靠自身资源和能力所能达到的绩效目标之间存在一个缺口,这个缺口被称为战略缺口。根据这个发现,泰吉(Tyebjee)和奥斯兰(Osland)提出了战略缺口假说。他们认为,国际企业战略联盟的发展是其对国际经济、技术及竞争环境变化的一种战略反应,是国际总体竞争环境变化的产物。战略缺口在不同程度上限制了国际企业走一切依靠自身资源和能力自我发展的道路,在客观上要求它们走合作的道路。因此,战略缺口是推动国际企业在全球竞争中结成战略联盟的重要动力。企业的战略缺口越大,参与战略联盟的动力就越强烈。

4)价值链理论的解释。价值链由两种活动构成,即基本活动和辅助性活动。基本活动是指一般意义上的生产经营环节,包括物料储运、生产加工、成品储运、市场营销和售后服务等。这些活动与产品的实体流转直接相关。辅助性活动包括管理基础工作、人力资源管理、技术开发和采购管理等。依照产品实体在价值链各环节的流转程序,企业的价值活动可分为"上游环节"和"下游环节"两大类。在企业的基本活动中,原材料供应、产品开发、生产运行可被称为"上游环节";成品储运、市场营销和售后服务可被称为"下游环节"。上游环节的中心是产品生产,与产品的技术特性紧密相关;下游环节的中心是满足顾客,与市场紧密相连。任何企业都只能在"价值链"的某些环节上拥有优势,而不可能拥有全部的优势。在某些价值增值环节上，本企业拥有优势，在其余的环节上，其他企业可能拥有优势。为达到"双赢"的协同效应，彼此在各自的关键成功要素——价值链的优势环节上展开合作，可以求得整体效益的最大化，这是企业建立战略联盟的原动力。

5）网络理论的解释。网络理论认为，具有网络型组织的企业，对于增强企业组织的活力和形成企业之间的价值关联起着很大的作用。网络理论并不要求形成严格的层级结构，而是将组织的各部分松散地结合起来。这有利于保持组织的灵活性，让组织能够较好地适应产品和技术周期缩短、竞争激烈所导致的市场的动态发展要求。网络结构在协作群体企业的共同防御和相互配合中发挥着重要作用。战略联盟作为企业间的网络化系统，其最大着眼点是在经营活动中积极地利用外部规模经济。当企业内不能充分利用已积累的经验、技术和人才，或者缺乏这些资源时，可以通过建立战略联盟实现企业间的资源共享，弥补彼此资源的不足，以避免对已有资源的浪费和在可获得资源方面的重复建设。战略联盟的建立，使企业对资源的使用界限扩大了，一方面可以提高本企业资源的使用效率，减少沉没成本，另一方面可以节约企业在可获得资源方面的新的投入，降低转换成本，从而降低企业的进入壁垒和退出壁垒，提高企业战略调整的灵活性。

● 战略专栏 5-7

惠普公司的战略联盟

惠普公司（以下简称惠普）通过战略联盟的方式，得到的好处包括：获得互补性资源；进入新市场；分担研究与开发的成本与风险；在合作中获得新的增长点；获得新产品或新技术等。惠普公司正是凭借其联盟管理方面的成功经验获得了上述好处。

首先，识别关键的战略因素。围绕着关键的战略因素来组织联盟只能够增加联盟成功的可能性。惠普就从它拥有的众多联盟中寻找出主要的战略伙伴，如微软、思科、甲骨文、美国在线等，然后设立一个伙伴级的联盟经理职位来监督公司的每一个主要联盟，战略伙伴级的联盟经理有责任同每一具体的联盟经理及其职员一起工作，以确保合作尽可能成功。

其次，给战略联盟职能部门合适的定位。战略联盟职能部门应该使联盟经理能够轻易找到关于某些特殊的问题、联盟的类型或者联盟在其生命周期中所处的阶段等一些隐含性知识。例如，当具体的联盟经理想知道商讨战略联盟协议的最佳方式是什么，什么合同条款和控制权安排最恰当，应该使用哪些技巧，与联盟伙伴解决分歧的最有效的方法是什么时，他们应该能够通过战略联盟职能部门获得这些信息。

惠普公司已经形成了 60 种不同的工具和模式，其中包括一本 300 页的指南，用来指导在具体的联盟过程中做出决策，这本指南包括的工具有：对联盟伙伴进行评估的方法、不同部门任务与责任的谈判模式、评估联盟绩效的方法和联盟终止的清单。

"在惠普，我们努力向公司内部和外部学习，目的远不只是收集资料和信息，而是向联盟经理们提供帮助，指导他们切实有效地进行最好的实践。"惠普的战略联盟经理 JOEKITTEL 说。

再次，培训联盟经理。尽管企业有合作愿望，但怎样把愿望变为现实，掌握在联盟的直接管理者（联盟经理）手中，联盟经理的合作意愿、工作能力、管理水平在一定程度上影响战略联盟的成败。在这方面，惠普公司一是有内部培训计划；二是定期派遣联盟经理到商学院深造，学习联盟关系管理技巧。

惠普的培训可以称为正式培训，除此之外，联盟经理之间的相互交流与学习也是一种很好的非正式培训。

最后，经常协调和审查联盟关系。企业为确保联盟的正常运行，在关系管理方面，不仅需要设立专门的战略联盟职能部门、为联盟关系管理制定程序和方法、为联盟经理提供培训课程，而且需要经常对联盟关系进行协调和审查。

资料来源：MBA智库百科——战略联盟。

3. 战略联盟的形式

（1）合资企业战略联盟。这种形式属于股权式战略联盟，是指由两家或两家以上的企业共同出资、共担风险、共享收益而形成合资企业，多发生在发达国家与发展中国家的企业之间。合作各方将各自的优势资源投入到合资企业中，从而使其发挥单独一家企业所不能发挥的作用。我国汽车行业的战略联盟主要体现为合资形式，例如，上汽－大众汽车公司、江铃－福特汽车公司等战略联盟。这些合资项目充分发挥了合资各方的优势和长处，我方利用发达国家企业的先进技术、知名品牌、管理模式等方面的优势，加快发展速度，提高了自身的市场竞争力。

（2）研究开发战略联盟。在这种战略联盟中，合作各方为了某种新产品或新技术，制定一个研究开发协议，并基于此建立联盟。这种形式可以汇集各方的优势，大大提高了成功的可能性，加快了开发速度，同时各方共担开发费用，降低了各方的开发费用与风险。例如，美国的18家计算机厂商及半导体制造商共同实施一项称为CC的计划，联合起来研究包括新结构、新软件和人工智能的第5代计算机，而研究成果将由各主办单位使用3年。这样的联盟有利于集中合作各方资源和技术等方面的优势，节省研究成本，缩短研究周期。一些跨国公司依靠与其他公司组建从研究开发到销售等一系列经营活动的联盟，将自己的触角伸向世界各地，寻求一切对自己的发展有利的知识、技术、人才和机会。

（3）联合生产战略联盟。联盟的一方如果有知名品牌但生产力不足，而另一方有剩余生产能力，那么就可以定牌生产。生产方可充分利用闲置生产能力，谋取一定利益；拥有品牌的一方则可以降低投资或并购所产生的风险。例如，在2006年，奇瑞公司与戴姆勒－克莱斯勒公司就代工生产小型车达成协议，由奇瑞公司代工的车型在现有车型的基础上进行改造，车型设计改造工作由双方合作完成。奇瑞公司负责汽车生产，然后冠之以克莱斯勒或道奇等品牌，在世界各地销售。

（4）联合销售战略联盟。这种战略联盟是指通过签订协议，共同销售某一种或多种产品，合作双方在销售之外的各个领域保持独立。例如，德国的雷诺公司与美国汽车公司达成协议，雷诺公司通过美国汽车公司1700多个经销商网点在全美国销售其汽车。此外，企业也可以就不同种类、无竞争性的产品建立联盟。例如，小天鹅与碧浪结成联盟，每一袋碧浪洗衣粉上都有"小天鹅指定推荐"标志。

（5）**相互持股战略联盟**。这种战略联盟是指合作各方为加强相互联系而持有对方一定数量的股份。这种战略联盟中各方的关系相对更加紧密，而双方的人员、资产无须完全合并。

4. 实行战略联盟应着重考虑的问题

实行战略联盟与实行其他战略一样，并不能百分之百保证成功。据美国麦肯锡咨询公司的研究表明，大约有1/3的联盟因未达到联盟者的预期目的而失败。失败的原因很多，但大部分原因与联盟各方缺乏协调或协调不当有关。因此，实行战略联盟应着重考虑的问题如下。

（1）**选择合适的联盟伙伴**。战略联盟的目的在于弥补不足，因此在进行合作伙伴的选择时首先要分析和考察对方的合作诚意与利益诉求，以及彼此在开发、制造、营销渠道上的互补性或者分担经营成本的能力。合伙人必须具有某种专长才能成为联盟的成员。合伙人的长处或优势还要能经得起时间的考验，仅仅具有相对的长处或优势的企业有时并不能算是好的联盟伙伴。研究认为，双方均为优等业绩的企业，或一方优等、一方中上等的企业组成的战略联盟成功率较高。

（2）**明确联盟伙伴之间的关系**。战略联盟不是单单依靠股权机制等硬性条件来维系的，而是更多出于合作各方共同的目标而自愿结合的。建立战略联盟应在明确联盟动因的基础上制定适当的目标，制定一致性的战略联盟规划，各方的责任、义务、权利等都应当明确地加以界定。同时，要在企业内部创造"和谐"文化。由于战略联盟中最难协调的是文化冲突，因此合作伙伴必须是彼此相容或企业文化相契合的对象。实践证明，要减少联盟各方的矛盾，必须建立一种和谐、融洽、平等的关系。此外，仔细审阅、精心完善联盟协议，也是减少潜在冲突不可缺少的环节。

（3）**联盟各方要保持必要的灵活性**。这里的灵活性是指参与战略联盟的各方都必须随时能对市场和合作方的变化做出反应，特别是在联盟建立的初期。麦肯锡咨询公司的研究表明，最成功的战略联盟在最初的几年时变化频繁而且变化幅度较大。原因是市场变化，合作双方也要变化；对方变化，自身也必须变化。只有灵活调整，主动适应，联盟关系才有可能得到巩固和加强。

（4）**坚持竞争中的合作**。建立战略联盟是一种手段，最终目的是通过联盟合作关系来增强自己的竞争实力，实现自己的经营目标。因此，联盟各方彼此平等、相互信任是必要的，但绝不是无原则地迁就对方或向对方提供一切。在联盟中不应忽略合作中的竞争因素，过于草率地把核心技术和独特技能让给了合作伙伴，将导致自己的竞争能力下降。因此，战略联盟应该是竞争性的合作。

● 复习思考题

1. 公司层战略分为哪些类型？战略思维应遵循什么原则？

2. 何谓一体化发展战略？有效的纵向一体化和横向一体化分别应遵循什么准则？
3. 什么叫稳定型战略？什么叫紧缩型战略？它们各有哪些类型？
4. 并购的动因是什么？并购后如何进行整合？
5. 战略联盟有哪些形式？实行战略联盟应着重考虑什么问题？

◉ 实践项目

以小组（3～5人为一组）为单位，在实际中或网络上寻找一家从事过收购（或战略联盟）但失败了的公司，先各自分析该公司为什么要进行收购（或战略联盟），然后进行小组讨论、交流，并解释为什么收购（或战略联盟）会失败。撰写分析报告。

第 6 章 经营层战略

◉ 学习目标

1) 理解经营层战略所要解决的中心问题
2) 掌握基本竞争战略的类型及其实施的条件
3) 了解企业所处产业集中度与竞争战略的关系
4) 了解企业在产业不同发展阶段所采取的竞争战略

◉ 先导案例

数字原生创新战略：与生俱来的"时尚"

数字原生创新战略不仅是一种应对变革的手段，更是一种主动适应、引领变革的战略抉择，是数字化转型的终极目标。在第四次信息革命引领的数字化浪潮中，只有拥有数字原生思维、拥抱数字原生创新，才能在激烈的市场竞争中立于不败之地。

根据数字技术赋能的角色不同，数字原生创新战略可以划分为三种类型，分别是衍生型数字原生创新战略、新生型数字原生创新战略和供生型数字原生创新战略。

1. 衍生型数字原生创新战略

衍生型数字原生创新战略是指传统企业以数字思维创造出全新数字平台、数字化子品牌或数字化子公司以辅助特定传统企业或产业链实现数字化的战略模式，目的是通过数字化提升传统企业或传统产业链效率。衍生型数字原生创新战略包括三种模式：基于平台的开放式创新、基于场景的用户创新和基于工业互联网的服务创新。

海尔集团自 2009 年起开始打造开放式创新系统。最初成立的开放式创新中心逐步演变成开放式创新平台，如今已经升级为开放式创新生态系统。在线上，海尔集团的 HOPE 平台携手全球研发机构和独立研究者，向平台会员提供尖端科技信息和极具竞争力的创新解决方案。在线下，这些创新解决方案借助海尔全球十大研发中心及海尔集团内部各业务板块的研发平台的通力合作，推动价值的生成。海尔集团依托 HOPE 平台，在全球范围内快速整合技术和知识，从而构建共创、共享、共赢的创新生态。

2. 新生型数字原生创新战略

新生型数字原生创新战略是指诞生于数字经济时代的企业基于新一代数字技术开展业务、实施运营的创新模式，目的是基于数字化以全新的商业模式提升企业运营效率，获取竞争优势。新生型数字原生创新战略包括数字技术驱动的产品创新和数字技术驱动的内容服务创新两种模式。

希音（SHEIN）的服装销售是典型的数字技术驱动产品创新。希音刚成立时，快时尚潮流女装这条赛道上早已挤满了各类企业。创始人许仰天利用快速发展的数字技术为希音制定应对方案，实现了数字驱动选品，创造了"小单快反＋市场测试＝50%爆款率"模式，严把品控，做到"返单8天交期（传统工厂需要15天以上）、一件衣服线头少于3根、尺寸误差在两厘米以内"，最终使希音在快时尚领域实现突破。

3. 供生型数字原生创新战略

供生型数字原生创新战略是指企业基于新一代数字技术为更广泛的数字化转型需求提供数字技术服务的战略模式，目的是为各个行业的数字化转型赋能，提升整个社会的运行效率。供生型数字原生创新战略包括三种模式：基于云计算技术的全场景创新、基于人工智能技术的全场景创新和基于区块链技术的全场景创新。

华为云计算技术有限公司（简称华为云）是一家典型的实施基于云计算的全场景创新战略的企业。作为一家供生型数字原生企业，华为云很早就提出了"赋能云"的概念，并协同政府、高校等组织和机构，打通上下游产业链，为中小企业提供全方位的基础设施、平台和应用服务，帮助它们实现数字化转型。华为云创新性地提出"1+2+3融通创新体系"："1"是指一个创新融通平台；"2"是指技术赋能和商业赋能，它们是实现创新融通的两个重要路径；"3"是指三大中心，华为云为区域政府构建面向数字经济发展的能力中心、生态中心和服务中心，落地区域，实现产业链全栈升级的全面创新。华为云帮助众多中小企业数字化完成跨越式升级。

蚂蚁集团数字科技是蚂蚁集团科技商业化的重要板块。蚂蚁集团持续推动数字科技的创新与应用，在区块链、隐私计算、安全科技、分布式数据库等领域，不断研发出蚂蚁链、OceanBase、SOFAStack、mPaaS等领先的科技品牌及产品。同时，蚂蚁集团持续将自身产品与服务向企业与社会全面开放，联合各方为中小型金融机构的数字化升级、服务业小微商家的数字化经营、产业链的数字化协作贡献力量。

资料来源：王砚羽. 数字原生创新战略：与生俱来的"时尚"[J]. 清华管理评论，2024（6）：28-36.

6.1 基本竞争战略

经营层战略所要解决的中心问题，是经营单位（或事业部）在已定的业务或行业内如何超越对手，获取竞争优势的问题。

迈克尔·波特是美国哈佛大学研究竞争战略的著名学者。他在1980年和1985年分别出版了《竞争战略》和《竞争优势》两部代表性著作，其中分析了新兴产业、分散性产业、全球性产业、衰退性产业等不同类型产业的竞争情况，讨论了关于汽车、自行车、造船、照相机、采油、医疗、卫生、金融、劳务、婴儿食品等产业的竞争实例。由此，波特提出了三种基本的竞争战略，即成本领先战略、差异化战略、集中化战略。任何企业都可以从这三种战略中选择一种，作为其主导战略。要么把成本控制到比竞争者更低的程度，在别人赚不到钱的情况下，你却能赚钱，别人赚得到钱时，你则赚得更多；要么在企业产品或服务中形成与众不同的特色，即产品新颖化、别具一格，让顾客对你的产品有特殊的好感，愿意付高价；要么致力于服务某一特定的顾客群体、某一特定的产品种类或某一特定的地理区域，即企业集中力量，独占一方。竞争战略的目标是为企业建立一个不仅能防御潜在竞争者，也能对付买方、供应商、新进入者和替代品的优势地位。下面分别介绍这三种战略。

6.1.1 成本领先战略

1. 成本领先战略的含义及类型

成本领先战略（cost leadership strategy）是指企业通过一系列内部和外部成本控制活动最大限度地降低成本，使得企业成本低于竞争对手，甚至在全行业中处于最低水平，从而获取竞争优势，成为行业成本领先者的战略，所以也称为低成本领先战略。实施成本领先战略取得成功的关键在于，在满足顾客最重要的产品特征和服务要求的前提下，实现相对于竞争对手的可持续性成本优势。也就是说，奉行成本领先战略的企业只有发掘出成本优势的持续性来源，形成防止竞争对手模仿成本优势的障碍，才能让低成本优势持久。

运用成本领先战略获取利润有两条途径：一是利用成本优势定出比竞争对手更低的销售价格，吸引对价格敏感的顾客群，进而提高获利能力；二是不降低商品价格，满足于现有市场份额，利用成本优势提高单位利润率，进而提高总利润和投资回报率。成本领先战略的理论基石是规模效益和经验效益，它要求企业产品必须具有较高的市场占有率。根据企业获取成本优势的方法不同，成本领先战略可分为这几种主要类型：①产品改进型成本领先战略；②材料节约型成本领先战略；③人工费用降低型成本领先战略；④生产自动化和创新型成本领先战略。

2. 成本领先战略的利益和风险

（1）成本领先战略的利益。许多企业把成本领先作为获得竞争优势的基础，一旦企业在各自的行业领域内取得成本领先地位，就可以获得以下利益。

1）形成进入障碍。利用超大的生产规模和低廉的成本优势形成进入障碍，使欲进入该行业者望而止步。那些导致低成本的因素往往是潜在进入者需克服的进入障碍。例如，广东格兰仕微波炉电器制造有限公司的大规模生产在降低了产品成本的同时，也提高了微波炉行业的进入障碍。

2）有效地防御来自竞争对手的对抗。当其他竞争对手由于对抗而把自己的利润消耗殆尽时，取得领先地位的企业仍能获得适当的收益。当消费者购买力下降，竞争对手增多，尤其是发生价格战时，成本领先地位可以起到保护企业的作用。

3) 更灵活地处理供应商的提价行为。处于成本领先地位的企业对原材料或零配件的需求量大，这为获得廉价的原材料或零配件提供了可能，即使供应商要提价，企业也能因成本领先而更灵活地加以处理。

4) 有效地应对来自替代品的竞争。替代品生产厂家在进入市场时，或强调替代品的低价，或强调其优于现有产品的特性和用途，占据成本领先地位的企业在前一种情况下可以通过进一步降价以抵御替代品对市场的侵入，在后一种情况下，企业仍可吸引一部分对价格更敏感的消费者群体。

5) 对抗强有力的买方。购买者讨价还价的前提是行业内仍有其他企业向其提供同类产品或服务，一旦价格下降到低于最有竞争力对手的水平，购买者就失去了与企业讨价还价的能力。

● 战略专栏 6-1

长安汽车实施低成本领先战略

成本在汽车制造业这一典型的制造产业中属于核心的竞争区域。成本居高不下已经成为许多国际汽车制造企业的难题，成本控制主要体现在两个方面：一是在生产原材料方面怎么降低成本投入；二是怎么解决非生产原材料造成的成本过高问题，此类问题主要是由初期迅速扩大规模，进行固定资本投资而引起的。通过分析研究，长安汽车采用了两种方法实现成本领先战略。一是通过纵向一体化整合实现低成本领先。新能源汽车属于汽车行业中的新兴产业，新兴产业中企业面临原材料和零部件的供应问题。新能源汽车不同于传统汽车，需要专门的零部件，而严重的原材料和零部件短缺以及高昂的价格在新兴产业中是常见的。这一系列原因决定了新能源汽车较高的制造成本和销售成本。因此，纵向一体化的整合对长安汽车的新能源汽车实现成本领先战略尤为重要。二是通过纵向一体化整合来实现价值链的高度整合。目前长安汽车有许多配件，包括发动机、空调、车身和倒车雷达等都是自己制造的。从价值链的上游开始控制成本以达到纵向一体化整合，运用现有的优势降低新能源汽车的生产成本，在行业里具有极强的竞争力。

资料来源：王溥. 战略管理模拟实验教程 [M]. 北京：高等教育出版社，2018.

（2）成本领先战略的风险。

1) 投资额高，技术变化带来的风险。企业要有先进的生产设备，才能进行高效率的生产，所以，采用成本领先战略的企业投资额高。此外，技术进步会导致生产工艺的改进以及突破，使得企业原有的工艺设备和投资变得落后，原有的高效率优势将随之消失。因此，技术变化风险是成本领先战略中最大的风险，技术上的突破和变化会使企业过去投资的设备和通过学习积累的经验失效。

2) 竞争对手模仿带来的风险。技术变化带来的产业新加入者通过模仿或者依靠对高新技术的投资能力，用较低的成本进行学习，以更低的成本参与竞争，后来者居上，致使企业丧失成本领先地位。例如20世纪70年代初期，阿迪达斯在跑鞋制造业占据统治地位，但到了20世纪80年代，后起之秀耐克已超过阿迪达斯而占据美国跑鞋市场主导地位。耐克的成功并没有什么独到之处，主要是采用了模仿的策略。

3）忽视消费者需求变化带来的风险。如果成本领先企业将注意力过多地集中在成本控制上，就很可能忽略外部环境的技术变化、消费者偏好和要求等，这样产品价格虽然低廉，但消费者并不喜欢，从而使得企业可能失去原有的产品竞争优势。随着时代变迁和消费观念改变，消费者偏好可能会发生变化。例如，早期福特汽车公司就是成本领先战略失利的典型例子。

3. 成本领先战略的适用条件

企业采用成本领先战略时，应当结合企业的资源和能力等来考虑其适用条件。具体来说，当具备以下条件时，采用成本领先战略可能更有效果。

（1）外部条件。

1）企业所处产业的产品基本上是标准化或者同质化的，这时消费者购买决策的影响因素主要是价格。

2）企业产品的市场需求具有价格弹性，消费者对价格越敏感，就越倾向购买低价格企业的产品。

3）实现产品差异化的途径少，企业很难进行特色经营以使自己的产品具有独特的优势。

4）现有竞争企业之间的价格竞争非常激烈，绝大多数消费者使用产品的方式基本相同。

5）消费者的转换成本很低，消费者容易转而选择能提供低价格、同质量产品的企业。

（2）企业内部条件。

1）必须有持续的资本投资和良好的融资能力。

2）必须有先进的生产设备。

3）要严格管理成本，严格控制一切费用开支，竭尽全力地降低成本。

4）企业为大批量生产企业。产量一定要达到规模经济，才能降低成本。

5）企业产品要有较高的市场占有率。企业应能销售出大量的产品。

总之，采取成本领先战略的企业，特别是那些成本领先于竞争对手比较多的企业，不能盲目得意于自身的成本优势。由于成本领先的企业在明处，竞争对手在暗处，时刻可能有竞争对手的出现和进攻，因此，成本领先的企业管理者必须提高警惕，保持自己的优势和创建新的未来竞争优势。

● **战略专栏 6-2**

关于持续竞争优势的判定准则及创新

1. 持续竞争优势判定的六项准则

（1）**无法学：稀缺专用**。这主要表现在拥有不可流动的稀缺与专用资源及能力上。这种竞争优势的形成，基于企业具有独一无二的资源或能力。

（2）学不全：**累积整合**。这主要表现为企业拥有不可模仿的意会性经验、知识与做法。这些经验、知识与做法，是经过企业内部员工长期相互磨合，最终逐步累积而成的，对其他企业来说要真正掌握与理解颇费时日，有时甚至是不可能的。

（3）不愿学：**低调处世**。这主要表现为放低姿态，悄悄增强实力。从持续竞争优势的操作层面来看，对于刚刚创业的小企业来说，通常并不具备让竞争对手"无法学"或者"学不全"的优势。在这里，应做到"做人低姿态、办事高水平"。

（4）不怕学：**先占优势**。这主要表现为抓住先占优势，培养忠诚顾客，使得后来进入的竞争者在市场规模等方面始终处于劣势。

（5）不敢学：**不战屈人**。这主要表现为通过信息发布、先声夺人等战略性行动，使潜在竞争对手事先对参与竞争望而却步，主动采取回避退让做法。

（6）难替代：**超前突破**。这主要表现为企业通过各种途径的努力，使竞争对手很难生产功能相近的替代品。

2. 竞争优势创新：顾客为本、突破定式

看人家所看不到（不愿看、不想看或视而不见）的
听人家所听不到（不愿听、不想听或听而不闻）的
想人家所想不到（不敢想、不愿想或思而不深）的
悟人家所悟不到（不能悟、不肯悟或想而不透）的
学人家所学不到（不想学、不愿学或学而不精）的
做人家所做不到（不能做、不愿做或为而不果）的
成人家所不能成的。

资料来源：项保华.战略管理：艺术与实务[M].北京：华夏出版社，2001.

6.1.2　差异化战略

1. 差异化战略的含义

差异化战略（differentiation strategy）是指企业向消费者提供与众不同的产品和服务来满足消费者的特殊要求，在行业范围内树立起别具一格的经营特色，以独特性来取得竞争优势。差异化战略要求企业通过差异化将自己与竞争对手区分开来，但差异化战略并不是简单地追求形式上的差异，关键是在消费者感兴趣的方面和环节上树立起自己的特色。例如，丰田提供各种不同车型、卡特彼勒推出品种各异的重型推土机、麦肯锡公司为政府和企业提供各种不同的咨询服务等都是实行差异化战略的典型。

此外，实施差异化战略并不是说可以忽视成本，只是强调其重点不是成本问题，而是产品的差异化问题。

2. 差异化战略的优势和风险

（1）差异化战略的优势。

1）降低消费者的价格敏感程度。一旦通过产品差异化提高了消费者对品牌的忠诚度，

就会降低消费者对价格的敏感程度，即使独特的产品或者服务价格高于一般性产品或者服务的价格，消费者也能够接受。

2）形成强有力的进入障碍。由于产品差异化提高了顾客对企业的忠诚度，如果行业新加入者要参与竞争，就必须获得这些差异化，或者扭转顾客对原有产品或服务的信赖以及克服原有产品独特性的影响，为此要付出相当大的代价，这就增加了新加入者进入该行业的难度。

3）增强讨价还价的能力。产品差异化战略可以为企业带来较高的边际收益，降低企业总成本，增加企业应对供应商讨价还价的能力。

4）降低产品的可替代程度。由于产品或服务具有差异性，能够赢得顾客的信任，所以可以在与替代产品的较量中处于更有利的地位。

（2）差异化战略的风险。企业采取差异化战略主要有两种风险：一是企业没有形成适当的差异化；二是企业在遭受竞争对手的模仿和进攻时，没有保持差异化。具体表现如下。

1）企业的成本可能很高，因为要增加设计和研发经费。

2）用户所需的产品差异的因素下降。当用户变得越来越精明，对产品的特征和差别体会不明显时，就可能发生忽略差异的情况。

3）大量的模仿缩小了用户感觉到的差异。特别是当产品发展到成熟期，拥有技术实力时，企业很容易通过逼真的模仿，减少产品之间的差异。

4）过度差异化。差异化虽然可以给企业带来一定的竞争优势，但这并不意味着差异化程度越大越好，因为过度差异化容易使企业产品的价格相对竞争对手的产品价格来说太高，或者差异化属性超出了消费者的需求。

3. 差异化战略的实施条件

（1）外部条件。

1）存在很多途径来创造企业与竞争对手产品之间的差异，并且这种差异被顾客认为是有价值的。

2）顾客对产品的需求和使用要求是多种多样的，即顾客需求是有差异的。

3）采用差异化战略的竞争对手很少，即真正能够保证企业是与众不同的。

4）企业技术变革很快，市场上竞争的焦点主要集中在不断地推出新的特色产品。

（2）内部条件。

1）企业具有很强的研究开发能力。

2）企业在行业中具有产品质量或技术领先的声望。

3）企业在这一行业有悠久的历史及良好的口碑。

4）企业具有很强的市场营销能力。

5）企业能够得到各种销售渠道强有力的合作。

6）企业的研发部门、市场营销部门等职能部门能够密切协作。

7）企业具备能吸引创新型人才的物质基础和环境条件。

● 战略专栏 6-3

蜜雪冰城的差异化发展模式

1. 企业简介

蜜雪冰城作为全国分布最广、门店数量最多的茶饮品牌,专注于研究高品质且平价的冰激凌与茶饮,主要定位于下沉长尾市场,由研发生产、仓储物流、运营管理三大产业链共同协作。蜜雪冰城在"2021 中国茶饮十大品牌榜"中名列第三。此外,当前茶饮行业内自建物流体系的仅蜜雪冰城一家,其门店数量接近 2 万家,在同行业中无论是门店数量,还是产品销售量都独占鳌头。

2. 企业差异化的总体思路

纵观蜜雪冰城的差异化战略发展,可以看出,其发展呈现出先纵向布局,再横向完善的倒"T"形发展模式。从纵向布局上看,蜜雪冰城先是分别从产品、定价与品牌上锚定特定客户群体。与此同时,蜜雪冰城吸引加盟商盘活资金,通过自建仓储中心建立供应链差异化,再通过降低加盟费与总公司控股形成加盟模式差异化。蜜雪冰城的横向完善则是通过间接投资、开设体验店及扩大品牌势能等一系列举措,实现产品"差异化、多元化"的横向发展目标。最后,通过纵向布局与横向完善的倒"T"形发展模式的建立,实现客户、平台和资金的搭建,由此实现差异化战略,如图 6-1 所示。

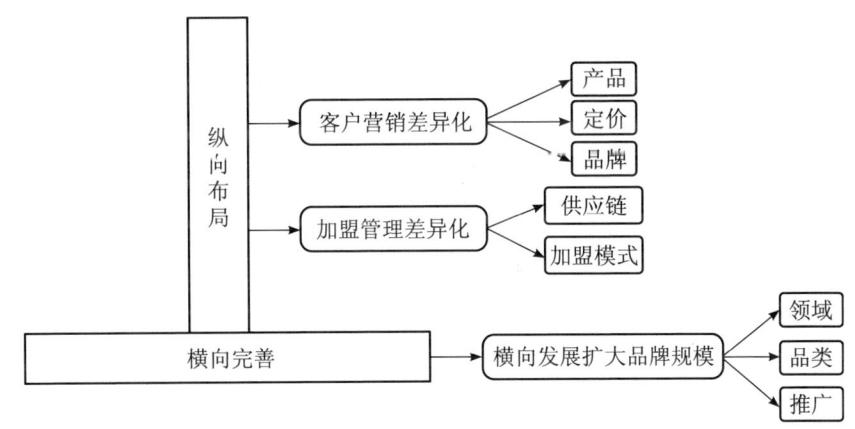

图 6-1 蜜雪冰城倒"T"形发展模式

3. 蜜雪冰城的差异化品牌发展模式

(1) 纵向差异化布局。蜜雪冰城纵向差异化布局主要体现为两方面:一是在产品、定价与品牌上实现客户营销差异化;二是通过自建仓储中心建立供应链差异化和通过降低加盟费形成加盟模式差异化。

1)产品差异化:从小数量、单品种做出大爆款。不同于同品类的喜茶和奈雪的茶,蜜雪冰城品牌起家之初便设定了精简化的产品策略,免去了许多季节性新品、限定款产品等。虽然在口味和配料上不免受到消费者的诟病和其他品牌的打压,而且低库存保有单位量同样让蜜雪冰城在上新速度上相形见绌,如喜茶和奈雪的茶的新品上新速度极快,2020 年推出了约40款新品，远超普通茶饮品牌的款式数量，但是，如今的市场早已进入深耕细作的时代，只有将爆款"一挖到底"，真正满足消费者的需求，才能获得消费者的支持与喜爱。同时，低库存保有单位量的好处是降低成本，包括生产成本和线下店面经营成本。冰激凌与柠檬水这两大爆款的"出圈"，无不体现了"低价爆品"策略，便于实现产品和店面标准化，从而在产品上与其他品牌实现差异化，这是蜜雪冰城能够快速扩张的一大因素。

2）定价差异化：坚持低价差异化策略。比起喜茶、奈雪的茶等"后起之秀"，蜜雪冰城在新消费升级的浪潮抵达之前，便已经靠爆款与低价在新式茶饮市场占据了一席之地。为了获得更多消费者的支持与喜爱，在对产品进行定价时，蜜雪冰城遵循自己的一套商业原则：通过对产品成本的精准核算与控制，加上微量的毛利润，推算出产品的定价，由此赚取一定的品牌溢价。结合精准的产品定位与极致的产品性价比，蜜雪冰城的低价定位差异化打开了庞大的三四线市场，且符合所在区域的竞争环境。

3）品牌差异化：视觉设计升级与雪王IP。蜜雪冰城早期的店铺装修风格类似于大卖场门店装饰风格，十分接地气。与一众去追求清新、个性化、简约风格的其他茶饮品牌相比，蜜雪冰城采用差异化战略，通过门店装饰设计给人一种别样的调性，极大地增强了品牌记忆点。在IP形象上，通过"奶茶+IP"进行产品差异化的极大创新，让消费者把雪王与蜜雪冰城强关联起来，为IP形象赋予内容，形成记忆符号，给消费者带来新鲜的消费体验。为进一步加深消费者对高质低价的品牌印象，蜜雪冰城打造了雪王IP形象，通过白色与红色的视觉冲击实现品牌视觉设计升级，极大地强化了用户的记忆点，使用户在脑海中形成强烈的品牌记忆。

4）供应链差异化：自建仓储中心把控货源。对于全国各大茶饮品牌来说，物流成本是决定产品成本的关键部分。在当下的竞争环境之中，各大茶饮品牌争做供应链的积极探索者。与喜茶、奈雪的茶等茶饮品牌相比，蜜雪冰城自建仓储中心把控货源，自建供应链体系支撑可持续运营，在生产、运输、仓储、销售运营等全流程中下足了功夫。通过整合供应链，直接与茶产地和加工企业进行合作，利用多门店的优势，掌握了原材料购入的议价权。目前，蜜雪冰城主要对外布局了22家企业，且大多数为100%持股。这些企业涉及农业、贸易、供应链、餐饮服务、食品销售等诸多行业。茶饮布局上游产业，带来的直接收益就是保证原材料的供应，有效把控原材料的质量与数量，由此以极快的速度获得了价格优势，通过供应链差异化实现了成本控制，节约了物流成本并盘活了资金。

5）加盟模式差异化：费用低且由总公司控股。与其他各类茶饮品牌的运营模式相比，蜜雪冰城采用创新的加盟模式。为了吸引加盟商，蜜雪冰城创始人张红超开创了"免息贷款"的新模式，每年拿出几千万元免息借给加盟商，这个模式直接解决了加盟商前期开店的资金问题。此外，蜜雪冰城不断扩张，对机场、车站、服务区、加油站、景点、游乐园等区域的门店实行加盟费减免，鼓励加盟商到人流量更大，但租金成本更高的地方开店。参照阿里巴巴、海尔等大企业进行股权布局，无论蜜雪冰城的门店数量及产品销量如何，其控制权始终掌握在张红超的手中。对加盟模式的差异化进行标准化升级，使得蜜雪冰城独辟蹊径，快速完成产品品牌规模的扩张。

（2）**横向差异化扩张**。蜜雪冰城的横向差异化扩张，主要是指通过领域差异化、品类差异化、推广差异化来实现"差异化、多元化"的横向发展目标。

1）领域差异化：利用投资间接补全茶饮品类。随着茶饮市场固化，为了扩大市场，各品牌延伸触角。蜜雪冰城除了做短线的品牌联名，还开始做长线的投资，产业协同色彩明显。2020年，蜜雪冰城升级并重新推出了早两年已出现在市场中的咖啡品牌——幸运咖，并加快拓店速度。2021年，蜜雪冰城成立雪王投资公司，由蜜雪冰城全资控股。蜜雪冰城还开始投资"炸鸡"品牌。而在投资"炸鸡"品牌前，蜜雪冰城还进行了工商变更，新增酒类经营范围。蜜雪冰城还涉足除酒饮外更多的餐饮细分领域，想要不断巩固下沉市场的龙头地位。拓宽品类则是为了吸引更多的消费群体，满足年轻人在同一购买场景下的潜在需求。近年来，从茶饮咖啡品类拓展，到成立雪王投资公司及自建农场提升自身硬实力，蜜雪冰城做了许多尝试，试图打破新式茶饮的壁垒，为自身寻找新的"增量"。除机构融资之外，各类茶饮品牌要冲击公开募股的消息也频频出现。在领域差异化发展之路上，蜜雪冰城积极探索，利用投资扩大定位和扩充品类，进一步向上占领中端市场，产业协同色彩明显，并尝试跨领域发展，实现领域差异化。

2）品类差异化：开设体验店探索炸串等品类。在创新发展的时代条件下，无论是奶茶行业、咖啡行业还是服装品牌，各行各业都在筹划向上发展，谋求创新。新式茶饮行业也正面对产品形式未来增长受限与同质化等问题，茶饮品类需要谋求新的增长点，实现现制饮品和品类的多元化。除利用间接投资实现跨领域发展及产品创新外，各茶饮品牌还流行起开旗舰店与体验店，并专门设有DIY区域，消费者可尝试亲手制作冰激凌，这极大地丰富了产品品类。而在具备一定规模后，再进行新模式与新品类探索。一直以高性价比吸引各年龄段消费者的蜜雪冰城，在产品的种类选择上与其他品牌的奶茶相比少之又少。在其他茶饮品牌选择开发奶茶新品的时候，蜜雪冰城选择直接开发奶茶的衍生产品——与传统美食进行结合，实现品类的跨越式发展，增加消费者的消费新体验，实现更多的消费可能性，进而提升客单价。更多新品、更注重体验的蜜雪冰城，实现了消费者消费体验的升级，不断实现品类差异化，并为后续的可持续发展奠定基础。

3）推广差异化：扩大品牌势能，铸牢市场地位。具备强大品牌推广能力的品牌，通常能够极大地刺激茶饮消费，进而持续提升其所占市场份额。凭借已建立的品牌声誉，行业领先者能够更好地发展及扩张业务。相较于其他品牌，蜜雪冰城是通过门店、客户、品牌三个方向夯实差异化策略，扩大品牌势能，进而筑牢市场地位。

资料来源：徐荟昕，向永胜，王家琳.基于差异化战略的新式茶饮品牌发展模式探析：以蜜雪冰城为例[J].经营与管理，2023（5）：44-49.

6.1.3 集中化战略

1.集中化战略的内涵

集中化战略（focus strategy）是指企业把经营的重点目标放在某一特定购买者群体，或某种特殊用途的产品，或某一特定地区上，来建立企业的竞争优势及其市场地位的战略。由于资源有限，一个企业很难在其产品市场展开全面的竞争，因而需要瞄准一定范围内的重点目标，以期产生巨大且有效的市场集聚力量，所以集中化战略又称为聚焦战略或专一战略。

集中化战略与成本领先战略和差异化战略一样，可以对抗行业内各种竞争者的力量，使得企业能够在本行业中获得高于平均水平的收益。该战略可以用来防御替代品的威胁，也可以针对竞争对手最薄弱的环节采取行动。

集中化战略与成本领先战略和差异化战略不同的是，成本领先战略和差异化战略面向整个市场、整个行业，从大范围谋求竞争优势；而集中化战略则围绕一个特定的、相对狭小的目标市场，进行密集型的生产经营活动，提供比竞争对手更为有效的产品或服务，建立竞争优势。它们之间的关系如图6-2所示。

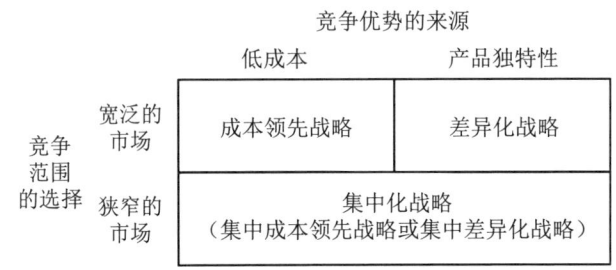

图6-2　三种基本竞争战略关系图

集中化战略有两种表现形式：一种着眼于在局部领域获得成本领先优势，称为集中成本领先战略；另一种着眼于在局部领域获得差异化优势，称为集中差异化战略。之所以采用集中化战略，是因为企业能比竞争对手更有效地为特定的顾客群体服务，即企业能在为目标消费者服务的过程中降低成本，或由于能够更好地满足特定需求而获得产品差异，或两者兼而有之。

2. 集中化战略的优势和劣势

（1）集中化战略的优势。

1）便于集中使用整个企业的力量和资源，更好地服务于某一特定的目标。

2）更好地调查研究与产品有关的技术、市场、顾客以及竞争对手等各方面的情况，做到"知彼"。

3）经济效果易于评价，战略管理过程容易控制，从而带来管理上的便利。

4）可以针对竞争对手最薄弱的环节使用集中化战略采取行动。

（2）集中化战略的劣势。

1）由于企业把全部力量和资源都投入一种产品或服务，或一个特定的市场，当顾客偏好发生变化、技术出现创新或有新的替代品出现时，这部分市场对产品或服务的需求下降，企业就会受到很大的冲击。

2）竞争者会进入企业选定的目标市场，并且采取更优于企业的集中化战略。

3）产品销量可能变小，产品要求不断更新，造成生产费用的增加，削弱企业的成本优势。

3. 集中化战略的实施条件

（1）具有完全不同的用户群，这些用户或有不同的需要，或以不同的方式使用产品。

（2）在相同的目标细分市场中，其他竞争对手不打算实行重点集中战略。

（3）企业的资源不允许其追求广泛的细分市场。

（4）行业中各细分部门在规模、成长率、获利能力方面存在很大差异，致使某些细分部门比其他部门更有吸引力。

综上所述，要成功地实行以上三种基本竞争战略，需要不同的资源和技能，也需要不同的营销策略和研究开发措施，还需要不同的组织安排和控制系统。因此，企业必须考虑自己的优势和劣势，根据经营能力选择合适的竞争战略方案。

战略专栏 6-4

格兰仕：把所有"鸡蛋"放在微波炉里

著名作家马克·吐温说过："把所有的鸡蛋都装进一个篮子里，然后看好这个篮子。"将这句话借用到企业经营方面就是：选择一个有前景的行业，集中全部资源去发展，即专业化经营。英特尔公司总裁安迪·葛洛夫对此深表赞同，他领导的英特尔公司一直坚守在微处理器行业，全球市场占有率高达 90%。格兰仕董事长梁庆德也持有这种观点。他领导的格兰仕成功地从服装行业转移到微波炉行业，把所有的"鸡蛋"放在微波炉行业里，市场占有率高达 50% 以上。格兰仕是如何做到这一点的呢？

1. 大胆且成功的战略转移

1991 年，格兰仕选择微波炉作为发展的唯一行业，尽管宏观状况有利，但格兰仕决定进入与原服装行业毫无关联的微波炉行业还是大胆和有魄力的。与多元化经营有很大的不同，格兰仕走的是一条战略转移之路：1991—1993 年，格兰仕一方面逐步关闭收入可观的羽绒服生产线，从服装行业撤出；另一方面从日本、美国、意大利引进全套具有 20 世纪 90 年代先进水平的微波炉生产设备和技术，进入微波炉行业。

2. 集中全部资源，夺得全国第一

格兰仕奉行集中化战略，没有采取"两面作战"的多元化措施，而是集中全部资源，朝认定的方向以规模化为重点发展单一的微波炉行业。对此，格兰仕副总经理俞尧昌说："就格兰仕的实力而言，什么都干，则什么都完了，所以我们集中优势兵力于一点。"

这是中小型企业经营战略的一条路线：在企业实力不强、剩余资源不足的情况下，企业应优先选择单一行业，甚至单一产品作为重点，集中优势夺取市场地位，从而成长为大企业。

1994 年，格兰仕微波炉产量为 10 万台，1995 年达到 20 万台，市场占有率为 25.1%；1996 年产量为 65 万台，市场占有率为 34.85%；1997 年产量接近 200 万台，市场占有率为 47.6%，高居全国国内外品牌第一位。

3. 高处足以胜寒

1997年10月18日，格兰仕宣布其13个产品品种全面降价，降价幅度为29%～40%，其结果是格兰仕的市场占有率接近50%，占有半壁江山，外国品牌占有率在40%左右，国内其他品牌仅占不到10%的地盘，国内同行业"元老"——上海的"飞跃""亚美"已跌至1%以下。

清华大学教授宋学宝对格兰仕的研究文章里谈及，选择一个较合适的"点"，集中全部或几乎全部的经营资源把这个"点"做精、做深、做透、做大，并建立进入壁垒，使竞争者不断退出（主动或被动），潜在竞争者不敢贸然进入，从而实现企业的持续经营目标。对格兰仕来说，微波炉无疑就是那个"点"，即企业的集中化战略所在。

资料来源：根据网络资料编写。

6.2 产业集中度与竞争战略

产业集中度是指该产业市场上大企业的数量，以及它们的规模分布状况。在一个产业内，企业规模的大小和企业数量的多少，对企业间的竞争关系有直接影响。企业规模大，市场占有率高，企业对市场的各种影响就大。如果企业规模小且数量多，企业之间往往很难达成协议，即使达成了也很难维持，企业之间的竞争较为激烈。另外，产业集中度高对进入该行业来说是一种障碍，因为它能使这些占有大量市场份额的企业获得规模经济方面的优势，这样企业可以降低价格，从而阻止新来者进入该市场。

企业在确定了基本竞争战略以后，还要根据自己所处产业的情况，考虑如何与对手展开竞争，扩大自己的优势范围。下面根据产业的特点来讨论企业的竞争战略问题。

6.2.1 分散型产业的竞争战略

分散型产业是一种常见且重要的行业结构环境，在这样的环境中，有许多企业竞争，没有任何一家企业占有显著的市场份额，也没有任何一家企业能对整个产业的发展产生重大影响，即不存在能够左右整个产业活动的市场领袖。在一般情况下，分散型产业由很多中小型企业构成，其中许多是私有企业。对分散型产业没有确切的数量定义。分散型产业存在于经济活动的许多领域中，如服务业、餐饮业、零售业等。

1. 造成产业分散的原因

造成产业分散的原因有很多，既有历史的原因，也有经济的原因，主要有以下六点。

（1）进入门槛低或障碍较少，使许多小企业很容易地进入。

（2）不存在规模经济或经验曲线。在工商业活动的诸多领域，如日用品制造、批发、分销等领域，都不存在规模经济或经验曲线。

（3）高运输成本限制着高效率企业扩大规模和增加生产地点。

（4）高库存成本或不稳定的销售波动。虽然在生产过程中可能存在内在的规模经济性，但这种规模经济性可能会因为库存成本较高或销售波动而无法获得。

（5）多样化的市场需求。在某些产业中，顾客的需求是不一样的，有的顾客希望产品有不同的样式。

（6）当服务成为经营的关键因素时，小企业就会变得更加有效率。人员的服务质量和顾客的感觉因人而异，一般而言，当企业规模达到一定程度时，提供服务的质量就要下降，这在某些行业表现得特别突出，如美容美发、餐饮等服务行业，因而造成企业的分散。

2. 分散型产业的企业竞争战略选择

处于分散型产业中的企业面对众多的竞争对手，首先要在成本领先战略、差异化战略和集中化战略这三种基本竞争战略中选定适合自身具体情况的战略。此外，还可以选择以下战略方案。

（1）**连锁经营**。企业运用这种战略主要是为了获得成本领先的战略优势。连锁经营改变了以往零售店的分散布局状态，建立了联系网络，形成了规模经济，可快速响应商店和顾客的需求，以及分享共同的管理经验。这些都可以大幅度降低企业的成本，形成竞争优势。

（2）**特许经营**。在分散型产业里，企业要形成差异化，通常采取特许经营的方式来获得竞争优势。例如，快餐业中的肯德基、必胜客就采用这种经营方式。

（3）**增加产品（服务）的附加价值**。某些分散型产业提供的往往是一般性的、特色不够鲜明的商品或服务，这时可以采用增加附加价值的办法，如在将产品销售给顾客前针对顾客的需要对零部件进行分装或装配，以此增加产品的针对性及实用性，产生更高的附加价值。

（4）**产品专业化**。如果产业的分散是特色品种多造成的，则集中力量专门生产其中少数有特色的产品，是一种可取且比较有效的竞争战略。如果用户极为分散，也可采取为某类特定用户，或为某个特定地区用户服务的专业化策略，例如面向一些需用量小且对价格不敏感的用户，或专做别人不愿接受的小批量订单，如孕妇装、特体服装等。

（5）**简朴实惠**。在产业分散、竞争激烈、利润率不高的条件下，一个简单而有效的战略是提供廉价的实用商品、无牌号商品及开包散装商品等。为此，企业应尽量降低管理费用，严格控制成本，努力使企业在价格竞争中处于有利的地位，并能得到高于平均水平的利润，如建立仓储式商店等。

6.2.2 规模经济型产业的竞争战略

在规模经济型产业中，一般会形成企业规模很大、企业数目较少的寡头型企业规模结构，因为在一定的市场容量下，规模经济越显著，所能容纳的企业数就越少。在规模经济型产业中，企业应该明确定位，并以此确立相应的竞争战略。如果企业忽视了自己在产业中的地位，在实际竞争中采取了与自己的地位不相符合的对策，则不仅给企业造成资源浪费，而且会使企业经营陷入僵局，以至于最后达不成经营战略目标。根据竞争地位及市场占有率，企业可以划分为领导型企业、追随者企业及平庸型企业三类。领导型企业是指排在第一梯队的企业。追随者企业是指在行业中居于第二位、第三位的企业，它们的地位低于领导型企业，其市场占有率比领导型企业小；平庸型企业则是处于市场第四位或更靠后位置的企业，它们的市场占有率更低。

1. 领导型企业的竞争战略选择

一般来说，大多数产业中都有一家企业是市场领导者，它在价格变动、新产品开发、分销渠道和促销力量等方面处于主导地位，并为业界所公认。领导型企业既是市场竞争的先导者，也是其他企业挑战、效仿或回避的对象，如计算机软件市场的微软公司，软饮料市场的可口可乐公司、剃须刀产业的吉列公司以及快餐市场的麦当劳公司等，都属于领导型企业。领导型企业的地位是在竞争中自然形成的，但不是固定不变的。领导型企业如果没有获得法定的垄断地位，必然会面临竞争者的无情挑战。领导型企业为了维护自己的优势，保住自己的领先地位，通常可采取以下竞争战略。

（1）**扩大市场需求总量**。一般来讲，当一种产品的市场需求总量扩大时，受益最大的是处于领先地位的企业。因此，为使需求总量扩大，领导型企业可以在发现新用户、开发新用途和增加使用者的使用量等方面采取适当措施。

（2）**保持现有市场份额**。企业应当采用各种措施来保护现有的市场领域不受竞争对手的侵犯，因此要破除陈规、不断创新，在开发新产品、提供顾客服务、提高销售效率、降低成本等方面保持其领先地位。

（3）**提高市场占有率**。企业要积极采取措施，如增加新产品、提高产品质量、增加市场开发费用等，以提高市场占有率。

领导型企业要注意与追随者企业在市场份额上保持距离。对平庸型企业则应采取产品差别化、市场差别化、突出产品特色的战略。另外，要对追随者企业与平庸型企业结成同盟的进攻严加防范。

● 战略专栏 6-5

九阳豆浆机的市场领导者竞争战略

九阳股份有限公司（以下简称九阳公司）成立于 2002 年 7 月，其前身为山东九阳小家电有限公司，2007 年 9 月正式改制为股份公司。九阳公司将"原创创新、健康为先"的价值观融入产品，作为独特鲜明的市场卖点，并以"豆浆"这一饱含传统文化元素、符合中国人饮食需求的产品为抓手，开启自己的豆浆机事业。2008 年的奶制品污染事件刺激了国内消费者对豆浆机的需求，为九阳公司的快速发展带来了契机。九阳公司借助这一事件，分析并把握市场机会，为产品造势，紧盯当下消费者对健康饮食的需求，将豆浆机迅速推向全国。

作为豆浆机行业的主导品牌，九阳公司面对激烈的市场竞争，并未显得手忙脚乱。它采取的战略措施有以下几个。

1. 技术创新

公司投入大量科研经费，成功研发了世界上第一台全自动家用豆浆机；推出九阳"小海豚"浓香豆浆机，并迅速畅销全国。在品质管理方面，除进行常规的各项生产检验外，还单独成立了多个实验室，如电机实验室、成品实验室等，对关键配件和整机进行全面实验检测。由于技术创新，产品不断推陈出新，九阳豆浆机在市场上大受欢迎，市场占有率始终维持在80%以上，并远远甩开了竞争对手。

九阳公司的成功还依赖于其核心的研发和创新能力，它成功地将一种产品做成了行业。与其他小家电企业相比，九阳公司的核心竞争力在于研发技术，目前该公司拥有国内外专利2 000余项。2015年，凭借"快速制浆的豆浆机"专利，九阳荣获第十七届"中国专利金奖"。这些专利技术帮助九阳公司建立了行业壁垒，进而奠定了其在豆浆机领域的牢固地位。

2. 战略调整

为了在新技术、新材料、新工艺等方面赶上潮流，同时降低制造成本，在北方驻守了近10年的九阳公司决定将公司的研发和制造重心南移，利用当地丰富的OEM（original equipment manufacturing）资源，将研发、制造和销售三个重点减为两个重点，其中的制造环节将慢慢淡出。

3. 产品多元化

为了突破豆浆机市场容量饱和的困境，应对新进入者的冲击，九阳公司开始寻找新的增长点。目前，九阳公司已将视野扩展到电磁炉、料理机、榨汁机、电压力煲、面包机等产品领域，力求充分发挥自身的创新能力。同时，九阳公司在销售渠道、经营理念、品牌传播和网络营销方面也有突出表现，这显然对其保持市场领导者地位及竞争优势至关重要。

资料来源：作者根据有关资料改编。

2. 追随者企业的竞争战略选择

（1）**采取休战战略**。追随者企业可采取的基本战略有：平时要保持与领导型企业休战的状态，但要比领导型企业更注意加强产品开发及分析产业技术变化趋势，更早地掌握环境及市场的变化，抢在领导型企业之前适应技术及环境的变化，以便在新形成的市场中争取排第一名，然后再慢慢地向领导型企业所占有的市场渗透。与此同时，要与平庸型企业结成联盟共同应对市场的变化。

（2）**采用跟随战略**。追随者企业满足于现有的市场占有率和市场地位，满足于现有的利润水平，它只要紧紧跟随领导型企业的战略变化及时调整本企业的战略，就可以保持自身的战略地位。因此，追随者企业应避免采用新的竞争行为去刺激领导型企业，也不必采用进攻型策略使顾客脱离领导型企业。追随者企业往往采用不会引起领导型企业报复的集中化战略和差异化战略。具体措施有如下三个。

1）紧密追随，在尽可能多的细分市场中模仿领导型企业，也就是说，追随者企业要做的仅仅是模仿领导型企业的产品或服务，而不是积极地通过产品创新和促销去刺激市场需求。为了实现上述目标，追随者企业最好在行业增长阶段进入该行业，这是因为在这一阶段领导型企业不能或不愿满足那么多的需求。

2）保持一段距离的追随，即追随者企业并不需要在所有细分市场上效仿领导型企业，而只需要在主要市场、价格和分销上追随领导型企业。

3)有选择地追随,即追随者企业在某些产品上紧跟领导型企业,但在另外一些方面又有自己的特点和创新。

战略专栏6-6

星期六的"有所跟随、有所不跟"战略

在百丽进驻的商场里,星期六是最靠近百丽的品牌之一。两者在市场定位、品牌名称、渠道把控方式以及终端选择形式上都有着种种的相似之处。这些相似并非偶然,而是源自星期六对百丽实施的跟随战略。

星期六与百丽原本是合作关系,百丽负责生产及品牌经营,星期六负责开拓渠道。不过没多久,双方因为利益分配问题无法达成一致而分家。分家之后的星期六一度陷入困境。几经波折,星期六开始转型做品牌制造,并开始对百丽采取跟随战略。

在渠道拓展上,星期六采取跟随百丽的策略,以"店中店"的形式先进入一线城市的百货商场,走高端路线,再慢慢渗透到二三线城市。这使得星期六在贴近百丽的过程中实现品牌提升,也从竞争对手身上吸取到不少精髓,形成了一定的品牌与渠道优势,加上国内女鞋市场的兴旺,星期六的业绩获得了较快的增长。虽然星期六在渠道扩张及女鞋定位上采取跟随战略,但星期六并非一个盲目的追随者。像百丽那样采取"大而全"策略不同,星期六坚持"单纯一致性"的多品牌策略,即纵向一体化地专注于做女鞋,将优势资源集中在设计时尚款女鞋上。而在渠道终端,虽然星期六的门店数量远不及百丽,但管理上要比百丽更为精准。比起百丽更注重品牌整体的一体化经营,星期六则更注重细化顾客的需求。

得益于与百丽"贴身肉搏"的跟随战略,如今的星期六企业规模不断扩大,品牌价值不断提升,引导国内鞋业的流行趋势,成为国内行业的领先者。

资料来源:根据MBA智库百科资料改编。

3.平庸型企业的竞争战略选择

平庸型企业是指行业中市场占有率较低、地位低下的企业。其基本战略是联合市场占有率更低的企业,努力成为联合体的领导者,通过扩大联合来牵制高位次的企业。具体战略选择如下。

(1)联合战略。平庸型企业要创造行业中弱者企业集结的条件,以弱者间的联合来形成能与高位次企业对峙的力量,但要避免与领导型企业或高位次企业进行正面交锋,与此同时,平庸型企业要与追随者企业结成战略联盟,但要努力稳定整个行业市场,该联盟不能随便向领导型企业发起进攻,平时要与领导型企业保持休战状态。

(2)补缺战略。因为平庸型企业市场占有率较低,所以可以选择某一顾客群、某种特殊性能的产品或选择在某个区域开展经营,即充分利用自己的优势,选择那些被实力较强的企业忽视或放弃的领域开展专门而有效的经营服务。

6.3 产业生命周期与竞争战略

产业（行业）生命周期（industry life cycle）是指产业从出现到完全退出社会经济活动所经历的时间。产业生命周期主要包括四个发展阶段：开发期、成长期、成熟期、衰退期。在产业发展的不同阶段，企业应根据生命周期各阶段的特点，并结合企业实际情况，选择不同的竞争战略。

6.3.1 新兴产业的竞争战略

新兴产业是指新出现的行业，也指重新出现的行业，其形成的原因往往是技术创新和新的消费需求的出现，或者是环境变化使一类新产品或新服务获得了商业机会。例如，电信、手机、软件、计算机服务、纳米产品、生物工程和生物制药等行业都是技术创新的产物；会务展览、健身美容、送餐快递、婚庆礼仪等服务业则是新需求的产物；典当、股票等在我国曾是老行业，在改革开放之后重新兴起，成为新兴的行业。

1. 新兴产业的特点

（1）**技术的不确定性**。在新兴产业中，企业的生产技术还不成熟，还有待于继续创新与完善。同时，企业的生产经营也还没有形成一套完整的方法和规则，哪种产品结构最佳，哪种生产技术最有效率等都还没有明确的结论。

（2）**战略的不确定性**。技术的不确定性导致战略的不确定性。在新兴产业中，各企业在技术和战略上都处于探索阶段，表现为新兴产业时期的多变性，从而战略的选择也是多种多样的，各企业的产品在市场定位、营销、服务方式上都表现不同。

（3）**环境的不确定性**。企业缺乏制定战略所必需的信息，不了解竞争对手的数量、竞争对手的分布状况、竞争对手的优势和劣势、购买者的需求规模和偏好、市场成长的速度和将要实现的规模等。在相当长的一段时间内，新兴产业的参与者只能在不确定的环境中探索适当的战略与成功机会。

（4）**运营成本高但趋于下降**。随着生产规模的扩大，经验的积累，生产组织趋于合理及规模经济的形成，成本下降。

（5）**产业发展的风险性**。在新兴产业中，许多顾客都是首次购买者。在这种情况下，市场营销活动的中心应该是诱导初始的购买行为，避免顾客在产品技术和功能等方面与竞争对手发生混淆。同时，还有许多顾客对新兴产业持观望等待的态度。他们正在等待产品的成熟与技术和设计方面的标准化。因此，新兴产业的发展具有一定的风险性。

2. 新兴产业的战略选择

在新兴产业中，企业的战略选择必须考虑技术的不确定性和行业发展的风险性等因素。由于在新兴产业中，还没有公认的竞争对策原则，尚未形成稳定的竞争结构，难以确定竞争对手，所以企业在产业初期的多变环境中做出的战略选择，会在很大程度上决定企业今后在产业中的经营状况和地位。为此，企业在战略选择上应该考虑的原则有三点。

（1）**选择适当的进入时机**。企业何时进入新兴产业涉及风险问题。一般来说，进入得早，企业承担的风险较高，但是进入障碍相对较低。如果企业的形象和声誉好，可以较早进入；当产业的经验不容易被竞争对手模仿时，企业可以进入；当消费者忠诚度较高时，企业先进入可以给消费者塑造良好的形象，获得先入为主的优势，但是必须要考虑风险问题：先进入的企业开创和培育市场的费用高；技术的发展可能使后进入者拥有最新的技术和工艺。当然，企业进入的新兴产业必须是最有吸引力的产业，即产业的最终投资结构将有利于企业获得超过产业平均收益水平的利润，同时企业能获得长期稳固的产业地位。

（2）**促进产业结构的形成**。企业可以试图在产品生产、市场营销方法和价格策略等方面建立产业规则。在产业范围内，企业应以某种方式确定产业法则，以使自身在今后获得最有利的产业地位。

（3）**对竞争对手做出反应**。在某一新兴产业内对付竞争对手可能是一个难题，特别是对那些作为先驱者的厂商和已享受到主要市场占有率的厂商来说尤其如此。新形成的进入者以及脱离母公司的厂商的激增会引起先驱者的不满，从而会使厂商面临一些外部因素，这些外部因素使其为了产业的发展而部分地依赖于竞争对手。

新兴产业的一个共同问题是先驱者花费过多的财力来保持其较高的市场占有率，并且会对那些从长期来看几乎没有什么机会能形成市场势力的竞争对手做出反应。虽然有时在新兴阶段内对竞争对手做出严厉的反应是合适的，但是更有可能的情况是厂商的努力最好还是放在建立其自身实力以及发展产业方面。或许通过发放许可证或其他手段来鼓励某些竞争者的进入是合适的。给定新兴阶段的一些特征，一些厂商往往可通过其他厂商拼命地出售产业产品并援助技术发展而受益。厂商还可以同以产量著称的竞争对手打交道，随着产业的成熟可以放弃保持自身高市场占有率的做法，而通过主要的已立足的厂商去邀请竞争对手进入行业。

6.3.2 成熟产业的竞争战略

一个产业总会从高速发展的成长期进入减慢发展的成熟期，这是产业生命周期中的一个重要阶段。这一时期的市场增长率降低，需求增长率也不高，技术上已经成熟，产业特征明显，产业竞争非常激烈，买方市场形成，产业盈利能力下降，新产品和产品的新用途开发更为困难，产业进入壁垒很高。在这一时期中，企业竞争环境的不确定因素增多，因此要求企业在战略上做出相应的反应。

1. 成熟产业的竞争战略选择

（1）**产品结构调整战略**。在以价格竞争为主要手段、以市场份额为目标的成熟时期，企业要以产品结构分析为基础，进行产品系列结构的调整，缩减或淘汰利润低的产品，将企业的生产能力和经营资源集中到那些利润较高或有竞争优势的产品上，努力使产品结构合理化。

（2）**低成本战略**。价格竞争激烈是成熟产业的一个基本特征。企业通过采用更低廉的零部件、更优惠的供应价格、更经济的产品设计，提高生产和销售效率，缩减管理费用等方法，获得低成本的优势，并在竞争中运用价格优势。

（3）**促销战略**。在成熟产业中，企业很难争取竞争对手的顾客以扩大自己产品的销售量，比较容易的做法是使现有顾客扩大使用量，这比寻求新顾客更为有效。在这种情况下，企业应采取更为适宜的促销手段，通过提高产品等级、扩充产品系列、提供高质量的服务等方法提高自己现有顾客的购买数量；同时，在保住一些重点顾客的基础上，开拓新的细分市场，扩大顾客的购买规模。

（4）**创新战略**。随着产业的发展成熟，企业要注重以生产为中心的技术开发与创新，通过创新形成低成本的产品设计、更为经济的生产方法和营销方式，在购买者价格意识日益增强的市场中具有独特的竞争能力。

（5）**多元化战略**。企业在发展历程中的成熟阶段，可以按自身所涉及业务之间的关系采取多元化战略，即生产或经营两种以上的经济作用基本不同的产品以分散投资风险，实现范围经济效应。

（6）**国际化经营战略**。当国内市场已经趋于饱和时，企业可以采用开拓国际市场的战略，进入那些某些产业仍处于不成熟阶段的国家或地区，充分利用其他国家或地区的经营资源使自己的生产经营活动更为经济，回避国内市场上的激烈竞争，获得比较优势，降低进入费用，获取较高的利润。此外，如果企业的资源和能力充裕，可以考虑跨国并购战略，以谋求更大的发展。

2. 成熟产业的竞争战略选择应注意的问题

选择成熟产业的竞争战略时，应注意以下几个方面的问题。
（1）对企业自身的形象和产业现状要做出正确的判断。
（2）要防止盲目投资。
（3）不要为了短期利益而轻易地放弃市场份额。
（4）要重视工艺改革，不应过多强调新产品开发。
（5）要避免过多地使用过剩生产能力。
（6）要注重培训和激励员工。

6.3.3 衰退产业的竞争战略

1. 衰退产业的概念和特点

衰退产业是指在持续的一段时间里产品的销售量绝对下降的产业。随着环境的变迁，一般产业都会进入衰退期。尤其在一些技术发展迅速、产品更新换代快的产业，衰退的周期在逐步缩短。衰退产业的特点是：行业发展缓慢、停滞甚至萎缩，产品趋于同质且销售量降低，企业研发及广告费用减少，竞争激烈而利润极低。

2. 衰退产业的竞争战略选择

（1）**领导战略**。领导战略的目标是从某类衰退产业中获利，这类产业的结构使得剩余企业有潜力获取超出平均水平的利润。企业的目标是成为产业中仅存的一个或少数几个企业之一。一旦达到这个地位，企业就转而执行能保持地位的战略或有控制的收割战略，这取决于产业后来的发展形势。

（2）**利基战略**。利基战略（niche strategy）是指企业为了避免在市场上与强大的竞争对手发生正面冲突而受其攻击，选取被大企业忽略的、需求尚未得到满足、有获利基础的小市场作为目标市场的战略。企业集中力量于这个目标市场，重点经营一个产品或服务，创造出竞争优势。

● **战略专栏 6-7**

利基战略的专业化定位

利基战略的关键因素是专业化。通过专业化来体现集中化。可供市场利基者选择的专业化定位有八种。

（1）**最终用户专业化**。公司可以专门为某一类型的最终用户提供服务，如北大方正主要通过契合日本新闻媒体客户而将排版系统成功打入日本市场。

（2）**垂直专业化**。公司可以专门为处于生产与分销循环周期的某些垂直层次提供服务。如新疆德隆集团投资控股并整合的电动工具产业链，以低成本领先优势在国内生产，然后收购美国电动工具分销渠道实现市场全球化的目的。

（3）**小顾客专业化**。很多大公司遵循 80/20 法则，即集中 80% 的精力满足 20% 的重量级客户，对盈利贡献较低的小客户视而不见，我们可以反其道而行之，集中 100% 的精力去满足那些大公司看不上的小客户群体，如海尔率先打入美国市场的小容量冰箱正好满足了美国大学生的需求。

（4）**特殊顾客专业化**。公司可以专门向一个或几个大客户销售产品，如湖南嘉利国际贸易公司整合国内柠檬酸生产基地，按照高标准的品质要求重点供应宝洁美国总部对柠檬酸原料的需求，成为外贸企业中的一枝独秀。

（5）**产品或产品线专业化**。公司只经营某一种产品或某一类产品线，如某公司在日本经销 27 个不同种类的家庭自制甜点，实行批量生产，并且将自有配方与当地口味特点相结合来创作。

（6）**加工专业化**。公司只为订购客户生产特制产品。

（7）**服务专业化**。公司向大众提供一种或数种其他公司所没有的服务。

（8）**销售渠道专业化**。公司只为一类销售渠道提供服务。例如，某家软饮料公司决定只向加油站的便店提供一种大容量包装的软饮料。

资料来源：根据 MBA 智库百科资料改编。

（3）**收割战略**。执行收割战略时，企业力图优化业务的现金流，取消或大幅度削减新的投资，减少设备投资，在后续的销售中从业务的残留优势中谋取利益，以提高价格或从过去的商誉中获利，甚至连广告和研发费用也被削减。具体措施包括：①减少产品型号；②缩减销售渠道；③放弃小客户；④减少售后服务，最终使该业务被出售或清算。

（4）撤资战略。 撤资战略是指企业尽早将其业务卖掉，可以使其净投资回收率最大。当企业仅有很少的优势，而且当衰退产业中的竞争可能会很激烈时，这个战略是最恰当的。在某些情况下，在衰退到来之前或在成熟阶段中就放弃营业可能是一种合乎逻辑的选择。

◎ 战略专栏6-8

企业竞争战略选择影响全要素生产率机制探讨——基于企业生命周期理论的实证检验

企业竞争战略选择影响全要素生产率且因企业所处生命周期阶段的不同而存在差异。学者岳宇君、马艺璇于2024年在依据企业生命周期理论和竞争战略理论构建相关论题研究模型的基础上，采用以2000—2021年中国沪深A股上市公司为研究样本的有效数据，利用固定效应模型、Tobit模型及工具变量法，分别利用差异化战略和成本领先战略实证检验了企业竞争战略在企业生命周期的成长期、成熟期和衰退期对企业全要素生产率的具体影响。

1. 研究结论

第一，企业差异化战略正向影响全要素生产率，成本领先战略负向影响全要素生产率。本研究将竞争战略设为解释变量，通过滞后变量模型检验其对企业全要素生产率的直接影响，证实差异化战略、成本领先战略分别与企业全要素生产率正相关、负相关，佐证了差异化战略有助于形成差异化竞争优势，而成本领先战略会使企业难以维持竞争优势。

第二，企业生命周期在竞争战略和全要素生产率之间有调节作用。与成熟期相比，差异化战略对衰退期企业全要素生产率的正向影响较弱，成本领先战略对成长期、衰退期企业全要素生产率的负向影响强。显然，企业生命周期的调节效应检验，有助于从企业生命周期视角深入认识竞争战略对全要素生产率的影响，为企业在生命周期不同阶段中选择合适的竞争战略提供了理论依据。

第三，企业成本领先战略对全要素生产率的负向影响与企业自身质量及所处环境紧密相关。技术水平、内部控制、经济政策不确定性及市场化程度都会影响企业竞争战略的实施效果。企业可以通过提高技术水平、内部控制质量，来减少成本领先战略的负向影响。同时，在经济政策不确定性较弱、市场化程度较高的情况下，成本领先战略对企业的积极意义更大。

2. 管理启示

从上述研究结论中可以得到如下主要管理启示。

第一，企业应充分认识竞争战略，做出合理的战略选择。企业应结合差异化战略、成本领先战略对全要素生产率的影响，尤其是战略影响的滞后性和持续性，进行战略规划和布局，培养核心竞争力。企业应充分发挥差异化战略的优势，关注成本领先战略的风险；整合现有资源，加大对产品或服务的创新投入，实现差异化，形成更长久的竞争优势；运用科学的手段进行管理，找出各业务环节成本控制的不足之处，实现更精准的成本控制，提升利润空间，增强竞争力。

第二，企业应基于动态视角，提高竞争战略与生命周期的匹配度。对于企业来说，因其所处生命周期阶段的不同，差异化战略、成本领先战略对全要素生产率的影响存在差异。企业应根据自身所处生命周期阶段，结合资源条件、市场环境及技术创新能力等，灵活制定竞争战略：对于成熟期企业，由于其有较强的盈利能力，已经形成了一定的竞争优势，可以结合企业实际做出战略选择；对于成长期、衰退期企业，由于其存在资源约束，从长远考虑，竞争战略的选择需要更慎重，注意潜在的风险。

第三，企业应重视内外部因素，适时调整竞争战略。对于技术水平高、内部控制质量高、经济政策不确定性弱及市场化程度高的企业，成本领先战略能够对全要素生产率产生积极影响。因此，企业应以技术积累和突破为导向，加快技术革新步伐，提高技术水平；从内部控制的组成要素着手，构建完善的内部控制体系，提高内部控制质量。企业应科学预测经济政策不确定性，应对潜在的负面影响，把握其带来的机遇；关注所在地区的市场化程度，优化决策行为，充分利用市场优化资源配置。

资料来源：岳宇君，马艺璇.企业竞争战略影响全要素生产率机制探讨：基于企业生命周期理论的实证检验[J].中央财经大学学报，2024（10）：115-128.作者根据该文献资料进行改编。

● 复习思考题

1. 实施成本领先战略的利益和风险是什么？其适用条件是什么？
2. 什么是差异化战略？差异化战略的实施条件是什么？
3. 企业实施集中化战略的优势和劣势是什么？
4. 新兴产业一般具有哪些特点？在该产业中企业选择战略应考虑什么原则？
5. 成熟产业的企业一般可选择哪些竞争战略？

● 实践项目

以小组（3～5人为一组）为单位，在实际中（或网络上或其他媒体上）调查一家企业，分析该企业采取了什么基本竞争战略？然后小组讨论、交流，阐述所采用的竞争战略的得失，撰写分析、讨论报告。

第 7 章　职能层战略

学习目标

1) 理解职能层战略与战略管理的关系
2) 掌握生产管理、财务管理战略的基本活动
3) 掌握市场战略和市场营销组合
4) 理解研究发展战略选择
5) 理解人力资源管理过程

先导案例

汽车出口布局：近 500 万辆"中国车"卖到了哪里

2024 年 11 月 25 日 19 时 30 分，伴随着一阵嘹亮的汽笛声，在上海海关所属上海外高桥港区海关的监管保障下，"中远盛世"汽车滚装轮满载 2 730 辆国产汽车，缓缓驶离上海外高桥港区海通国际汽车码头，开启了该轮首航秘鲁钱凯港的航程。

据海关统计，2024 年前 10 个月，上海外高桥港区海通国际汽车码头出口汽车 107.7 万辆，同比增长 28.8%，比 2023 年提前两个月突破百万辆。其中，电动载人汽车出口 48.7 万辆，同比增长 65%。

上海港口汽车出口的热闹场景只是今年汽车出口的一个缩影。2023 年，我国汽车出口 491 万辆，成为全球第一大汽车出口国。2024 年前 10 个月的汽车出口量已接近 2023 年全年的出口量。中国汽车工业协会（以下简称"中汽协"）发布数据显示，2024 年 1—10 月，汽车出口 485.5 万辆，同比增长 23.8%。

1. 年出口有望突破 500 万辆

记者关注到，汽车出口迅速增长的同时，出口均价也有所增长。乘用车市场信息联席分会（以下简称"乘联分会"）发布数据，2021 年汽车出口均价为 1.6 万美元，2022 年出口均价为 1.8 万美元，2023 年上升到 1.9 万美元，2024 年出口均价为 1.9 万美元，与 2023 年的均价几乎持平。

奇瑞、上汽集团、长安、吉利等车企是中国汽车出口大户。数据显示，2024年前10个月，奇瑞控股集团汽车累计出口销量为94.13万辆，同比增长23.8%。受欧盟加征关税影响，2024年1—10月，上汽集团汽车累计出口销量为84.33万辆，同比下滑11.15%。

根据中汽协的数据，长安、吉利、长城、比亚迪、北汽2024年1—10月汽车累计出口销量分别为46.7万辆、45.1万辆、36.9万辆、33.2万辆、21.8万辆。

2. 比利时成为中国新能源汽车出口主阵地

2024年前10个月的485.5万辆中国汽车都卖到了哪里？哪些是中国汽车出口的主力国家？

由乘联分会发布的数据可知，2024年1—10月，整车出口总量排名前10的国家为俄罗斯、墨西哥、阿联酋、比利时、巴西、沙特阿拉伯、英国、澳大利亚、菲律宾、土耳其。

尤其值得一提的是，中国向比利时出口汽车24.69万辆，同比增长30%。其中，新能源汽车出口达23.29万辆，约占中国向比利时出口汽车总量的94%。比利时位居中国新能源汽车单一国家出口量榜首。

资料来源：陈茂利. 近500万辆"中国车"卖到了哪里？[N]. 中国经营报, 2024-12-02（C5）.

7.1 职能层战略概述

职能层战略（functional-level strategy）是公司内每个职能领域为实施公司战略而必须开展的短期活动。公司的主要职能领域包括生产、营销、财务、研发和人力资源管理等。职能层战略必须与公司的长期发展目标和经营战略保持一致。职能层战略通过组织和激活公司的具体单位（营销、生产等）开展日常工作，从而促进公司经营战略的实施。从某种意义上说，职能层战略将经营战略转化为实现年度具体目标所需的行动。就公司的每个重要单位而言，职能层战略通过确定和协调各项行动来支持经营战略并促进年度具体目标的实现。

图7-1说明了职能层战略在实施公司层战略及经营单位战略的过程中所起的重要作用。公司层战略确定了公司在宏观环境中的一般态势，而经营单位战略概述了该公司在本行业中的竞争态势。为了提高战略成功的可能性，要为公司的经营部门制定更具体的战略。这些职能层战略澄清了经营单位战略，为经营经理提供了更具体的短期指引。图7-1显示了各个职能部门可能采用的具体战略，包括生产、市场营销和财务管理等方面，如果有必要，还可以增补其他职能层战略，如人力资源战略、研究发展战略等。

7.2 生产战略

生产战略涉及对生产企业产品或服务的作业系统进行选择、设计和改造等问题，而这个作业系统包括将各类投入转化为产品或服务所需要的过程及活动。任何作业系统，无论是服务型的还是制造型的，都是由人员、原料、设施和信息所构成的。制造型作业系统将投入转换为有形产品,而服务型作业系统将知识或技能转化为无形产品。许多企业都拥有制造型和服务型相混合的作业系统。

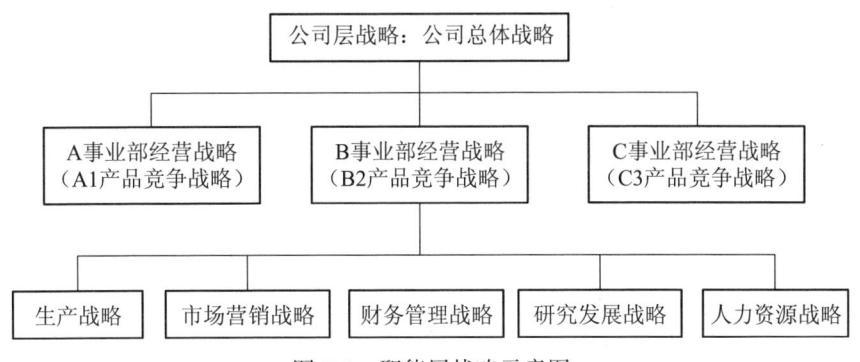

图 7-1　职能层战略示意图

作业系统的有效性对于一个公司的成功非常重要。公司所设计的作业系统必须与自身或经营战略相适应;反之,在制定公司层战略或经营战略时,也应当充分考虑现在和将来的作业系统的能力。只有这样,才能保证作业系统在公司层战略或经营战略的范围内运作。生产或作业战略与公司层战略和经营战略的关系是:公司层战略应当作为生产或作业战略的指导原则,而为满足公司层战略对作业系统的要求,它也应当与作业系统的设计和运营政策相统一。在进行生产战略决策时,首先必须明确公司或经营单位的战略目标及战略规划,然后据此制定一组作业系统的决策和政策。例如,如果一个公司的总体战略是要适应迅速变化的客户需求,那么一个作业系统如果不能加以改变生产出新产品,就与公司层战略不相适应,势必会影响总体战略的实施和执行。

生产管理的活动可以分为两大类:①系统设计;②计划和控制。系统设计从产品或服务设计着手,在很大程度上决定着所需要的生产能力。除此之外,系统设计还包括生产能力计划、生产过程选择、厂址选择、工厂布置、工作设计等。计划和控制的对象是日常作业活动,涉及根据需求预测来计划生产水平、作业系统中的工作安排、系统中的人员安排等。它具体包括生产计划和作业计划、库存控制、质量控制等。

7.2.1　系统设计

1. 产品或服务设计

产品或服务设计是指计划经营单位要生产什么。它主要受企业所拥有的技术的影响,同时它也影响着企业应采用的技术。产品或服务设计由三个基本阶段组成。第一,研究阶段,即产生新产品或服务的新思想、新思路。第二,选择阶段,即从产生的许多新思想中,选择那些在技术上可行、在市场上可销售并与公司战略相一致的产品或服务。第三,设计阶段,即开发与设计产品或服务的性能参数。最后的性能应在可靠性、质量以及成本等方面达到最优。在产品或服务设计方面,可应用的技术方法是"计算机辅助设计",它使产品设计工作变得更加容易和迅速。

2. 生产能力计划

生产能力计划是指决定生产多少产品的问题。生产能力在这里是指理论上最大的产出率或转换能力。生产能力计划一般涉及四个步骤。第一,预测未来需求。这种预测必须包括技术、竞争等其他因素对需求的影响。第二,将上述需求转换成对生产能力的需求,即测定出所需要的实体生产能力。第三,制定各种生产能力方案以满足对生产能力的要求。一种方案是进行短期生产能力的改变,包括加班、调整轮班安排、承包或动用库存等;另一种方案是进行长期生产能力的改变,包括增加(或减少)物质设施等。第四,对各种生产能力方案的成本、风险以及战略效果进行分析和比较,从中选择较优的生产能力方案。

3. 生产过程选择

生产过程选择主要是指决定如何生产产品或服务的问题。一般来说,生产过程选择涉及四种技术决策。第一,主要技术选择。它要考虑的问题有:生产这种产品的技术是否存在?在所选择的技术中是否有互相竞争的技术?是通过许可证来从外部获取技术,还是通过自己的努力来开发所需要的技术?第二,次要技术选择。它要考虑的问题有:采用什么样的转换过程?是连续生产过程,还是装配线过程,或是单件订货生产过程?生产经理人员应当对每种方案的成本,以及它与所期望的产品和生产能力计划的一致性进行评价。第三,特定部分选择。它要考虑的问题有:采用什么类型的设备?设备是选择通用的还是有专门用途的?应采用多大程度的自动化设备以取代人工操作?第四,过程流选择。它要考虑的问题有:产品或服务如何流经作业系统?对过程流的分析有可能导致对作业的重新排序、作业组合或去除某些作业,从而减少物料的搬运和储存成本。总之,在过程流中所发生的储存和时间延误越少越好。

4. 厂址选择

选择在何处安置生产设施是重要的设计决策之一。工厂建在什么地区、什么地点,不仅影响建设投资和建设速度,还影响厂区布置以及企业建成后的生产费用、产品质量及成本。选择厂址时要考虑的因素较多,一般包括:地理位置,气候条件,交通运输条件,资源条件,能源供应条件,水源与排水条件,厂址四周应有适当的扩展余地,环境保护要求,符合防震、防火、防水等安全要求,职工的生活条件,开展科研、教育和生产协作的条件,劳动力来源,产品销售条件,料场条件,建厂投资费用等。总的目标是使生产和运输分配产品的成本最小。

● 战略专栏 7-1

工厂设施选址的评估方法

设施选址问题包含的范围相当广泛,工厂、商店、医院和仓库等设施的地址选择,甚至市镇位置的选择,皆属设施地址评选范畴。选址的重要性在于一旦厂址选定,其对投产后的生产经营成本、产品和服务质量都有极大的影响。一旦选择不当,所带来的不良影响是难以通过建成后的加强和完善管理等措施弥补的。

设施选址是投资主体的一种战略决策。不同类型的投资主体对设施选址的要求是不同的，所适合的评估方法也是不同的。目前，针对设施选址问题所提出的分析方法归纳起来有三类：解析方法（微积分模型、线性模型和整数模型等）、模拟方法（蒙特卡罗模拟法等）及启发式方法（蚁群算法等）。这三类方法都是从微观的视角出发，对设施选址的情况进行定量分析的。

然而，在设施选址中，有些评估因素不易量化，决策人员往往无法使用精确的数值加以评估及判断。再者，决策人员对每个影响因素的重要程度常常无法明确地判定，从而造成决策上的困难，故设施选址评估问题及决策过程充满着不确定性，并不适合只考虑定量因素。由此，人们提出了一种新的方法——行为模型方法。行为模型方法可以从更全面的角度，将更多的因素考虑在内，对设施选址进行决策。它借助层次分析法和模糊综合评价，将定性的指标进行定量化，这样进行方案评价时可以有效地考虑到决策者的经验、偏好和意愿等因素。总之，在具体选址时应综合各方面情况，选择一种适宜的评估方法。

资料来源：根据 MBA 智库百科资料改编。

5. 工厂布置

它是指对企业的实体设施及设备进行安排，即为这些设施安排场地和空间：生产性设施，如工作站、物料处理设备等；非生产性设施，如储藏场地和维修设施；支持性设施，如办公室、厕所、休息室、食堂、停车场等。一个良好的工厂布置应能减少物料的搬动，使工人及设备发挥最大的效能。

在工厂布置中，最重要的是工作流程布置，一般有三种布局方式。其一，产品布局，即按生产产品或服务的先后顺序来加以布局。这样的布局方式对于连续性或重复性的作业是很适宜的。其二，过程布局，即按照任务来布局。其三，固定位置布局，即产品本身固定在一个位置，而人员、工具、材料及设备等都移向产品，船厂的布局便是如此。

6. 工作设计

它涉及如何完成一项工作以及由谁来完成这项工作的问题，指明了在作业系统中个人或群体所要执行的工作内容及采用的工作方法。一般来说，工作设计由三项活动组成：确定具体的工作任务；确定完成工作任务的方法；将各种工作任务细化为工作事项，指派给个人去完成。在确定工作方法方面，可利用动作与时间研究和人机工程学等方面的知识。

7.2.2 作业计划和控制

1. 生产计划和作业计划

生产计划规定了企业在一定时期（半年或一年）内生产产品的品种、质量、数量和进度等指标，即对企业的生产任务做出统筹安排。生产计划编制的依据是产品的需求和销售计划，即必须建立在对产品需求预测的基础上。作业计划或具体计划是指将企业生产计划中的任务具体分配到各个车间、工段、班组以及每个工地和人员，规定它们在月、旬、周、日甚至轮班和小时内的具体生产任务。

2. 库存控制

库存包括原材料、在制品、产成品以及其他备品备件。库存控制的总原则是减少库存成本，同时将库存维持在最理想的水平上。为达到此目的，可采用的库存控制方法有以下几种。

（1）**准时库存**。准时（just-in-time）库存，或称看板管理，即努力达到使生产量等于运送量的理想状况，使库存水平接近于零。为此，原材料必须经常性地、小批量地运进，准时地利用掉；制成品必须准时地产出并准时地被运送和销售掉。

（2）**经济订货批量**。它规定了什么时候订货以及每次订多少最经济。一般来说，保管费用随着订购批量的增大而增大，而订购费用则随着订购批量的增大而减少，将两者加起来所形成的总费用曲线的最低点，即为最经济的订货批量。

3. 质量控制

质量控制是指企业为了保持某一产品、过程或服务的质量而采取的作业技术和有关活动。质量控制一般涉及两类问题的决策：一类是战略性质的质量决策；另一类是战术性质的质量决策。前者主要涉及制定质量水平以及为改进质量并保持竞争地位而采取的步骤，它影响着产品设计、人员培训、设备选择以及维修计划等。后者是对质量控制的日常决策，涉及什么时候检查产品、应检查多少、采用什么标准评判产品质量，以及对生产过程采取什么样的矫正措施等。

在确定产品质量水平的战略决策时，首先要考虑用户的需要；同时还要考虑随着产品质量水平的提高，企业费用能降低产品成本，增加收益。也就是说，在确定一个合适的质量水平时，还要考虑质量的提高与价格、成本、收益之间的关系，要确定一个最佳设计质量水平。

企业日常的质量控制内容主要有两类：一是成品验收，即在产品生产出来之后、产品出厂之前进行的检查工作；二是工序控制，即在生产过程中及时检查生产是否正常，预防废次品的出现，以提高产品合格率，达到质量控制的目的。

● **战略专栏 7-2**

福特的汽车装配生产线

亨利·福特（1863—1947）于 1903 年创建福特汽车公司。20 世纪初，福特的工厂创造了工业革命以来最先进的生产技术，他的 T 型汽车创造了每分钟出产 6 辆的历史最高纪录。福特创立的流水线生产方法成为大规模工业化生产的基本模式，推动了工业革命的进程。美国汽车行业的做法是面向较为富有的阶层，汽车因为价格昂贵成了只供富人消费的奢侈品。当时，福特汽车公司推出的新型汽车也都是"奢华型"产品：车体笨重，多为定制版且价格昂贵，非一般人的财力可以企及。

在这种社会环境中，福特萌发了一个愿望，他想让美国所有的普通家庭都能买得起他的汽车。福特意识到，为了实现他的理想，必须最大限度地降低汽车的生产成本和价格，而要降低成本，就要大幅度提高汽车的产量。1906年7月，福特宣布公司的发展战略。他说："本公司致力于生产标准化、规格统一、价格低廉、质量优越、能为广大公众所接受的产品。大家的眼睛不要光盯着富人的口袋，在全美国，富人本来就是少数，况且有多少汽车商都在打富人的主意。我们想要生存，要获得大的发展，只有另辟蹊径，在社会公众中寻找市场，在中等收入阶层找到我们的市场。"

福特强调了标准化的意义。他说："生产一种设计标准化的汽车是我们今后的主要任务。"福特的发展战略赢得了公司董事们的一致赞同。福特汽车公司的这一举措立竿见影：从1906年下半年到1907年年底，在美国经济开始滑入低谷的情况下，福特汽车公司却取得了惊人的业绩，盈利达125万美元，其产品在市场上供不应求。福特汽车公司的销售业绩证明，产品价格越低，利润反而越高。因此，福特汽车公司当时生产统一规格、价格低廉、能为普通大众所接受的汽车是明智之举。在这种背景下，1908年3月19日，福特汽车公司的新产品——T型汽车投产。该产品很快就受到了普通大众的广泛欢迎。当时T型汽车的市场销售价格为每辆3 200美元，价格仍然处于较高水平。但福特不断对其汽车生产过程进行革新，将连续化、专业化的生产方式从部件供应线的应用逐步推行到最后的组装。到1913年年初，福特汽车公司已经停止使用旧式的静态组装法，改为将60个底盘及车体一字排开，工人们不必像过去那样要等一辆汽车全部装完后再装另一辆，而是不间断地从一个工作地移向另一个工作地，重复自己特定的工作。旧时的全能组装工成为"轴工组""发动机组"或"接线组"的一员，每一组后面是一些助手和传递工，这些辅助技工的职责是保证组装工的工具和零部件的供应。

从静态组装法改成"运动中组装法"，生产规模扩大了，但场地、部件的冲突问题也随之而来。为了进一步提高生产效率、降低生产成本，1914年，福特在他的高地公园新厂建立了世界上第一条流水装配生产线。要装配的汽车底盘被固定在链式传送带上，装配线两边都安装了移动式的辅助传送带，供给零部件。这种辅助传送带的功能是在生产中让部件平稳移动，将部件传送给装配线上负责装配的工人。各种零部件被定时定量、准确无误地送至总装线，一辆汽车的组装从底盘被放到装配线上开始，以成品T型汽车完成结束，形成了大规模生产模式。这种汽车组装方式使工人操作时无须移动就可以从旁边和高架的供应线上获取各种零部件和工具。采用流水线生产方法以后，劳动生产率大幅度提高。

实行这种方法的前一年，即1913年，福特汽车公司每12小时20分钟能出产一辆汽车；而到了1925年，该公司平均每10秒就能出产一辆汽车。这时，从铁矿石投入高炉炼钢到汽车完成出厂的整个流程只需要4.3天。在流水作业和大量生产的基础上，汽车的生产成本和销售价格都逐渐降低，同时销售量提高了。福特首创的流水线生产方法的意义在于：一种产品，只要它的结构和工艺比较稳定，产量足够大，零部件具有互换性，就可以组织流水线生产。因此，流水线生产作业方式不仅为以后汽车工业实行大规模生产奠定了基础，而且推动了世界工业革命的发展，在管理科学史上写下了光辉的一页。

1920年2月7日，福特汽车公司达到了每分钟出产一辆T型汽车的生产速度。1925年10月31日，福特汽车公司的一个工厂一天造出了9 109辆T型汽车，平均每10秒就有一辆汽车从工厂开出。从1908年到1926年，T型汽车的成本和价格以80%的学习曲线逐年下降。1926年，T型汽车的市场销售价格已经下降为750美元/辆，正像福特希望的那样，T型汽车成了普通家庭都买得起的汽车。

由于市场需求发生了变化，T型汽车于1927年5月停产。从投产到停产的20年间，T型汽车销售总额达到了77亿美元，总共销售1 500万辆，占同期美国汽车产销量的一半以上。

从以上案例资料中，至少可引发对以下几个问题的思考：

(1) 福特汽车公司连续20年只生产一种汽车的时代背景是怎样的？

(2) 汽车生产周期在10年间从12小时20分钟缩短到10秒，福特为此做了哪些努力？

(3) 福特汽车公司长期生产一种汽车的利弊是什么？

资料来源：张群. 生产与运作管理[M]. 3版. 北京：机械工业出版社，2014.

7.3 市场营销战略

市场营销是指那些将生产者的产品或服务送到顾客或市场中的活动。市场营销的基本任务是，在适当的时候将适当数量的适当产品或服务投放于适当的地点。在这个任务有效地完成之后，既能使企业获利又能高效率地服务于顾客，使其得到满足。市场营销战略的主要内容包括：使企业现有的或潜在的产品或服务与顾客的需求相适应和匹配；将产品或服务中包含的信息传递给顾客；在适当的时间和地点具备产品和服务，以利交换；为产品或服务确定价格。

7.3.1 市场细分化

在制定市场营销战略之前，一个经营单位或企业首先要明确这样的问题，即谁是我们的顾客。对这一问题的回答就是确定企业产品或服务的销售范围或销售对象。因为任何一个企业或经营单位都不可能满足所有消费者的一切需求，只能在自己选定的市场范围之内，满足一部分消费者的需求，所以每个企业或经营单位都应该明确，它们是为了满足哪一部分消费者的哪一种需求而从事生产和销售的。

为了确定企业的顾客或目标市场，应将整个市场按照一定的标准划分成几个特性相似的市场，这就是市场细分化。对于生产消费品的企业或经营单位，一般采用地理、人口统计、行为（心理）等因素作为市场细分化的依据或标准。

(1) 地理因素包括地形、气候、自然资源、交通运输等。这些因素对消费者的需要、生活方式和风俗习惯都有重要的影响。

(2) 人口统计因素包括性别、年龄、收入水平、文化程度、家庭组成和规模、职业、宗教信仰、民族等。

(3) 行为因素又称心理因素。一般的细分方法有：第一，生活方式，包括是追求时髦的还是崇尚朴素的、爱好新奇还是倾向保守、乐于社交还是喜欢独处等;第二,性格特征,包括性格是外向还是内向、追求独立还是愿意依赖、对生活乐观还是悲观;第三,购买行为,包括产品效益偏好、使用频率、品牌选择、购买动机等。

7.3.2 市场战略

根据顾客(市场)类型和产品(或服务)类型,可将市场战略分成四种情形,见表7-1。

表 7-1 基于顾客(市场)和产品(或服务)的市场战略

产品(或服务)	顾客(市场)	
	现有的	新的
现有的	市场渗透战略	市场开发战略
新的	产品开发战略	多元化市场战略

1. 市场渗透战略

它是指一个经营单位试图在现有产品或服务市场上获得更大的控制权。在应用市场渗透战略时,管理者必须仔细考虑下列几种因素。

(1)竞争对手的反应。

(2)市场增加用途或消费的容量以及是否存在新的顾客。

(3)在从竞争对手处争取顾客、刺激更多的使用和消费、吸引新顾客等方面所支出的费用。

2. 市场开发战略

它是指经营单位将自己现有的产品或服务介绍给新的顾客。在采用这一战略时所考虑的因素包括以下几种。

(1)竞争对手的反应。

(2)需要了解新顾客的数量、需求以及购买方式等。

(3)经营单位适应新市场的能力。

3. 产品开发战略

它是指经营单位为现在的顾客开发新的产品或新的服务内容。运用这种战略需要考虑的因素包括以下几种。

(1)竞争对手的反应。

(2)新的产品或服务对现有的产品或服务的影响。

(3)经营单位提供新产品或服务的能力。

4. 多元化市场战略

它是指经营单位为新顾客提供新的产品或新的服务。应用这一战略时应考虑下列因素。

（1）对新顾客的需求要有深入的了解。
（2）保证新产品或服务满足上述需求。
（3）确保经营单位具有为新顾客服务的人才。

7.3.3 市场营销组合

在基本的市场战略确定之后，经营单位就需要制定具体的或专门化的策略，这些活动通常称为市场营销组合。它包括以下内容。

（1）决定所提供的产品或服务的准确类型（产品策略）。
（2）决定如何将产品或服务的信息传递给顾客（促销策略）。
（3）选择将产品或服务分配给顾客的方法（销售渠道策略）。
（4）制定产品或服务的价格（价格策略）。

在上述市场营销组合的每一个策略中，都包含多个因素。在制定每一个市场营销组合时，必须充分考虑这些因素。市场营销组合的目的是更好地服务于目标市场，对选定的目标市场究竟采用什么样的市场营销组合就构成了对目标市场营销组合策略的选择。

一般来说，有三种目标市场营销组合策略，分别为市场无差别策略、市场差别策略和市场集中化策略。

（1）**市场无差别策略**。市场无差别策略又称市场整体化策略，这种策略以市场整体为服务对象，以统一的产品、统一的市场营销组合策略服务于所有的顾客。市场无差别策略建立在市场上的所有顾客对某种产品的需求都大致相同的基础上，无须在产品、促销、价格、销售渠道等方面采取特殊策略。

（2）**市场差别策略**。市场差别策略又称市场细分化策略，是指将整个市场按一定标准划分成若干个细分市场，对不同的细分市场采取不同的市场营销组合策略。这种策略认为顾客的需求是不相同的；只有采取细分的差别市场营销组合策略，才能满足不同顾客的需要。

（3）**市场集中化策略**。这种策略是经营单位根据自身条件，以一个或少数几个细分市场为经营对象，对其采取统一的集中化的市场营销组合策略。这种策略的出发点是，经营单位与其将有限的力量用于经营各个分散的细分市场，还不如将力量集中起来，为少数几个细分市场服务。

● **战略专栏 7-3**

数字经济下服装品牌营销策略：以 SHEIN 为例

在服装品牌数字化营销方面，我国服装行业普遍存在着营销内容同质化、营销信息虚假化、零售渠道单一化、传播方式推销化等问题。本案例以典型跨境电商 SHEIN 的数字化转型升级为鉴，揭示了数字经济驱动下服装品牌数字化营销方向，提出了数字经济下的服装品牌数字化营销策略。

1. SHEIN 品牌简介

SHEIN（希音）是 2008 年成立于南京的跨境 B2C 快时尚品牌，经营品类包括服装、饰品、鞋包、家具、美妆、家纺等，以"人人尽享时尚之美"为品牌使命，通过独立自建网站、时尚购物中心 App 以及亚马逊等第三方平台，将品牌独立研发、设计、生产的自有产品，出售到欧美、中东等地区的消费市场。该品牌建立至今，已在全球有多达 16 个小语种网站和 2 个可以进行网络交易的自营网站，其手机端销售 App 下载量超过 1 亿次，辐射近 2 000 万个活跃用户，2019 年入选中国品牌海外影响力第 20 名。SHEIN 品牌正在逐步从跨境服装零售商向海外时尚引领者转变，从产品输出向价值输出转变，处在我国海外品牌建设的高级阶段。

2. SHEIN 品牌数字化建设分析

由数字经济引领的物联网、大数据、人工智能、云计算等前沿数字技术为跨境贸易发展提供了新的环境，其影响范围涉及跨境贸易的设计、研发、制造、配送、销售、支付及服务等全产业链。无论是国内新零售还是跨境电商，其本质都是以数据和内容为核心，整合"商品＋渠道＋物流＋服务"新模式，以不断突破品牌零售生产边界，实现体验和成本效率的双升级。

（1）**以市场需求为导向的供应链整合**。产品研发与生产的周期对快时尚品牌来说至关重要，以最短的周期生产更多的产品成为品牌抢占市场的关键。SHEIN 一直围绕"产品""供应链"和"系统研发"三部分进行品牌后端供应链生态的构建，到 2019 年基本形成了一套先进高效的柔性供应链体系。在前端投放上，SHEIN 依靠自有的设计研发团队，紧跟国际时尚趋势，进行产品的设计开发，并将从终端销售平台上获得的数据信息及时向供应端反馈，以此调整商品的生产计划、产量、种类或组合。由于多年合作积累以及纺织服装产业不断智能升级，SHEIN 逐步拥有了自己的智能生产纺织品制造集群。在业内，服装供应商的普遍交货周期为 15～20 天，为了提高交货率及国际物流速率，SHEIN 选择了服装产业链较为成熟的华南地区代工，并严格要求外包工厂的交货时间，一般从工厂接单到把商品送进物流中转的周期应控制在 11 天内，如果遇到爆款追加订单，则把交货周期缩短到 3～5 天。

（2）**以品牌形象为核心的零售平台搭建**。SHEIN 从一开始就有强烈的品牌意识，2008 年成立之初就建立了独立网站，尝试建立品牌影响力，塑造品牌形象，但由于当时国内跨境平台不多、生态不够成熟，独立网站引流对于新兴品牌来说异常艰难。因此，为了增强消费者信任，获得公域流量，SHEIN 借助亚马逊平台进行产品销售，但由于平台的限流措施及诸多约束，SHEIN 需要借助更多网站外的营销手段来树立品牌"时尚""年轻""潮流"的感觉，这在无形之中提高了运营成本。2012 年以后，SHEIN 投入大量资金进行独立网站的建设升级，并在 2013 年拓展移动端 App 的业务以进行品牌引流及宣传。2018 年，SHEIN 成立 UED 以重新整合升级旗下的 SHEIN App，它将 App 划分为两个板块，即"时尚购物中心"及"品牌专卖店"，持续在产品设计、视觉美学、购物体验等方面投入资源，以对使用 App 购物的消费者进行整体把控，锚定更多的年轻消费者，提升 App 社区模块点击率及转化率，提高消费者黏性。

（3）**以社区互动为途径的信息响应**。SHEIN 一直是数字媒体营销的领跑者。早在 10 年前，SHEIN 就敏锐地捕捉到了社交媒体流量的可观红利，在 Instagram、Facebook、Twitter、YouTube 等新媒体平台开设官方账号，截至目前，SHEIN 在 Instagram、Facebook 两个平台上的粉丝数都超过了 1 500 万，Twitter 平台上的粉丝数量相对较少，但月粉丝增长量也呈现明显的上升趋势。随着互联网数字信息的不断更迭发展，SHEIN 也紧跟趋势转而开发建设移动 App，目前其独立 App 的下载量可以跟国际时尚 App 媲美。

3. 服装品牌数字化营销策略

从 SHEIN 的例子可以看出，依托大数据、云计算等数字化技术推动产业结构升级，基于 AI/VR 等手段优化产业形式，通过 SCRM（社会关系管理）引导消费者布局营销新模式，快速拓展客户池，重构"消费者、产品、渠道"的新关系，是决定数字化营销转型成效的关键。

(1) 构建柔性数字供应链。服装品牌应当加大自身研发投入，借助新兴技术打造贯通设计、制造、零售环节的智能、高效、联动的柔性数字供应链。同时，通过数字化技术进行数据采集与分析，实现智能决策与控制。

1）打造设计智能。通过网络协同，借助大数据分析与 3D 仿真技术，实现设计可视化、工艺仿真以及个性化定制。

2）确保制造高效。通过产业链协同，以纺织服装产品生产工艺数据为基础，借助 MES（制造执行系统）等智能制造系统，对整个制造过程进行计划排产、智能控制和效能优化。

3）实现零售联动。协同线上与线下，跨销售渠道、跨电商平台，实现以消费者为中心的全渠道体系覆盖，实现全链路、全媒体、全数据、全渠道的数字化智能营销。

(2) 完善联动数字零售渠道。服装品牌可以通过线下零售店升级、传统电商平台运营、新兴社交媒体运营等渠道联合发力，形成"线下试衣—线上下单—线下配货"或者"线上下单—线下试衣—线下配货"的消费闭环，如图 7-2 所示。

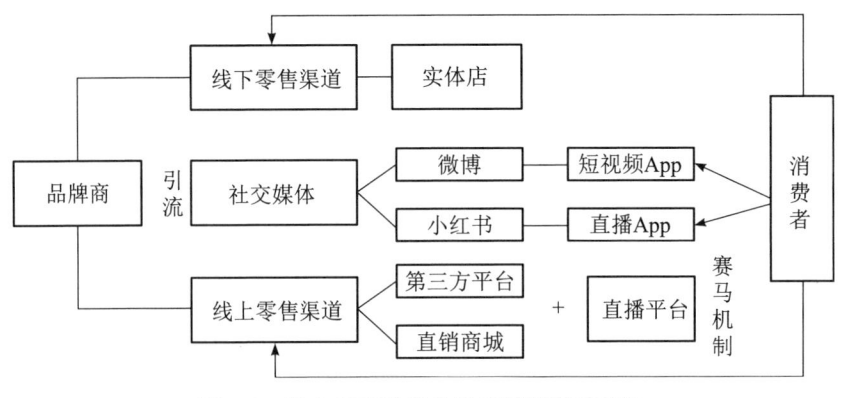

图 7-2 线上线下数字化联动零售渠道路径

(3) 打造 IP 口碑营销策略。为建立与消费者的有效沟通，提高客群转化率，服装品牌可以"Growth Hacking"（增长黑客）的"AAR 模型"为切入点进行营销路径的升级，即以新媒体社交平台为基础，寻找产品与消费者的契合点，以个人 IP 为传播路径，吸引潜在消费者并提高消费者忠诚度，最终达到零营销成本或低营销成本提升品牌关注度的目的。

（4）**加快数字化工具建设**。服装品牌应当充分把握消费进程中的"AAR"三个阶段，加快自主品牌数字化工具建设，构建虚拟社群，形成侧重于消费者交互性的移动端阅读新形态。

（5）**优化数字购物体验路径**。品牌方应该以消费者感官体验为核心，打造多场景的交互体验式门店。多媒体信息技术不断打破时间和空间的壁垒，移动端使得消费者可以更便捷快速地获得一手品牌信息资源，但是对于品牌方来说，线下终端门店始终是直接与消费者联系最可观的平台，品牌方应该在设计门店内容时，选择与品牌文化相契合的物品，将话题、产品与消费场景相融合，利用大数据、云计算、人工智能及移动支付等数字技术建构不同的场景。引入云货架、AR试衣镜等新兴技术，从视觉、触觉体验入手，力求给消费者提供最具"沉浸式"体验的门店服务，通过多维度特定场景吸引消费者，将线上原有消费者引流至线下门店。抓住消费者的猎奇心理，扩展线下消费群体，形成交易闭环，实现精准营销。同时，可借助微信线上H5小游戏或其他智能媒体与消费者进行互动，吸引后台游戏玩家，触达更多目标消费者，提高消费者与品牌的互动参与度。通过数字化技术对消费者的体验进行管理分析，实现服务智慧化，让消费者享受更加优质、精细化的服务体验。

资料来源：陈雨倩，孙虹，葛王蓉.数字经济下服装品牌营销策略研究[J].经营与管理，2021（11）：51-55.作者根据该文献资料进行改编。

7.4 财务管理战略

财务管理主要涉及两项职能：第一项职能是筹集资金，以满足经营单位现在和未来对资金的需要；第二项职能是对经营单位的经营成果进行记录、监督和控制。财务管理活动可归结为以下五个方面。

（1）确定从事经营活动所需资金的数量及特征。
（2）以最有效率的方式分配资源。
（3）在经营单位的财务状况方面，与债权人和股东打交道。
（4）保存记录。
（5）在决定各种战略方案的可行性方面，为高层管理人员提供财务数据。

下面对财务管理中几个重要的问题加以阐述。

7.4.1 资金的筹集

经营单位进行生产经营活动需要资金的支持。按照资金的时间特点，可分为短期资金和长期资金。

1. 短期资金的筹集

短期资金是指使用期在一年或一个经营周期以内的资金。经营单位的短期资金主要表现为现金、银行存款、应收账款、存货等形式。企业在经营活动中所需要的短期资金需要通过一定的方式来筹集。通常短期资金的筹集方式有下列三种。

（1）**商业信用**。它是指企业对所订货物或劳务，于交货时并不需要立即支付现金，而是由销货者根据其特殊的交易条件或货物的条件向企业开出发票或账单。也就是说，销货者向企业提供信用，使得企业以应付账款或应付票据和商业信用承兑汇票。

（2）**银行信用**。它是指利用银行短期借款来融通短期资金。利用银行信用来筹集短期资金是企业经常采用的一种筹集方式。银行信用主要有两种：第一种是无担保贷款，即没有担保物做担保的贷款；第二种是担保贷款，即必须有担保物做担保的贷款。

（3）**应付费用**。它是指企业应付而未付的费用，主要包括应付工资和应付税款，有时还包括应付租金等。应付费用通常不在发生时支付，而是在指定的日期支付。应付费用与应付账款一样，属于一种自然性融资。

2. 长期资金的筹集

长期资金是指使用期在一年或一个经营周期以上的资金。它主要表现为厂房、机器、设备、长期股票投资、长期债券投资等形式。企业筹集长期资金的典型方式有以下五种。

（1）**股票**。发行的股票包括普通股和优先股。

（2）**长期债券**。它是指承诺在规定日期按规定利率支付债券利息，并按特定日期偿还本金的一种债券或债务证书。

（3）**长期借款**。它主要包括银行贷款、投资公司和保险公司等金融机构的贷款。

（4）**融资租赁**。它是指资产所有者出让资产的使用权给企业使用，企业在使用期间支付给资产所有者一定的租金。

（5）**留存收益**。它是指企业留存下来可供后期继续使用的企业纯收入。留存收益具体表现为公积金、集体福利基金和未分配利润三种形式。

企业或经营单位无论是通过短期融资还是长期融资来支持企业的经营活动，都应保证这些资金与公司或经营单位的目标和战略相适应。这就要求对财务状况进行定期的财务分析。一个重要的概念是前述的"债务比率"，即总债务与总资产的比率。当企业通过出售债券或票据而非通过发行股票来对企业活动进行筹资时，能增加股东的每股收益。然而，较高的债务比率在繁荣和销售增长时期，可视为企业的一个长处，但是，在衰退和销售下降时期，又可视为企业的一大弱点。因此，对于借债经营应保持谨慎，不要使债务比率大大超过行业的平均水平，以免发生债务危机。

7.4.2 现金预算

现金对于经营单位的生存、发展和获利至关重要，因此企业必须以一定量的现金来开始运营。现金流动的过程实质上是资产转化过程。企业利用现金购买货物和服务，以及进行资本资产的投资，用购买的货物和服务以及资本资产生产产品和服务。销售库存产品就导致了应收账款，而回收过程则将应收账款变成了现金。如果这个现金流动过程能正确地运转，那么这个过程就会继续循环运转。为了使现金循环能周而复始地正确运行，财务管理部门必须编制现金预算。它是财务管理的一个极其重要的工具。

现金预算，顾名思义，它概括了企业在整个预算期内估计的现金收入和估计的现金支出，也表明了预算期（一般是按月）内产生的现金收支的结果情况。

1. 现金收入

企业现金收入的主要来源是销售企业产品或服务所得到的销售收入。由于企业采用了商业信用和赊销的办法，因此它不可能在当月收回当月的全部销售货款，只可能是一部分。此外，现金收入的另一部分有可能是前月销货的货款。这两部分构成了企业当月的现金收入。在大多数企业中，除销售产品或服务收入现金外，还从其他来源收入现金，包括企业持有财产的租金收入、从长期或短期投资中获得利息和股利、根据专利权特许其他企业制造产品而收得的专利使用费等。不过这些收入与销售收入相比，通常数额较小，一般可以省略。

2. 现金支出

企业每月的现金支出通常包括原材料采购支出、直接人工的现金付款、直接管理费用，此外，还包括一般行政管理费用、利息支出、税捐、购进设备的费用等。

企业在估计出的每月现金收入和现金支出的基础上，就可以计算出每月的净现金流量，它等于现金流入减去现金流出。然而，现金预算的目的是使企业能够预计到在每月月底所需要从外部筹集的资金量。因此，实际的现金预算包括每月的借款和返还。例如，假定某企业希望总是具备最少 10 000 元现金结存，则当实际数目低于这个界限时，企业就必须从银行借入资金。如果企业的现金结存高出这个界限，它就会利用多余的部分来降低贷款现金。

7.4.3 资本预算

资本资产是指企业在生产产品或服务的实体过程中所利用的资产，如厂房、设备、机器等。由于资本资产所涉及的金额较大，并且这类资产可以使用许多年，因此企业必须对资本资产的支出进行计划和评价。此外，一个企业现在的资本分配模式将直接影响其未来的战略选择。无效率的资本分配模式将减缓一个企业的发展，限制它的筹资能力，从而严重地限制它的战略选择。

资本预算决定在资本资产方面投入多少资金，以及购置什么样的资产的问题，即资本预算过程集中在固定资产投资的财务和经济方面，寻求投资机会，评价和实施选定的投资项目。目前，对投资方案的经济评估已发展出许多评价方法，主要有以下四种。

1. 投资回收期法

它是指收回原始投资额所需要的时间。回收期越短，资金回收速度越快，投资风险越小。对于那些处于技术不断更新行业的企业来说，这种评价方法尤为重要。

2. 净现值法

这种方法使用净现值作为评价投资方案优劣的指标。如果净现值为正值，则反映了投资的现金流入量的现值超过贴现后的现金流出量，投资报酬率大于预定贴现率，该投资方案有利；如果净现值为零，则反映了投资的现金流入量的现值与贴现后的现金流出量相当，投资报酬率等于预定贴现率，该投资方案也可以选择；如果净现值为负值，则说明投资的现金流入量的现值小于贴现后的现金流出量，投资报酬率低于预定贴现率，该投资方案不可取。

3. 现值指数法

现值指数法，又称贴现后的投资收益率法。它是指通过投资方案在未来一定时期内现金流入量的现值与现金流出量的现值之比，说明单位投资额在未来一定时期内可获得的收益的现值水平。当然，现值指数较大的投资方案是可取方案。

4. 内部报酬率（IRR）法

它是根据投资方案本身的内部报酬率来评价方案优劣的一种方法。所谓内部报酬率，是指投资方案未来的现金流入量的现值与现金流出量的现值相等时的贴现率。实际上，这个贴现率是投资方案本身的固有报酬率。

7.5 研究发展战略

生产与技术的发展，使研究发展战略的重要性不断提高，尤其是在一些技术高度密集的行业，如电子、航天、新型材料、生物工程与医药等行业中，技术是决定企业未来命运的主要因素。对于处于这些行业的企业来说，正确的研究发展战略能使技术作为一种强有力的手段，保证它们获得并保持竞争中的卓越地位。相反，错误的研究发展战略则有可能导致企业市场份额的较大损失，甚至导致企业退出一个曾经给它带来巨大利润的行业。正因为如此，在许多行业中，企业必须在研究发展中投入大量的资金。例如，在美国，计算机和医药行业的研究发展费用率（研究发展费用占销售收入的比重）分别达到 8.3% 和 7.8% 左右，而钢铁和烟草行业大约分别花费 0.5% 和 0.4%。

那么对于一个具体的企业或经营单位来说，什么水平的研究发展费用率最为合适呢？一般的原则是，企业的研究发展费用应保持在行业平均水平上。根据有关研究的结论，那些研究发展费用高出行业平均水平或低于行业平均水平的企业，都具有较低的投资收益率。这就是说，随便将资金投向研究发展项目或新的项目，并不意味着将产生有益的效果。

除了投入资金量之外，在研究发展的有效管理中需要考虑的另一个重要因素是时间因素。研究发展经理人员必须决定什么时候放弃现在的技术、什么时候开发或采用新的技术。麦肯锡咨询公司的理查德·福斯特在对各种各样的技术进程和模式进行研究之后认为，一种技术被另一种技术替代（称为技术非连续性）是一种经常发生的现象，在战略上也是非常重要的。对于给定行业中的一项技术，产品性能与研究发展费用的关系如图 7-3 所示，呈 S 形的曲线状。

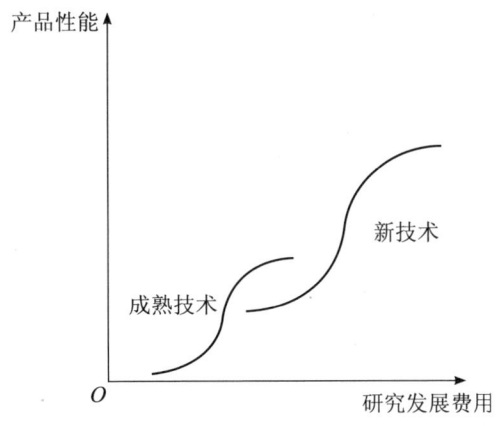

图 7-3　技术非连续性示意图

技术非连续性过程是这样的：在技术开发的早期阶段，应建立一定的知识基础，产品性能的改进需要相对大量的研究发展费用；随后，产品性能的改进变得比较容易；最后，随着技术达到极限状况，产品性能的改进变得较慢且昂贵，而此时正是应投资于研究与技术开发之时。也正是在这个时候，下赌注于新技术的竞争者，有可能搞垮持有原技术的企业，甚至使整个行业发生天翻地覆的变化。正如福斯特所指出的那样，历史已经表明，当一项技术接近于其 S 形曲线的末端时，市场上的竞争领导地位通常会易手。每当技术非连续性发生时，那些已经建立起来的企业由于在原技术上投入巨资，而不敢接受未来的新技术，其结果是被抛在后面。

如何应对技术替代问题？安索夫曾提出如下建议：持续地寻求新技术产生的源泉；随着新技术的出现，做出适时的努力，要么获取这项技术，要么准备退出市场；重新配置资源，从改进过时的生产过程导向技术转变到投资于新产品导向技术，使新技术实现商业化。

企业的研究发展工作可以划分成以下三种基本类型。

1. 基础研究

基础研究的目的在于发现新知识、探求新事物、探索自然现象的内在联系及其发展变化的规律，为开创新技术、开发新产品等提供理论基础。基础研究既能拓宽科学知识的领域，又能为新技术的创立与发明提供理论前提，因此它具有强烈的探索性。

2. 应用研究

应用研究的目的在于科学知识与科学理论的应用，也就是探索将基础研究中所取得的科学发展或科学理论的研究成果，应用到生产实践中的可能性。因此，应用研究具有一定的实用目的，但是它所要解决的是具有方向性的或带有普遍性的工业技术问题，而不考虑产品的具体型号和规格。

3. 开发研究

开发研究是指运用基础研究和应用研究的知识与成果，对开发新产品、新生产工艺及制造技术等所进行的研究工作。就产品而言，开发研究以具体的产品为对象，对实际型号、规格的样品方案进行探讨，包括从设计、试制和实验直至新产品定型确认可以正式交付生产或投入市场的全部开发研究工作。

对于大多数企业来说，一般将研究发展预算中的很大一部分用于应用研究和开发研究。大学和各种国家资助的研究机构则偏重于基础研究。

研究发展战略所考虑的问题是企业在研究发展上的远景规划及方向。一般来说，企业的研究发展战略有四种类型。

（1）**革新型战略**。这种战略主要是指开发新产品、新服务或新的生产技术，通过技术的革新和首创求得市场占有率方面的领导地位。追求这种战略的企业需要较多的投资，因此要有雄厚的实力。生物制药、电子计算机领域的企业一般多采取这种战略。

（2）**保护型战略**。这种战略的主要内容是改进现有产品和生产技术，重点是维持企业目前的技术地位和现状。

（3）**追赶型战略**。这一战略与保护型战略密切相关。采取这一战略的企业紧紧追随在革新型企业后面采用新技术，主要研究竞争对手的产品或服务，并将这些产品或服务的最大优点纳入自己所生产的产品之中。这种企业也有一定的开发研究力量，但不是着眼于创新，而是推出比革新型企业在功能/价格方面更好的产品。

（4）**混合型战略**。它是指企业混合应用上述三种研究发展战略。例如，国际商业机器公司（IBM）对现有产品采取保护型战略，而在开发新产品时采用革新型战略。企业采用混合型战略的主要目的是在获利的基础上减少风险，因为虽然采用革新型战略有获得巨额利润和高市场占有率的诱惑，但失败的概率很大，相反，采用保护型战略虽获利不大，但风险小，所以，理智的企业总是在三种战略中寻求一种最佳组合战略。

一个企业采用哪种研究发展战略主要取决于其财力、规模、实现技术领先的愿望、环境状况以及竞争对手的情况。企业可以选择的技术来源类型有：①独立的研究发展类型，即建立自己的研究机构，根据社会的需求趋势独自研究新产品或更新换代产品；②技术引进型，即根据发展中的态势引进先进的技术，尽快掌握新产品的制造技术或新的生产工艺；③引进与独立开发相结合，对于许多企业来说，更多的是引进关键技术设备，自己独立开发其他辅助技术。

◆ **战略专栏 7-4**

技术创新是华为创新之路的底气

随着我国创新发展战略的逐步推进，高新企业的创新能力得到了长足发展。但是近年来，中美和中欧之间贸易摩擦加剧，尤其是美国对中国征收报复性关税，并限制我国高新技术产品进入美国，华为技术有限公司（以下简称华为）作为我国的高新技术龙头企业更是被重点打压。尽管腹背受敌，但华为仍运行良好，这离不开其随着发展更新的技术创新模式和健全的技术创新流程。

1. 华为简介和发展历程

(1) 华为简介。 1987年,华为创立于我国经济特区深圳,以代理销售PBX(专用小交换机)起家,现在是全球领先的ICT(信息与通信技术)基础设施和智能终端提供商。经过30多年的发展变革,华为已经成为全球年收入超过1 000亿元人民币、产品销往全球的行业领先者。华为在发展过程中,始终坚持技术创新,在无线通信技术、手机设备制造等多方面创造多项第一。

(2) 华为发展历程。 华为发展历程可以简要概括为四个阶段。

第一个阶段是从1987年创立到1995年,此时的华为处于创业求生存的阶段。当时,中国国内的手机市场被国外大公司占据,处于弱势地位的华为研究并提出了农村数字交换解决方案。直到1995年,华为的销售额主要来自中国农村市场,达到15亿元人民币,完成了资本的原始积累。

第二个阶段是从1996年到2004年。华为在这个阶段做出了一系列重大的改变,构建了人力资源系统、管理系统以及流程系统等。相应地,这一阶段也是华为自创立以来遇到困难最多的时期,尤其在2002年和2003年,连续两年业绩下滑,但也正是这一阶段,通过变革,华为在手机市场上的销售收入已经达到国内之首,并开始与国外研发中心合作,进军海外市场。

第三个阶段是从2005年到2010年,属于华为的商业模式的变革期。在这一阶段,华为并不局限于简单地销售手机,而是成为电信解决方案的供应商。同时,华为也通过研发技术,在海外市场占有一席之地,其主要标志是华为能够占据30%左右的欧洲市场。

第四个阶段是自2011年至今,属于华为的组织转型期,目标是云管端一体化。在这一阶段,华为向全球派驻研发队伍,利用优质资源,加大研发投入,服务的是全球的客户。2018年,华为的全球年收入已超千亿美元。从5G"微波技术"到"鲲鹏+昇腾"双引擎技术,华为成为全球手机行业的领跑者。

在每个阶段,华为都曾遇到不同的挫折,面临各种难关。华为借助适当的技术创新战略,解决了每个阶段面临的难题,完成了每个阶段的目标,最终推动整个公司向前迈进。

2. 华为技术创新战略演变模式

技术创新战略是企业的核心发展战略,受到企业的多方面因素影响,如企业的资金规模、市场地位、技术人才水平等,它随着企业这些因素的变化而不断变化。华为技术创新战略演变主要可以分为以下几种模式。

(1) 模仿创新。 华为最开始的业务是代理销售用户交换机。当时我国手机市场广阔,前景良好,竞争激烈,但华为既缺乏资金又没有技术,便只能通过模仿创新来生产产品。华为的技术人员通过对BH01技术进行研究分析和模仿改良,创造了拥有自主知识产权的BH03,投向市场后得到认可。在这之后,华为意识到技术对于企业发展的重要性,于是从1993年起,华为将每年销售收入的10%投入研发活动,同时逐渐在全球各地设立研究所。通过模仿先进产品和技术,华为掌握了先进的通信技术。1995年,华为研发出C&C08交换机,这款产品投向市场后反响良好,成为当时华为销售收入的支柱性产品。但是,由于华为当时成立时间较短,管理系统薄弱,单纯靠技术人才自行研究,研究失败的产品有很多,也造成了公司的财务损失。

华为也发现了这个问题，随着自身实力的提升，在管理方面做出了重大调整。一是引进了国外先进的管理模式；二是构建了灵活的矩阵式组织管理体系；三是为了培养员工的创新学习能力，制定了激励制度。这些改变都为华为日后的技术创新发展打下了良好的基础。

（2）**合作创新**。随着华为公司规模的扩大，市场地位的提升，技术能力的提高，客户对华为有了更高的要求。此时，华为如果仅靠模仿创新显然已经无法适应市场需求。华为清楚，模仿创新并不能长久。为了充分提高创新能力，华为与海内外多家高校、企业和研究所建立了长久的合作关系。由此，华为拥有了国内外电子信息领域的前沿技术和潮流信息，技术创新能力得到显著提高。

（3）**自主创新**。在5G标准的制定和研究中，华为做出了不可磨灭的贡献。在ICT行业，华为从跟随者逐步成长为引领者。正如华为2015年轮值CEO胡厚崑所言："2G时代和3G时代前期，华为是跟随者；4G时代后期，华为能做到与国外巨头并驾齐驱；5G时代，华为将成为全球的引领者。

从2008年开始，华为的创新表现出了更明显的独立性，其新技术的产生不再过多依靠外部资源，而是更多地体现了自身的研发实力和技术积累。后来的一系列事件也证明，华为实行自主创新政策是无比正确的选择。2019年5月16日，美国颁布"实体清单"，意在给华为造成较大损失，但华为依靠海思、HMS等自主研发产品，不仅安全渡过危机，而且获得喜人的业绩成长。随之而来的是2020年5月15日，美国升级了制裁措施，华为芯片供应链正接受前所未有的考验，华为对此表示有信心求得生存。

3. 华为技术创新战略

（1）**以研发为核心战略**。华为是一个专注于技术创新的公司。在公司的定位中，将研发与营销并行，作为推动公司发展的双重动力。研发可以保持产品的先进性，迎合市场的需求，营销则负责将研发出的产品推向大众，增加销售收入。从可持续发展的角度来说，研发战略的地位应当是优于营销战略的，ICT行业属于对研发技术要求极高的行业，研发能力弱会造成产品质量缺乏竞争力，即便是营销实力强劲的公司可以在短期内将平庸的产品塑造成热卖品，但长此以往仍会在市场竞争中处于下风，还会给消费者留下这个公司"广告不错，产品差劲"的不良印象。从华为公司的发展历程可以看出，当华为专注于制造具有独特性、不同质化的产品时，它才成为国货之光，而这需要的是强劲的研发实力。战略制定是第一步，只有战略没有行动只是纸上谈兵，华为有效的管理模式将技术创新活动划分为可执行的环节，只有有序地完成各个环节，才能实现企业的技术创新。

（2）**高强度的研发投入**。研发资金是研发工作的基石，没有资金的投入，研发只是空谈。而很多企业并不愿意将过多的资金投入研发，因为研发是一项高风险投资，尤其是对于华为这种处于行业头部梯队的公司来说，高额研发投入可能并没有足额的回报，但这是突破技术封锁所必需的。华为坚持将每年销售收入的10%以上投入研发。充足的资本投入保证了企业技术创新的活力。华为有充足的资金招募优秀的人才和建立顶尖的实验室，也因此成为全球拥有专利最多的企业之一。

（3）**高素质的研发团队**。人力资本是企业技术创新的源泉。华为也充分意识到人才的重要性，在全球开启"天才少年计划"，寻找有天赋的少年进行培养，既招揽了高素质人才，也能在一定程度上防止人才流失。华为还重视国际化的人才资源，在国内外广泛建立了研发机构，与多家国外知名企业达成合作创新，研发团队成员都是来自各国的精英。因此，华为能够及时得到各地先进的技术资源，提高技术创新能力。

（4）**风险危机意识**。海思是华为在2004年就建立的公司，它在2009年便推出了第一款手机芯片，也就是说，在全球化的开端，华为便做出了极限生存的假设。这些一直放在华为保险箱内的备份芯片是华为的保险，宁可不用，不可不备。如今的情况也证明华为的决策是正确的。此外，美国的"实体清单"事件让多数国家或企业意识到单一供应体系存在风险，而华为有意识地实施多元化的供应策略，保持业务相对稳定，这也是它能渡过难关的一个重要前提。良好的危机意识确保了华为的安全。企业在发展中需要保持危机感，美国的封锁给华为敲响了警钟，也警示了其他企业。

资料来源：李华，薛紫珺. 技术创新是华为创新之路的底气 [J]. 经营与管理，2021（1）：101-105.

7.6 人力资源战略

企业中人事经理的主要任务是使人员与工作达到最佳的配合。这种配合的质量如何，不仅影响着工作成绩，而且会关系到员工的满足感和出勤率等。在这种配合中起主动作用的是人，任何企业的最重要的资源都是人力资源，是那些具有技能、创造性和主动性的人员。因此，人事经理应确保企业在适当的时间、适当的位置具有适当的人员供应。要达到这个目标，一个完整的人力资源管理过程应该包括下列活动：人力资源规划，招聘，挑选，团体化、培训和成绩评价等。

7.6.1 人力资源规划

人力资源规划的目的是能够保证经常性地满足企业对各类人员的需要。在进行人力资源规划时，通常要经过下列四个步骤。

（1）**对未来的人员需要做出计划**。要预测出在计划期，企业需要具有什么能力的人、需要多少。

（2）**对未来员工的平衡做出计划**。预计现在的雇员会有多少仍留在企业。企业所需要数目的差额将决定未来聘用的人员数。

（3）**对招聘、挑选或解聘做出计划**。企业应如何发现和吸引它所需要的人员到企业来。

（4）**对人员发展做出计划**。企业如何管理人员培训，以及如何管理雇员在企业内部和工种之间的流动。

为了使人力资源规划切合企业实际，并发挥效力，人力资源管理部门在进行人力资源规划时必须对一些因素加以考虑。首要的因素是经营单位或企业的战略计划，因为企业的战略以及详细的战略目的和目标决定着企业对人员的需求。例如，基于从企业内部发展的战略就意味着必须招聘额外的人员；基于合并就需要对企业总人数中的裁员数量做出计划。

在进行人力资源规划时所要考虑的另一个因素是企业的外部环境，它可能是指市场的变化、资源的可供应性或劳动力市场等。在繁荣的经济环境中，也许不会有太多的应聘人员，因为此时整个国家的失业率是很低的。相反，在衰退的经济环境中，许多企业可能会解雇一些人员，如果企业需要增聘人员，会有许多的应聘者，因为此时的失业率是很高的。

7.6.2 招聘

招聘的目的是获得足够数量的应聘者，以便企业从中挑选所需的合格人员。当企业需要一批操作人员时，通常采用一般招聘；而当企业需要高级管理人员或专家时，则实行特殊招聘。在特殊招聘中，应聘人员会在相当长的一段时期内受到特殊的关注和审查。

1. 工作说明和职位说明

在招聘人员之前，招聘者必须对新雇员的工作内容及其责任做到心中有数。因此，在招聘过程中，首先要对工作进行分析。一旦对某一特定工作进行分析之后，就应该对该工作的内容及其地点做出书面说明，并将其纳入企业组织机构图中。在作业层，这个说明就称为工作说明；而在管理层，它则称为职位说明。企业组织机构图中的每一框架部分都应与这个说明相联系，列出职位的头衔、任务和责任，例如，一个简短的职位说明为：销售经理的任务包括招聘、培训和监督销售人员，管理销售部门；对本部门的业绩负责；向事业部经理汇报工作情况。完成了工作说明或职位说明之后，下一步就要做出招聘启事。一般来说，招聘启事应说明要在此职位上有效完成的工作，以及应聘者需要具有的背景、经验和技能。

2. 应聘者来源

招聘可利用报纸广告、专业期刊广告、人才中心（或就业中心）、口头传达或者去大专院校招聘等办法。企业能否吸引众多的应聘者取决于劳动力市场中合适人员数量的多少、招聘职位的特点、企业的声望、地点的吸引力以及提供的条件等因素。

对于管理人员和专业人员的招聘，第一种方式是从企业外部招聘。对于基层或入门阶段的管理人员，可以从大专院校毕业生中招聘；而对于中级和高级管理人员，需要利用特殊机构（如猎头中心）或广告来开展招聘工作。第二种方式是从企业内部人员中招聘管理人员或专业技术人员。这种方式有三个优点：从企业内部招聘的人员熟悉企业的情况，更容易取得事业上的成功；内部招聘有助于培养企业成员的忠诚和热情；与从外部招聘相比，花费更少。因此，许多公司，如 IBM 公司通常采取这种招聘方式。

7.6.3 挑选

挑选是一个双向决策过程。对企业来说，它决定是否聘用；而对应聘者来说，他根据这个工作是否符合本人的需要和目标，决定是否接受聘用挑选过程一般要经过如下步骤。

（1）**填写工作申请表**。表明申请者所希望得到的职位；为面试提供信息资料。

（2）**初选面试**。快速评价申请者是否合适。

（3）**测试**。衡量申请者的工作技能及工作上的学习能力。

（4）**背景情况调查**。检查申请者的履历表及申请表中信息的准确性。

（5）**更深一步的选择面试**。发现关于申请者的更多信息。

（6）**身体检查**。确保申请者能有效地工作，保护他们免受疾病的困扰；建立申请者的健康记录等。

（7）**聘用**。填补工作空位。

7.6.4 团体化、培训和成绩评价

1. 团体化

团体化又称导向教育。为了使新员工在企业中有效地发挥作用，团体化旨在为新员工提供其所需要的信息。这些信息包括：关于每天工作程序的信息；关于企业历史沿革、企业宗旨、企业运营性质、产品及服务等信息，以及每个员工的工作对于企业成功的重要意义；详细的企业政策、工作纪律、员工福利等信息。应将这些信息印成小册子，发放给新员工。

2. 培训

新员工需要学习新的技能，因此必须进行培训，以维持和改善其工作绩效。一旦企业决定对员工进行培训，人事部门就必须制订适宜的培训项目计划。最常用的培训方法是在工作中培训，这包括工作轮换、工作培训与课堂讲授相结合的混合方法，以及师徒制等。另一种培训方法是在模拟实际工作车间的环境中进行培训，例如，在自办技校中进行培训，在课堂中利用计算机辅助教学（CAI）来进行培训。

3. 成绩评价

对于员工及其下属人员工作完成的情况，必须进行成绩评价。成绩评价的目的是让员工及其下属知道他们当前的业绩如何；确定那些值得受到表扬的人员和需要额外培训的人员。此外，成绩评价在决定下属晋升时也起到重要作用。

一般成绩评价方式有非正式评价和正式评价。非正式评价是指成绩评价不规律化，它在每天的基础上进行，是将下属工作业绩的信息反馈给他本人的连续过程。由于在利用这种评价方式时，行为和对行为的反馈紧密相联，因此可以很快地鼓励所希望的行为发生而限制不希望的行为发生。正式评价是正规化、规律化的评价方式，每半年进行一次或每一年进行一次。正式评价的方法有：一个上级评定下级的工作；一组上级评定多个下属的工作；一组同行人员评定一个同事的工作；下属对上级的工作进行评定。

为了评价企业中人力资源管理过程的功效，哈佛大学的研究者们提出了人力资源成果的4Cs模型，即全心全意（commitment）、能力（competence）、一致性（congruence）和成本效用（cost-effectiveness），现分述如下。

（1）**全心全意**。员工对工作和企业的投入程度如何？人力资源政策在多大程度上提高

了员工对工作和企业的投入水平？极大的身心投入意味着员工和经理人员能较好地沟通，增强相互信任度，所有的利益相关者能对彼此之间的需要做出反应。

（2）**能力**。员工在其工作中的能力如何？人力资源政策在多大程度上能够吸引那些具有技能和知识的员工，并使其保留和发展？高能力意味着员工在技能方面的多样性，并能根据需要承担不同的工作和角色。

（3）**一致性**。企业的基本哲学和目标是否与员工一致？管理人员与员工之间是否具有共同的目标和相互信任？人力资源政策和实践在多大程度上提高了管理人员与员工之间的一致性？较高程度的一致性意味着所有利益相关者都遵循一个共同的目标，他们能够通力协作来解决外部环境变化所引发的一切问题。反之，较低程度的一致性会导致低水平的信任和不同目标，造成员工与管理人员之间关系的紧张和压力。

（4）**成本效用**。在工资、福利、出勤率、缺勤率等方面，人力资源政策是否有效？效用高意味着与竞争对手相比，企业的人力资源成本（如工资、福利等）较低或与竞争对手持平。

总之，人力资源战略必须与企业战略或经营战略相配合。只有这样，才能提高人力资源管理战略的成果，才能使企业在日益变化的环境中更有效地发挥作用。

◐ 战略专栏 7-5

新形势下石油钻井企业的人力资源管理

企业的持续发展，离不开大量优秀人才的支持。如何提升企业人才竞争优势，做好人力资源管理工作显得尤为重要。从实际情况来看，目前在我国石油钻井企业人力资源管理中，现存的问题不容忽视，只有在解决存在的不足以后，才可构建更加完善、健全的人力资源管理体系，为企业持续发展保驾护航。

1. 石油钻井企业人力资源管理现状和存在的问题

（1）**石油钻井企业面临的市场形势**。近些年来，随着人均汽车保有量逐步增加，对于石油资源的需求度迅速提升，钻井市场需求空前高涨。为了推动钻井企业"走出去"战略部署，在保持国内市场环境稳定的同时，进一步深入开拓了国际市场，在这个过程中，尽管取得了可观的成果，但也面临着一系列挑战。主要挑战来自三个方面：国内市场竞争激烈，经营难度增加；国际市场准入门槛高，风险大；技术装备科技水平不高，竞争力不足。

（2）**石油钻井企业人力资源管理存在的问题**。

1）人员选拔方面。在石油钻井企业人力资源管理中，人员选拔标准不合理、招聘流程限制过多等问题尤为突出。在市场化水平越来越高的今天，石油钻井企业的人力资源部门仍然沿袭传统招聘流程和方法来聘用人员，仅仅是依据上年计划，结合今年需求适当调整后直接上报给专门部门，最后由相关人事部门统一在高校中招聘人才，依据不同企业的需求来配置人才。这种情况可能导致即便是不符合企业所需类型的人才，仍然要被企业接收。很多石油钻井企业由于经营效益不高，人员薪酬待遇标准较低，难以吸引更多优秀的人才，在一定程度上影响了人才培养质量。

2）人员培养方面。在人员培养方面，受到滞后理念影响，普遍存在着人力资源轻开发、重使用的问题，究其根本，有以下两点原因。

A. 人员培训投入力度不足。尽管企业对人员培训重视程度较高，并且每年提供一定的经费用于人员培训，但实际支出额超过了预算额。一些石油钻井企业管理人员认为，人力资源培训耗费资金和精力较多，会占用工作时间，并且不批准下级员工提出的培训请求，导致他们缺少有效的培训。即便企业重视人力资源的培训，但是未能对培训需求系统进行分析，导致岗位需求和培训内容脱节，影响培训质量，遏制了员工主动参与培训的积极性。尤其在当前钻井施工技术要求不断提高的形势下，如果企业对人员培训方面缺乏足够的重视，就会导致实际操作效果不符合要求。

B. 人员职业生涯规划不合理。企业主要是结合不同员工的个性化特点和发展需求为员工编制合理的职业生涯规划，促使员工与企业共同发展，调动员工的工作积极性，减少人员流失。但是，由于企业内部机制僵硬，员工晋升途径狭窄、受限，管理岗位有限，基层和中层的管理人员升迁希望较小，年轻员工觉得没有出路，因此很多优秀的人才逐渐流失。管理人员开发力度不足，过分看重学历、经验和年龄，而将实际工作能力作为最后关注的内容，导致石油钻井企业人力资源管理工作出现问题，究其根本原因，很大程度上是对人力资源管理的重要性认识不足，未能明确其在激烈市场竞争中对石油钻井企业持续发挥的作用。

3）人员配置方面。在人员配置方面，石油钻井企业的决策者未对实际工作进行系统化分析，不能依据岗位需求合理配置人力资源。很多石油钻井企业为了督促人员工作规范化，虽然推行岗位责任制，但是岗位责任制的工作要求模糊不清，导致员工不了解具体岗位权责和工作条件等内容，无法高效完成工作任务，并且影响了后期绩效考核有序进行。

有别于岗位责任制，工作分析则是企业人力资源管理的主要内容，它是指基于对人员的观察和研究，确定职务性质和具体内容，进而细化职务工作范围，确保人员具备岗位所需知识和能力。

4）薪酬待遇和晋升方面。在石油钻井企业人力资源管理中，薪酬待遇和晋升与人员去留联系密切。当前，市场竞争激烈，人力资源管理方式不合理导致管理人才和技术人员流失问题日趋严重。通常情况下，石油钻井企业的人员流失表现为高学历朝着高技能转化。以往的流失人员主要是以高学历和高职称人才为主，而近些年来则以高技能、经验丰富的人员流失为主，且流失人员逐渐年轻化，其中有很多是企业的生产骨干和技术骨干。这些骨干人才都是在长期实践中逐步成长起来的，具有较强的专业能力和丰富的工作经验。

（3）石油钻井企业人才流失的原因。 分析人才流失的原因，一是薪酬待遇不合理，很多专业技术骨干和生产骨干的薪酬待遇水平不高，他们倾向于更高层次的薪酬待遇，这致使很多国企人员朝着三资企业流动。二是很多人员在满足物质生活后，开始寻求更多展现自我价值和才能的机会，向往更好的生活，而现有石油钻井企业用人制度过于滞后，实际工作情况难以切实满足这些人员的发展需求。三是人力资源管理体制过于僵化，提供给员工的环境和政策不合理，缺乏定量考核，不利于调动人员的工作积极性，在一定程度上增加了人才外流的可能性。四是石油钻井企业缺少明确的奖惩机制。制定合理有效的奖惩机制，对于推动企业持续发展很有必要，但多数企业在人力资源管理工作中并未认识到奖惩机制的重要性，忽视了员工的工作态度和能力，不可避免地令很多有能力的人丧失了工作热情，使他们感到愤愤不平，加快了人才流失速度。

总体而言，当前，我国石油钻井企业在内部管理工作中，管理重心偏移，更多关注如何引进更多新资源层面，而使已有资源无法得到合理配置与利用，造成大量可利用的宝贵资源的流失和浪费。在人才管理领域，企业更重视眼前利益，却未能对人才培养做出合理的规划和设计，缺少长效机制，在一定程度上促进了人才的流失。一旦企业的人员流动性过大，将表示企业不具备持久发展的动力与活力，很多工作尚未结束就需要重新开始，甚至逐步演化成为他人培养人才的场所，这使企业切身利益受损，不利于企业的健康持续发展。

2.石油钻井企业人力资源管理的应对措施

（1）**提升人力资源管理人员专业素养**。结合石油钻井企业的发展需求，应提高对人力资源管理的认知和重视程度，转变理念，重点提升人力资源管理人员专业素养，培养更多符合企业发展需求的人才。多数企业的人力资源管理人员并非本专业毕业，而是半路出家，知识结构不合理，在实际工作中也仅仅是履行基本人事管理职能，与企业人力资源岗位不匹配。对此，应该进一步提升人力资源管理水平，定期组织人员外出学习和培训，在学习新的人力资源管理理论知识的同时，鼓励他们将所学知识运用到实践中，在满足岗位实际需求的基础上，实现人力资源合理配置与利用。

（2）**转变人力资源管理理念**。结合现代企业管理相关要求，人力资源管理工作并不仅仅是人力资源部门单独负责的工作，还需要与企业其他部门沟通联系，获得其他部门和高层管理者的支持，共同开展人力资源管理工作。加强人力资源管理部门和其他部门的沟通，对人力资源管理工作进行细致的分析，为后续的人员绩效考核提供支持，以此来调动人员的工作积极性。

（3）**建立人力资源数据库**。运用现代化技术建立人力资源数据库，是企业现代化改革的一项主要举措，将员工的姓名、年龄、职称、学历等身份信息和履历动态等输入系统，使人力资源管理人员全面掌握企业内部员工的具体情况。在此基础上，综合考量企业发展需求和各岗位部署要求，对人力资源数据库优化改进，为后续的人员选拔、培训和考核等相关工作提供支持。相较于传统人员管理方式，建立人力资源数据库可以发挥更大的优势，最大限度地减少人力资源管理成本。

（4）**优化和完善培训体系**。石油钻井企业应在剖析人力资源管理工作中现有问题的基础上，系统化分析培训需求，以此为依据积极优化和改进培训体系。一是进行组织分析。考量培训需求，确保所编制的培训计划契合企业整体发展目标。预测企业未来组织结构可能出现的变化，考量员工自身应具备何种技能和知识，进而有针对性地对员工开展培训和考核。二是进行工作分析。分析工作成果符合要求的前提下，人员需要具备的专业技能和素质能力。三是进行个人分析。将人员现有水平和员工技能要求比较分析，编制合理的培训方案，定期组织人员进行专业培训，有针对性地提升人员的专业能力，促使人员潜能得到充分挖掘和运用。

（5）**寻求合理有效的激励方式**。为了提升人才对企业的忠诚度和归属感，调动人才的工作积极性，应注重合理有效的激励体系建立，综合考量人才个性化需求，选择最佳的激励方式：引导员工确定目标需求和工作职责，立足于现实需求；构建完善的薪酬体系，根据员工的业务能力、工作经验进行绩效考核，依据考核结果采取不同的激励方式，如物质激励、福利激励和培训激励等，促使员工的工作热情和潜能得到充分发挥。

3. 结论

综上所述，石油钻井企业应积极深化人力资源管理工作变革，完善配套制度和体系，紧紧围绕企业的发展目标来整合与配置人力资源，促使员工潜能得到充分调动和培养，切实提升人力资源管理有效性。

资料来源：王宏. 新形势下石油钻井企业人力资源管理工作研究[J]，经营与管理，2021（4）：98-102.

7.6.5 职能层战略的整合

以上各节讨论了相应领域的职能层战略，但一些研究发现，在那些有效实施战略的企业中，员工付出的努力是为了完成企业分离但又相互依赖的目的，并像一个协调的系统一样发挥作用。每个职能领域都是大系统的一个方面，每个方面的协调对于成功的战略实施都十分重要，这就涉及各职能层战略整合的问题。因此，企业在实施职能层战略时应注意以下几个方面。

第一，每个职能内制定的战略之间应该具有协调性。例如，如果市场部门决定花费大量资金塑造一个新产品品牌，就应该利用分销渠道，使产品到达那些会购买品牌产品的消费者手中。如果选择了错误的分销渠道，在广告、促销和产品布置方面将受到损失。例如，曾有公司（合成纤维产品公司）把最好的品牌产品与折扣、低质量服装联系起来，导致品牌方面的投资受到损失。

第二，在一个职能领域内制定的战略要与在其他职能领域内制定的战略相一致。可是，一个部门制定的战略与另一个部门制定的战略不一致的情况是很常见的。营销部门和制造部门制定许多相互依赖的战略时，经常提倡使用非常不同的方法。从自己部门利益的角度出发，在组织没有要求的情况下，随着时间的推移，营销部门将实施差异化战略，而制造部门将执行成本领先战略。

第三，职能部门制定的战略要与事业部战略相一致。在一个健康的事业部环境下，营销部门追求市场份额和销售收入的增加。如果事业部环境发生变化，需求下滑，收益紧缩，那么市场的重点有可能变为在销售收入增加的基础上追求稳定性和收益的增加，除非组织有要求，否则营销部门一般不会改变自己传统的做业务的方式。

对于管理者来说，战略实施的主要任务是将企业的行为和能力与企业战略选择进行匹配。对附加价值活动的连接和相互独立性的理解是很关键的。例如，企业以较低的价格购买原材料，但为了使用低质量原材料需要进行再加工和额外处理，实际上有可能导致高生产成本。在这种情况下，每一个活动的决策似乎都适应企业的战略，但是总体上并不适应。这就需要对职能层战略做相应的改变，也有必要对各职能层战略做相应的整合。

复习思考题

1. 职能层战略与战略管理的关系是什么？
2. 市场战略的基本选择有哪些？
3. 财务管理战略的主要活动是什么？
4. 生产战略的主要活动是什么？
5. 人力资源战略主要解决什么问题？
6. 研究发展战略的基本选择有哪些？
7. 企业应如何在各职能层战略之间进行协调和整合，以便于企业总体战略（或经营战略）目标的实现？

实践项目

以小组（3～5人为一组）为单位，参观一家企业的生产车间，或财务部门、市场营销部门等，调查该企业的职能部门在实现上级战略目标时，究竟采取了什么职能战略。具体落实职能战略的措施有哪些？然后在小组内进行分析、讨论和交流，并撰写调研报告。

第 8 章　国际化战略

学习目标

1）理解国际化战略的概念
2）了解我国企业国际化过程
3）掌握国际化战略的基本类型
4）理解企业国际市场进入方式的类型

先导案例

聚焦新兴市场发展机遇　中国车企出海变奏

"国庆假期出差埃及，在阿联酋总统和埃及总统的见证下，蔚来正式进入中东和北非市场，这是我们全球化的重要的一天。"蔚来汽车（以下简称蔚来）创始人、董事长兼CEO李斌如此表示。

在行业人士看来，中国车企出海"大转向"，与欧美陆续筑起的关税壁垒密不可分。据央视新闻报道，当地时间2024年10月29日，欧盟委员会发布消息称，结束了反补贴调查，决定对从中国进口的电动汽车（BEV）征收为期5年的最终反补贴税。

"欧盟和美国的贸易保护主义导致中国车企在这些市场的出口受到限制，但凭借在电动车领域的优势，中国车企在墨西哥、中东和北非等新兴市场更具竞争力。"中国汽车流通协会专家委员会委员章弘向记者表示。新兴市场快速发展的经济，为中国车企提供了巨大的增长空间。

中东成热门目的地

"在开罗街头看到非常多的中国汽车。"李斌在个人社交媒体表示。他在埃及市场调研过程中发现中国品牌越来越多，他对此感叹："中国汽车品牌确确实实有非常好的全球化机遇，越来越多企业成功出海。"

蔚来正式吹响了进入中东市场的号角。2024年10月4日，蔚来与公司战略投资者CYVN签署战略合作协议，宣布将在阿联酋阿布扎比建立先进技术研发中心，专注于智能驾驶与人工智能技术研发，进一步拓展蔚来全球研发布局，助力中东与北非地区技术创新。

蔚来方面提供给记者的信息显示，蔚来与CYVN还将联合研发一款针对当地市场的全新车型，以更好地服务当地用户不断增长的智能电动汽车需求。与此同时，蔚来宣布将正式在中东地区和北非地区开展业务。

除蔚来外，上汽、吉利等中国车企也在加速开拓中东市场。

无独有偶，除中东市场外，北美、南美市场也越发受到中国车企的青睐，其中，尤以墨西哥市场最受关注。

2024年9月10日，哪吒汽车对外宣布，其与BBVA墨西哥、墨西哥电动汽车协会（EMA）以及多家当地经销商正式签署合作协议。哪吒汽车表示："此次协议对哪吒汽车在墨西哥发展具有里程碑意义。"

不仅仅是哪吒汽车，目前，MG、江淮、长城、北汽福田等诸多中国汽车品牌已进入墨西哥市场。记者注意到，中国车企除了在当地推出SUV、轿车等乘用车外，也陆续向当地导入货车等商用车产品。

目前，不少中国车企在中东、北美、南美等新兴市场已取得销量突破。公开数据显示，2023年，上汽集团在中东及非洲市场销售15万辆汽车，在大洋洲市场销售10万辆汽车。

多家车企筹划建厂

引发外界关注的是，中国车企当下涌入中东、北美等新兴地区的原因何在？

"新兴市场蕴含巨大的增长潜力，中东、北非等地汽车保有量较低，市场空间广阔。此外，这些地区对中国制造的汽车产品接受度较高，且政府出台了一系列优惠政策鼓励汽车产业发展。"对外经济贸易大学国家对外开放研究院副教授陈建伟向记者介绍。

如陈建伟所述，目前一些海外新兴地区汽车市场发展潜力巨大，以非洲地区为例，民生证券研报显示，2023年非洲地区注册量为55.1万辆，同比减少12.8%。该研报认为：非洲大多数国家仍处于经济发展初期，居民消费水平相对较低，对价格的敏感度较高，性价比高的汽车更符合当地消费者的购买力。

除了市场潜力巨大外，中东、南美等新兴地区近年来陆续发布一系列支持新能源汽车发展的政策，也受到不少中国车企的关注。

新兴市场潜力巨大，中国车企除了加快产品导入外，也筹划在当地建立工厂。公开报道显示，2024年7月，比亚迪与土耳其政府签署投资建厂协议，比亚迪将投资10亿美元在土耳其建立年产15万辆汽车的生产工厂以及研发中心。而在2024年8月，有媒体报道，MG宣布计划在墨西哥建立一个拉丁美洲枢纽，包含一个汽车工厂和一个研发中心。

加强海外供应链建设

争相掘金中东、北美等新兴市场的背后，中国车企也面临着重重挑战。

"中国车企在进入新兴市场时，面临着文化差异、法律法规、消费者需求等多方面的本地化挑战，可能导致产品不适应当地市场、品牌形象受损，甚至发生法律纠纷。"陈建伟认为。

陈建伟建议，中国车企需要密切关注当地政策动态，建立健全的合规管理体系。同时，积极参与行业协会，与当地政府保持良好沟通，寻求政策支持，并提前布局，应对可能出现的政策变化。此外，加强与国际律师事务所的合作，确保在法律框架内开展业务，也是降低合规风险的重要手段。

而对于谋求在海外建厂的中国车企而言，除了文化、法律等层面的挑战外，如何克服海外工厂所在地基础设施不完善、水电供应不稳定等困难，也备受市场关注。

章弘同时认为，中国车企需要加强与当地政府和企业的合作，同时可以投资建设必要的交通、电力、供水等设施。而陈建伟则认为，中国车企应加强自身在海外的供应链建设，确保关键零部件的稳定供应。

资料来源：方超，石英婧.扎堆掘金中东北美 中国车企出海变奏[N].中国经营报，2024-11-04（28）.作者根据该资料进行改编。

8.1 企业国际化及其发展历程

8.1.1 国际化的概念

国际化一个最基本的特征就是它涉及两个或更多国家的经营活动，或者说其经营活动被国界以某种方式分割。也就是说，国际化经营和传统国内经营的最根本区别在于企业是否进行了商品、劳务、资本、技术等形式的经济资源的跨国传递和转化。一般来说，如果一个企业的资源转化活动超越了一国国界，那么这个企业就是在开展国际化经营。公司经营国际化可以分为"内向型国际化"与"外向型国际化"。内向型国际化是指一家国内企业引进国外企业的产品、技术、资金、人力资源等要素或资源，从而使自己参与国际分工和国际市场竞争的过程，国内俗称"引进来"。外向型国际化主要是指出口、技术输出、各种国外的合同安排、对外投资、建立海外子公司和分公司等，国内俗称"走出去"。企业内向型国际化过程会影响其外向型国际化的发展，内向型国际化是外向型国际化的基础和条件，外向型国际化是内向型国际化发展的必然趋势和结果。发展中国家企业的国际化往往是从内向型国际化开始的。

8.1.2 欧美企业国际化的发展历程

企业国际化的进程和方向在很大程度上受所在国家经济政策体制、资源条件等的影响和限制。从19世纪初到21世纪初，欧美企业国际化经营经历了一个不断向更高层次演变的过程。这一过程大致可以分为三个比较典型的阶段。

1. 初级发展阶段

19世纪初至第二次世界大战之前是企业国际化经营的初级发展时期。据追溯，第一家跨国公司出现于19世纪初，1815年比利时的撒·高克里乐钢铁公司在普鲁士建立了子公司。此外其他国家的企业，如1865年的德国拜耳化学公司、1867年的瑞士雀巢公司等的跨国经营活动也逐渐增多。当时企业国际化经营活动的主要特点是以进出口贸易为主，包括直接出口和间接出口。为扩大出口，增强对海外市场的反应能力，企业常常设立专门处理国际业务的职能部门，如出口部或国际业务部以推动国际化经营业务的展开。或者在国外建立办事处、分公司或者建立合资或全资子公司，以进一步降低海外经营成本或绕开贸易壁垒，并逐步使采购、营销、研发、人力资源等职能通过海外子公司来完成，对国外当地市场的把握越来越深入。

2. 高速发展阶段

第二次世界大战之后到20世纪80年代是企业国际化经营活动高速发展的时期。随着科技的迅猛发展、国际分工的不断深化以及世界市场的空前广阔，各国企业都以更为主动的姿态开展国际化经营。这一阶段的突出的特征在于，国际化经营的产物——跨国公司成为世界经济的核心组织者和最主要经济活动主体。对外直接投资成为企业国际化经营的主导方式，其发展速度远远超过了国际贸易。在这一阶段，发达国家的现代公司在国际化经营中继续保持领先地位。跨国直接投资热潮从1945年持续到20世纪60年代末，由美国公司主导。两次世界大战使欧洲经济遭受重创，美国企业获得迅速发展。美国企业不但拥有本国市场，还大量进入欧洲市场。第二次世界大战之后的重建使得欧洲和日本的跨国公司获得迅速发展壮大的机会。到20世纪80年代，日本和欧洲跨国公司的实力大大上升，甚至已与美国企业并驾齐驱。另外，一些新兴工业化国家和发展中国家的跨国公司也纷纷崛起，如韩国的三星公司、巴西石油公司、墨西哥石油公司等，成为国际化经营中的一股重要的新兴力量。

3. 全球发展阶段

20世纪80年代到目前为止的时期是全球发展阶段。随着经济信息化和全球竞争的空前加剧，现代公司的国际化经营进入一个崭新阶段，企业开始考虑从全球角度进行价值活动的布局，在世界范围内开展经营活动，形成全球一体化的生产体系。企业既强调发挥规模经济和范围经济，也时刻保持对当地市场的灵敏响应度，充分利用各国资源能力的差异性与竞争对手展开竞争，这时的企业已经成长为超级跨国公司。超级跨国公司已经成为世界经济的主导力量，最大的跨国公司相当于中等国家的实力。早在20年前，美国福特汽车公司的产值（1 806亿美元）超过波兰的GNP（国民生产总值）（1 608亿美元），德国奔驰汽车公司的产值（1 501亿美元）相当于印度尼西亚的GNP（1 537亿美元）。随着企业国际化进程的进一步加剧，跨国公司在全球分工中的位置越来越重要，对全球经济的影响力越来越强。

8.1.3 我国企业国际化进程

自中华人民共和国成立以来，尤其是改革开放以来的40多年，我国企业的国际化进程表现出自己的特色。从企业双向国际化的角度看，我国企业国际化进程基本上可以划分为四个阶段，即间接或被动进出口阶段、直接或主动进出口阶段、设立海外分支机构阶段和成熟的多国导向阶段。

1. 间接或被动进出口阶段

此阶段是我国企业国际化的起始阶段。我国企业没有直接与外商建立联系而是利用其他公司的中介服务与国外建立间接的商务关系。之所以称为"间接的商务关系",是因为我国企业可能没有进出口权,或者可能没有从事国际商务的经验,所以只有通过国内其他的中介机构才能接到订单,从事商品的进出口。在这个阶段,我国企业的国际业务不够充足,因此没有专门设立进出口部,而只是通过委托专业外贸进出口公司以及依附企业内部原有部门开展商品和服务的进出口业务。

20世纪70年代末80年代初,我国企业国际化基本处在间接或被动进出口的初级阶段。当时国内产品主要通过出口方式进入国际市场,出口创汇是国内企业开始国际化的主要形式和唯一目的。

2. 直接或主动进出口阶段

它是我国企业国际化的第二阶段,即初期阶段。在这一阶段,我国企业主动开拓国际市场,引进先进技术,单独设置进出口部,直接与客户联系,建立销售网络,但企业还没有建立永久性海外分支机构。一方面,同起始阶段一样,我国企业仍然以从事进出口商品和劳务为主,仍然需要依靠一些国际贸易专家进行国际商务咨询,但是处于这一阶段的企业不再需要国内其他的专业进出口商作为中介,可直接从事进出口活动,从而将开拓国际市场的命运掌握在自己的手里。例如,海尔进军海外市场采取了直接出口、创造品牌、营销本地化的方式。另一方面,我国企业渴求国外资金和技术,使得中外合资的浪潮在20世纪80年代席卷我国各个行业。1982年,沈飞汽车制造公司率先引进日本富士重工的客车车身制造技术,生产高中档客车及客车专用底盘。此后,许多国际知名汽车企业,如大众、丰田、奔驰等纷纷在我国合资建厂,这些企业较早地参与了我国企业的国际化进程。

3. 设立海外分支机构阶段

我国一些优秀企业的国际化进程恰好处在这一阶段。在此阶段,我国企业本质上仍然以国内为导向,利用海外设置的常设机构或代理,投资兴办海外企业,直接在国外购买、销售、制造产品,提供服务,理顺企业价值链网络。我国企业在内部设置国际部开展国际贸易和对外投资。

另外,一些具备优势的本土企业为了塑造全球化的品牌形象,能在国际市场竞争中立于不败之地,更加注重本土化营销网络的建设,部分企业走上了研发国际化的道路。从20世纪90年代以来,海尔就开始整合全球技术资源,建立全球技术联盟,在世界各地设立了多家研发中心;长虹与微软等世界知名跨国公司组建九大实验室;美的与日本东芝签署了面向21世纪的技术合作协议等,这些企业间国际化合作协议的签署,使得我国企业的国际化进程迈上了一个新的高度。

4. 成熟的多国导向阶段

此阶段是我国企业国际化的高级阶段,体现了我国企业国际化的发展方向和趋势。在这一阶段,我国企业国内业务部已不再具有支配地位,国际贸易和国际投资的比重已远远超过国内业务的比重。我国企业经营的重心由国内业务向国际业务转移。我国企业以全球化经营管理为中心，将国内市场看作国际市场的一部分，完全从国内导向型变成了国际导向型。

从国际上的一些成功经验来看，我国企业国际化要有一个长期的战略规划，国际市场推广是一个长期的系统工程，许多基础工作一般是不能逾越的，切忌急功近利。有些国内企业单纯把国际化作为一种时尚去追求，在基础还没有夯实的情况下，匆匆忙忙跑到海外去，为了国际化而国际化，那将导致本末倒置。

● 战略专栏 8-1

A 集团的国际化进程

1. A 集团概况

A 集团创立于 2000 年，是专业从事火锅连锁和特许经营的大型知名企业，旗下拥有 A 火锅、A 心火锅、六十一度老火锅三大品牌，还有曼客小牛等多个品牌，集合了餐饮管理、饮食文化研究、酱料研发生产、绿色食材种养殖开发、新品牌孵化、国际餐饮拓展、餐饮人才教育培训及餐饮互联网大数据平台等数十家全资或控股子公司。目前，A 集团的足迹遍布全球 12 个国家和地区，已经建立起包括亚洲、大洋洲、北美洲、欧洲四大核心市场的全球布局。A 集团现有 1 500 余家分店，其中海外分店有 31 家。

A 集团自成立以来，坚持走"奉献创业，学习创新，竞合创效，诚信创牌"的发展之路，秉承"业精于勤、商精于诚"的企业理念和不断进取、奋勇争先的职业精神，经过 20 年的拼搏进取，从一个几百平方米的街边火锅小店发展成一个在全球拥有 1 500 余家分店，遍及我国多个省、自治区、直辖市，在北美洲、欧洲拥有两大分公司，以及多个事业部，门店分布于美国、加拿大、阿联酋、法国、澳大利亚、印度尼西亚、日本、西班牙、韩国、新西兰、越南等 10 多个国家和地区的全球知名的国际化连锁餐饮企业。截至 2018 年，A 集团年营业收入超过 37 亿元，其中海外营业收入已占集团总营收的 40%。2018 年，A 集团营业收入在全国餐饮百强企业中排名第七位。2018—2020 年，A 集团先后荣获 2018 年度"中国火锅百强企业""产品创新十大品牌"，2019 年度"中国火锅品牌 TOP50""中国火锅连锁好项目 TOP50""具有投资价值的火锅连锁品牌 TOP10"以及 2020 年度"万味榜全国甄选餐厅"等诸多荣誉。

2. 国际化进程

早在 160 年前，广东、福建等东南沿海地区的移民就率先在欧美等地开设了中餐厅，就此开启了中餐的海外征途。我国餐饮以企业形式走出去并真正受到国家的重视是在 2011 年。《商务部关于"十二五"期间促进餐饮业科学发展的指导意见》（商服贸发〔2011〕438 号）中提出要积极推动中华餐饮文化"走出去"，使中餐的出海热潮再一次兴起。自此，我国餐饮企业的国际化经营活动取得了明显的实质性进展，国际化步伐迅速加快。一直以连锁经营为主要发展方式的火锅企业，不断扩大其产业规模，现已成为中国餐饮品牌化、规模化、产业化和国际化发展的主力军。

以重庆火锅为例,近年来,重庆火锅企业不断加快品牌集团化、连锁化、加盟化的发展步伐,为重庆火锅的国际化发展奠定了坚实的基础。据不完全统计,2019 年,重庆全市拥有近 60 家火锅连锁加盟企业,多家本土老字号大型火锅连锁品牌,如小天鹅、德庄、秦妈等,现已在海外开设了 200 多家火锅门店,开店足迹遍布全球各地,涉及新加坡、日本、老挝、泰国、俄罗斯、美国、加拿大、澳大利亚等 20 多个国家和地区。

我国餐饮企业的国际化发展历程并非一帆风顺,随着国际化进程的不断深入,在努力应对日益复杂多变的经营环境的过程中,我国餐饮企业的国际化经营活动呈现出明显的阶段性特征。根据不同经营阶段企业的发展特征和发展状况,可以将我国餐饮企业国际化发展历程划分为成长阶段、发展阶段和转型阶段,见表 8-1。

表 8-1 我国餐饮企业国际化发展历程

发展阶段	成长阶段 (改革开放初期)	发展阶段 (2011—2017 年)	转型阶段 (2018 年至今)
发展特征	以国营企业为主	以民营企业为主	打造知名餐饮企业品牌
	现代公司经营模式	中餐连锁店经营模式	大型餐饮连锁集团经营模式
	在推广中国传统美食的同时进行文化传播	主打传统中餐,适当添加西方元素;实行相关多元化战略	菜品中西结合,实现多元文化融合;新式菜品种类层出不穷;积极参与国际化,且深受互联网的影响
发展状况	经营理念和管理方式标准化,但缺乏对海外市场的了解和管理经验	注重品牌形象的塑造和传播及品牌价值的提升;全球连锁化进程加快;缺乏国际化专业人才	标准化程度高、成本低、模式轻;品牌年轻化、时尚化;营销模式关注互联网效应;创新能力、学习能力强

作为国际化餐饮领军火锅品牌,A 集团的海外版图不断扩大并取得了显著的成果:在中东市场,第一家海外分店——迪拜德拉店于 2010 年开业,在 2013 年总部派团队管理后,年收入保持 20% 的增长率;在北美洲市场,加拿大 Richmond 店的营业收入逐年增加,平均增长率为 10%;在欧洲市场,巴黎店的月营业额平均增长 7%,快速成为当地明星门店;在大洋洲市场,悉尼店于 2014 年 4 月开业;在亚洲市场,中国香港铜锣湾店以品质赢得口碑和市场,一年之内扩张到 3 家门店(旺角店、屯门店),在香港火锅市场中占有重要的一席之地。A 集团以迪拜作为海外征程的起点,10 年间建立了亚洲、大洋洲、北美洲、欧洲四大核心市场的海外布局。同时,还在北美洲设立了一处底料加工厂,亚洲、欧洲底料加工厂已在筹备建设中。

从整体上看,A 集团的国际化发展历程与我国餐饮企业的海外发展历程非常相似,都是从培育品牌知名度到发展海外店铺,再到扩展全球销售网络,使经营体系一步步走向成熟的过程,这一过程具有明显的阶段性特征。根据 Alder 等(2001)对企业国际化经营阶段的划分,也可以将 A 集团的国际化经营过程划分为国内经营、国际经营、多国经营以及全球经营四个阶段(见表 8-2)。在国内经营阶段,A 集团主要采取以打造餐饮品牌连锁集团为中心的品牌推广模式;在国际经营阶段,主要采取以开设海外直营连锁分店为主要布局的契约进入模式;在多国经营阶段,主要采取以成立海外分公司及事业部为出发点的企业扩张模式;在全球经营阶段,主要采取以打造国际火锅产业平台为战略核心的全球布局模式。

表 8-2 A 集团国际化经营四阶段

发展阶段	国内经营	国际经营	多国经营	全球经营
开始标志	2000 年开始成立品牌集团中心	2010 年开设迪拜德拉店	2014 年成立北美管理公司	2015 年提出"一台两翼"全球战略
经营模式	餐饮连锁、品牌推广	直营连锁、契约进入	海外机构、企业扩张	国际火锅产业平台、全球布局
经营特征	经营模式从码头出发开始覆盖全国;成立了综合性企业集团及其分公司,也建立起全球连锁的运营系统	海外门店管理权较为分散,当地分店店长经营管理权大	经营管理标准化、人力资源管理专业化、运营管理数字化、战略发展规划属地化	以企业国际化战略为导向,完善组织架构;建立国际化人才管理系统;强调品牌价值提升;整合全球资源

然而,随着国际化进程的不断深入,面对复杂多变的经营环境,A 集团在国际化道路的探索过程中遇到了不少挑战,其中之一就是以契约进入的模式在海外开设直营分店,这势必会引发国际人力资源管理的问题。

2010 年,由于缺乏海外分店管理经验,A 集团险些因为迪拜当地店长妄图独占店铺的私心而丧失总公司对门店的实际经营权;2014 年,由于缺乏对当地店长的背景调查,加拿大门店面临关键管理岗位空缺的问题,导致人员管理混乱,门店运营受到严重影响。随后,A 集团进行了一系列国际化战略调整,于 2014 年成立国际管理有限公司,形成了一套标准化、专业化和系统化的国际化人力资源管理路径与方法。A 集团以国际管理有限公司为中心,快速拓展亚洲市场,努力改善大洋洲市场,稳步推进北美洲市场,积极发展欧洲市场;建立了欧洲分公司、北美洲分公司和亚洲事业部、大洋洲事业部、北美事业部、欧洲事业部,对不同地区的市场实施区域化管理。同时,A 集团还构建了与之相契合的国际化战略理念,即由集团为全球门店经营与发展提供系统化解决方案,为全球伙伴搭建"开放、便捷、优质"的分享交流平台。自此,"一台两翼"战略开始为 A 集团的国际化贡献更多的力量,致力于将 A 集团打造为国际化大型餐饮管理与服务平台。

资料来源:邓辅玉,蒋晴子.国际化战略下的人力资源管理实践研究:以某餐饮企业为例[J].经营与管理,2021(10):77-84.作者根据该资料进行改编。

8.2 企业国际化内容

8.2.1 商品国际化

商品国际化是指通过商品出口和进口方式实现国际化。它是企业国际化最基本的方式,属于企业国际化的低级阶段。缺乏资金、拥有劳动力优势的发展中国家则利用加工贸易、补偿贸易等方式来实现商品的出口和进口。

8.2.2 技术国际化

技术的特征决定了技术国际化与商品国际化有很大的差别，其中最关键的是在技术国际化过程中，技术的所有权与经营权是分离的，技术所有者或供应方只是在一定的条件下将技术的使用权转让给对方，而保留技术的所有权。技术国际化的对象是无形的技术知识，即知识产权，具体可分为专利、商标及专有技术。在技术国际化的发展过程中，其表现形式逐步呈现出多样化趋势。概括而言，技术国际化主要有许可经营、国际特许经营、交钥匙工程等形式。

8.2.3 资本国际化

资本国际化是指资本的流动越出国界向国际方向扩展的趋势，也就是说，资本在国际范围内行使其职能，把整个国际范围作为自己的活动领域。由于资本有货币资本、生产资本、商品资本三种职能形式，因此，资本国际化实际上就是货币资本国际化、生产资本国际化和商品资本国际化的统称。

● 战略专栏 8-2

数字人民币：跨境理财优势探究

自 2019 年以来，随着数字人民币的试点范围逐步扩大，其在跨境领域的应用也日益受到关注。这一变化背后是出于对数字货币长期发展潜力的积极预期，以及对传统金融体系在跨境交易中面临的诸多挑战的担忧。在当前全球经济形势多变及金融市场不断对外开放的背景下，数字人民币有望凭借独特的优势为跨境理财提供新的解决方案，然而，在数字货币与传统金融体系并行不悖的大环境下，数字人民币在跨境理财中的应用能否实现并发挥优势，是值得探索的问题。

1. 中央银行数字货币与跨境理财通的历史沿革及其发展现状

（1）国内外中央银行数字货币的发展现状。中央银行（以下简称央行）数字货币（CBDC）是由中央银行发行的数字形式现金，代表由中央银行储备金保障的无风险资产，是传统货币的数字化等价物，采用国家的记账单位进行计价，并广泛被认知为"数字现金"，通常存储于数字钱包中，能够直接用作交易和支付。这种新型的货币形态不仅保留了中央银行货币的核心属性，同时引入了数字货币的便捷性和安全性。

在国内，数字人民币以其独特的法定地位、技术创新和便捷性，逐渐成为金融体系的重要组成部分。在坚持双层运营体系、M0 替代策略的基础上，数字人民币在提升货币政策和支付体系效率、降低交易成本、促进金融普惠等方面展现出显著优势。根据央行数据显示，截至 2023 年 6 月末，数字人民币交易额已达 1.8 万亿元，流通的数字人民币已达 165 亿元，数字人民币交易总量达 9.5 亿笔，数字人民币钱包开通数量达 1.2 亿个。以上数据标志着我国数字人民币研发和试点均已取得一定成效，我国成为全球开展法定数字货币研究的先行者。

在国际范围内，各国正积极推动 CBDC 的发展，希望借此提高支付效率、降低交易成本、增强金融包容性与促进金融创新。根据国际清算银行（BIS）2023 年发布的第六次全球 CBDC 调查结果，截至 2022 年 12 月，全球 93% 的中央银行已经参与到 CBDC 项目中，其中超过半数的中央银行已经启动 CBDC 的具体试验或试点阶段，大约 1/4 的中央银行正在进行零售型 CBDC 的试点。根据各国央行的展望，预计到 2030 年将有 15 个国家推行零售型 CBDC，9 个国家推行批发型 CBDC，并使其在市场上流通。

（2）跨境理财通的历史沿革及其发展现状。为深化粤港澳大湾区金融融合并推动人民币国际化进程，《粤港澳大湾区发展规划纲要》于 2019 年提出跨境理财通的概念，并由中国人民银行、香港金融管理局和澳门金融管理局联合公布开展跨境理财通 1.0 试点。该试点旨在为粤港澳大湾区居民提供便捷的跨境投资渠道，同时侧重于建立完善的制度框架；与 2017 年港股通股票交易机制不同，跨境理财通 1.0 更为关注跨境资金流动机制。2024 年，跨境理财通 2.0 细则发布并正式施行，通过优化投资者准入条件、提高个人投资者额度、拓宽试点范围等措施进一步促进了中国内地与中国香港金融市场的融合。

这一举措不仅为中国内地证券公司提供了进入国际市场的新通道，也使其面临更多国际化带来的机遇与挑战：一方面，跨境理财通 2.0 的实施使中国内地证券公司得以开发跨境理财产品，吸引并维护高净值客户，扩展业务范围，提升品牌竞争力；另一方面，在此过程中，中国内地证券公司需要应对信用风险和市场风险，尤其是在中国香港证券公司采用传统券商托管模式的情况下，如证券公司财务稳健性受到威胁或破产，香港证监会设立的投资者赔偿基金无法覆盖跨境理财通 2.0 的投资额度，客户资金安全性可能受到直接影响，中国内地证券公司可能因此承担连带责任。此外，汇率和利率的变动也为中国内地证券公司带来了新的挑战。

尽管如此，跨境理财通 2.0 的推出仍然为中国内地证券公司提供了投资渠道扩容、推动产品创新、客户门槛降低等新优势，从而帮助中国内地证券公司在激烈的国际市场竞争中脱颖而出，推动中国内地证券市场的开放和创新，促进市场的健康稳定发展。

2. 数字人民币与多边央行数字货币桥项目的技术架构及其优势

（1）数字人民币的技术架构及其优势。数字人民币系统采用分布式、平台化设计，综合集中式与分布式架构特点，形成稳态与敏态双模共存、集中式与分布式融合发展的混合技术架构，有助于实现高效的资金流转和交易处理。基于该种技术架构，数字人民币具有以下优势。

1）法定性、稳定性和锚定性。数字人民币由中国人民银行发行，具有法偿性和价值等价性，与实体人民币法律效力相同，用户可无条件使用；其稳定性基于国家信用背书，展现了低波动性和稳定币值；锚定性体现在与传统人民币 1∶1 的兑换比率上，确保价值稳定性与传统货币一致，强化其稳定性和可靠性。

2）全生命周期管理。数字人民币的发行与管理采用中心化管理和双层运营模式，其中中国人民银行在运营体系中扮演核心角色，负责向商业银行等指定运营机构发行数字人民币，并进行全生命周期管理；在信息安全管理方面，数字人民币设计遵循规范，实现不可重复花费、非法复制防护、交易不可篡改等特性；认证中心集中管理身份信息，支持可控匿名；登记中心记录数字货币及用户身份，完成权属登记，实现全生命周期登记。

3）安全性和可控性。数字人民币的发行和流通被集中于央行，保证了安全性和可控性。此外，数字人民币综合使用数字证书体系、数字签名、安全加密存储等技术，初步建成多层次安全防护体系，保障其运营系统的安全性。

4）普惠性、隐私性和合规性。在普惠性方面，数字人民币通过与银行账户松耦合、"支付即结算"、低成本等优势降低金融服务门槛；在隐私性方面，数字人民币遵循"小额匿名、大额可溯"原则，保护个人隐私；在合规性方面，数字人民币符合反洗钱等法规，央行也通过研究制定相关管理办法、建立健全数字人民币运营系统全流程安全管理体系等措施来完善数字人民币相关制度。

5）降低交易成本、提高效率。数字人民币主要定位于M0[流通中现金（货币）中国人民银行历年货币发行总量]，边际成本低，消费者增长不会线性提升发行流通成本，也不影响服务质量；发行数字人民币能节约生产和流通成本，有助于贯彻执行党中央、国务院减税降费的政策部署，减轻实体负担，优化营商环境，激发市场活力；"支付即结算"功能保证实时结算，免手续费，降低支付成本。

（2）多边央行数字货币桥项目的技术架构及其优势。多边央行数字货币桥项目（multi-CBDC bridge，以下简称"货币桥"项目）是基于分布式账本技术（DLT）构建的一个创新解决方案，旨在构建一个可供多个央行共同发行和交换中央银行数字货币的平台，实现支付、外汇、资本管理、反洗钱、反恐融资等功能模块的灵活组合；这种设计可以满足不同国家和地区间司法辖区的需求，同时显著提升系统的适应性和互操作性。该项目的优势在于其高效、低成本、实时和可扩展的跨境支付能力，以及去中心化治理结构和模块化设计所带来的一系列附加价值。这些优势不仅提升了跨境支付的效率和安全性，也为全球金融基础设施的创新和发展提供了重要支持。

在技术实施层面，"货币桥"项目利用DLT确保交易数据的透明度和安全性。智能合约的应用提高了系统的效率和处理速度，同时保证了数据的机密性和完整性。在隐私保护方面，项目采取了身份验证、交易金额控制及加密调用DC合约等措施，保护用户隐私，符合监管要求。

在成本效益方面，"货币桥"项目通过部署基于DLT的通用平台实现了交易记录和验证的去中心化，提高了数据的透明度和安全性，增强了数据隐私保护能力和治理能力。此架构减少了对代理行的依赖，确保平台治理结构与国际标准一致，降低了合规成本，提升了多国间业务治理和监管的灵活性。该架构支持各国央行进行数字货币与存托凭证的兑换，借助智能合约制定交易规则和监管政策，将跨境支付时间缩短至2～10s，并实现点对点交易，显著降低了跨境转账成本。

与此同时，"货币桥"项目还致力于探索和实施模块化架构，采用了类似乐高积木的模块化设计。与传统的"烟囱式架构"相比，该设计使各个模块能够交互和协作，在显著降低合规和监管成本的同时增强系统的灵活性和可扩展性。

"货币桥"项目不仅展示了DLT在数字货币领域的应用潜力，也为金融系统的数字化升级提供了技术支持。该项目促进了不同央行的合作，有助于推动全球金融体系的数字化转型，构建更加公平、稳定、高效的国际货币体系；此外，"货币桥"项目的设计重点在于提升网络的韧性、可扩展性和隐私保护能力，使其能更好地适应不同国家和地区的特定需求，同时保持高效运行和高度灵活性。

资料来源：摘编自方程，刘素景，唐雨馨.探究数字人民币：跨境理财新纪元的优势与前瞻[EB/OL]. [2024-11-18]. https://m.jxnews.com.cn/jxcomment/system/2024/11/04/020686646.shtml.

8.2.4 品牌国际化

品牌国际化是使国内品牌成为国际品牌，即在国际市场上有较大影响力的品牌化过程，是企业的品牌推向国际市场并期望得到广泛认可和获得特定利益的过程。随着竞争的深入，品牌竞争的重要性在当今企业的国际竞争中日益凸显，从某种意义上说，企业之间的竞争就是品牌的竞争，是培育品牌、保护品牌、发展品牌的竞争。众多世界级的企业均已打造出各自的世界级品牌，而企业品牌的国际化与企业的全球发展战略密切相关。从世界著名品牌的发展过程来看，它们往往在国内竞争趋于激烈而无法获得持续发展时转向国外，开拓国际市场，寻求新的发展空间。在国际市场中遇到新的竞争对手，接触新的消费者，开始有意识地注意到自己的品牌形象，并且开展了品牌国际化的研究。如从20世纪70年代开始，随着日本国内市场竞争的加剧，日本企业不断向国外发展，其品牌也不断渗透到欧美发达国家，其后发展到世界各地。由于日本企业不懈地努力，一大批日本品牌出现在世界各地，消费者逐步认识并接受了日本的品牌，汽车行业、电子行业以及家电行业的品牌如丰田、本田、索尼、松下、东芝等已经成为家喻户晓的全球品牌。

8.2.5 融资国际化

融资国际化是指在国际金融市场上，运用各种金融手段，通过各种相应的机构而进行的资金或实物融通，即当融资者与借款者中有一方在国外，或即使双方都在同一国境内，但融资关系中所指的钱物所有权在国外，受外国法律管辖或者依照国际惯例进行交易，都属于国际融资业务。实现融资国际化对于企业从国内市场走向国际市场有着非常重要的作用，它有利于解决企业在资金不足的情况下加速国际化进程的难题。它的主要方式有企业海外上市、国际租赁、项目融资等。

8.3 企业国际化战略

国际化战略是指企业充分利用在本国国内和其他国家拥有的竞争优势，弥补自身的劣势，在两国、多国甚至全球范围内从事经营活动，追求最大限度的国际比较利益的战略行为。企业在国际化经营过程中的不同的发展阶段将面临两种不同的国际化思维，这两种不同的国际化思维取决于对当地市场需求的响应能力及对全球资源整合的能力。所谓对当地市场需求的响应能力是指经营者要让他们的产品适应所在国当地市场的要求。这就要求他们为了适应顾客的兴趣和偏好，在不同的国家要根据当地需求情况的不同对产品功能、价格制定、分销渠道、人力资源运作和政府管理机构的差异做出及时响应，必须进行变革。但是，针对当地市场制定差异化产品和服务战略又可能涉及额外的费用，企业的成本将趋于上升。对全球资源整合的能力会使企业考虑把制造业定位于劳动成本低的地区，并开发在多个国家通用的高度标准化产品，从而进一步降低产品成本，提高国际竞争力。

通常企业在国际市场上基于对这两种能力的态度一般可采取四种公司层国际化战略，即国际战略、多国本土战略、全球战略、跨国战略，如图 8-1 所示。实施多国本土战略的企业可以通过提高对当地市场需求的响应能力而取得差异化收益，实施全球战略的企业可以通过提高对全球资源整合的能力而取得低成本收益，跨国战略则试图通过整合全球战略和多国本土战略同时取得差异化和低成本两个方面的收益。

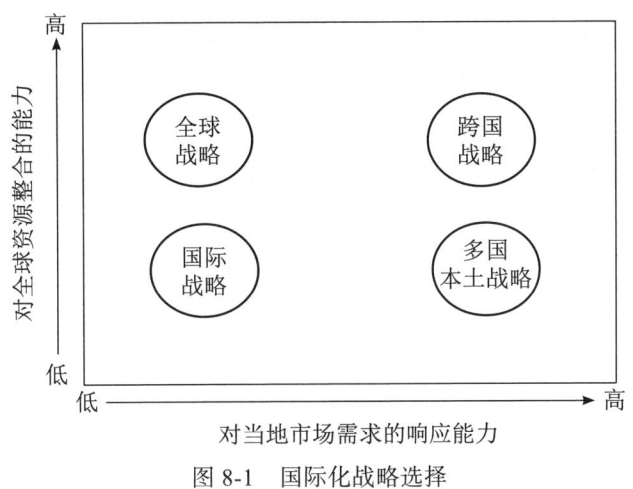

图 8-1 国际化战略选择

8.3.1 国际战略

国际战略是指对当地市场需求的响应能力和对全球资源整合的能力都较低时，企业将其有价值的技能和产品推向外国市场以创造价值。随着企业出口规模的不断扩大，企业中的"国际部"的地位不断提升，该部门直接由企业高层管理者指挥运营。采用这种战略的企业，目的是在世界范围内通过充分利用母公司的创新能力和开发出的技术获取更多的利润。在这种情况下，这些企业主要把产品开发功能放在本国进行，虽然有时它们也倾向于在有业务的主要国家设立生产和营销机构，也根据当地的条件制定产品和营销战略，但这种行为的规模是有限的，国际企业的总部最终保持着对产品和营销战略的控制能力。在 20 世纪五六十年代向海外扩张的大多数美国企业都属于此类。

1. 国际战略的利益

采用国际战略有利于母公司的技术扩散和技术转移，延长产品的生命周期，扩大产品的市场份额，从而进一步降低产品成本。母公司具有雄厚的创新技术实力是运用这种战略的前提条件。

2. 国际战略的风险

当满足东道国个性化市场需求压力较大,或者由于生产设施在多个国家的重复建设,增加了经营成本,无法形成规模经济效益时,成本就会升高。

当企业的核心竞争力在国外市场上拥有竞争优势,而且东道国顾客个性化需求较低,成本压力不大时,采取国际战略较合适。

8.3.2 多国本土战略

多国本土战略就是指企业把侧重点放在各东道国的需求差异上,注重当地顾客的特殊需求和爱好,能够对每个市场的需求特性做出最准确的反应。此战略通常以扩大东道国本土市场份额为目标。其核心内容是确定各东道国市场的需求特征,了解生产什么样的产品才能满足东道国市场的需求,怎样从组织结构、决策机制、人力资源、经营方式等方面提高子公司对东道国经营环境的适应能力。与采用国际战略相比,实施多国本土战略的企业也倾向于把在本国所开发的技能和产品向海外市场转移。然而,与国际战略不同的是,多国本土战略注重广泛地调整企业的产品和营销战略,使其能适应各国不同的需求。欧洲跨国公司使用多国本土战略最多,因为欧洲国家的文化和市场都各不相同,如飞利浦、雀巢、联合利华等。

1. 多国本土战略的利益

(1) **对子公司分权管理,对当地市场需求的响应能力强**。采用多国本土战略的企业对国外企业实行分权管理,子企业自主性强,有权调整产品和快速应对需求变化,因而具有对当地市场需求的响应能力强的特点,能够满足不同市场的差异性需求,提高子企业经营的灵活性、适应性和开拓力。

(2) **容易发现市场空白点和商机**。根据多国本土战略的特性,企业必然时刻密切关注影响目标市场需求的相关因素,语言、文化、收入水平、顾客偏好和分销体系方面的差异只是企业必须考虑的众多因素中的一小部分。企业一旦掌握了既定市场需求因素变化的动向,就容易发现未能得到满足或未被充分满足的市场空白点。

2. 多国本土战略的风险

(1) **规模经济效益较弱,成本较高**。与规模经济的低成本相反,强调产品和服务的本土化适应性,无疑增加了企业的经营成本,从而会削弱企业产品在本土的竞争优势,失去一部分对价格敏感的顾客。企业在多个国家从事商业活动,资源分散在多个国家,跨国传递经验和知识的困难加大,多国本土战略无法开发和利用经验曲线效应,经营成本上升。

(2) **核心技能有可能丢失**。有些多国化公司有可能发展成为较为独立的各国子公司组成的松散的联盟,从而脱离母公司的管理和控制,日后母公司有可能丧失把核心技能和产品向全球各子公司转移的能力。

这种战略适用于满足当地市场不同需求的压力较大,而降低成本的压力较小的行业。

● 战略专栏 8-3

肯德基在中国的本土化经营策略

肯德基作为全球知名的快餐品牌，自1987年进入中国市场以来，凭借独特的本土化经营策略，成功赢得了中国消费者的广泛喜爱，成为快餐行业的佼佼者。深入探讨肯德基在中国的本土化经营策略，分析其成功背后的原因，将对其他跨国企业有很好的启示作用。

1. 产品本土化策略

肯德基的产品本土化策略是其成功的关键之一。针对中国消费者的口味偏好，肯德基不断推出符合中国人饮食习惯的新产品。例如，为了满足中国人早晨喝粥的习惯，肯德基推出了海鲜蛋花粥、香菇鸡肉粥等花式早餐粥；针对中国人喜欢辣的特点，推出了川辣双层鸡腿堡、小龙虾塔可等辣味产品。此外，肯德基还结合中国传统节日，推出具有中国特色的节日限定产品，如春节期间的"团圆桶"、中秋节期间的"月饼汉堡"等，这些产品不仅满足了消费者的味蕾，更营造了浓厚的中国文化氛围。

在产品创新方面，肯德基同样不遗余力。随着健康饮食观念的普及，肯德基推出了新奥尔良烤翅等烤制产品，减少了油炸食品的脂肪含量，满足了消费者对健康饮食的需求。同时，肯德基还不断尝试跨界合作，与各大品牌联合推出限定产品，如与百事可乐联名推出的"可乐味圣代"等，这些创新产品不仅丰富了肯德基的产品线，更提升了品牌的知名度和影响力。

2. 供应商本土化策略

肯德基的供应商本土化策略同样值得称道。为了降低生产成本，提高供应链效率，肯德基积极寻找和培养本土供应商。目前，肯德基90%的鸡肉原料采自中国，这不仅降低了运输成本，缩短了供应链周期，还提高了原料的新鲜度和质量。同时，肯德基还鼓励国外供应商在中国投资建厂，进一步促进了供应链的本土化。

在供应商管理方面，肯德基建立了严格的品控体系和绩效考核机制，以确保供应商提供的原料符合肯德基的高标准要求。此外，肯德基还定期对供应商进行技术培训和质量检查，帮助供应商提升生产能力和管理水平，实现了与供应商的共赢发展。

3. 员工本土化策略

肯德基的员工本土化策略也是其成功的重要因素之一。从第一家餐厅到现在数千家餐厅，肯德基实现了员工99.9%的本地化。为了提升员工的专业技能和综合素质，肯德基投入大量资金和资源对员工进行全方位、多层次的培训。肯德基还建有专业的训练基地和营运训练部，每年为来自全国各地的上万名员工提供上千次的培训课程，确保员工能够胜任各项工作任务。

在员工激励方面，肯德基建立了完善的薪酬体系和晋升机制，为员工提供了广阔的发展空间和晋升机会。同时，肯德基还注重企业文化建设，通过组织各种员工活动和文化交流，增强员工的归属感和凝聚力，营造积极向上的工作氛围。

4. 广告本土化策略

肯德基的广告本土化策略同样独具匠心。针对不同节日和庆典，肯德基推出了一系列具有中国特色的推广促销活动。例如，春节期间推出的"团圆桶"促销活动、中秋节期间推出的"月饼汉堡"活动等，不仅吸引了消费者的关注，更传递了浓厚的中国文化氛围。

此外，肯德基还积极赞助中国体育赛事，与中国篮协合作举办"肯德基全国青少年三人篮球冠军挑战赛"等赛事活动，提升了品牌的知名度和影响力。同时，肯德基还积极参与公益活动，如与中国扶贫基金会合作发起的"捐一元·献爱心·送营养"公益项目等，这些活动不仅展现了肯德基的社会责任感，更赢得了消费者的广泛赞誉。

5. 本土化经营策略的成功启示

肯德基在中国的本土化经营策略为我们提供了宝贵的启示。首先，跨国企业在进入新市场时，应充分了解当地的文化和消费习惯，制定符合当地市场需求的本土化策略。其次，企业应注重与本土供应商的合作，建立稳定的供应链体系。同时，企业还应加强员工培训和管理，提升员工的专业技能和综合素质。最后，企业应积极参与社会公益活动，展现企业的社会责任感，树立良好的品牌形象。

资料来源：根据有关资料进行改编。

8.3.3 全球战略

与多国本土战略不同，全球战略假设全球市场是相同的，忽视了国家间的差异。跨国公司向全世界市场推销标准化的产品和服务，由此获得规模经济效益并形成经验曲线效应，以赢得高额利润。全球战略要求集中管理、总部控制和集权，以提高全球效率，从而提高全球市场占有率。其核心内容是确定什么样的产品是全球产品，把它们的生产、营销和研究开发活动集中在少数几个最有利的地点进行，有效协调和控制全球范围内的经营活动，通过在更大程度上实现经验曲线效应和规模经济效益而降低成本，增加盈利。很多日本公司相当成功地采用了这种战略。

1. 全球战略的利益

（1）规模经济效应。如果生产的是面对全球市场的标准化产品，那么跨国公司在产品开发、生产和销售方面就拥有较大的规模经济效益，这是国内公司所无法拥有的效率优势。如果采用全球战略，资源和能力都集中在公司的中心，权力高度集中，公司主要通过在所有价值链活动中利用潜在的规模经济来获取效率。大规模的标准化产品的生产产生了规模经济效益，无疑也降低了成本。当存在强大的降低成本的压力和相对较弱的适应当地市场的压力时，全球战略是最可取的。

（2）全球一体化的消费者偏好标准。哈佛商学院的西奥多·莱维特认为，随着世界偏好结构的不断趋同，不同地方的产品已越来越相像了。这种趋势不仅在制药、飞机和计算机等技术密集型行业体现得比较明显，而且在可口可乐和麦当劳等品牌消费品行业也有充分的体现。它能使企业在全球创造出标准化质量。无论在全球什么地方开展商业活动，实施全球化的企业都希望提供同样的高水平服务和质量，以及同样的授权政策。实施全球化的企业在任何地方都只有一个品牌、一种形象、一种企业文化和一种广告，培育了大批全球消费偏好标准趋于一致的消费者，扩大了销售范围，提升了自身的地位。

2. 全球战略的风险

（1）**忽视本地市场的发展机遇，适应当地市场反应迟钝**。标准化能够带来低成本，但缺乏本地适应性，公司在不同国家的子公司只有很少的资源去适应当地市场状况。无论如何，由于创新高度集中在公司高层，通常缺少对本国之外变化的市场需求和生产要求的理解，所以这一策略适应当地市场反应迟钝。

（2）**增加了总公司集权管理的难度，降低了子公司主动学习创新的积极性**。企业只有通过在一个或几个地区把对规模敏感的资源和活动集中起来，才能实现规模经济。然而，这种集中是一把双刃剑。任何活动在地理上的集中都可能使其自身与目标市场隔绝。这种隔绝具有风险性，因为它可能阻碍生产设备对市场条件和需求的变化做出快速反应。各国子公司的自主权降低，扼杀了各国子公司开发新产品的能力和主动学习创新的积极性。

8.3.4　跨国战略

跨国战略力求创造一个能够整合全球化效率和本地需求配置的方式和管理模式，试图取得全球战略的效率和多国本土战略反应敏捷的统一，但要达到这一目标并非易事。在现实中一方面需要全球紧密合作，另一方面需要本土化的响应，由于两方面目标的冲突，跨国战略的实施是很困难的，但如果有效地实施了跨国战略，其产出将比单纯的多国本土战略和国际战略效果要好。实施跨国战略时，总部需要决定企业的价值创造活动（包括相关的资源和能力）如何在全球范围内实现最优配置；企业应该在哪些价值创造活动上集权以保证获得全球效率的最大化，在哪些价值创造活动上分权以获得地方响应的最大化；采取什么样的组织结构、管理机制和企业文化去支撑这种矩阵结构的有效运行。

20世纪90年代中期前，福特使用多国本土战略在北美洲和欧洲两地分别运作。曾任福特首席执行官的亚历克斯·特罗特曼在20世纪90年代中期开始实施全球战略。为了实施这一战略，福特试图制造为它所称的环球汽车，也就是蒙迪欧（Mondeo）。不幸的是，汽车和战略都失败了。当时新的首席执行官司雅克·纳瑟试图把福特的战略改为跨国战略，而且为了能敏捷地抓住传统的汽车制造业务以外的机遇，纳瑟改造了福特的管理。应用跨国战略，福特保持设计和其他一些差别以分别吸引品牌目标市场的顾客。福特努力面向顾客，对全球不同市场做出最快的反应。超越国际化需要管理者进行全球化考虑、本土化行动。

1. 跨国战略的利益

（1）**既体现规模经济又适应当地市场**。实行跨国战略，既要努力保持低成本，又要以不同的产品和营销满足不同市场的需求。在决定是否集中化或分散化价值链中的活动时，有一个一般性的方法：为了适应当地市场条件，像市场营销、销售和服务等处于价值链终端的主要活动需要更多分散化；像物流和生产作业等处于价值链前端、远离顾客的主要活动趋于集中化，这是因为这些活动很少需要适应当地市场，企业能够从规模经济中获益。另外，为了提高规模经济的潜力，信息系统和采购等众多支持活动趋于集中化。

（2）独特经营能力及其双向流动。 克里斯托弗·巴特利特和萨曼托·戈夏尔认为，在当今环境中，国际市场的竞争很激烈，以至于企业若想生存下去，就必须发掘以经验为基础的成本经济和区位经济，它们必须在其内部转让与众不同的能力；与此同时，企业还必须时刻注意地域差别。这两位学者还注意到，在现代跨国企业中，独特的能力并不仅仅存在于母国企业，这些能力可以在它们全球范围内的任何一个业务地点形成。因此，企业的经营才能和产品的流动不应该是单向的，也就是仅仅从母国企业流向国外子公司，就像国际性企业所做的那样。相反，经营才能和产品应该能从国外子公司流向本国，并且从一个国外子公司流向另外一个国外子公司。

2. 跨国战略的风险

在现实中，由于追求全球资源整合效率和敏捷响应当地市场需求这两个目标相互冲突，跨国战略很难实施，这对企业高层管理者的管理布控能力提出了空前的挑战，要求企业必须具备高水平的管理能力来使这些分散而专业化的资源结为整体。同时，虽然知识传递可能成为竞争优势的一个重要源泉，但它不会自发地形成。企业必须创造出一些机制，才有可能系统地揭示知识的传递。

8.4 国际市场进入方式

国际市场进入方式是企业对其产品、技术工艺、管理以及其他资源进入国外市场的一种整体长远规划和途径安排。从有国际化想法开始，企业就应该不断考虑如何进入国外市场，需要认真思考如何将自身的资源和技能从一国转移到另一国，如何对这些转移资源进行管理，进入深度、风险性、控制程度如何等，这些属于国际市场进入方式的选择问题。选择正确的国际市场进入方式是企业国际化进程中最重要的决策之一。一般企业进入国际市场的方式主要有贸易进入方式、契约进入方式和投资进入方式。不同的方式所需要的资源投入不同，进入深度、控制程度以及盈利性、灵活性和风险性都不同。

8.4.1 贸易进入方式

贸易进入方式就是指向目标国家或地区出口商品从而进入该市场。它是跨国经营的企业国际化进程中进入国际市场深度最小、风险最低的一种方式。尤其是在进入那些高度不确定性市场的时候，它被认为是企业最理想的初级国际化进入方式。这种方式可进一步分为间接出口和直接出口两种形式。该方式的主要优势在于初始投入少，经营风险较小，产品集中在国内生产，可以实现规模经济效益，主要劣势在于有形产品出口到目标国会受到贸易壁垒和非贸易壁垒的限制，对客户需求的反应不够灵敏，并且对产品在国外市场的市场营销和分销渠道控制较少。

1. 间接出口

间接出口是指企业通过国内出口商或委托出口代理商来从事产品的出口。在此种方式下，企业可以利用中间商现有的出口销售渠道，不必自己处理出口的单证、保险和运输等业务。初次出口的中小企业比较适合运用间接出口的方式。间接出口的主要渠道包括以下四种。

（1）**专业外贸公司**。生产企业可以将产品出售或委托代理给专业外贸公司，由其自行出口销售。由于专业外贸公司拥有广泛的海外渠道网络、一定的政策优惠等优势，曾一度是中国企业出口的主力军。但是，随着中国改革开放的深入，越来越多的生产企业获得了出口自主权以及外资企业介入，它们主力军的地位正在被动摇。

（2）**国内出口代理人**。企业委托代理人寻找国外买主，代表国外买主订货、运货和支付货款，代理人收取一定的佣金，但不拥有产品所有权，由生产企业承担全部风险；但其熟悉的市场有限，往往只代理几种产品，很少能驾驭生产企业在全球市场的出口业务。

（3）**合作出口**。一家生产企业可能会为了发挥规模效益，可能会因为产品的互补性而利用自己的出口力量和海外渠道为另一家生产企业出口产品。两者之间的关系可以是买卖关系，也可以是代理委托关系。目前，中国大型公司或公司集团以及中外合资公司中已有相当一部分获得了外贸自主经营权，中小型公司可借助这些公司的力量将本公司产品打入国际市场。

（4）**外国公司驻本国的机构**。这主要是指外国的大型批发商、零售商、原材料采购商和国际贸易商在东道国设立的采购处，它们主动寻求合适的商品销往本国或其他国家。

间接出口的优点是初始投资少，公司不必向国外派遣销售人员或建立销售网络，风险小。间接出口的缺点是生产企业不能迅速、准确地掌握国际市场信息；不能获得国际市场的直接经营经验，无法控制商品销售渠道和价格；需要向中间商支付较高的手续费，对中间商的依赖性强，难以建立企业自己在国际市场上的声誉。该方式比较适合商品出口量不大且缺乏出口业务能力和经验的公司。

2. 直接出口

直接出口是指企业不通过国内中间机构，直接将产品销往国外客户。与间接出口相比，直接出口投资额较大、风险较高，但潜在的报酬也较多。直接出口主要有以下四种形式。

（1）**国外经销商和代理商**。这种形式是指生产企业将商品直接销售或委托代理给国外中间商。国外经销商对生产企业的产品拥有所有权，并将其转销给其他中间商或终端客户；国外代理商对出口公司的产品没有所有权，主要任务是将货物销售给其他中间商或终端客户，它们的报酬通常以佣金的方式支付。

（2）**设立国内出口部**。国内出口部是国内生产企业销售部门的分支机构，负责企业所有有关出口的业务，甚至还可能成为专营进出口业务的分公司或销售子公司。

（3）**建立海外办事处**。海外办事处直接负责本公司产品的销售，并兼有收集市场信息、提供维修服务等职能。海外办事处一般都设在市场潜力较大并打算在该地区深入进行国际化经营的国家和地区。

（4）**建立国外营销子公司**。国外营销子公司的职能与海外办事处相似，所不同的是，国外营销子公司是作为一个独立的当地公司建立的，而且在法律、赋税和财务上都有独立性，这说明企业已更深入地介入国际营销活动。

直接出口有利于企业摆脱对中间商的依赖，直接了解消费者各种需求变动的情况，从而能及时掌握国际市场环境的突变情况，并做出迅速、适当的反应。另外，还可以培养自己的国际商务人才，积累国际市场营销的经验，提高产品在国际市场上的知名度，有利于在消费者心目中建立一定的品牌忠诚度，但是直接出口需要增设专门的海外销售机构和人员，直接承担信息和销售渠道网络拓展费用，从而加重了企业资金周转的负担和独立开拓海外市场的经营风险。

8.4.2 契约进入方式

契约进入方式是指国际化企业与目标国家的法人单位之间通过订立长期的、非投资性的无形资产转让合作合同，对在海外生产和销售的产品收取一定的许可费，目标国家的法人单位（被许可方）需要承担经营风险并投资设备生产、销售的一种国际化方式。通常许可转让的内容包括各种工业产权（如专利、商标、技术管理诀窍、工艺技能、营销技能等）和版权。主要的契约进入方式有以下五种。

1. 许可证贸易

许可证贸易（licensing trade）是指知识产权所有者（licensor，许可方）通过签订许可协议，授权被许可方（licensee）在约定条件下使用其专利、商标、技术、版权等无形资产，并收取一定费用（如特许权使用费）的贸易形式。

根据授权标的物、授权权限和授权范围不同，许可证贸易可分为以下几类。

（1）**按授权标的物分类**。
1）专利许可：授权使用专利技术（如发明专利、实用新型）。
2）商标许可：允许被许可方使用品牌商标（如可口可乐授权灌装厂使用商标）。
3）专有技术许可：转让未公开的技术秘密（如配方、工艺流程）。
4）版权许可：授权使用文学、软件、影视作品等（如微软 Windows 授权）。

（2）**按授权权限分类**。
1）独占许可：被许可方在约定区域/期限内独家使用，连许可方也不能使用。例如某药企独占某抗癌药专利在亚洲的生产权。
2）排他许可：许可方和被许可方均可使用，但第三方被排除。
3）普通许可：许可方可授权多方使用，是最常见的（如手机厂商授权多国代工厂）。
4）分许可：被许可方可二次授权第三方（需要原许可方同意）。

5）交叉许可：双方互相授权技术（常见于企业专利互换，如华为与高通）。

（3）按授权范围分类。

1）地域性许可：限定使用地区（如仅限欧洲市场）。

2）时间性许可：设定授权期限（如 5 年）。

3）领域性许可：限制应用领域（如某技术仅限医疗行业）。

许可证贸易进入的主要优点：一是许可方可快速获利，降低市场开拓风险；二是被许可方获得技术/品牌，减少研发成本。

许可证贸易进入的主要缺点：一是许可方可能培养竞争对手；二是被许可方依赖他人技术，可能受条款限制。

2. 特许经营

特许经营是指由特许授予人准许被授予人使用其公司名称、注册商标、经营管理制度和推销方法等从事经营活动的方式。特许授予人对被授予人给予有效协助并进行监督与控制，被授予人向特许授予人支付一定的费用。特许经营与许可贸易有类似之处，但在动机、提供的服务和有效期限等方面都是不同的。在特许经营中，特许授予人除了转让公司商号、注册商标和技术外，还要在组织、市场和管理等方面帮助被授予人，以使专营继续下去。特许经营的优点是特许授予人不需要投入太多的资源就能快速地进入国外市场，而且对被授予人的经营拥有一定的控制权。特许经营的缺点是很难保证被授予人按照特许合同的规定来提供产品和服务，不利于特许授予人在不同市场上保持一致的品质形象。

3. 管理合同

管理合同是指具有管理优势的国际企业经由合同安排委派其他管理人员到另一国的某个企业承担经营管理任务，并收取一定的管理费。管理合同实际上是一种国际性的管理技术贸易。比如，企业为国外的旅馆、飞机场、医院或其他组织提供管理服务，并收取管理费。这种合同上的管理权，可以用于管理某个企业的全部经营活动，也可以只是管理该企业的某一部分活动或某项职能，如生产或营销。无论管理范围是大是小，承担责任的国际企业都不能享有所有权，它得到的只是合同所规定的管理费，而管理费可以是固定数额，也可以根据销售分摊，还可以在固定数额之外再加上分红。管理合同的优点是经营风险小，有利于扩大企业在当地市场的影响力，同时有利于企业了解当地市场需求情况。管理合同的缺点是与接受管理服务方是同类企业，有可能将对方培养成自己的竞争对手。

4. 交钥匙工程

交钥匙工程是指企业承包建设工程，工程全部完工后由企业进行一段时间的运营，待运营稳定后，即移交给东道国。它可以与管理合同相结合，即在将工程移交给东道国后，继续派人员管理和培训有关人员。交钥匙工程的优点在于它所签订的合同往往是大型的长期项目，利润丰厚。但正是由于其长期性，这类项目的不确定性因素增加，如遭遇政治风险等。

5. 合同生产

合同生产又称贴牌生产，即企业与东道国或地区的企业订立供应合同，要求后者按合同规定的技术要求、质量、时间生产本企业所需要的产品，交由本企业并用本企业的品牌销售。此做法等于租赁了当地企业的生产能力，可以迅速进入目标市场，但企业赚到的只是销售利润，无法掌握核心技术，只是充当了一个生产车间而已。

8.4.3 投资进入方式

投资进入方式是指企业将资本连同本企业的管理、销售、财务转移到东道国或地区，建立受本企业控制的分公司或子公司，有独资经营、合资经营、国际战略联盟三种形式。

1. 独资经营

独资经营是指企业独自到目标国家投资建厂，进行产销活动。企业拥有完全的管理权与控制权，独立经营、独享利益、独担风险。独资经营的主要优点是：企业可以完全控制整个管理与销售，经营利益完全归其支配；可以根据当地市场特点选择相应的战略和策略；可以同当地中间商发生直接联系，争取它们的支持与合作；可以降低在东道国的产品成本，降低产品价格，增加利润。独资经营的主要缺点是：投入资金多，可能遇到较大的政治与经济风险，如货币贬值、外汇管制等。

2. 合资经营

合资经营是指企业和目标国家的投资商共同投资，在当地兴办合资公司，双方都对该公司拥有所有权和经营权，即共同投资、共同管理、共担风险和共享利益。这个合资公司的创立方式可以是国际化经营公司购买当地公司的股份，或当地公司购买国际化经营公司在目标国家的分公司的股份，也可以是双方合资创办。合资经营的优点是通过合资可以进入更多经营领域和市场，以符合当地市场准入政策，因为有些国家规定国外公司只有同本国公司合资才能进入其市场。合资经营的缺点是如果国际化经营公司将自己的独有技术和管理技能投入合资公司，很容易被合资伙伴掌握，合资伙伴有可能发展成为自己未来强有力的竞争对手。

3. 国际战略联盟

国际战略联盟是指两个或两个以上国际竞争企业之间，为了某一共同的特定目标，在保持自己法人地位的前提下将各自的一部分资源、能力和核心专长进行某种形式的整合所形成的合作协议。国际战略联盟是弥补劣势、提升彼此竞争优势的重要方法，可以迅速开拓新市场，获得新技术，提高生产率，降低营销成本，谋求战略性竞争策略，寻求额外的资金来源。

当今国际战略联盟已从制造业拓展到服务业；从传统产业发展到高新技术产业。诸如戴姆勒－奔驰汽车公司同美国克莱斯勒汽车公司组成的越洋公司；柯达与佳能结盟，由佳能制造复印机，而以柯达的品牌销售的联盟；摩托罗拉与东芝达成协议，利用双方的专有技术制造微处理器；美国国民银行公司与美洲银行公司合并成为美国最大的商业银行；英特尔公司与微软公司结成了战略联盟等。总之，未来国际市场的竞争不再是企业与企业之间的竞争，而是战略联盟之间的竞争。国际战略联盟与合营企业的不同之处就在于它偏重"战略"，即它并不以追求短期利润最大化为首要目的，也不是一种为摆脱企业目前困境的权宜之计，而是与企业长期计划相一致的战略活动。

（1）**技术开发联盟**。这种联盟的具体形式有多种，如在大企业与中小企业之间形成的技术商业化协议，即由大企业提供资金与市场营销力量等，由中小企业提供新产品研制计划，合作进行技术与新产品开发。又如合作研究小组，即各方将研究与开发的力量集中起来，在形成规模经济的同时也加速了研究开发的进程。与此类似的还有联合制造工程协议，即由一方设计产品，另一方设计工艺。

（2）**合作生产联盟**。合作生产联盟由各方集资购买设备以共同从事某项目的生产。这种联盟可以使联盟各方享受到生产能力利用率高的益处，即联盟各方既可以优化各自的生产量，又可以根据供需的不同对比状况及时迅速地调整生产量。

（3）**市场营销与服务联盟**。合作各方共同拟订适合合作者所在国或某地区的特定国家的市场营销计划，从而使其能在取得当地政府协助的有利条件下，比其他潜在竞争对手更积极、更迅速地占领市场；合作各方也可经由这种联盟形成新市场。

（4）**多层次合作联盟**。这种联盟实际上是上述各种联盟形式的组合，即由联盟各方在若干领域内开展合作业务。企业加入这种联盟可采取渐进方式，从一项业务交流发展到多项业务合作。

（5）**单边与多边联盟**。它是按所处地域以及合作网络的形式而区分的战略联盟。如市场营销与服务联盟大多为单边联盟，即两国、两企业的联合，因为市场营销协议总是针对某个特定国家的消费市场。

8.5 影响国际化进入方式的因素

国际化受到多种因素的综合影响。这些因素大体上可以分为内部因素和外部因素两种。

8.5.1 内部因素

1. 技术水平

一般来说，国际化企业研究与开发的支出越大，就越倾向于采用控制性强的进入方式，即选择成立独资子公司，但是对于正处于迅速发展变化过程中的技术，为了迅速地抓住时机并取得收益，有些国际化企业也比较喜欢采用许可证交易的方式。对于一次性的小项目技术专利，国际化企业也多采用许可证交易的方式，以避免直接花费更多的固定成本。但是，如果跨国公司在东道国已经有了子公司，而且母公司的新技术属于该子公司的主要业务范围时，那么即使是一次性的小项目也会在母公司同子公司之间发生内部转让，在这种情况下，许可证交易一般不会发生。

2. 产品因素

按照弗农的产品生命周期理论，企业对最新产品采取以出口为主、对外直接投资为辅的政策，随着产品的成熟，逐渐转向采取以对外直接投资或许可证交易为主、出口为辅的政策。如果企业生产的产品价值高、技术复杂，则以出口方式为宜，因为高价值的产品在国外市场上可能需求不足，同时还可能由于当地技术基础无法达标和配套而难以在当地生产。如果企业生产的产品属于低值易耗品，如日用化工产品、食品和饮料等，则可以在许多国家建厂生产。另外，如果使用企业所生产产品的用户对售后服务要求较高，则一般以契约方式或投资方式为宜，以保证让用户满意。

3. 品牌与商誉

具有很高知名度品牌的跨国公司常常选择控制程度较大的进入方式，因为当地合伙者很可能会损害跨国公司品牌的声誉。当通过产品设计、式样、质量和名称的标准化来提高商誉成为企业战略的一部分时，进入者就要求拥有更大的所有权。

4. 企业的国际经营经验与资源投入因素

在国际经营中富有经验的资源实力强、国际化投入大的公司倾向于采用控制性强的进入方式，并愿意为此承担更多风险。新兴国际化公司最初进行对外直接投资都会选择它较为熟悉的邻国或社会文化较为接近的国家。随着经验的积累、资金投入的增加则开始进入较远、较陌生的国家。

8.5.2 外部因素

1. 东道国因素

一般情况下，母国与东道国之间的社会文化差异越大，跨国公司就越倾向于选择控制程度较低的进入方式。这样可以减少跨国经营的不确定性。东道国对外国直接投资的管制各不相同，东道国常常按不同的行业来对外国投资施加不同的限制。例如，有的国家把它的工业部门分为三大类，外国投资者只允许在第一类行业内直接投资；在第二类行业只能进行许可证交易；第三类行业则不允许外国企业以任何形式进入。如果东道国的政局稳定、法制健全、贸易与投资政策较为宽松，则企业可以考虑以投资方式进入，反之，则以出口方式或契约方式进入为宜。

如果东道国的国民生产总值和人均国民收入较高，国际收支保持平衡，汇率稳定，则企业可以考虑以直接投资方式进入；反之，则以出口方式或契约方式进入为宜。另外，还要考虑东道国对跨国经营企业税收方面的规定、投资比例的规定等。

2. 市场因素

如果东道国的市场规模较大，或者市场潜力较大，则企业可以考虑以投资方式进入，反之则可以考虑以出口方式或契约方式进入，以保证企业资源的有效使用。如果东道国的市场竞争结构属于自由竞争，则以出口方式为宜；如果是垄断竞争或寡头垄断型竞争结构，则应考虑以契约方式或投资方式进入。

3. 母国因素

如果母国市场竞争结构属于垄断竞争或寡头垄断型，则企业可以考虑以契约方式或投资方式进入外国市场；如果母国市场竞争结构属于自由竞争型，则企业可以采用出口方式。如果母国的生产要素价格低且容易获得，则企业可以采用先在母国生产然后向国外出口的方式进入外国市场。反之，企业应采用契约方式或直接投资方式进入外国市场。如果企业母国政府对出口采取鼓励和扶持的政策，或者对企业向境外投资有严格的约束，则企业可以采用出口方式；反之则可以考虑契约方式或直接投资方式。

● 战略专栏 8-4

从"中国安踏"到"世界安踏"

安踏成立之初，在福建晋江 3 000 多家鞋厂里并不出众。然而，经过 30 多年的发展，安踏成功逆袭：从晋江走向全国，2012 年成为国内排名第一的国产运动品牌；2015 年营收突破百亿元；2022 年，反超耐克中国，跃居我国运动鞋服市场首位。如今，安踏正在走向世界。

安踏刚上市时，市场竞争格局是：耐克、阿迪达斯长期占据高端市场，李宁、安踏处于第二梯队，占据中低端市场，后面还有来自特步、匹克等国产品牌的奋力追赶。如何在高端市场与国际品牌竞争？如何拉开与国产品牌间的差距？处在夹缝中的安踏，亟须在高端市场占据一席之地。

安踏的创始人丁世忠坦言，仅仅靠安踏一个品牌，想要做到千亿规模的企业是很难的，但可以通过收购和差异化运营，打造十个"安踏级"品牌。

丁世忠对安踏全球化布局有着清晰的战略节奏：一是让国际优秀品牌的价值在中国落地；二是将安踏独特的商业模式赋能全球；三是让开放与包容的安踏文化被世界认同。根据安踏全球化战略节奏与实际落地情况，安踏全球化战略的实施分为上半场与下半场。在上半场（2009—2018 年），以收购 FILA 为标志，安踏收购了一系列国际知名运动品牌，不仅丰富了品牌矩阵，还通过让国际优秀品牌的价值在中国落地，积累了运营国际品牌的经验。在下半场（2019 年至今），以收购亚玛芬为标志，将安踏的商业模式赋能全球，开启全球运营之路。

2009 年，安踏以 4 亿元从百丽手中收购了 FILA 在大中华区的商标使用权和专营权。对于这场收购，许多业界人士并不看好。但安踏高层认为，定位高端时尚的 FILA 能与定位大众专业运动的安踏主品牌形成互补，也能让安踏通过品牌多元化满足更高端的消费者，锻炼多品牌布局能力。另外还可以帮助安踏深入了解国际品牌的设计理念及运作经验，通过让国际优秀品牌的价值在中国落地，用较低的风险获得宝贵的国际化品牌运营经验。

收购完成后，从2009—2011年，安踏一直在探索、尝试如何在市场中确立FILA的品牌定位和商业模式，但有一点很明确，就是FILA一定要跟安踏品牌严格区分。2018—2023年，FILA在安踏内部的平均营收占比为42.1%，平均毛利率为69.3%，远超过安踏主品牌的48.1%，盈利能力强劲。

在"我们要做的是FILA，不是第二个安踏"的理念下，丁世忠给予了FILA团队足够的自由权限。FILA团队与内部管理相互独立，尤其是商品设计，绝不能互相借鉴。保持独立的品牌调性和国际品质是安踏对FILA团队的要求，从商品设计、供应商配置等，甚至直营零售的店员，都要求寻找更高端、与之更匹配的资源。

丁世忠为FILA量身定制了"三个顶级"战略：顶级品牌、顶级商品和顶级渠道。

大规模的市场调研显示，中国消费者对时尚和个性运动服饰存在大量需求，但当时市面上的运动品牌鲜有能够兼顾运动功能性与时尚风格的产品。2011年，FILA正式确立了高端运动时尚的品牌定位，瞄准25～45岁以城市中产阶级为主的高端消费者，提供优质的产品。通过品牌建设和分销渠道转型，安踏将FILA重塑成一个对年轻消费者有吸引力的品牌，取得了巨大的成功。这也成为安踏并购之路的一大里程碑。为匹配高端定位与精细化运营需求，安踏推动FILA从分销模式改为直营模式。FILA改为直营模式之后，运营效率得到了大幅提升，帮助安踏平稳渡过2012年的行业危机。DTC（直接面向消费者）转型塑造"多品牌+零售"的独特商业模式，在集团内也起到了示范作用。

FILA的成功验证了安踏多品牌运营战略的成功，也验证了安踏培育重塑品牌的能力，尤其是使国际品牌在中国市场成功运营的能力。同时，丁世忠看到市场对"功能化""差异化""高端化"体育产品的需求增加，以及国内多元化的消费趋势，决定再次转型，提出单聚焦（聚焦运动鞋服行业）、多品牌（不同品牌覆盖不同的消费群体）、全渠道（线上线下全渠道直面消费者）战略。随后，安踏相继收购了一系列品牌，实现了不同运动场景的全覆盖。

资料来源：李梦军，石维磊.安踏全球化方法论：从"中国安踏"到"世界安踏"[N].中国经营报，2024-11-04（1）.作者根据该资料进行改编。

● **复习思考题**

1. 阐述我国企业国际化进程。
2. 国际化战略的基本类型有哪些？简述各自的优缺点。
3. 企业进入国际市场的方式有哪些？
4. 企业如何根据自己的实际情况进行国际化战略选择？

实践项目

选定一家从事国际化经营的企业，通过查阅文献、上网搜索等方式，收集并整理该企业的相关资料。

（1）分析该企业国际化经营的国内外环境，讨论该企业从事国际化经营的动因和特点。

（2）分析该企业国际化经营的战略得失，探讨该企业国际化经营的前景。

本篇讨论案例

美国贸易制裁下中芯国际的可持续发展战略

第四篇

战略实施

第 9 章　战略与资源配置
第 10 章　战略与公司治理
第 11 章　战略与组织结构
第 12 章　多元化战略

第 9 章 战略与资源配置

⬤ 学习目标

1）理解战略实施的模式和原则
2）明确战略与资源的关系
3）掌握资源配置的原则和方法
4）理解业务外包及其影响因素

⬤ 先导案例

全球金融市场再临变局，资产配置如何应对不确定性

前段时间，随着美元指数快速上涨和下跌，各类资产表现分化，股市波动，汇市调整，黄金大起大落，比特币一度突破 10 万美元 / 枚。

《中国经营报》记者采访了解到，地缘政治和全球供应链的变化对金融市场构成多方面的挑战，不仅影响市场的稳定性，也改变了投资者的风险偏好和行为。

1. 三大因素影响全球金融市场

随着美国大选结果公布后，美元指数强势上升，在 2024 年 11 月 6 日突破 105 关口，创下了当时近 3 个月以来的最高水平。

"随着美元指数走强，大宗商品价格整体呈现下行趋势。其中，黄金价格不仅受到美元走高的压制，还与全球，尤其是地缘政治局势不确定性的变化密切相关。当地缘政治风险下降时，黄金的避险需求减弱，进一步影响其价格走势。然而，美元走强对包括黄金在内的大宗商品价格有抑制作用。"中国人民大学国家发展与战略研究院研究员、中国宏观经济论坛（CMF）主要成员王晋斌告诉记者。

渣打中国财富方案部首席投资策略师王昕杰分析称，当前的全球金融市场出现的变化有几条主线可以遵循。

一是全球央行货币正常化进程，这是 2024 年一个大的宏观场景，欧美进入降息周期，日本进入加息周期。从资产类别的角度来看，风险资产特别是美股受到宏观流动性边际放松的支持，当然特朗普政策的推行也可能影响未来的降息预期。从债券的角度来看，目前美元

相关的债券仍然可以提供较高的收益率，未来也可能得到降息带来的利好。

二是 AI 使整体行业升级带来的机会。2024 年是 AI 相关产品爆发的一年，AI 相关企业盈利大增，支持了该行业的表现，未来发展的关键是此行业能否向上下游传递创造盈利的能力，利好整体板块。

2024 年 11 月 28 日，中国银行研究院发布的《全球经济金融展望报告》（以下简称《报告》）指出，2024 年，全球经济增速低位运行；居民消费增速回落，私人投资和政府支出温和增长，制造业、服务业表现向好，通胀压力明显缓解；国际贸易回暖，财政政策延续正常化步伐，欧美货币政策步入降息周期；全球直接投资回暖，货币市场利率下行，汇率波动性显著上升，主权债务风险累积，股市震荡加剧，大宗商品价格中枢下移。

2. 建立投资组合应对不确定性

在全球金融市场震荡之下，如何看待各类资产的投资机会？

关于股票市场，《报告》认为，全球经济持续复苏与美联储开启降息周期，对全球股市上行提供支撑，地缘政治、美联储降息路径以及特朗普政策的不确定性加剧股市震荡。美股短期内仍处于上行通道，但长期增长空间有限；欧股上行动力不足，市场不确定性增加；新兴市场发展前景较好，投资偏好增加。

站在投资者的角度，霸菱资深董事、客户组合投资经理李伟博表示，当本国收益率中枢下行时，会促使投资者寻找全球投资机会，这成为投资者进行全球资产配置的重要动力。投资者在进行全球资产配置时，应多关注分散而非汇率，汇率不应该作为全球资产配置的主要考量，而是应以稳健的投资组合应对市场的不确定性，而构建一个稳健的投资组合需要综合考虑经济周期、利率周期等各方面的因素。

"投资者在应对这些市场变化时，需要从三大驱动因素中选择关键影响因素，包括利率与货币政策的影响、地缘政治的不确定性和政策预期的变化。最后，根据大宗商品主要受哪种因素驱动来判断其未来价格走势。目前来看，这三大驱动因素均充满不确定性，也意味着市场未来仍存在较大的波动风险。"王晋斌如是说。

资料来源：郝亚娟，张荣旺. 全球金融市场再临变局 资产配置如何应对不确定性？[N]. 中国经营报，2024-12-02（B2）. 作者根据该资料进行改编。

9.1 战略实施的任务、模式和原则

战略实施是将企业制定的战略方案付诸行动的过程。企业战略的实施是战略管理过程的行动阶段，直接关系战略的成败。好的战略需要强有力的执行才能达到预期效果，实现管理者的战略意图和战略目标。

企业战略的实施是一个自上而下的动态管理过程。自上而下主要是指在公司高层制定了战略目标后，将战略目标层层分解，在这个分解的过程中，各部门、各单位乃至每个人分工和执行各自的工作任务。动态是指在战略实施中，通过对外部环境的预测、对内部数据的分析，对经营战略、目标、手段进行适时调整、修改和补充的管理过程。

9.1.1 战略实施的任务

尽管每个企业的具体情况不同，企业战略实施的方法和措施也各异，但是，一般而言，企业战略实施所涉及的各项基础性工作任务和步骤应该大同小异，主要体现在八个方面，如图 9-1 所示。

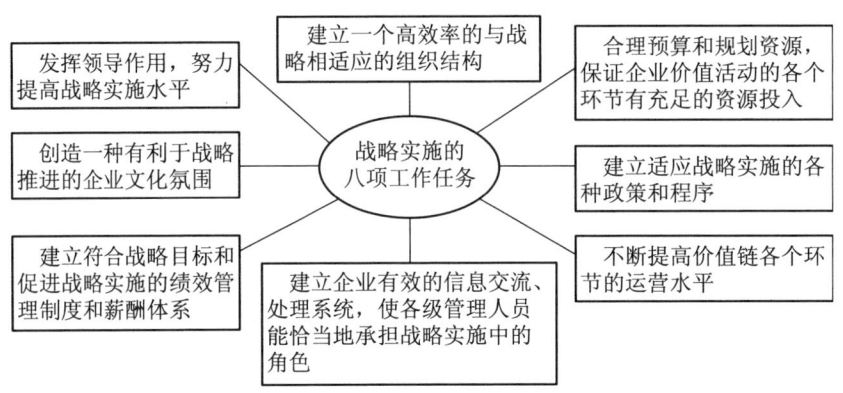

图 9-1 企业战略实施的八项工作任务

9.1.2 战略实施的模式

战略实施的模式一般有以下五种可供选择。

1. 指挥型模式

指挥型模式的特点是企业总经理注重考虑如何制定一个最佳的战略。在实践中，计划人员要向总经理提交企业经营战略报告，总经理得出结论，向高层管理人员提交企业战略，然后强制下层管理人员执行。指挥型模式的运用约束条件如下。

（1）总经理有较高的权威，通过下达命令来推动战略实施。

（2）只能在战略比较容易实施的条件下运用。企业组织结构一般都是高度集权制的体制，企业环境稳定，能够集中大量的信息，多种经营程度较低，企业处于强有力的竞争地位，资源供应较为宽松。该模式要求战略制定者与战略执行者的目标比较一致，战略对企业现行运作系统不构成威胁。

（3）要求企业能够准确有效地收集信息并能将其及时汇总到最高层管理人员手中。它对信息条件要求较高，不适应高速变化的环境。

（4）要有较为客观的规划人员。尤其在权力分散的企业中，各事业部常常因为强调自身的利益而影响了企业总体战略的合理性，因此需要配备有全局眼光的规划人员来协调各事业部的计划，以符合企业的整体要求。

这种模式的缺点是把战略制定者与战略执行者分开，即高层管理人员制定战略，强制下层管理人员执行战略。因此，下层管理人员缺少执行战略的动力和创造精神，甚至会拒绝执行战略。

2. 变革型模式

变革型模式的特点是企业总经理着重考虑如何通过变革来实施企业战略。在战略实施中，总经理需要对企业进行一系列的变革。例如，建立新的组织机构、新的信息系统，变更人事，兼并或合并经营范围；采用激励手段和控制系统以促进战略的实施等。为进一步增加战略实施成功的机会，企业战略领导者往往采用以下三种方法。

（1）建立新的组织机构，向全体员工传递新战略的重点是什么，把企业的注意力集中于战略重点领域。

（2）建立战略规划系统、效益评价系统，采取各项激励政策支持战略的实施。

（3）充分调动企业内部人员的积极性，尽力争取对战略的支持。

这种模式在许多企业中比指挥型模式更加有效，但这种模式未能解决指挥型模式存在的如何获得准确信息的问题，同时也产生了新的问题，即新的组织机构及控制系统失去了灵活性，在外界环境变化时使战略的变化更为困难。从长远来看，处于不确定环境下的企业，应该避免采用不利于战略灵活性的措施。

3. 合作型模式

合作型模式的特点是企业总经理考虑如何让其他高层管理人员从战略实施一开始就承担有关的战略责任。为发挥集体的智慧，企业总经理要与企业其他高层管理人员一起对企业战略问题进行充分论证，形成一致的意见，制定出战略；再进一步落实和贯彻战略，使每个高层管理人员都能够在战略制定及实施的过程中做出各自的贡献。合作型模式克服了指挥型模式和变革型模式存在的两大局限性，使总经理能接近其他层级的管理人员，获得比较准确的信息。同时，由于战略的制定是建立在集体智慧的基础之上的，因而提高了战略实施成功的可能性。

该模式的缺点是，战略是不同观点参与者相互协商折中的产物，可能会使战略实施的经济合理性有所降低，同时仍然存在着谋略者与执行者的区别，未能充分调动全体管理人员的智慧和积极性。

4. 文化型模式

文化型模式的特点是企业总经理考虑如何动员全体员工都参与战略实施活动，即企业总经理运用企业文化的手段，不断向企业全体成员灌输战略思想，建立共同的价值观和行为准则，使所有成员在共同的文化基础上参与战略的实施活动。这种模式打破了战略制定者与战略执行者的界限，力图使每一位员工都参与制定和实施企业战略，使企业各部分人员都在共同的战略目标下工作，使企业战略实施迅速、风险小、实施效果好。

文化型模式也有局限性，表现为以下几个方面。

（1）必须建立在企业员工具有较高素质的基础之上。

（2）极为强烈的企业文化可能会掩饰企业中存在的某些问题，企业也将为此付出代价。

（3）采用这种模式要耗费较多的人力和时间，还可能因为企业的高层管理人员不愿意放弃控制权，从而使员工参与战略制定及实施流于形式。

5. 增长型模式

增长型模式的特点是企业总经理考虑如何激励下层管理人员实施战略的积极性及主动性，为企业效益的增长而奋斗。总经理要认真对待下层管理人员，提出一切有利于企业发展的方案，只要方案基本可行，符合企业战略发展方向，在与管理人员探讨了方案中具体问题的解决措施以后，就应及时批准这些方案，以鼓励员工的首创精神。采用这种模式时，企业战略不是自上而下地推行，而是自下而上地产生。

在 20 世纪 60 年代以前，企业界认为管理需要绝对的权威，在这种情况下，指挥型模式是必要的。20 世纪 60 年代，钱德勒的研究结果指出，为了有效地实施战略，需要调整企业组织结构，这样就出现了变革型模式。合作型模式、文化型模式及增长型模式出现得较晚，但从这三种模式中可以看出，战略的实施充满了矛盾和问题，在战略实施过程中只有调动各种积极因素，才能获得成功。上述五种战略实施的模式在制定和实施战略上的侧重点不同，指挥型模式和合作型模式更侧重于战略的制定，而把战略实施作为事后行为，而文化型模式及增长型模式则更多地考虑战略实施的问题。实际上，在企业中，上述五种战略实施的模式往往是交叉或综合使用的。

9.1.3 战略实施的原则

1. 合理性原则

由于人们的认知能力和各种资源的限制，企业所采取的战略决策方案往往不是最优的，而是令人满意即可。而且在战略实施的过程中，企业外部环境及内部条件的变化较大，情况比较复杂，因此只要基本达到了预定的战略目标，就认为这一战略的制定及实施是成功的。战略的实施过程不是一个简单机械的执行过程，而是一个需要执行人员根据当时、当地情况进行合理革新、积极创造的过程。

此外，企业的经营目标总是要通过一定的组织结构分工实施的，即把庞大而复杂的总体战略分解为具体的、较为简单的、易于管理和控制的问题，由企业内部各部门、各基层组织分工去贯彻和实施。组织结构是为适应企业经营战略的需要而建立的，一个组织在建立时不可避免地要形成自己所关注的利益，这种利益在各组织之间以及与企业整体利益之间时常会发生一些冲突，企业的高层管理者要做的工作是解决这些冲突，保证组织的协调运行。只要不损害总体目标和战略的实现，适度的妥协和忍让是可以接受的，即在战略实施中要遵循适度的合理性原则。

2. 统一指挥原则

企业的高层管理者深刻了解企业的经营战略，他们掌握的信息更全面，对战略资源的关系了解得更多，因此，战略的实施应当由高层管理者统一领导、统一指挥。这样资源的分配、组织结构的调整以及信息的沟通控制等各方面才能相互协调，企业的战略目标才可以有效地实现。

统一指挥原则要求企业的每个部门只接受一个直属上司的命令。在战略执行中遇到问题时，若能在小范围、低层次解决，就不要放到更大范围、更高层次解决。这样做所付出的代价最小，因为越高的层次涉及的需要调整的方面越多，关系也越复杂。

3. 权变原则

企业战略制定都是基于一定的宏观和微观环境条件的假设的，因而战略实施过程中环境的变化与假定的情况不一致是很常见的，战略的权变原则就是应对这一问题而提出的。对于可控环境的变化，战略的调整要及时，对不可控的内外部环境变化，甚至需要重新考虑战略的实施方案。在可控范围时，企业战略的实施方案应该随着环境的变化进行相应调整。

权变原则应当贯穿战略实施的全过程。从战略的制定到战略的实施，权变原则要求识别出战略实施中的关键变量，并对它做出灵敏度分析，根据关键变量的变化范围来调整战略，并准备相应的替代方案。

● 战略专栏 9-1

麦肯锡战略实施的 7S 模型

20 世纪六七十年代，美国人饱受了经济不景气、失业的苦恼，同时听够了有关日本企业成功经营的艺术等各种说法，也在努力寻找着适合于本国企业发展振兴的法宝。托马斯·J. 彼得斯（Thomas J. Peters）和罗伯特·H. 沃特曼（Robert H. Waterman）这两位斯坦福大学的管理学硕士长期服务于美国著名的麦肯锡管理咨询公司。他们访问了美国历史悠久、较优秀的 62 家企业，又以盈利能力和成长速度为准则，挑出了 43 家杰出的模范企业，其中包括 IBM、德州仪器、惠普、麦当劳、柯达、杜邦等各行业中的翘楚。他们对这些企业进行了深入调查，并与商学院的教授讨论，以麦肯锡咨询公司研究中心设计的企业组织七要素（简称 7S 模型）为研究的框架，总结了这些成功企业的一些共同特点，写出了《追求卓越：美国企业成功的秘诀》一书，使众多的美国企业重新找回了失去的信心。

7S 模型指出了企业在发展过程中必须全面考虑各方面的情况，包括结构（structure）、制度（system）、风格（style）、员工（staff）、技能（skill）、战略（strategy）、共同价值观（shared values）。也就是说，企业仅具有明确的战略和深思熟虑的行动计划是远远不够的，因为企业还可能会在战略执行过程中失误，因此，战略只是其中的一个要素。

在模型中，战略、结构和制度被认为是企业成功经营的"硬件"。风格、员工、技能和共同价值观被认为是企业成功经营的"软件"。麦肯锡的 7S 模型提醒世界各国的管理者，软件和硬件同样重要，两位学者指出，各企业长期以来忽略的人性，如非理性、固执、直觉、喜欢非正式的组织等，其实都可以加以管理，这与各企业的成败息息相关，绝不能忽略。

资料来源：改编自 MBA 智库百科相关资料。

9.2 战略与资源的关系

9.2.1 企业战略资源的内容

企业推行战略前的准备，除了用计划推行和适应战略的组织调整之外，战略资源的配置优劣将直接影响战略目标的实现。那么，什么是企业战略资源呢？

企业战略资源是指企业用于战略行动及其计划推行的人力、物力、财力等资财的总和，其内容见表9-1。这其中也包括时间与信息，因为它们是无形的，因此很少被人关注。而时间与信息在某种条件下可能会成为影响企业战略实现的关键性战略资源。企业的这些战略资源是战略转化为行动的前提条件和物质保证。

表 9-1 企业战略资源的内容

八项指标	具体含义
采购与供应实力	企业是否具备有利的供应地位，与自己的供应厂家之间的关系是否协调，是否有足够的供应保障，能否以合理的价格来获取所需原料
生产能力与产品实力	企业的生产规模是否合理，生产设备、工艺是否能跟上时代潮流，企业产品的质量、性能是否具有竞争力，产品结构是否合理
市场与促销实力	企业是否具备开发市场的强大实力，是否有一支精干的销售队伍，市场策略是否有效等
财务实力	企业的盈利能力与经济效益是否处于同行前列，企业利润的来源、分布及趋势是否合理，各项财务指标及成本状况是否正常，融资能力是否强大等
人力资源实力	企业的领导者、管理人员、技术人员等的素质是否一流，其知识水准、经验技能是否有利于企业发展，其意识是否先进，企业内的凝聚力如何等
技术开发实力	企业是否具备产品开发和技术改造的力量，企业与科研单位、高校的合作是否广泛，企业的技术储备是否能在同行业中处于领先地位
管理经营实力	企业是否拥有一个运行有效、适应广泛的管理体系，企业对新鲜事物的灵敏度如何，反应是否及时、准确，企业内是否有良好的文化氛围，在企业内是否形成良好的分工与合作，能否进行有力的组织
时间、信息等无形资源把握能力	企业能否充分获取、储备和应用各种信息，时间管理是否合理等

企业的这些战略资源的整合基本上就构筑了竞争实力。战略资源本身也具有如下特点。

（1）战略资源的流动方向和流动速度取决于战略规划的内容。

（2）企业中可支配的战略资源总量和结构具有一定的不确定性，在战略实施过程中，资源的稀缺程度、结构会发生各种变化。

（3）战略资源的可替代性高。由于战略实施周期长，随着科学技术的进步，原来的稀缺资源可能会变得十分丰裕，也可能发生相反的变化。

（4）无形资源的影响程度难以准确地料定。例如，企业的信誉资源对企业获取公众支持、政府帮助会产生很大影响，企业的信息也会对战略实施带来不同程度的影响。正因如此，企业战略管理者在实施战略时，必须充分了解这些战略资源的内在特质，并采取适当的预防措施，只有这样，才能确保战略的平稳运行。

9.2.2 企业战略与资源的关系

1. 资源对战略的保证作用

战略与资源相适应的最基本关系，是指企业在战略实施过程中，应当有必要的资源保证。而在现实中没有以资源保证的战略，又没有充分意识到其危险性的企业不在少数。究其原因，大致可归纳为三点。

（1）战略制定者在思考程序上存在缺陷，他们没有意识到确保资源的必要性，从而制定了"空洞"战略。

（2）必要的资源因难以预测而导致产生偏差，由于预测不准，结果造成缺乏资源保证的战略。

（3）没有把握本企业资源，尤其是看不见的资源而出现错误，造成尚未预料的损失。

2. 战略促进资源的有效利用

即使企业具有充足的资源，也不是说企业就可以为所欲为。过度滥用企业资源，会使企业丧失既得利益，也会使企业丧失应得更多利益的机会。因此，企业采用正确的战略之后，就可以使资源得到有效的利用，发挥其最大效用。更有甚者，战略可促使企业充分挖掘并运用各种资源，特别是在人、财、物上体现出来的看不见的资源的潜力。

3. 战略可促进资源的有效储备

由于资源是变化的，因此在企业实施战略的过程中，通过现有资源的良好组合，可以在变化中创造出新资源，从而为企业储备资源。所谓有效储备，是指企业对必要的资源以低成本、快速度，在适宜时机进行储备。战略可通过两种方式来实现这一目的。

（1）战略推行的结果可附带产生新资源。

（2）这种新资源可以成为其他战略必要的资源而被经常及时地使用。

● **战略专栏 9-2**

英特尔的资源配置

英特尔公司（以下简称英特尔）早年以生产半导体存储器起家，20 世纪 70 年代，DRAM（动态随机存储器）芯片是英特尔公司绝大部分利润的来源，同时，英特尔公司微处理器的销售也逐年增长。

英特尔每个月的生产计划是在其所有产品之间分配可利用的生产力，产品范围包括 DRAM 芯片、可擦可编程只读存储器（EPROM）以及微处理器。销售部门在制订生产计划的会议上说明预计的订货量，财务部门将按照每一个晶片的毛利率对产品进行等级排序。毛利率最高的产品将配备适合该产品订货量所需的生产能力，然后次高毛利率的产品将配备适合该产品订货量所需的生产能力,其他产品以此类推,直到毛利率最低的产品也配备到剩余的生产能力为止。换句话说,每一个晶片的毛利率构成了企业在做出重要资源配置决定时的依据。

日本的 DRAM 芯片生产商在 20 世纪 80 年代向美国市场发起了进攻,引起了产品价格的急剧下滑,并使得 DRAM 芯片成为英特尔利润率最低的产品。而微处理器由于竞争尚不激烈,它在英特尔一直保持着最具吸引力的利润率。这样,英特尔的资源配置系统成功地将生产力由 DRAM 芯片转移到微处理器。

1984 年,当公司陷入了金融危机,DRAM 芯片业务缩减为公司无足轻重的一小部分时,高级管理层最终意识到,英特尔已成为一家微处理器生产公司。他们随即停止了对 DRAM 芯片的研发。所以说,是资源配置过程将英特尔从一家 DRAM 芯片公司转变为一家微处理器公司,英特尔卓越的战略转变并非源于执行官们制定的意图明确的战略,而是从中层管理者在日常资源配置过程中逐渐显露的。

管理层通过对资源配置过滤层施加有力的控制,甚至在某些时候是无情的控制,筛选掉对微处理器业务不能提供直接支持的泡沫创意。一个可行的战略指示必须包含危机情况下的处理程序,因为没有人能够清晰地预见建立在微处理器基础上的台式计算机的未来,但一旦成功的战略趋于明显,高级管理层能否把握资源配置过程,并慎重地自上而下贯彻执行,对于英特尔的最终成功很重要。

高效的管理者最终认识到是可行的模式构成了成功的战略。在这一点上,要想稳固地把握资源配置过滤层的标准,管理者需要更加谨慎地制定战略。他们需要大胆地执行在工作中形成的战略,而不是继续凭感觉参与竞争。

资料来源:MBA 智库百科——组织资源配置分析。

9.3 资源配置的原则和方法

企业在实施战略时,配置资源是执行战略的第一步,企业高层管理者的最主要的工作就是配置战略资源。若资源配置不当,不但战略不能有效推进,还会损害员工的积极性。

资源配置不仅要包括有形资源的配置,还应包括无形资源的配置。无形资源虽然重要,但极易被忽视,如品牌的延伸问题,高层管理人员和关键研究开发人员的时间与精力的分配问题等,这些都应纳入资源配置的范畴。

9.3.1 资源配置的原则

1. 抓住产业成功的关键要素

企业中的优良资源应首先满足产业成功的关键要素和需要完成的关键任务。

2. 把握任务时序上的缓急

任务或者项目的时序安排是战略所规定的,但要遵循任务间或者项目本身的内在规律性。企业在分配资源时，要明确各项战略任务的优先次序，按任务时序配置资源。在企业业务组合战略中，还应确定不同业务在什么时候进入、什么时候扩张和什么时候产出。业务组合应该能够保证企业在现金流以及其他资源方面实现动态平衡，资源配置在时序上的缓急，应该与实现这些平衡相适应。

3. 保留适当的战略资源冗余

企业按任务或目标来分配资源，其实只是一种计划，这种计划是以"预计"为基础的，具有很多不确定性。为了确保目标完成或提高可靠性，企业需要有一定量的战略资源冗余，不能满打满算，就像关键战役中一定要留预备队一样。与战略资源冗余密切关联的是战略资源储备。战略资源储备是企业为了应对环境变化所必需的。当企业发展顺利、风生水起时，不太会意识到战略资源储备的战略意义。比如，浙江一家公司在产品畅销且有大量现金流时，就忽视了与金融界建立良好关系。而当其产品销售受阻，急需资金时，便很难从金融市场获得资金，资金链的断裂导致其整个事业一落千丈。

4. 战略导向的资源配置

战略导向的资源配置既要立足于当前，更要着眼于长期。现实中，一些企业或被短期利益吸引，使战略资源分散，不能通过集中战略资源以成就大的事业，或经常迫于眼前的压力，如原材料要买、工资要发、设备要维修、促销要做等，唯独在研究与开发、员工培训、管理创新等方面，未能意识到战略的重要性而不肯投资。其结果是疲于应对"燃眉之急"，却忽视了"当务之急"，最终倒闭。

9.3.2 资源配置的方法

在企业战略资源中，除人力资源之外的有形资源均可以用价值形态来衡量，但无形资源如何配置很难把握。目前，涉及企业战略资源配置时，主要是指人力资源分配和资金资源分配。

1. 人力资源分配

（1）**人力资源规划**。资源规划的重要一部分是详细地考虑某特定战略对人力资源的要求，包括所要求的人员数、人员所应拥有的技能和水平等，进而详细地计划怎样去实现这种新的人力资源配置。例如，某战略通过建新工厂和将原有一些工厂进行转产的方法引入新产品，它可能会产生的影响有：一些员工需要被安排或转移到新工厂，还会有一些多余的员工，他们要向工会进行咨询，这时还存在关于工作等级和奖励的问题。所有这些因素都是资源规划中的重要内容。

（2）**招聘和选择**。公司需要把招聘和选择与自身的战略方向和所经历的变化的类型联系起来。如果公司战略变化不大，那么可以大量地使用现有员工或经过培训后使用他们。如果公司战略变化较大，则应该吸收"新鲜血液"，这也许是由于公司需要新的技术或能力，也许是公司应对战略变化的一种方法。

（3）**培训和发展**。培训和发展应随环境的不同而不同。战略变化的程度越大，就越需要通过培训使员工了解这些变化并使之内部化。仅通过程序化的学习技术不可能达到这个目的，而只有通过讨论，尤其是在岗工作，以及亲身体验才能达到。有些公司正式地将其视为职业计划问题，并保证管理人员在公司的不同部门工作时能获得管理变革广泛的经验。

2. 资金资源分配

企业战略调整要求预算同步调整，资金重新分配。在这一过程中，如果处置不当，削减执行关键性战略活动的部门所必备的资金，将会损害整个实施过程，导致战略实施失败。

因此，重新修订预算使其能够支持战略，是战略实施过程中至关重要的一部分，因为每一个组织单位都需要人力、设备、机构或其他资源，以执行战略计划中的任务。实施一项新战略，常常需要将资源由一个领域转移到另一个领域，削减人员过多或占用资金过多的单位规模，增加那些对战略成功非常关键的单位规模，停止实施那些不再适宜的项目和活动。

战略资金资源分配一般采用预算的方式。预算将战略目标明确为财务指标和数量指标，使其成为战略执行和考核的依据。一般预算可以分为以下几种类型。

（1）**零基预算**。它是指根据阶段性战略目标的要求，对所有经营活动重新进行成本分析，然后确定预算。零基预算工作量大，如果预算周期短，则需要投入大量人力，确定部门预算时的协调成本较高，但可以防止预算与实际大幅度偏离。

（2）**滚动预算**。它是指按照战略规划的要求和年度目标，将上一阶段执行的情况作为下一阶段预算的根据，以战略目标增减为基准进行滚动调整。

（3）**规划预算**。它是指按照战略所规划的项目来分配资源。规划预算覆盖整个项目规划期，旨在直接考察一项规划对资源的需求和成效。

（4）**灵活预算**。预算情况随着执行情况的变动而变动，有助于克服"预算游戏"，增加预算的灵活性，但在企业中难以全面操作，多用于重要项目的专项预算。

（5）**产品生命周期预算**。根据不同产品在不同生命周期阶段对资金的需求以及不同的费用项目，来确定预算额度，编制各项资金的支出计划及原则。

● **战略专栏 9-3**

借鸡生蛋，借船出海

能赚到大钱的人（或企业）一般具有怎样的思维？我觉得赚到大钱的人，其实都是"借"的。是真的吗？是真的，不是借钱，是借资源，"借鸡生蛋，借船出海"。例如，借用别人的汽车赚钱——滴滴打车；借用别人的饭店赚钱——美团；借用消费者买来的房子赚钱——贝壳、链家。真正的大企业和赚到大钱的人，永远都有"借"这个思维，把别人的资源直接通过新型的商业模式转变成赚钱的武器。就好像所有的商场一样，商场本身是不具备流量的，它们需要引进各大优秀的品牌，由品牌方带过来的流量把自身盘活，然后再反哺给新的商铺，进而赚商铺的租金。想通过自己的力量赚大钱，需要借用别人的东西（资源）才能达成。

资料来源：根据公众号禹橙——为创业者赋能，红人聚创业者服务平台董事长禹橙女士于 2025 年 1 月 2 日的直播视频改编。

9.4 业务外包

9.4.1 业务外包的定义与类型

业务外包（outsourcing），也称资源外包或资源外置，是指企业整合并利用其外部优质的专业化资源，从而实现降低成本、分散风险、提高效率、充分发挥核心竞争力和增强企业对环境适应能力的一种职能战略和管理模式。

因为很少有公司能拥有使自己在每一项价值链活动和辅助功能上都能获得竞争优势的资源和能力，所以外包才会如此盛行。通过外包，公司本身只需要培养少数几种能力，以打造属于自己的核心竞争力并获得竞争优势，并且这种做法不会导致公司的过度扩张。同时，公司将缺乏竞争力的业务外包出去，可以更加专注于能创造价值的核心业务领域。

自 20 世纪 90 年代以来，业务外包被部分发达国家和地区普遍运用。早期的业务外包主要在劳动密集型和技术含量比较低的产业中进行，而现在随着国际产业分工的调整，业务外包的内容也逐渐增加了高技术和高附加值的活动。跨国公司外包的业务已经发展到产品设计、研发、信息技术、物流、财务管理、人力资源管理、公关等诸多方面，范围越来越广，层次越来越高。同时，美国、日本、欧洲等发达国家和地区是主要的发包国，而印度等国家则成为主要的接包国。

根据供应商的地理位置状况，业务外包一般可划分为两种类型：境内外包和离岸外包。

境内外包是指外包需求方与外包供应商处于同一个国家，因而外包活动在国内进行。

离岸外包则是指外包需求方与外包供应商分别来自不同的国家，外包活动跨国进行。

由于劳动力成本的差异，一般外包需求方来自劳动力成本较高的国家，而外包供应商则来自劳动力成本较低的国家。尽管境内外包和离岸外包具有许多类似的属性，但它们之间的差别比较大。境内外包更强调核心业务战略、技术和专门知识、从固定成本转移至可变成本、规模经济，重价值增值甚于成本减少。离岸外包则主要强调成本节省、技术熟练的劳动力的可用性，利用较低的生产成本来抵销较高的交易成本。在考虑是否进行离岸外包时，成本是决定性的因素，技术能力、服务质量和服务供应商等因素次之。

9.4.2 影响业务外包的因素

虽然业务外包有很多优势，如降低生产成本、分散经营风险、获取外部稀缺资源等，但由于制定和实施业务外包的过程中会面临诸多不确定因素，从而给经营带来风险，因此，充分考虑和分析影响业务外包的因素对利用业务外包优势，规避业务外包风险至关重要。对任何一方面的疏忽都可能使企业陷入业务外包风险之中，不仅会使业务外包收益大打折扣，而且会导致企业业务失控和核心能力丧失。一般而言，影响业务外包的因素可以从以下几个方面分析。

1. 企业的总体战略

企业的业务外包策略必须与其总体战略相匹配。企业的总体战略是企业制定业务外包策略的依据，而业务外包策略是在企业的总体战略安排下的具体战略举措。企业的总体战略不仅决定了企业的自制/外包决策，而且影响外包对象、外包模式，以及供应商的选择。在本书的前述有关章节中，我们介绍过企业在市场竞争中有三类基本战略可以采用，即成本领先战略、差异化战略和集中化战略。采取成本领先战略的企业总是尽力使自己成为行业成本最低者，为此，要求通过扩大规模以降低成本，而采取差异化战略的企业则通过向用户提供独特的产品和服务，获得溢价报酬。一般来说，业务外包时，采取成本领先战略的厂商可能更注重供应商的成本节约优势，而采取差异化战略的厂商更看重供应商资源与企业资源的匹配程度和整合的难易程度。显而易见，企业的总体战略不同，业务外包策略也相应有所区别。与企业的总体战略不匹配的业务外包策略不仅会使业务外包收益大打折扣，而且可能使企业陷入业务外包风险之中，从而损害其核心竞争力。

2. 业务的性质

企业要成功实施业务外包，必须选择正确的外包对象，即要确定哪些业务适合外包，哪些业务必须自制。由于不同业务活动所需投入的资源不同，对企业竞争优势的重要程度也不同，因此，可以据此将企业从事的业务分为核心业务与非核心业务。核心业务（例如软件企业的研发、制造企业的生产制造等）是指企业投入资源最多，对企业存亡具有关键性作用的业务，往往是企业擅长的、能创造高收益的、有潜力和市场前景的业务活动。而非核心业务围绕核心业务，对企业的战略重要性相对较低。比如，制造企业的财务活动、人力资源管理，以及后勤服务等业务就属于非核心业务。

从理论上来说，业务的性质越复杂，对企业的竞争战略越重要，出现信息不对称的可能性也就越大，因此，企业就会越倾向于将其内部化，而不是外包。从核心竞争力的角度来看，核心业务是企业核心竞争力的载体，必须保留在企业内部，不当的核心业务外包有可能导致企业核心竞争力的丧失。而非核心业务对企业竞争优势的影响相对较弱，因而，可以根据需要将这类业务外包，甚至通过市场直接采购以降低风险，提高企业资源的利用效率。

● **战略专栏 9-4**

人才招聘外包流程中的时机与动机

站在甲、乙双方公司的角度，对人才招聘外包流程中的时机与动机进行分析，根据具体的项目合作阶段，梳理双方之间的合作与博弈关系，为双方在将来的招聘外包项目中能够把握关键、提升效率、促进双方长期合作提供借鉴。

1. 甲方选择人才招聘外包的时机

甲方选择将人才招聘外包给乙方，一般基于四点。一是用人需求紧急，甲方需要招聘的人才数量比较多，企业出现了员工断层，影响企业的正常运作。二是核心、高端职位出现空缺，甲方自身难以在短时间内找到合适人才。三是随着企业的业务拓展，分公司与新事业部等搭建过程中需要进行人才招聘，然而甲方组织机构设计具有"扁平精简"等特点，人力资源部门无法满足自身公司业务拓展方面的招聘需求，从而寻求乙方协助进行人才招聘。四是甲方人力资源部门员工紧缺，需要乙方提供专业顾问协助处理短期内的工作。

乙方针对以上用人情况，推出三种人力资源服务模式。第一种是传统的高端猎头服务，针对专业性强、高端型的人才。这类人才的相关数据较少，资深猎头具有相关行业的经验与相关的人脉资源，能够及时为甲方招聘到合适的人才。第二种是近十年来在国内发展比较迅速的RPO（招聘流程外包）批量招聘模式。一般是大型企业或者中大型企业会选择此类招聘模式，相对来说人才质量比较低、招聘规模较大。国内较大的人力资源公司在这类招聘模式方面已经积累了很多相关经验，但是基于这类招聘模式的特点，中小型企业对它的敏感度不高。为此，国内人力资源管理服务公司针对国内市场特点，推出了第三种模式——灵活用工模式。该模式主要针对企业可能会出现的孕产期员工需要替补、项目阶段人员短缺、销售旺季人员短缺、招聘质量难以保证等具体情况，推出离岸等项目，能够灵活地满足中小型企业的用人需求。甲方人才需求特点与乙方人力资源服务模式选择匹配见表9-2。

表9-2 甲方人才需求特点与乙方人力资源服务模式选择匹配

甲方人才需求特点	乙方人力资源服务模式选择
高技术、稀缺型人才	传统的高端猎头服务
中低端、大规模人才	RPO批量招聘模式
中高端、临时性需求人才	灵活用工模式

2. 甲方、乙方的动机

甲方进行人才招聘外包的动机基于四点。一是招聘到合适的专业人才，提高自己的招聘质量。二是节约招聘成本，节省招聘需要花费的人力、财力，提升人才价值创造力。三是减轻自身公司事务性工作负担，以更好地调配人才开展企业战略职能工作。四是提高招聘效率，快速找到合适人才。

乙方接受甲方的外包项目的主要动机：一是拓展公司业务，增加公司营业利润，尤其是满足大规模的招聘需求；二是提高自身知名度，获取甲方信任，期望能够长期合作。

基于以上甲方、乙方的动机进行对比分析，发现两者存在合作与博弈的关系。从合作关系来分析，甲方期望乙方能够为其在规定的协议时间内提供合适的人才，而乙方为了自身业绩与影响力，也期望能够尽快为甲方找到合适的人才。从博弈关系来分析，甲方期望乙方能够为其找到高质量人才，从而与乙方不断沟通交涉，甚至施加压力。然而从具体岗位来分析，对于能够寻找人力资源管理服务公司进行招聘的岗位一定是具有难度的，而且乙方顾问往往身兼多个项目，并以尽快交付项目为目标，会采取一些其他的方式来辅助达到此目标。

特别是一些过程性收费的项目，如每天只需要给甲方推荐几个合适的候选人，找到十几份比较合适的相关简历，以及进行电话沟通，以确保甲方面试流程能够正常运转。为此，乙方会采取一些特殊方式，如让猎头顾问适度润色候选人的简历，推荐报告时采用心理落差博弈，给面试流程中的候选人进行面试辅导等，以提高面试通过率。

资料来源：李波，方永恒.基于甲方、乙方视角关于人才招聘外包的问题研究 [J]. 经营与管理，2021（10）：93-97. 作者根据该资料进行改编。

3. 资产专用性程度

所谓专用资产，是指投资于支持某项特定交易的资产，它们一旦形成，就很难另做他用。不仅业务的性质影响外包决策，业务所需投入资产的性质也制约着外包策略的选择。交易成本理论认为资产专用性程度越高，市场交易费用越高，因而投资风险也越大。因此，交易双方具有很强的依赖性，一方违约将使另一方产生巨大的交易风险。专用性程度低的资产使用面较广，使用难度不大而且易于获得，对于这类资产，市场交易是理想的选择。对于资产专用性程度中等的产品或业务来说，可以实行外包，利用外部供应商实现规模经济效应。

9.4.3 外包供应商的选择

在业务外包中，外包需求方和外包供应商之间实际上形成一种合作伙伴关系，外包供应商的表现在很大程度上影响外包需求方对市场的服务水平。因此，外包供应商的选择在制定业务外包策略中非常关键，如何选择最为合适的外包供应商是外包需求方需要认真考虑的问题。而外包供应商的选择相当困难，一旦决策失误，企业就会面临更大的管理问题。一般来说，选择外包供应商时首先要有明确的目的——是获取资源，还是降低成本。目的不同，对外包供应商的选择依据也不同。当企业决定采用成本节约方案时，希望外包供应商低价也就在情理之中了。其次还要有评价标准来评价潜在的外包供应商，比如可以从投入品质量、成交价格、交货期限、技术能力、服务水平，以及满足程度等方面对潜在的外包供应商进行评估。显然，综合实力是企业评价和选择外包供应商的关键，一味追求低价可能会损害外包业务的质量，并最终影响企业的市场表现。

9.4.4 业务外包过程的管理

由于业务外包是一种介于市场交易和纵向一体化的中间形式，外包需求方和外包供应商之间实际上形成了一种委托－代理关系，外包供应商比外包需求方拥有更多关于产品和服务的质量、成本等信息，从而导致信息不对称。另外，合作双方理念和文化的差异、沟通协调不畅等因素都可能导致业务外包的失败。因此，加强对业务外包过程的管理非常有必要，为此可以通过建立相应的管理协调机构，构建畅通的沟通渠道，解决业务外包过程中的问题和矛盾，防止意外的发生。此外，还可以通过细化业务外包合同、建立质量保证体系等管理控制手段，强化对业务外包过程的监督，减少业务外包过程中因信息不对称造成的风险。

9.4.5 我国企业业务外包发展概况

近年来,我国企业业务外包发展概况呈现出稳步增长、多元化和国际化等趋势。以下是对这一发展概况的详细分析。

1. 市场规模

近年来,我国服务外包市场规模持续扩大,呈现出稳步增长的趋势。我国商务部发布的数据显示,从 2021 年至 2024 年前三季度,我国企业承接服务外包的合同额和执行额均保持较高增长,见表 9-3。相关数据表明,我国企业业务外包市场呈现出强劲的增长势头。

表 9-3 我国企业承接的服务外包市场规模

时间	合同额/亿元人民币	执行额/亿元人民币	离岸服务外包合同额/亿元人民币	离岸服务外包执行额/亿元人民币	主要业务结构	主要区域分布
2024 年前三季度	17 516.6	12 336.9	9 819.5	6 892.6	ITO、BPO、KPO	长三角地区、京津冀地区
2023 年	28 666	19 591	14 871	10 398	ITO、BPO、KPO	长三角地区
2022 年	24 371	16 514	13 177	8 953	ITO、BPO、KPO	长三角地区
2021 年	21 341	14 972	11 295	8 600	ITO、BPO、KPO	长三角地区

注:1. 合同额与执行额:列出了 2021 年至 2024 年前三季度我国企业承接的服务外包合同额和执行额,以及离岸服务外包合同额和执行额。这些数据显示了服务外包市场规模。
2. 主要业务结构:涵盖了信息技术外包(ITO)、业务流程外包(BPO)和知识流程外包(KPO)等业务类型。这些业务类型代表了服务外包市场的不同领域和客户需求。
3. 主要区域分布:主要提及了长三角地区、京津冀地区在承接离岸服务外包业务中的重要地位。这些地区凭借其地理位置、经济基础和人才资源等优势,成为服务外包市场的重要区域。
请注意,以上数据和信息可能随时间变化而变化,建议查阅最新的行业报告或官方统计数据以获取更准确的信息。
数据来源:中华人民共和国商务部官网:http://www.mofcom.gov.cn/。

2. 业务结构

我国企业业务外包的业务结构日益多元化,涵盖了信息技术外包(ITO)、业务流程外包(BPO)和知识流程外包(KPO)等多种类型。近年来,随着数字化和智能化的快速发展,ITO 和 KPO 等业务类型保持了较快的增长速度。

从业务结构来看,近年来我国企业承接离岸 ITO、BPO 和 KPO 执行额均有所增长。例如,2023 年,我国企业承接离岸 ITO、BPO 和 KPO 执行额分别为 4 154 亿元、1 722 亿元和 4 522 亿元,同比分别增长 13.1%、17.8% 和 18.4%。

在具体业务方面,信息技术研发服务、设计服务和维修维护服务业务增长较快。以 2024 年 1 月—2024 年 11 月的数据为例,信息技术研发服务、设计服务和维修维护服务业务执行额分别为 3 100.1 亿元、2 531 亿元和 432.8 亿元，同比分别增长 15.6%、19.2% 和 21.5%。

3. 区域分布

我国企业业务外包的区域分布呈现出明显的地域集中趋势。长三角地区在服务外包行业中领跑，京津冀地区增长显著。全国 37 个服务外包示范城市在服务外包市场中占据重要地位，合计承接离岸服务外包合同额和执行额占全国总额的绝大部分。

从区域布局来看，37 个服务外包示范城市在服务外包市场中占据主导地位。例如，2023 年，37 个服务外包示范城市总计承接离岸服务外包合同额 13 160 亿元，执行额 9 089 亿元，分别占全国总额的 88.5% 和 87.4%。

长三角地区承接离岸服务外包合同额和执行额均保持较高增长。以 2023 年的数据为例，长三角地区承接离岸服务外包合同额 7 921 亿元，执行额 5 605 亿元，同比分别增长 31.1% 和 23.7%，分别占全国总额的 53.3% 和 53.9%。

4. 国际市场

我国企业业务外包积极拓展国际市场，与全球客户建立了紧密的合作关系。我国积极承接《区域全面经济伙伴关系协定》（RCEP）成员国和"一带一路"共建国家的离岸服务外包业务。

从国际市场来看，近年来，我国承接美国、欧盟离岸服务外包执行额均保持增长。例如，2023 年，我国承接美国、欧盟离岸服务外包执行额分别为 2 132 亿元和 1 431 亿元，同比分别增长 13.6% 和 16.2%。

我国积极承接 RCEP 成员国和"一带一路"共建国家的离岸服务外包业务。以 2023 年的数据为例，我国承接 RCEP 成员国离岸服务外包执行额 2 592 亿元，同比增长 24.1%；承接"一带一路"共建国家离岸服务外包执行额 2 772.5 亿元，同比增长 19.4%。

5. 吸纳就业

在服务外包行业中，内资企业在离岸服务外包市场中占据越来越大的份额，外资企业也是重要的参与者。民营企业承接离岸服务外包执行额增长迅速，显示出强大的市场竞争力。同时，服务外包行业还具有较强的吸纳就业能力。

近年来，我国服务外包产业累计吸纳从业人员数量持续增长。以 2024 年 1 月—2024 年 11 月的数据为例，我国服务外包产业累计吸纳从业人员 1 662.8 万人，其中大学本科及以上学历 1 087.5 万人，占总数的 65.4%。

6. 政策扶持与未来展望

我国政府高度重视服务外包产业的发展，出台了一系列政策措施，为服务外包企业提供了良好的发展环境。未来，随着全球化和数字化的加速推进，我国企业业务外包将迎来更多的发展机遇和挑战。

在政策扶持方面，我国政府出台了税收优惠、资金支持、人才引进等多项政策措施，支持服务外包产业的发展。例如，商务部实施的"千百十工程"就是为促进服务外包产业快速发展而设立的。

在未来展望方面，随着全球化和数字化的加速推进，我国企业业务外包将迎来更多的发展机遇。同时，该产业也面临着数据安全与隐私保护、国际政策变化和人才短缺等挑战。我国企业需要不断提升自身实力和服务质量，以适应市场变化和客户需求的变化。

● **复习思考题**

1. 战略实施的模式有哪些类型？战略实施应遵循什么原则？
2. 阐述战略与资源的关系。
3. 资源配置的原则和方法有哪些？
4. 什么是业务外包？影响业务外包的因素有哪些？

● **实践项目**

任选一家你熟悉的公司（或者你打算创办一家公司），为其选择一个战略发展方案，并制订实现该方案的详细资源计划，撰写资源计划书。

第 10 章　战略与公司治理

● 学习目标

1）掌握公司治理的内涵
2）理解公司治理与公司战略管理的关系
3）熟悉董事会的职权及其在战略管理中的作用
4）掌握董事和高管的薪酬激励方式

● 先导案例

冲突视角下的比特大陆控制权争夺

作为科技独角兽公司，比特大陆的发展非常迅速，但其内在治理机制和权力安排并没有得到同步发展，于是，两名 CEO 选择用冲突这一剧烈的方式尝试改变该公司控制权的配置。

1. 公司概述

比特大陆是一家成立于 2013 年的国内 IC（集成电路）设计公司，它研发的"蚂蚁矿机"一度占领全球 70% 的数字货币 ASIC 矿机市场。同时，比特大陆也被认为主导了比特币最有名的一次"分叉"，产生了 BCH（比特币现金）这一新的数字货币（总市值在数字货币中长居前十），公司估值一度超过 500 亿美元。

2018 年，公司股权为詹克团占 36%、吴忌寒占 20.25%。需要注意的是，公司实行了 AB 股制度，每股 A 类股份享有 1 票投票权，每股 B 类股份享有 10 票投票权（保留事项除外），A 类股份和 B 类股份在所有其他方面享有同等权益，B 类股份仅有詹克团和吴忌寒两位联合创始人拥有，合计占近 93% 的投票权。公司治理则采用了 Co-CEO（联合首席执行官）制度，但近几年，詹克团一直占据主导地位。

2. 冲突成因

（1）**初创公司双 CEO 制埋下冲突种子**。比特大陆从创始之初实行的就是 Co-CEO 制度，即詹克团分管芯片设计，吴忌寒负责数字货币业务。在 2013—2018 年期间，比特大陆的 Co-CEO 制度发挥了良好的作用，公司市值不断攀升。但这一制度发挥良好作用的前提是合伙人之间相互信任，一旦双方出现互不信任或是互不尊重的情况，将带来巨大风险。

（2）**管理矛盾降低股东信任度**。2015年以来，比特大陆一直靠S7矿机和S9矿机支撑市场。然而，提供这两款芯片设计思路的核心技术人员并非来自比特大陆的开发团队，而是清华大学工程物理系博士杨作兴。面对这样一位核心成员，吴忌寒认为，应当按照允诺拿出2%的股权予以奖励，而詹克团坚持只能给0.5%。

此后，吴忌寒付出了一系列努力希望留住这名功臣，但因詹克团的拒绝而妥协，杨作兴最终还是选择出走，成立自己的"比特微"，在市场上逐步站稳了脚跟并成为比特大陆的重要竞争对手，而比特大陆在此之后的技术研发出现了明显的迟滞。

（3）**行业下行叠加发展方向背离，两大CEO走向决裂**。2017年之前，比特大陆的ASIC矿机占据了市场垄断地位，为公司带来了源源不断的现金流，但詹克团认为数字货币市场存在极大的不确定性，因而希望公司转向AI领域。

2017年年底，比特大陆发布AI芯片，但市场反响并不好。此后，詹克团又陆续提出了更多产品概念和规划，研发策略变得更加激进。但是过于激进的研发策略同样没有起到预想的效果，反而带来了更多的失败。2018年年底，数字货币熊市的到来让公司的现金流进一步萎缩，两人在业务转型方面的矛盾进一步激化。据业内媒体报道，2018年，詹克团倡导的AI业务致使公司亏损15亿美元，而吴忌寒的投资行为使公司亏损8亿美元，年底公司裁员50%。

3. 冲突过程

（1）**第一阶段：共同放权以缓和矛盾**。2018年年底，有媒体指出吴忌寒和詹克团在公司管理方面出现不和。2019年年初，吴忌寒和詹克团两人以"缺乏管理经验"为由卸任CEO职务。据媒体报道，两人约定各自均不干预公司除重大事项以外的日常经营，矛盾看似已经终结。

（2）**第二阶段：业绩下滑再次加重矛盾**。不久后，詹克团重回比特大陆干涉公司管理事务，而吴忌寒牵头新成立的加密货币金融服务公司Matrixport正式上线，致力于提供场外交易、数字资产的托管与借贷的一站式服务。在这段时间里，詹克团彻底掌控了公司，但面对加密货币资产和矿机收入受市场影响大幅缩水等一系列问题，比特大陆又陷入了经营困境，股东和员工们对詹克团的不满日益严重。

（3）**第三阶段：工商变更闪电夺权**。2019年10月28日，比特大陆在深圳发布最新的AI服务器，詹克团到场参会。而在北京的吴忌寒完成了公司的法人变更手续，北京比特大陆科技有限公司法人代表以及执行董事均由詹克团变更为吴忌寒，监事中也新增了已跟随吴忌寒多年的葛越晟。

2019年10月29日，吴忌寒在公司内发送了面向全员的邮件，宣布詹克团不再在公司担任任何职务，并要求安保人员禁止其进入公司，而由詹克团任命的人力资源负责人也被罢免，由跟随吴忌寒多年的索超替代。

（4）**第四阶段：纷争渐缓公司回归正轨**。2019年12月17日，福建省福州市长乐区人民法院冻结了比特大陆对福建湛华智能科技有限公司360万元的持有股权及其他投资权益，冻结期为两年。

2020年1月4日，据国外媒体报道，比特大陆联合创始人詹克团已经提起诉讼，试图重新夺回自己的位置。詹克团旗下基金 Great Simplicity Investment Corporation 在2019年12月提交了一份传票，请求开曼群岛一家法院推翻一项股东决定，该决定让他失去了对比特大陆的投票权。

虽然詹克团在几个月里采取了一系列行动，但无论是在公司内部还是外部，几乎没有起到任何效果，詹克团的"出局"已成定局。与此同时，比特大陆在冲突发生以后迅速回归正轨。

4. 冲突结果

Brown（1983）认为，冲突结果分为积极、中性、消极三种类型。比特大陆的冲突结果总体而言不失为一次积极的冲突。在产生冲突之前，两名CEO在公司管理和发展方向上存在不可调和的分歧，导致公司人力资源管理和发展战略低效，公司市场份额急剧下降，IPO（首次公开募股）失败，而AI芯片发展也没有出现明显的起色。而在冲突完成之后，公司的发展重心重新向数字货币矿机倾斜。裁员和架构调整之后，公司治理上的分歧得以消除，公司迅速回归正轨。

另外，数字货币二级市场的表现也从侧面印证了比特大陆积极的控制权结果。比特大陆主导了数字货币BCH的分叉，公司本身也持有大量的BCH资产。比特大陆招股说明书显示，公司在提交IPO申请时约持有102万枚BCH，超过BCH流通总量的5%，按2019年最高点价格计算总市值超过10亿美元，同时，BCH矿机也是比特大陆的重要业务线，BCH和比特大陆被认为具备极高的关联度。而在吴忌寒夺权新闻曝出以后，BCH两次均出现了明显的上涨，市场情绪也呈现出明显的积极反应。

内部权力制衡是公司治理的关键因素，而冲突是打破原有权力制衡并形成新的权力制衡的途径之一。北京比特大陆科技有限公司的控制权之争是我国科创企业治理的典型案例，其 Co-CEO 制度也是公司治理中的一种特殊制度。随着公司的发展，控制权争夺产生的 Co-CEO 的权力结果已经无法满足需要，进而导致大股东冲突的产生。但与其他案例不同的是，其控制权的争夺并未给公司带来过多的负面影响，二级市场对于这一事件也表现出了积极的情绪，对完善股东冲突理论、有效控制或减少冲突、提高公司治理效率和保护利益相关者权益具有积极的意义。

资料来源：张雪瑶. 冲突视角下的 Co-CEO 制衡：基于"比特大陆"控制权争夺的案例研究 [J]. 经营与管理，2021（1）：34-37. 作者根据该资料进行改编。

10.1 公司治理概述

10.1.1 公司治理的必要性

公司治理（corporate governance）是随着现代企业制度的建立而产生的。由于现代企业制度要求公司的所有权和经营权分离，因此，在所有权与经营权分离的情况下所产生的代理成本问题，以及公司的管理层究竟依照哪种目标来经营，就成为公司治理的基本问题。通俗地说，公司治理就是要制定出钱者和出力者之间的游戏规则。公司制企业的最终目标是实现企业价值最大化。然而，企业经营中要实现价值最大化会涉及许多利益相关者。例如，管理层会要求其自身利益的最大化，他可能倾向于给自己支付较高的薪资，可能会将公司的资产转换为自己的利益；在公司占有控制权的大股东，可能会牺牲少数股东的利益，以增加自身回报；其他还涉及员工、供应商、债权人、政府、社区以及整个社会的利益。因此，公司治理就是要最小化这些利益相关者之间产生的利益冲突所导致的成本，合理分配他们的权利、义务与责任，以追求股东利益最大化，防止经营层为牟取自身利益而牺牲其他利益相关者的利益。

从战略管理的角度来看，公司治理的好坏也将直接作用于企业战略决策、战略实施过程。

在战略决策过程中会涉及公司的高级管理层、董事会、股东会等利益方的权力制衡问题。如何才能协调好各方利益，做出有利于公司长远发展的战略决策非常需要公司治理来规范。在战略实施过程中，高级管理层作为战略决策的执行者，担负着全面执行股东会、董事会决策的责任。在执行阶段，高级管理层很可能会利用手中的职权牟取私利而损害公司的利益，显然，这种不道德行为是不能靠简单的委托代理契约关系就能很好避免的。为此，公司非常有必要建立一个有效的监督机制和权力制衡机制，以确保其战略能很好地得以执行。

治理良好的公司从战略决策到战略实施，都有一整套解决各种可能发生的冲突的规则。对于治理良好的公司，从政府、行业协会到社区，从客户、供应商、投资者到员工等都愿意与其维持长期关系。投资者对治理良好的公司给予信任，愿意付出更高的价格购买并长期持有其股票。麦肯锡公司的一项调查发现，投资者愿意为治理良好的公司的股价多支付16%；员工愿意接受较低的工资而获取在治理良好的公司工作的机会，期望在工作中积累经验，提高其职业地位；供应商和消费者愿意与治理良好的公司做生意；银行愿意贷款给治理良好的公司，期望与治理良好的公司共同发展。

然而，我国的公司治理水平还比较落后。一股独大、内部人控制、外部监督问题制约着我国公司治理水平的提升。正是因为公司在高级管理人员的激励、监督方面的不到位，才使得内部人控制问题在公司中如此猖獗，以至于国家利益、企业利益遭受损失。此外，在董事会组建、管理方面的不到位，使得好多公司的董事会形同虚设，从而在战略决策过程中无法很好地履行应有的职责。如此一来，公司只会陷入恶性循环而无法自拔。为此，我们必须通过高效率的公司治理来为战略管理保驾护航。

10.1.2 公司治理的定义

目前，国内外学者对公司治理的定义还没有形成普遍的共识。他们纷纷从不同的角度出发，得出了不同的定义。科克伦（Phlip L. Cochran）和沃特克（Steven L. Wartick）在1988年发表的《公司治理——文献回顾》一文中指出，公司治理问题包括高级管理阶层、股东、董事会和公司其他利益相关者的相互作用中产生的问题。其主要关注点是谁从公司决策或高级管理阶层的行动中受益，谁应该从公司决策或高级管理阶层的行动中受益。

吴敬琏（1994）认为，所谓公司治理，是指由所有者、董事会和高级执行人员（即高级经理人员）三者组成的一种组织结构。在这种组织结构中，上述三者形成一定的制衡关系，即如何激励、监督高级经理人，如何在所有者、董事会和高级执行人之间形成相互监督、相互制衡的关系。

张维迎（1996）认为，公司所有权安排和公司治理是同一个意思。公司治理是公司所有权安排的具体化，公司所有权安排是公司治理的一种抽象概括。公司治理的核心是，在两权分离的情况下，所有者对经营者的监督和激励的问题（即委托-代理问题）。

林毅夫（1997）认为，公司治理是指所有者对一个公司的经营管理和绩效进行监督与控制的一整套制度安排，主要关注如何对公司绩效进行监督与控制，如何通过完善的治理结构提高公司绩效。

郑红亮（1998）认为，公司治理要处理的是公司资本供给者确保自己可以得到投资回报的方法问题。比如，资本供给者如何使管理者将利润的一部分作为回报返还给自己，他们怎样确定管理者没有侵吞他们所提供的资本或将其投资在不好的项目上，他们怎样来控制管理者等。

李维安教授认为，狭义的公司治理是指所有者（主要是指股东）对经营者的一种监督与制衡机制，即通过一种制度安排，来合理地配置所有者和经营者之间的权利与责任关系，其主要特点是通过股东大会、董事会、监事会及管理层所构成的公司治理结构进行内部治理；广义的公司治理则是指通过一套包括正式及非正式的制度来协调公司与所有利益相关者（股东、债权人、供应者、雇员、政府、社区等）之间的利益关系，以保证公司决策的科学化，从而最终维护公司各方面的利益。

黄旭教授对公司治理的三个共性问题做了归纳阐述，即都是为了解决所有权和经营权相分离而产生的委托-代理问题；都认为公司治理是一套制度安排，用于协调各方利益；公司治理的最终目的都是使目标主体利益最大化。

综上所述，公司治理可理解为用于规范和协调董事会、股东会、高级管理层行为的一系列制度安排，这种制度体现了企业内外部的股东会、董事会、监事会以及经理层及其他利益相关者之间的权力制衡机制、激励约束机制及市场机制的关系。具体来说，公司治理既是一种经济关系、契约关系，又是一种权力制衡机制。对于真正的企业家和管理者，公司治理是资产而不是负债。优秀公司自觉地把公司治理作为创建自身竞争优势的新工具，以提高股东会、董事会的运作效率，把投资者关系管理作为一项常规性的工作。

10.1.3　公司治理与公司战略管理

公司治理是一种制度安排，界定了整个企业运作的基本框架，有效的公司治理是投资者、经营者、管理者发挥才能的重要保证。公司战略管理是在这个搭好的平台和框架内，明确战略发展目标并合理配置资源以实现目标。公司治理和公司战略管理的有机结合可以产生良好的协同效用，进而有效提升企业的价值。因此，公司治理在公司战略管理中起着关键性作用，这不仅体现在战略决策过程中，而且体现在战略实施过程中。

1. 资本结构对公司战略管理过程的影响

资本结构是公司治理结构最重要的一个方面。企业治理机制的有效性在很大程度上取决于资本结构。张维迎（1996）指出资本作为一种物化的要素投入直接决定着公司的运营方向，以及公司的战略方向。股东作为资本的真正所有者，通过董事会进行战略决策体现资本的价值。假如股东通过目前的制度安排无法对管理层施加更大的压力，他们将选择抛售手中的股票。这会导致股价下跌，相应的高级管理层也会受到相应的惩罚，迫使其制定和实施新的战略以提高公司的经营绩效，以获得大多数股东的认可和支持。

通常，积极的董事会在战略决策过程中参与度更高，在战略实施中控制力更强，反之，当董事会只是流于形式时，高级管理层可能集战略制定的决策权和战略实施的指挥权于一身，在公司治理中的监督机制和权力制衡机制不完善的情况下，高级管理人员就很有可能出于一己之私而追求短期利益，内部控制人问题可能会很突出。

2. 公司治理主体与公司战略管理主体的互动影响

公司治理主体一般包括股东、经营管理者、职工、债权人、供应商、政府等利益相关者。公司战略管理主体一般包括战略的制定者、战略的实施者、战略实施过程中的监督者和评价者。首先，公司治理主体的形成及选择对战略导向具有决定性的作用，公司整体的运作将由战略导向而定，反过来，公司竞争优势得到有力提升后，公司治理主体将有意识地完善自身的结构，并自觉而有效地实施战略。其次，公司治理主体的安排将影响公司战略管理主体的决策动力，两个主体之间的部分重合有利于公司目标的统一和价值观的重合，这将极大地促进公司能力的整合。公司战略管理主体通过不断地对公司发展战略进行选择和实施，可以达到局部调整治理结构的目的，而这种公司治理微调累积在一个时段后就可能会引发治理机制的质变。这种循序渐进的演变最终将使得公司治理机制趋于完善，并最终形成公司的强势竞争力，从而会有力地提高公司的战略绩效。

随着公司的发展，公司治理与公司战略管理之间的有机结合会逐渐达到一种动态制度均衡。

从公司治理的各个层次与整个公司战略管理全过程来看，二者的有机结合将有利于公司竞争优势的提升。公司竞争优势来自公司内部持续不断的核心竞争力的提升，而核心竞争力的提升又来自公司战略管理过程的科学运作以及治理结构的持续改进。

10.1.4 主要的公司治理模式

所谓公司治理模式是指一国为解决公司治理问题而制定的一系列制度和采取的一系列手段的总称。各个国家由于经济发展水平、社会制度、社会文化、法律制度、政治体制等因素的差异，演化出多样化的产权结构、融资模式和资本市场，进而形成了不尽相同的公司治理模式。

从当前世界范围来看，存在两种主流的公司治理模式，即以英美市场监控为主体的外部治理模式（英美外部监控治理模式）和以德日内部监控为主体的内部治理模式（德日内部监控治理模式）。近年来，一些公司治理专家和学者在研究了东南亚国家和东亚国家的公司治理后，又归纳出家族治理模式。实际上，东南亚国家和东亚国家的家族治理模式与德日内部监控治理模式有相似之处，两者的共同特点均表现为大股东的直接监控，只不过在德国和日本，大股东主要表现为银行或大财团，而在东南亚国家和东亚国家，大股东主要为控股家族。

不同的公司治理模式在公司治理的指导思想、治理原则、治理目标、公司内部权力结构、公司控制权、经营权机制和控制手段，以及激励机制等方面都各有特点，世界上不存在最佳的公司治理模式。各种公司治理模式相互学习、相互吸取其他模式的优点，以优化公司治理的功能，提高公司治理的绩效。

1. 英美外部监控治理模式

英美外部监控治理模式主要盛行于英国、美国、加拿大、澳大利亚等国家，尤其以英国、美国两国最为典型。其主要特点是公司股权高度分散，流动性强，机构投资者在公司治理中的作用较弱，公司治理机制主要来源于外部市场力量。该模式一般在高度发达的市场经济、相当成熟的金融市场条件下适用。这种模式的股东对公司经营管理的影响很弱，但对于公司治理的影响力相当大。对经营者管理不善的惩罚通常是股东卖掉股票（用脚投票）以及随之而来的恶意收购。一旦发现公司经营不佳，在金融市场上立刻就能反映出来，这也就给经营管理者以压力，促使他们努力地提升公司的价值。在这种模式中，股东的利益在很大程度上是利用产品市场、经理人市场、资本市场的压力以及有关信息披露、内幕交易的控制、相关法律制度等来保护的。

英美外部监控治理模式的优点在于由于强大的外部市场约束，公司经营的透明度较高，能对业绩差的经营管理者产生持续的替代威胁。但同时，这种模式的缺点也非常明显，股票买卖的投机性使股东热衷于短期炒作而对公司的经营与发展漠不关心；股东主要依靠退出威胁而不是投票参与，在财务指标和股东分红的压力下，经营管理者行为倾向于短期化而忽视了公司的长期绩效，对基础投资与研发并不太重视；分散的小股东没有直接监督经营管理者的激励，只能借助"用脚投票"实现对经营管理者的间接制约。由于内部直接监督约束力不强，经营管理者追求公司规模过度扩张的行为得不到有效制约。这就要求公司增强董事会的独立性，在董事会内引入一定数量的独立董事等，希望通过这些措施来增强公司的内部监督力度，以弥补由于外部监控不足所造成的问题。

目前我国股票证券市场的发展还不够成熟，公司的融资渠道还主要依靠贷款；尚未形成一个流动良好的职业经理人市场，公司高层管理者多来自公司内部；市场监管制度、信息披露制度和相关的法律制度还有待完善，因此尚不具备实施以外部控制为主的治理模式的条件。

◎ **战略专栏 10-1**

英国电信公司治理体系

英国电信公司治理体系属于盎格鲁－撒克逊公司治理体系，其特点是股权相对分散，公司治理依赖于高度透明的企业运作、完善的立法和执法机制，以及资本市场监督机制。英国电信公司在私有化之后，通过资本收购和海外直接投资，积极参与全球电信领域的竞争，不断拓展其业务领域。同时，英国电信公司还通过业务重组和战略调整，实现了从萎缩到复苏的转变。

资料来源：作者根据相关资料整理而成。

2. 德日内部监控治理模式

德日内部监控治理模式主要盛行于德国、日本、瑞士等国家。与英国、美国等国家主要依靠公司外部的力量对管理层监督不同，德国和日本的公司治理模式主要以公司大股东的内部监控为主，外部市场尤其是公司控制权市场的监控作用很小，有关信息披露、内幕交易的控制、小股东权益保护的法规也不如英国、美国等国家完善。德国和日本公司股权结构的特点是股权结构相对集中稳定，公司融资主要来源于银行贷款和企业间相互持有的法人股。主银行制是这种模式的主要特征。

德日内部监控治理模式的优点是由于股权的集中化，股东普遍重视公司的长远发展，在一定程度上克服了管理人员的短期行为；股东、银行和职工之间的利益关系密切，对经营者行为形成有效的制约。其缺点在于法人持股使利益相关者之间的协商成本较高，并使中小股东的利益保护受到影响；由于企业股权结构相对封闭，资源流动性差，市场机制特别是资本市场和经理人市场难以充分发挥效力，高层管理者一般以增长率和市场份额的扩大为目标，从而忽视了股东利益，反映出对公司监管体制的不完整性。

◎ **战略专栏 10-2**

德意志银行的治理结构

德意志银行是一家老牌全能银行，是德国最大的金融控股公司。20 世纪 90 年代以来，德意志银行正由全能银行的体制逐步转变成为全球性的多元化金融公司。从股权结构上看，德意志银行的大股东都是机构投资者，占到 80% 以上的份额，雇员持股占到 11%。

德意志银行的治理实行双层决策体系，包括董事会和监事会。

董事会由 8 名董事组成，下设决策委员会和功能委员会。决策委员会的职责：①为董事会及时提供有关银行业务发展和交易情况的信息；②定期汇报各个业务部门的状况；③与董事会磋商并向董事会建议银行的发展战略；④董事会决策的准备工作。功能委员会帮助董事会进行跨部门的战略管理、资源分配、控制以及风险管理，主要包括的部门有：①财务委员会；②投资委员会；③风险委员会；④资产／负债委员会；⑤投资、选择性资产委员会；

⑥信息技术和管理委员会；⑦人力资源委员会；⑧合规委员会。

监事会是任命、监督董事会并为董事会提供咨询的机构。监事会负责决定董事会成员的薪酬及结构。监事会下设4个常务委员会：①主席委员会；②协调委员会；③审计委员会；④信用和市场风险委员会。公司主要的常设管理部门是管理董事会（board of managing directors），共有8人，没有CEO，只有一个发言人兼任两大业务系统之一的客户和资产管理系统的主席，还兼任公司股权投资部门的主席，同时设有COO（首席运营官）、CFO（首席财务官）、CRO（首席风险官）。

资料来源：张咏莲，沈乐平.公司治理学[M].3版.大连：东北财经大学出版社，2019.

3. 家族治理模式

家族治理模式广泛存在于泰国、新加坡、马来西亚、菲律宾等东南亚国家，以及韩国等东亚国家。它是建立在以家族为代表的控股股东主权模式基础之上的，其存在条件是家族直接控制公司的发展，并受家族主义文化的影响。这种模式的主要特征是股权集中在家族手里，而控制性家族一般普遍参与公司的经营管理和投资决策，因此公司治理的核心从管理和股东之间的利益冲突转变为控股大股东、经理层和广大中小股东之间的利益冲突，表现出"强大家族、弱中小股东"的特征。不过现在有些东亚国家的家族企业也在通过上市、合资、合作等形式建立现代企业制度，成立董事会来监督管理企业，家族企业的股权分散化和社会化程度都在逐步提高。

● 战略专栏 10-3

韩国现代集团的公司治理模式

1. 现代集团概况

现代集团是韩国的一个大型财团，业务涵盖了汽车、建筑、造船、金融等多个领域。作为韩国经济的重要支柱之一，现代集团在公司治理方面具有一定的代表性和影响力。

2. 公司治理模式及特点

（1）家族成员控制。

1）现代集团的所有权和控制权主要集中在以郑周永为首的家族成员手中。家族成员通过直接或间接持股方式，掌握了集团内多家公司的所有权。

2）在经营权方面，当创始人郑周永退休后，现代集团采取了以血缘关系为基础的家族继承制度，由长子等家族成员继承最高经营权。

（2）交叉持股与相互担保。

1）现代集团内部的成员公司之间存在交叉持股现象，这种股权结构有助于增强家族对集团的控制力。

2）家族成员还通过相互债务担保和相互财政补贴等方式，对集团所属系列公司实施控制，形成一个利益共同体。

（3）**集团化管理**。

1）现代集团采用集团化管理模式，通过设立综合企划部等职能部门，对集团内各成员公司的战略、财务、人事等方面进行统一管理和协调。

2）这种管理模式有助于实现资源共享、降低成本、提高整体运营效率。

（4）**注重社会责任与合规运营**。

1）作为韩国的大型财团，现代集团注重履行社会责任，积极参与公益事业和社会活动。

2）同时，现代集团也注重合规运营，遵守韩国的法律法规和行业标准，以确保公司的稳健发展。

3. 启示与借鉴

现代集团的公司治理模式体现了韩国家族企业的典型特征，即家族成员控制所有权和经营权，通过交叉持股和相互担保等方式增强控制力。然而，这种治理模式也可能存在一些潜在问题，如家族内部的权力斗争、利益分配不均等。因此，对于其他企业而言，在借鉴现代集团的成功经验时，也需要关注其潜在风险和挑战，并结合自身实际情况进行适当调整和改进。

资料来源：作者根据相关资料改编而成。

4. 我国常见的公司治理模式

（1）**股东治理模式**：以股东利益为重点，公司决策主要基于股东利益考虑。股东拥有最终控制权，并决定公司的发展方向和战略。

（2）**董事会治理模式**：董事会作为公司的最高决策机构，负责制定公司战略、监督公司运营和管理层任命等。在这种模式下，董事会承担更多的责任来确保公司的长期发展和股东的利益。

（3）**经理人治理模式**：公司的日常运营和管理由专业经理人负责，董事会主要负责监督和指导。在这种模式下，经理人的专业能力和经验对公司的运营至关重要。

（4）**国有企业治理模式**：这类企业的董事会行政色彩浓重，凡关乎企业重大决策的都需要上报相关政府部门，董事会成员多由国有资产的代表来充当，不少成员还来自相关政府部门。监事会职能弱化，独立话语权有限。独立董事监督弱化，即国有企业中的独立董事往往难以达到真正的独立性，直接导致其监督功能弱化。

随着我国现代企业制度的建立和不断发展，公司治理的重要性越发凸显。不同的治理模式各有优缺点，公司需要根据自身情况选择合适的治理模式，并随着时代和环境的变化进行调整和改进。

10.2 董事会与战略管理

公司作为一个法人之所以能够超越自然人，其关键就在于董事会。像通用、IBM、花旗等国际跨国公司不是由一个人，而是由一个独立和高效的高层管理团队在管理，它们有一套治理机制，董事会则是其核心。公司的稳定和持续健康发展需要建设一个良好的董事会，这是公司从"人治结构"走向"法制结构"的关键一环。

设立董事会的最根本目的就是保证公司战略决策的正确性，确保战略决策与公司长期发展目标一致，同时能有效监督公司战略的实施。不管公司采用哪种形式的治理模式，董事会对于公司战略的制定、战略的实施及公司的长远发展起着举足轻重的作用。

10.2.1 董事会的职权

董事会是通过股东大会选举，由不少于法定人数的董事组成的，是代表公司行使其法人财产权的会议组织机构。董事会是公司法人的经营决策和业务执行的常设机构，经股东大会的授权，能够对公司的投资方向及重大问题做出决策，对股东大会负责，并对公司经理人进行监督。

董事会在性质上不同于股东大会，股东大会是公司的最高权力机构，虽然理论上股东有着对公司的所有权和控制权，但由于小股东所持股份数量少，因此他们在公司治理中并没有太大的影响力。即便是对于大股东尤其是同时持有多家公司股份的大股东而言，也会由于其精力有限或不愿意深陷于琐碎日常经营事项，而把公司中股东大会的权力委托给董事会来行使。董事会接受股东大会的委托，负责公司法人的战略和资产经营，并在必要时撤换不称职的经理人员。

董事会作为公司法人财产权主体，其职能主要表现在决策和监督两个方面，即作为最高决策机构，负责公司的重大战略决策；作为股东大会的代理人，由于公司的日常经营又是委托给管理人员的，因此又负责选拔、评价、监督公司经理人等。在董事会的具体职权上，《中华人民共和国公司法》有如下规定。

（1）召集股东会会议，并向股东会报告工作。
（2）执行股东会的决议。
（3）决定公司的经营计划和投资方案。
（4）制订公司的利润分配方案和弥补亏损方案。
（5）制订公司增加或者减少注册资本的方案以及发行公司债券的方案。
（6）制订公司合并、分立、解散或者变更公司形式的方案。
（7）决定公司内部管理机构的设置。
（8）决定聘任或者解聘公司经理及其报酬事项，并根据经理的提名决定聘任或者解聘公司副经理、财务负责人及其报酬事项。
（9）制定公司的基本管理制度。
（10）公司章程规定或者股东会授予的其他职权。

10.2.2 董事会参与战略管理的程度

董事会的根本职责就是确保公司经营方向和公司管理政策与股东利益一致，并以长期股东价值最大化为目标。大多数公司的失败都可归因于战略方向、管理和监督方面的失误和失效。

因此，构建一个专业化的、能够更好地发挥战略职责的董事会是公司治理中的重要事项。

在实际运营中，很多公司的董事会并没有在公司战略决策中发挥多大的作用。一些看上去似乎已经发挥了战略决策作用的公司董事会，实际上只是制定了一些数量上的指标，具体的战略制定、评估的责任留给了高级管理层。因此，一旦董事会的监督、指导职能被弱化之后，对于高级管理层战略实施行为的控制力将大打折扣。作为股东大会代表的董事会，无论是出于自身利益的考虑，还是出于职责所在，都应该对战略决策负有不可推卸的责任。然而，当对高级管理层的行为缺乏监督或董事会在战略决策过程中参与过少时，就无法保证他们能完全履行其职责，以正确地做出决策和实施公司战略。

在实际运营中，董事会参与战略管理的程度见表10-1。

表 10-1　实际运营中的董事会参与战略管理的程度

被动 橡皮图章型董事会	审批 基本尽职型董事会	参与 战略管理型董事会	干预 消防队型董事会	介入 运营型董事会
对管理层的提议全部批准；仅有限参与公司管理；由CEO决定其职责	能够向股东证明CEO的表现符合董事会的期望；重视外部董事和独立董事，外部董事能够单独召开会议；外部董事对CEO的业绩进行评估；建立起了有效的董事提名和选聘程序；愿意并能够改善管理，以更好地对股东负责	在重大决定或行动过程中，与CEO、管理层合作，为其提供自己的判断和建议；能够认识到董事会应对公司的业绩承担最终责任；承担对CEO的方向指引和行为监督的双重责任；董事会会议对重大事项和重大决策进行客观深入的讨论；对董事会成员的行为规范有界定，董事会和CEO之间的职责划分清晰明确	公司在发生危机期间采用的一种典型模式；董事会倾注大量精力处理公司所面临的重大问题；频繁召开高强度的董事会会议	董事会不仅负责重大决策，还介入重要的执行活动；在公司起步阶段较为常见，因为管理层可能对公司还不是非常了解，董事会要填补空白

● 战略专栏 10-4

西门子股份公司的治理模式

西门子股份公司（以下简称西门子公司）总部设在德国柏林和慕尼黑，因此，西门子公司有着德国公司典型的治理模式，即"双层董事会制"，并遵循德国的公司治理准则。同时，西门子公司于美国纽约证券交易所上市，严格遵循美国资本市场的规则。两种公司治理模式在西门子公司得以结合，并给西门子公司带来了巨大的成功。

资料来源：张咏莲，沈乐平. 公司治理学 [M]. 3 版. 大连：东北财经大学出版社，2019.

10.3　战略管理型董事会的构建与职责

完善公司治理结构要从建立、健全和优化董事会做起。董事会的首要职责是进行正确的战略决策，确保公司的长期可持续发展。传统公司的董事会往往消极、被动，只起到消防员和橡皮图章的作用。现代公司董事会的发展趋势是转变为积极的、全面管理公司事务的战略管理型董事会。战略管理型董事会的构建对我国公司改进其治理过程并快速融入全球经济发挥着举足轻重的作用。

战略管理型董事会要积极参与公司的战略决策，在重大决定或行动过程中，与 CEO、管理层一起合作，为其提供自己的判断和建议；能够认识到自己应对公司的业绩承担最终责任；承担起对 CEO 的方向指引和行为监督的双重责任；通过董事会会议对重大事项和重大决策进行客观深入的讨论；对董事会成员的行为规范有界定，董事会和 CEO 之间的职责划分清晰明确。

然而，在公司实际发展和运营过程中，多数董事会战略职责没有充分发挥，原因有很多，其中包括对公司治理问题认识上的不足，过于强调董事会相对于管理层的监督角色而忽视了董事会的战略指导角色。因此，构建一个专业化并能够有效发挥作用的董事会，可解决公司治理过程中不容忽视的重要问题。

10.3.1 战略管理型董事会的构建

（1）**从优化股权结构和股东基础开始**。就股权结构来说，要降低股权集中度，尽可能地使股权多元化、分散化。

（2）**战略性地招募合适的董事**。虽然法律上规定董事由股东大会选举产生，但是战略管理型董事会要尽可能地避免简单接受各个股东推荐的董事人选。战略管理型董事会的本质是独立性。

（3）**确保战略管理型董事会运作到位**。这包括激励性的薪酬、高质量的信息、负责任的态度、建设性的参与、高效率的领导等。

10.3.2 战略管理型董事会与管理层的战略职责划分

战略管理型董事会和管理层之间应该有一个清晰的责任划分，战略管理型董事会提供战略监控和战术指导，管理层进行运营计划、决策和实施。在实际运作中，战略管理型董事会和管理层如何明确各自的角色会因公司而异，但战略管理型董事会都应该有足够的信息以支持其战略分析和决策。在战略管理型董事会和以 CEO 为首的管理层之间建立清晰的战略职责分工会给公司带来长远的战略利益和价值。

战略管理型董事会与管理层的战略职责划分见表 10-2。

表 10-2　战略管理型董事会与管理层的战略职责划分

维度	任务描述	战略管理型董事会职责	管理层职责
战略构想	收集、分析和讨论公司环境与竞争状况等信息以及主要的业务规划等	从外部角度提出观点，并分享其所积累的智慧；测试管理构想的一致性；与管理层合作	提出战略构想；制定日程，提出议题；积极参与董事会的讨论

(续)

维度	任务描述	战略管理型董事会职责	管理层职责
战略决策	对业务组合和规划做出一系列基本决策	为管理层提供建议;对主要决策进行审核和批准	做出关键决策;对于关键的方向性决策和主要资源分配问题,向董事会提出议案
战略计划	将关键的战略决策转化为一系列执行战略的行动,包括目标和资源分配	审核管理层提出的核心战略计划;理解与评估战略计划及其风险和结果;批准计划	制订计划;检查计划,确保与公司战略目标的一致性;向董事会提交计划以供审核
战略实施	按照战略计划采取行动,并根据情况变化调整行动,保证行动与计划的一致性	比照既定目标,检查主要的战略执行过程和所获结果	确保资源和人员到位;监测执行过程;根据结果对行动和计划进行调整

◎ **战略专栏 10-5**

索尼公司治理国际化

索尼公司一直努力推进公司治理的改革并与国际接轨,如在经理期权计划尚未得到日本法律认可的情况下,索尼公司运用某种金融手段创造了一种类似经理期权计划的激励契约,成为日本第一家引进经理期权计划的公司。索尼公司的董事会结构和组成也进行了大幅度的改革。1997 年,索尼公司将其董事会规模由 38 人减少为 10 人,其中有 3 名外部董事。从 2004 年开始,索尼公司宣布与日本家长制式的经营模式决裂,采用美国的公司治理模式。索尼公司设立"指名委员会""薪酬委员会""监察委员会"三个委员会,分别负责董事会成员的任命、经营者薪酬以及监督。这三个委员会中的委员一半以上必须由公司以外的人担任,从而打破了日本公司 90% 以上的董事会成员是本公司人员的传统模式。索尼公司还任命霍华德·斯金格担任该公司的董事长兼首席执行官,从而使索尼成为从严格意义上讲第一家由外国人担任最高领导者的日本公司。

资料来源:张咏莲,沈乐平. 公司治理学 [M]. 3 版. 大连:东北财经大学出版社,2019.

10.4 董事和高管的薪酬激励

一个公司要想有好的业绩,除了有好的战略规划外,还必须要有能将这些战略实施到每个组织环节中的管理人员。董事和高管的薪酬直接关系到公司的竞争力和绩效水平,是建立有效公司治理结构的重要环节之一。如果把公司治理理解为激励与约束两个方面,董事会建设主要强调约束方面的话,董事和高管的薪酬则主要是一个激励方面的问题。为吸引与激励董事和高管,董事会下设的薪酬委员会要科学合理地提供绩效考核指标和薪酬体系,薪酬委员会的年度报告应就全体经理人的年薪、激励报酬、期权计划、绩效衡量和退休计划的细节进行披露。

10.4.1　美国上市公司的董事和高管的薪酬激励

美国上市公司（以下简称美国公司）给予外部董事的报酬一般由四个部分构成：一是对其为董事会和董事会委员会提供服务所给予的年费；二是对参加董事会和委员会会议所给予的会议费；三是给予董事会主席和委员会主席的额外报酬；四是股票期权或者股票奖励形式的股权类报酬。

其中股票期权一般是指经理股票期权，即企业在与经理人签订合同时，授予经理人未来以签订合同时约定的价格购买一定数量公司普通股的选择权，经理人有权在一定时期后出售这些股票，获得股票市价和行权价之间的差价，但在合同期内，期权不可转让，也不能得到股息。在这种情况下，经理人的个人利益就同公司股价表现紧密地联系起来。股票期权制度是美国上市公司的股东以股票期权的方式来激励公司经理人实现预定经营目标的一套制度。受限股票一般是指公司给予高管一定数量的实际股票，每达到一定的服务年限生效一定的比例，生效前有转让限制和作废风险。

花旗集团支付给外部董事的报酬一般是以普通股方式支付，以使董事们和其他股东有一致的所有权利益。外部董事当前每年得到 12.5 万美元的董事年费，可以 100% 以普通股支付，或者 50% 为现金以纳税，余下为普通股。

美国高级经理层的薪酬主要由基薪、奖金（大部分通过受限股票或延迟股票的方式支付）和股票期权授予三部分构成。经理层通常也参与面向普通员工的福利计划，定期了解竞争公司的薪酬做法，以确保公司的薪酬政策能够继续吸引优秀的新人并激励和留住现有优秀员工。与公司的薪酬政策一致，每位经理人年薪（工资和奖金）的 25% 以受限股票或延迟股票的方式支付。

其中薪酬体系中的福利计划与基本工资、年度奖金、股票期权相比比例不大，包括公司提供给高管的养老金计划、医疗计划、储蓄计划、寿险计划、伤残计划，以及高级俱乐部会员资格、定期体检、免费旅游、专用交通工具等特殊生活利益，还有退休金、"金色降落伞"离职补偿、高管善意离职补偿金等。其中，"金色降落伞"是一个保护管理者的合同，规定当公司被并购或恶意接管时，如果高管人员被动失去或主动离开现有职位，则可以获得一笔离职金，包括解雇费、奖金、股票期权等。

以股票期权计划为代表的长期激励计划还包括储蓄、股票参与计划、股票持有计划、虚拟股票计划等。对有关标准普尔 500 指数中市值最大的 250 家美国公司经理人长期激励计划的统计显示，股票期权是使用比例最高的长期激励工具，其实施范围最广泛，除标准的股票期权以外，又发展了很多品种，即为了达到某种目的而附带某种条件的股票期权。

美国越来越多的公司公布了高管股票所有权政策，2005 年这一比例为 67%。考虑到该项披露属于公司的自发行为，实际拥有这一政策的公司比例可能大于披露的比例。美国公司高管股票所有权政策大概可以分为三类：第一类是最普遍的，规定高管必须持有一个相当于多少倍的公司股票价值量，64% 的公司采用该类政策；第二类是规定高管必须拥有一定数额的公司股票，该类政策避免了第一类政策中由股价波动带来的操作上的麻烦，9% 的公司采用该类政策；第三类是对高管从长期激励和奖励中所获公司股票规定一个最低保留和持有年限，该类政策可以和上述两类政策中的任何一类结合使用。

10.4.2 日本上市公司的董事和高管的薪酬激励

根据日本商法的规定，除非公司章程中已经做出了有关规定，否则日本上市公司（以下简称日本公司）支付给全体董事和全体监事的报酬总额要由股东大会决议来决定。这一报酬总额在每个董事之间的分配一般则授权给公司董事会决定，监事之间的报酬分配则由监事们相互商讨决定（日本中小型公司有监事而没有监事会）。日本公司高管人员的报酬一般由月薪、董事人员的年度奖金和经理人员的绩效挂钩奖金构成。董事人员的报酬一般是固定的，而经理人员的绩效挂钩奖金则是根据公司及个人的业绩来决定的。此外，根据日本公司的惯例，董事和监事退休时会得到一笔一次性的退休费。给予董事和监事退休费的议案由股东大会批准，具体金额则由董事会和监事会确定。退休费金额一般根据退休人员退休时的职位，作为公司董事或监事的服务年限，以及其对公司业绩的贡献来决定。

日本一些公司在1997年日本商法改革使股票期权合法化之后，开始授予高管人员股票期权。以股票期权作为一种激励手段来提升公司价值的做法受到了越来越多的日本公司欢迎。甚至像丰田汽车这样一些比较保守的、以传统的终身雇佣制和年功序列制为荣的大公司，也开始引进股票期权和其他一些与绩效挂钩拉开薪酬差距的激励机制。与美国相比，在日本经理人激励机制中，薪酬只是一个保健因素，而非激励因素，真正起激励作用的是终身雇佣制和严格的年功序列制。虽然在薪酬设计中也有股票所有权激励，但是经理人所持的企业股份数额其实是相当小的，因此这种制度的激励作用是相当有限的。日本公司的高管人员薪酬系统还是以现金支付为主导方式。日本公司仍然面临着一些传统观念的阻碍，不愿意像西方公司那样给予高管人员非常优厚的酬劳。

日本经理人激励机制中的两大特有制度为终身雇佣制和年功序列制。在日本的传统文化中特别强调稳定性，在公司中也是如此。所以，在日本经常跳槽会被看作无能或不可信任的表现。于是，很多的日本人一生很可能就只服务于一家公司。这种职业态度可以很好地激励员工对公司忠诚，激励他们努力地工作。而终身雇佣制的另一个必然结果就是，公司必须为每一位员工设计出一个职业规划，以利于他们才能的充分发挥。当然，也就出现了日本的经理人普遍年长的特点。经营者在成为经理人之前，都在公司中服务过多年，对公司有着比较深入和全面的了解，如果他们在成为经理人之后有"不法行为"，那么他们多年的努力将付之东流。因此，理智的经理人是不会去冒那么大的风险的。

年功序列制，即根据职工的学历和工龄长短确定其工资水平的做法，工龄越长，工资越高，职务晋升的可能性就越大。如果学历、能力和贡献不相上下，工龄就是决定职务晋升的重要依据。这里所说的工龄，均是指在同一公司内连续工作的年数，而在不同公司工作的工龄一般不能连续计算。年功序列制增强了公司对职工的吸引力，能比较有效地防止熟练工人和技术骨干被别的公司挖走。年功序列制还可防止过度竞争，保证秩序。不同年龄层职工之间的关系比较融洽，同年龄层职工之间的工资差别很小，有利于维护团队精神，但年功序列制取决于年龄与工龄等要素，而不太讲求能力或职能要素，不利于人才潜能的发挥，缺乏激励性。

由此可见，在薪酬体系的设计上，日本更偏爱于采用延迟报酬激励制度。这种制度的采用，增大了经理人犯错的惩罚力度，当然经理人的行为也就更符合公司的要求。因此。美国公司高管要比日本公司高管拥有更多的股票和股票期权，并且日本公司高管与美国同行相比，对公司收益降低更为敏感，而对公司股票绩效的敏感度较低。

10.4.3 我国上市公司高管的薪酬激励

我国上市公司，尤其是国有上市公司高管的薪酬激励机制的设计受计划经济影响较大，需要完善之处有很多，在薪酬水平的确定和披露，激励制度的设计和监督等方面，与世界著名公司存在不小差距。如何使我国上市公司高管的薪酬与公司的经营业绩相匹配，避免高管恶意掏空公司，不追求短期利益等，规避因为治理结构不健全、监管不到位给股东和广大投资人带来的损失，日益成为政府监管机构、股东和广大投资人十分关心和亟待解决的问题。

1. 高管薪酬激励水平不合理，与公司绩效关联度较低

北京师范大学高明华教授通过一系列的理论分析和实证检验发现，我国上市公司高管的薪酬制度存在"激励不足"与"激励过度"并存的现象，这是非常值得注意的问题。出现这种问题，其根源在于我国上市公司至今还缺少一个良性的、有效的高管薪酬形成机制。垄断公司"业绩对高管努力程度的敏感度"大于非垄断公司"业绩对高管努力程度的敏感度"，即在高管付出同样努力的情况下，由于垄断的"放大效应"，在垄断公司中，业绩对高管努力程度的敏感度更高。

另外，与其他国家上市公司的高管薪酬相比，我国上市公司的高管薪酬水平偏低，公司绩效的提升与高管所得报酬的增长不成正比，并且薪酬结构不合理，形式僵化，无法将公司的绩效与高管的薪酬紧密地联系起来，对于高管的激励力度也不够。因此，为了缩小所得与付出之间的差距，高管大多会利用职位权力或对特殊资源的控制权来获得额外收入，或是进行大量的在职消费来增加自己隐性的收入，更有甚者还会铤而走险地收受贿赂。

高管薪酬到底是"激励过度"还是"激励不足"，要看高管对公司业绩的贡献有多大。一般认为，公司高管的薪酬应该与公司业绩挂钩，但是应该对垄断公司和非垄断公司进行区分。因为对于垄断公司来说，它们天生就被赋予了垄断优势。它们获得的高利润主要源自其垄断资源或垄断地位，而并不完全来自高管的能力或努力。因此，对垄断公司高管薪酬合理性的判断不能简单地按照一般公司的标准，直接将公司业绩与高管薪酬挂钩，而应该将垄断因素考虑进去。对于非垄断公司，决定公司业绩的主要是公司的规模、治理结构、高管能力和努力等。对于垄断公司，决定公司业绩的除了上述因素外，还有公司的固有条件，即自然垄断或行政垄断优势。

2. 高管薪酬体系结构不完善，长期激励效果不足

与美国、日本等国家相比，我国上市公司高管的薪酬激励还处于发展阶段，目前我国上

市公司经营者的薪酬一般采取工资加奖金或年薪制的形式，有些公司也同时实行了股票期权或股票奖励，但并不普遍。无论是工资加奖金形式还是年薪制，都是一种短期激励，在工资加奖金的形式中，工资一般与经营者的业绩无关，奖金虽与经营者的业绩挂钩，但体现的是经营者在过去一年中的经营行为，而年薪制是以年度为单位确定经营者收入的。因此，它们都是以短期业绩为导向的薪酬体系，不利于公司长期发展和核心竞争力的提高。

在竞争越来越激烈的市场条件下，公司成功的关键在于保持较强的可持续发展能力，要想让高管做出有利于公司长期生存发展的决策并且努力付诸实施，对高管的长期激励就显得尤为重要。长期薪酬激励计划包括股票期权和各种股权激励措施，如业绩股票、虚拟股票、股票增值权、限制性股票、延期支付计划等。

（1）**业绩股票**。在年初确定较为合理的业绩目标，如果激励对象在年末未达到预定目标，则授予一定股票或提取奖励基金购买股票。其流通变现有时间限制和数量限制。

（2）**虚拟股票**。它是指公司授予激励对象的一种虚拟的股票。激励对象可据此享受一定数量的分红权和股价升值收益，但没有所有权，没有表决权，不能转让和出售，在离开公司时自动失效。

（3）**股票增值权**。它是公司授予激励对象的一种权利，如果公司股价上升，激励对象可通过行权获得相应数量的股价升值收益。激励对象不用为行权支付现金，行权后可获得现金或等值的公司股票。

（4）**限制性股票**。它是指事先授予激励对象的一定数量的公司股票。对该类股票的来源、抛售等有一些特殊限制。一般激励对象只有在完成特定目标如扭亏为盈后，才可抛售限制性股票并从中获益。

（5）**延期支付计划**。它是指一揽子薪酬收入计划，其中部分股权激励收入不在当年发放，而是按公司股票公平市价折算成股票数量，在一定期限后，以公司股票形式或根据届时股票市值以现金方式支付给激励对象。

总之，在高管薪酬体系结构优化中，应将短期激励和长期激励相结合，将货币性报酬与非货币性报酬相结合，着力于对各种激励方式的平衡使用。

3. 缺乏合理完善的薪酬绩效评价体系

目前，对于我国上市公司高管的绩效评价还流于形式。虽然给高管制定薪酬的是董事会，但其前提和基础是拥有一套完善的自上而下的薪酬绩效评价体系。我国上市公司的业绩评价标准还主要是以一些财务指标为主，导致经营者千方百计地在财务上下功夫，单纯注重资本市场的表现，常常为粉饰短期财务目标而背离企业的长远发展规划。另外，由于我国上市公司中国有股份占比较大，许多上市公司的管理层都是行政任命的，薪酬大多与其行政职务相联系，董事会的考核被弱化甚至虚化。

一个好的薪酬绩效评价体系会将财务指标与非财务指标相结合、长期指标与短期指标相结合、量化指标与非量化指标相结合。将短期指标与长期指标相结合，避免经营者的短期行为；将财务指标与非财务指标相结合，避免经营者的财务造假行为，使其不仅关注财务结果，更要关注实现结果的过程。在实际操作过程中，衡量指标的选择是一个多因素共同作用的结果。不同行业、同一行业的不同发展阶段,以及所有权性质不同的公司在业绩衡量标准的选择上都是有差异的。

● 战略专栏 10-6

华策影视的股权激励

人才对于影视行业上市公司的重要性不言而喻。而股权激励作为一种吸引和激励人才的机制,对影视公司来说是一种非常可取的方式。一方面,股权激励能够给予员工物质上的奖励,充分发挥人力资本价值,增强公司的核心竞争力,促进公司长远发展;另一方面,通过将激励与个人业绩、公司业绩挂钩,将两者的利益相结合,能够在一定程度上降低代理成本,改善公司治理,促进公司效益的提高。因此,自 2011 年起,影视行业的一些上市公司都先后实行了股权激励计划,如华策影视、北京文化、欢瑞世纪、华谊兄弟、百纳千成等。

1. 华策影视简介

浙江华策影视股份有限公司(以下简称华策影视)成立于 2005 年,于 2010 年在深圳证券交易所创业板上市,是我国第一家以制作电视剧为主营业务的上市企业,也是国内目前规模最大、实力最强的民营影视公司之一。华策影视作为电视剧制作行业的"龙头"公司,全网电视剧年产能达 1 000 集以上,产能规模稳居行业第一;同时,在电影、综艺、经纪等新业务上也在进行积累和扩张,保持了行业领先的生产能力和市场影响力,发行了很多观众耳熟能详的作品。

华策影视是最早推出股权激励计划的影视类上市公司之一,具有一定的代表性。华策影视在 2011 年和 2017 年推出了两期股权激励计划,然而第一期实施结果较为成功,第二期却中途夭折,两次不同的结果具有分析和借鉴的意义。

2. 华策影视的股权激励

华策影视深知人才对公司发展的重要性,也非常注重人才体系建设。2011 年和 2017 年,公司两次推出股权激励计划,以激励和吸引人才,提高公司的竞争力。实行第一期股权激励计划,公司总体上达到了预期效果,然而第二期股权激励计划出于种种原因中止实行。以下分别对华策影视的两期股权激励计划进行分析。

(1)华策影视的第一期股权激励计划。

1)股权激励的目的。2011 年 11 月,华策影视发布了第一期股权激励计划。该计划提出,实行股权激励的目的是"进一步完善公司法人治理结构,促进公司建立健全激励约束机制,充分调动公司管理团队和业务骨干的积极性与创造性"。

2)股权激励方案。

A. 股票期权来源与数量。华策影视的第一期股权激励计划将股权分两部分授予,除首次授予外还预留了一部分。由于公司正处在快速发展阶段,对人才的需求尤为迫切,同时考虑行业的特点,因而需要推行后续的期权授予机制,以激励新员工并吸引外部人才。但考虑到公司费用承担能力和审批周期,不能迅速推动第二期股权激励计划。出于对人才引进和公司长远发展的充分考虑,公司决定在第一期股权激励计划中预留一部分股权用于激励未来在公司中成长起来的技术、业务、管理骨干及引进高级专业人才。华策影视的第一期股权激励计划，共授予760.75万份股票期权，占公司股本总额的3.96%。其中，首次授予685.95万份，预留部分为74.8万份。由于2012年公司实行了每10股转增10股的资本公积金转增股本，因此预留部分的74.8万份调整为149.6万份。华策影视第一期股权激励计划授予情况见表10-3。

表10-3 华策影视第一期股权激励计划授予情况

第一期股权激励计划	授予日期	授予人数/名	股票数量/万份	行权价格/元
首次授予	2011-12-27	56	685.95	24.87
预留部分	2012-12-26	13	149.6	17.19

B. 股权激励对象。股权激励对象主要包括3名高级管理人员、53名业务骨干，占当年公司员工总数的42%。从公司披露的详细人员名单中可以看到，这些业务骨干分布于企划、制片、统筹、制作、后期、发行、宣传等业务线上的各个环节，也包括财务、行政等职能部门人员。预留部分的股票期权也在一年后完成授予，授予对象共13名，均为公司的业务骨干，包括部门经理、业务总监等。

C. 行权条件。在华策影视的第一期股权激励计划中，行权的主要条件为公司业绩指标，包括加权平均净资产收益率、净利润增长率。2011年前后，我国影视行业的发展尚处于快速上升阶段，华策影视设置了加速增长的净利润增长率这一指标，符合行业上升趋势，同时这一较高的指标也有利于激励授权对象努力工作，提升公司绩效。

总之，华策影视实行的第一期股权激励计划，虽有一定效果但也存在一定缺陷。股权激励在一定程度上降低了公司的代理成本、提升了公司绩效，但也存在激励效果持续性不强、长期效果不佳的问题。

（2）华策影视的第二期股权激励计划。

1）股权激励方案。2017年，在新的行业发展背景下，华策影视推出了第二期股权激励计划。与第一期股权激励方案相比，第二期股权激励方案主要有以下改进。

A. 授予目的。华策影视实行股权激励的目的是，强调关注公司长远发展，将股东利益、公司利益和个人利益相结合，说明公司认识到第一期股权激励计划中存在的激励持续时效差、激励对象只关注个人利益和短期利益等问题，并试图改进。

B. 激励方式。华策影视除了推出股票期权以外，在第二期股权激励计划中还推出了限制性股票。相比于股票期权，限制性股票的权利与义务要更加对称。由于自授予日期起股票已经为激励对象所持有，所以在有效期内，股票价格的涨跌会直接影响其自身利益；由于股票期权有行权的权利，没有必须行权的义务，因此限制性股票的约束力更强，更能实现个人利益与公司利益的捆绑。

C. 行权/解除限售条件。与第一期股权激励计划相比，第二期股权激励计划中的公司业绩考核指标由净利润增长率变为达到具体数字，且达到净利润和营业收入中的任意一个即可。在实行第一期股权激励计划时，公司尚处于成长阶段，因而设定的指标基于公司的成长能力；而在实行第二期股权激励计划时，公司已处于成熟稳定的阶段，且影视行业发展放缓。除了公司业绩考核要求以外，公司在第二期股权激励计划中强化了对个人业绩考核的要求，规则制定也更加细化，将个人绩效考核结果分为A、B、C、D四个档次，不同的档次分别对应不同的行权/解除限售比例，以此增强对激励对象个人的约束。此外，公司在股权激励期限的设置上与第一期股权激励计划相比并无变化，在增强激励的持续性、促进公司长远发展方面，股权激励制度的设置还需要改进。

2）实施结果。尽管从第二期股权激励计划的第一个行权期的业绩考核目标与完成情况来看，公司达到了行权/解除限售条件。然而，实际业绩仅刚刚超过目标业绩，存在操纵盈余的嫌疑。之后公司发布公告称，提前中止第二期股权激励计划。

华策影视第二期股权激励计划夭折，从直接原因来看，是第二个行权/解锁期业绩条件未达成，以及股价出现"倒挂"现象，即股权行权价格已经高于市场价格，激励对象还不如从二级市场直接购买，股权激励计划失去了激励意义。2018年，同为影视行业上市公司的欢瑞世纪，也由于股价萎靡不振，股权激励计划尚未完成授予便宣告"流产"。

究其深层原因，是行业环境的有关变化。2018年是影视行业经历"寒冬"的一年：一是在政策层面，由某知名艺人的"八个亿"引出了影视行业偷税漏税、"阴阳合同"系列问题，政府相关部门开始着手治理行业中的一系列问题，从覆盖全行业的税收检查到治理天价片酬，发布"限薪令"，再到打击收视率与网播量造假，严格规范影视题材的审查等，影视行业的监管政策趋向收紧；二是在市场层面，随着经济的发展，在物欲需求不断得到满足的同时，观众在精神文化层面的需求也越来越多样化，对影视作品质量的要求也越来越高，在行业高速、粗放的发展方式下所生产的作品已经无法满足观众的需求，导致库存积压，影视行业的产能过剩问题也越发严重。2018年，影视行业似乎走到了发展的"瓶颈"期，到了一个需要沉淀、淘汰、更新的阶段。当年多家影视公司发生业绩滑坡，华策影视作为行业"龙头"之一，也同样身处其中。在这种行业背景下，华策影视的业绩未达到目标，包括股权激励对象在内的不少员工离职，公司股价接连下滑，股权激励计划难以达到预期的激励目的和效果，第二期股权激励计划夭折并不令人感到意外。

3. 结论与启示

（1）结论。影视行业如何激励人才和吸引人才，提升人力资本的效率，使其充分为公司创造价值，是影视行业上市公司发展所关注的重点之一。股权激励作为一种激励与约束相结合的中长期激励机制，能够有效降低代理成本、改善公司治理、提升公司绩效，能够吸引人才、激励人才、充分调动人才积极性。因而，股权激励是一种非常适合影视行业上市公司的激励方式。

那么影视行业上市公司股权激励的实施效果究竟如何？如本案例中的华策影视实行第一期股权激励计划确实取得了效果，但也存在激励效果持续性不强、留住人才效果不理想等问题。华策影视在实行第二期股权激励计划时，针对这些问题进行了改进，但受到政策和行业环境的影响，在股价萎靡、行权/解锁期业绩条件未达成、激励对象不断离职的情况下，难以达到预期的激励目的和效果，因此提前中止。

（2）启示。影视行业时刻面临着监管政策的变化，受政策变化影响较大。另外，影视行业发展到现在，已经走到了需要深刻转型的时期，行业格局也在悄然发生变化。企业在设计股权激励方案时，应充分考虑到政策和市场变化及所面临的风险，合理制定激励方式、激励实效、业绩目标等。在股权激励面临着较大的政策和市场波动的风险下，也可以合理选择其他方式实行人才激励，如建立事业合伙人制度、设立针对员工的育才基金、建立完善的员工发展体系，以吸引和留住人才，充分发挥人力资本的价值，提升公司核心竞争力，使公司在长远发展中立于不败之地。

资料来源：代鑫怡.影视上市公司的股权激励研究：以华策影视为例[J].经营与管理，2021（11）：46-50.作者根据该文献资料进行改编。

● 复习思考题

1. 什么是公司治理？主要的公司治理模式有哪些？
2. 董事会参与战略管理的程度怎样区分？
3. 董事和高管的薪酬激励方式有哪些？
4. 试评析我国公司治理中存在的问题和改进的措施。

● 实践项目

以小组（3～5人为一组）为单位，收集关于美国、日本、德国及中国的公司治理的各种资料，并分析、讨论各国公司治理结构和高管激励有何特点。试对其特点进行比较分析，并撰写分析、讨论报告。

第 11 章　战略与组织结构

● 学习目标

1）了解企业组织结构的类型
2）理解战略与组织结构的关系
3）熟悉组织结构调整与变革的基本原则
4）掌握企业组织结构变化发展的趋势

● 先导案例

林肯中国的"变与不变"

纵观汽车行业，车企在追求短期销量的同时，更应注重长期价值的创造。诚然，价格竞争在短期内可以吸引消费者，但从长期来看，这种竞争策略会对品牌形象和利润率产生不利影响。

作为拥有百年历史的豪华汽车品牌，林肯始终以品牌独有的"领航精神"作为指引，凭借对中国客户需求的深刻理解，在市场占有率上稳中有升。在市场竞争环境多变的当下，保持企业定力极为重要。在林肯品牌看来，长期价值才是企业可持续发展的关键，企业要追求健康、高质量发展，穿越行业周期。

2025 年伊始，林肯中国完成了一项重要的战略调整。具体来看，自 2025 年起，林肯中国的财务结算体系并入福特中国，整合、简化内部复杂的财务体系，以实现更高效的内部运营。

2024 年 4 月，贾鸣镝博士出任林肯中国总裁。8 个月的时间中，贾鸣镝带领林肯中国"打基础，练内功"，针对市场的变化，在产品、营销、服务等方面做出了一系列调整。比如在"价值营销"上，林肯中国以用户为核心，旨在为用户提供无微不至的关怀，将传统业务单元调整为 5 个模块：产品运营、客户增长、客户运营、客户发展和服务、渠道发展。

此外，林肯中国还以智能化、精细化服务提升客户体验。立足品牌价值，以个性化的独特设计为用户提供情绪价值，将线下林肯之道的体验延伸为用户线上线下全链路豪华的体验。

林肯中国目前已完成了 176 个网点的覆盖，未来将利用福特现有的经销商设施，使计划内的 48 个福特经销商店内也能体验到它的服务。林肯中国计划关闭部分效益不佳的 4S 店，将门店数量从 150 家减少到 115 家，以提高资源效率和减轻经销商负担。同时，在核心经销商盈利率达到 70% 的基础上，林肯中国将进一步优化运营模式，增强经销商盈利能力。

资料来源：方超，石英婧. 入华十年 解码林肯中国的"变与不变"[N]. 中国经营报，2025-01-06（29）. 作者根据该文献资料进行改编。

11.1 企业组织结构的类型

企业组织结构是企业的流程运转、部门设置及职能规划等最基本的结构依据。完善而有效的组织结构不仅可以为资源和要素的运行提供适当的空间，而且可以弥补或缓解资源、要素等方面的不足。为了有效地实施战略，必须根据战略本身的要求和特点、以及企业内外部环境的特点等要素来选择相应的组织结构类型。在实际中，通常有以下几种组织结构类型可供选择。

11.1.1 直线制组织结构

直线制组织结构是最早出现，也是最简单的一种组织结构类型。它是指企业中的所有职位实行从上到下的垂直领导，下级部门只接受一个上级的指令，各级负责人对其下级部门的一切问题负责。企业不设专门的职能部门，所有的管理职能基本上都由各部门主管自己执行。直线制组织结构示例如图 11-1 所示。

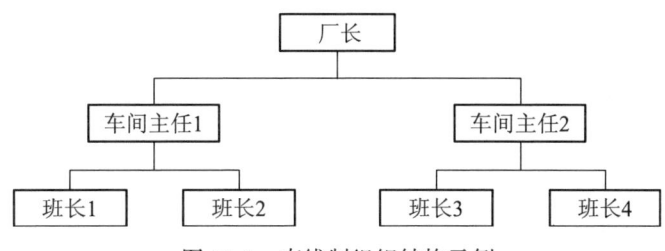

图 11-1 直线制组织结构示例

直线制组织结构的优点是：管理结构简单，管理成本低；统一指挥，统一领导，决策迅速；权责明确，上下级关系清楚；纪律与秩序的维持比较容易。

直线制组织结构的缺点是：各级行政主管实行综合管理，没有专业化分工，不易提高专业化管理水平；要求行政主管通晓多种知识和技能，亲自处理各种业务；需要企业最高领导者精明能干，具备多种管理专业知识和生产技能知识，如果不具备则无法胜任该职位；缺乏横向沟通协调的渠道。

直线制组织结构适用于规模小、员工数量少、生产技术比较简单的企业，特别是初创期的企业喜欢选择直线制组织结构。但是，随着企业规模扩大，人员数量增加，生产技术和经营管理日益复杂，直线制组织机构就失去了适宜性。

11.1.2 职能制组织结构

职能制组织结构是在各级主管的下面根据业务需要设立职能部门（科室）的一种组织结构类型。在这种组织结构下，各级主管把相应的管理职责和权力交给相关的职能部门，各职能部门拥有相应的职责和权限，可以按各自的任务向下级发号施令。因此，下级部门除了接受上级直线主管指挥外，还同时接受上级各职能部门的领导。职能制组织结构示例如图 11-2 所示。

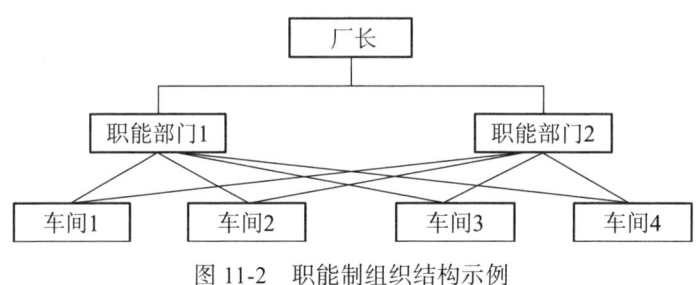

图 11-2　职能制组织结构示例

职能制组织结构的优点是：便于发挥专家的作用，对下级工作做出具体指导，从而弥补了直线领导管理能力的不足，有利于提高业务水平；管理专业化程度高，有利于提高工作效率和管理水平。

职能制组织结构的缺点是：职能部门的专业化分工容易造成部门内部的本位主义，缺乏全局观念，不利于培养通才型的高级管理人才；各职能部门执着于自己的目标，对需要部门间密切配合才能完成的任务缺乏协调性，影响企业整体目标的顺利实现；每一级部门需要同时接受直线部门和职能部门的指挥，导致多头指挥，不利于统一指挥、统一领导，不利于分清责任。

职能制组织结构适用于生产技术比较复杂、管理工作比较精细的现代化工业企业，也适用于拥有单一产品或产品类型较少的企业，还适用于外部环境相对较稳定的企业。

11.1.3 直线职能制组织结构

直线职能制组织结构是综合直线制组织结构和职能制组织结构两种类型的特点、取长补短而建立的一种组织结构类型。直线职能制组织结构以直线结构为基础，在各级行政主管下面，设立相应的职能部门，即增加参谋部门从事专业管理。这种组织结构中有两类管理部门和人员：一类是直线领导部门和人员，按统一领导、统一指挥原则对各级部门逐个发布命令；另一类是职能部门和人员，按专业化分工原则，从事企业的各项职能管理工作，并在相应的直线主管决策时，为其提供专业的建议和参谋。直线领导部门和人员在自己的职责范围内对下级行使指挥权，并对自己部门的工作负责。而职能部门和人员，则是直线指挥人员的参谋，不能对直线部门发号施令，只能进行业务指导。直线职能制组织结构示例如图 11-3 所示。

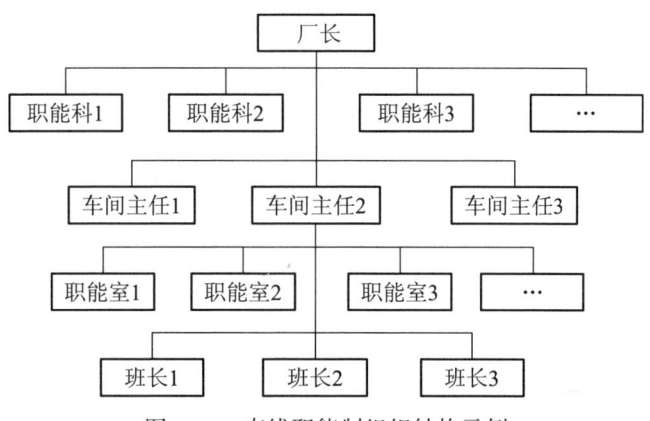

图 11-3 直线职能制组织结构示例

直线职能制组织结构的优点是：既保持了直线制组织结构的统一指挥、统一领导的优点，又吸取了职能制组织结构专业化管理的长处；既避免了直线制组织结构要求管理通才的弊端，又克服了职能制组织结构多头领导的缺点。

直线职能制组织结构的缺点是：各部门横向沟通差，工作易重复，降低了企业的工作效率；直线部门与职能部门可能目标不一致，增加了企业内部的协调难度；管理层次多，管理费用增加；信息传递路线长，对外界变化的反应不灵活。

直线职能制组织结构适用于规模不大、产品种类不多、内外环境比较稳定的企业组织。我国大多数企业经常采用这种组织结构。

11.1.4 事业部制组织结构

事业部制组织结构又称"M型"组织结构，最早是由美国通用汽车公司总裁阿尔弗雷德·斯隆（Alfred P. Sloan）于 1924 年提出的，故有"斯隆模型"之称，是一种高度集权下的分权管理体制。事业部制组织结构的主要特点是"集中决策，分散经营"。事业部制是分级管理、分级核算、自负盈亏的一种形式，即一个公司按产品、客户、地区划分成若干个事业部，从产品设计、原料采购、成本核算、产品制造，一直到产品销售，均由事业部及所属工厂负责，实行单独核算、独立经营。总公司是决策中心，只保留人事决策、预算控制和监督大权，并通过利润等指标对事业部进行控制。事业部制组织结构示例如图 11-4 所示。

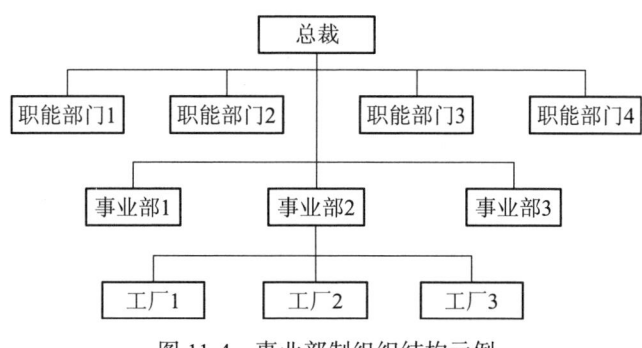

图 11-4 事业部制组织结构示例

事业部制组织结构的主要优点是：最高管理层能摆脱日常琐事，将精力集中于组织的战略决策和长期规划；各事业部在生产经营上主动性强、适应性强、管理灵活，有利于专业化生产；责权利划分比较明确，能较好地调动各级经营人员的积极性；各事业部独立进行生产经营活动，对经营结果负完全责任，有利于管理人员树立全局意识和锻炼管理技能，从而为公司培养出高级管理人才；各事业部间有竞争，更利于公司发展。多个事业部以及减小集团总部的风险。

事业部制组织结构的主要缺点是：公司总部与各事业部的职能部门重复设置，造成管理人才浪费，管理成本上升，管理效率下降；各事业部的产品、市场、经营战略不同，只考虑自己的利益，容易产生本位主义，弱化其相互之间的协作，不利于公司总体战略目标的实现。

事业部制组织结构主要分为三种类型：产品型事业部、顾客型事业部和地区型事业部。这种组织结构适用于规模很大、产品组合复杂、营销区域面广、顾客群体多样化的大型和特大型公司。

● 战略专栏 11-1

E 科技公司的事业部制组织结构

E 科技公司采用的是事业部制组织结构，如图 11-5 所示。

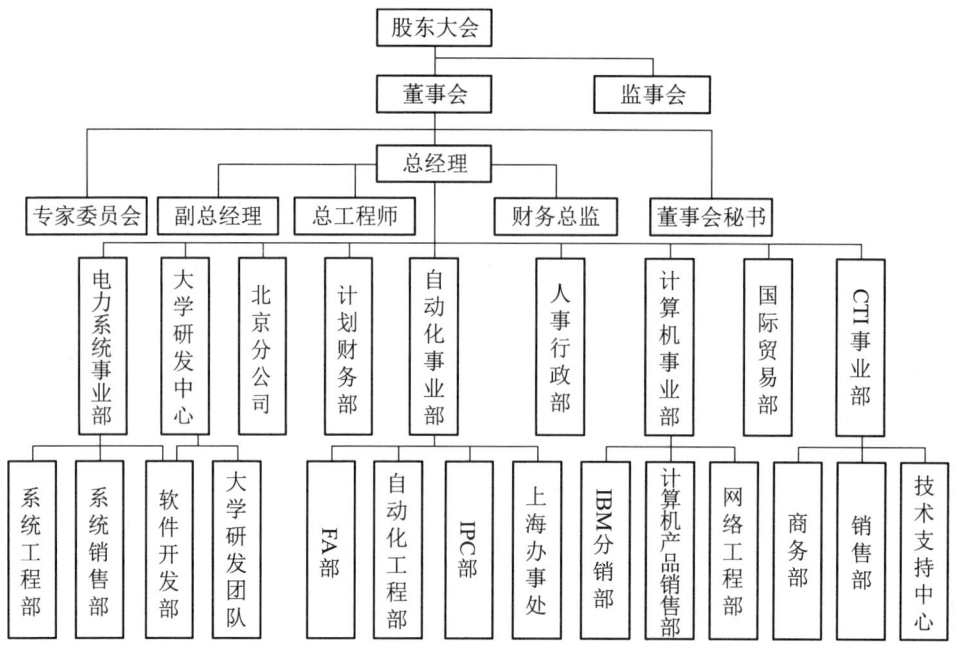

图 11-5　E 科技公司事业部制组织结构图

资料来源：徐君．企业战略管理 [M]．2 版．北京：清华大学出版社，2013．

11.1.5 矩阵型组织结构

矩阵型组织结构是把按职能划分的部门与按产品（项目）划分的小组结合成矩阵的一种组织结构类型，如图11-6所示。矩阵型组织结构是为了改进直线职能制横向联系差、缺乏弹性的缺点而设计的。它的一个显著特点是围绕某一项专门任务而建立跨职能的专门机构。例如，组成一个专门的产品（项目）小组去从事新产品研发工作，在研究、设计、试验、制造各个不同阶段，由有关部门派人参加，力图做到条块结合，以协调有关部门的活动，保证任务完成。这种组织结构中的人员是变动的，产品（项目）小组和负责人也是临时组织和委任的。任务完成后小组就解散，有关人员回原单位工作。因此，这种组织结构非常适用于横向协作和攻关项目。

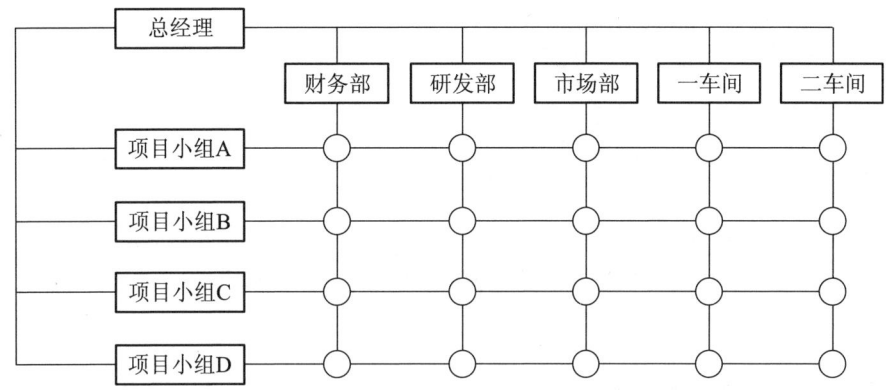

图 11-6　矩阵型组织结构示例

矩阵型组织结构的优点是：灵活性大，随着项目的开发与结束进行项目的组合或解散；目标性强，从各职能部门中抽调出有专长的人员组成项目小组，目标明确，任务清楚，工作热情高；启发性强，不同部门的员工在一起交流信息方便，有利于相互启发，集思广益，有利于通过思维的碰撞激发创新。

矩阵型组织结构的缺点是：因项目小组成员隶属关系仍在原部门，缺乏足够的激励和约束手段，对他们的管理较困难；项目小组成员容易产生"临时性"心理作用，稳定性差，这对项目小组的工作有一定的负面影响；项目小组成员要接受项目负责人和原职能部门领导者的双重领导，存在多头指挥的弊病，当两者意见不一致时，项目小组成员将无所适从。

矩阵型组织结构适用于一些重大攻关项目，特别适用于以研究与开发为主的单位。企业可用来完成涉及面广、临时性、复杂的重大工程项目，管理和改革难题，应用性研究任务等。

● 战略专栏 11-2

W 工程开发公司矩阵型组织结构

W 工程开发公司采用的是矩阵型组织结构如图 11-7 所示。

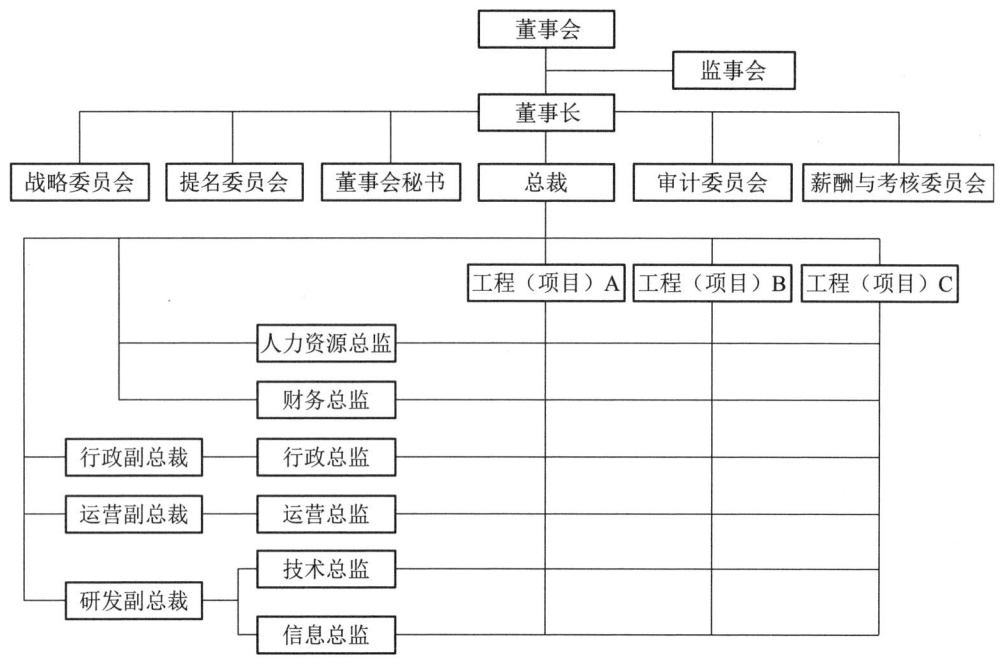

图 11-7　W 工程开发公司矩阵型组织结构图

11.2　战略与组织结构的关系

只有使组织结构与战略相匹配，才能有效地推进战略，成功地实现战略目标；与战略不相适应的组织结构，将会成为限制战略发挥其应有作用的巨大阻力。一个企业如果在组织结构上没有重大的改变，则很少能在实质上改变当前的战略。美国著名战略管理专家钱德勒对战略与组织结构的关系做过深入的研究，下面介绍其研究的结果。

11.2.1　战略与组织结构的基本关系概述

战略与组织结构之间存在着怎样的关系，是人们一直关注的焦点。20 世纪 60 年代，钱德勒深入研究了美国 70 多家公司的发展情况，收集了大量详尽的史料和案例，于 1962 年出版了《战略与结构：美国工业企业历史的篇章》一书。在该书中，特别提到了杜邦公司、通用汽车公司、西尔斯－罗巴克公司和标准石油公司等美国四大公司的发展历史。他发现在早期，像杜邦这样的公司倾向于建立集中化的组织结构，这种组织结构非常适合生产和销售种类有限的产品。随着这些公司增添了新的产品线、收购了上游生产公司、建立了自己的分销系统等，对高度集中化的组织结构来说，企业就变得太复杂了。为了保持组织结构的有效性，这些企业就需要将组织结构转变为具有几个半自治性质的事业部式的分权式组织结构。因此，钱德勒得出了这样的结论：组织结构服从于战略，战略的改变会导致组织结构的改变，最复杂的组织结构是若干个基本战略组合的产物。为了更清楚地阐述战略与组织结构的关系，钱德勒描绘了美国工业企业在不同的历史发展阶段的战略，以及伴随这些战略而形成的组织结构。

1. 数量扩大战略阶段

在工业发展的初期，企业的外部环境比较稳定。此时，企业只要扩大生产数量，提高生产效率，便可获得高额利润。在这种情况下，企业采用的是数量扩大战略，即在一个地区内扩大企业产品或服务的数量。与此相适应的是，企业的组织结构比较简单，往往只需要设立一个执行单纯的生产或销售任务的办公室。

2. 地区扩散战略阶段

随着工业化进一步发展，当一个地区的生产或销售已经不能满足于企业发展的速度与需求时，企业则要求将产品或服务扩散到其他地区生产和销售，从而产生了地区扩散战略。与此相适应，企业也就形成了总部与部门的组织结构，它们共同管理各个地区的经营单位。这些经营单位虽然处于不同的地区，但执行的职能都是相同的。

3. 纵向一体化战略阶段

在工业增长阶段的后期，企业所承受的竞争压力增大。为了减小竞争压力，企业希望自己拥有一部分原材料的生产能力，或者拥有自己的分销渠道，于是就产生纵向一体化战略。与此相适应的是，在企业中出现了中心办公室机构和多部门的组织结构。各部门之间存在很强的加工或销售上的依赖性，在生产经营过程中存在着内在联系。

4. 多样化战略阶段

工业发展进入成熟期后，企业为了避免投资或经营的风险，持续保持高额利润，往往开发出与企业原有产品毫无关系的新产品系列，甚至兼并生产这类新产品系列的企业，采用的是多样化战略。与此相适应的是，企业形成了总公司本部与事业部相结合的组织结构格局。各事业部之间基本上不存在工艺性等方面的一体化联系。

尽管人们一致认为，组织结构应当适应和服从于企业战略，但是对于最优的组织结构设计未形成一致的意见。之前相当适用于某些公司的组织结构，现在有可能不再适用。然而，处于同一行业的企业倾向于以类似的方式来组织企业的结构。吉尔布莱斯和卡赞佳的研究对战略与组织结构的匹配提出了更具体的指导原则。

第一，单一业务和主导业务的企业（企业主要在一个行业领域中经营），应当按照职能式的结构来组织。

第二，相关产品或服务多样化的企业，应当组织成事业部的结构。

第三，非相关产品或服务多样化的企业，应当组织成复合式（或控股企业）的结构。

根据上面的讨论，可以得出结论，即组织结构要服从于战略。也就是说，企业所拟定的战略决定着组织结构类型的变化。当企业确定战略之后，为了有效地实施战略，必须分析和确定实施战略所需要的组织结构，因为战略是通过组织结构来实现的，要有效地实施一项新的战略，就需要一个新的，或者至少是被改革了的组织结构。如果没有一个健全的、与战略相适应的组织结构，那么所选择的战略就不可能被有效地实施。

战略与组织结构的这种主从关系具有重要的意义。它指明，企业不能从现有组织结构的角度考虑企业的战略，而应根据外界环境的要求制定战略，然后再根据制定的战略来调整其原有的组织结构。战略与组织结构的这种主从关系更具体地表现为以下几点。

第一，管理者的战略选择规范着组织结构的形式。

第二，只有使组织结构与战略相匹配，才能成功地实现企业的目标。

第三，组织结构抑制着战略。与战略不相适应的组织结构将会成为限制、阻碍战略发挥其应有作用的巨大力量。

第四，一个企业如果在组织结构上没有重大的改变，则很少能在实质上改变当前的战略。

11.2.2　战略的前导性和组织结构的滞后性

企业是一个处于外部环境中的开放系统。对于企业外部环境变化而言，战略与组织结构做出反应的时间是不同的。从钱德勒对企业的研究中可以看出，最先做出反应的是战略，然后组织结构才在战略的推动下对环境变化做出反应。这样就形成了战略的前导性和组织结构的滞后性。

1. 战略的前导性

战略的前导性是指战略的变化要先于组织结构的变化。当企业的内部条件和外部环境发生变化，为企业提供了发展机会时，企业首先会在战略上做出反应，以谋求新的经济增长。当企业实力在长期的发展过程中逐渐提高到一定的程度时，也会提出新的发展战略。新战略需要新的组织结构相配合企业根据战略调整的情况，对原有组织结构或局部调整，或全新变革，才能保证新战略的顺利实施，保证企业获得更大的经济利益。

2. 组织结构的滞后性

组织结构的滞后性是指组织结构的变化常常要慢于战略的改变。造成这种状况的原因有两个。一是新旧组织结构的交替有一定的时间过程。在新的环境出现后，企业首先考虑的是战略。新战略制定出来后，企业才能根据新战略的要求来改组企业的组织结构。二是旧组织结构都有一定的惯性，主要来自管理人员的抵制，因为他们对原有的组织结构已经熟悉、习惯，且运用自如。一方面，在新战略制定出来后，管理人员常常仍沿用旧有的职权和沟通渠道管理新的经营活动，总认为原来有效的组织结构不需要改变；另一方面，当管理人员感到组织结构的变化会威胁到他们个人的地位、权力和心理的安全感时，往往会以各种方式抵制必要的改革。

从战略的前导性和组织结构的滞后性可以看出，企业总是要经历新战略和旧组织结构同存共行的阶段，因此，要充分考虑企业战略和组织结构的关系，不能操之过急，要注意随时排除人为的变革阻力，尽可能缩短组织结构滞后性带来的时间间隔，尽快变革旧组织结构，以适应企业战略的发展需要，保持战略与组织结构之间的动态适应性。

战略专栏 11-3

腾讯的成长与组织结构选择

腾讯计算机系统有限公司（以下简称腾讯）成立于1998年11月，是中国最大的互联网综合服务提供商之一，也是中国服务用户最多的互联网企业之一。2004年6月16日，腾讯在香港联交所主板公开上市，董事会主席兼首席执行官是马化腾。

2024年第三季度，腾讯总收入为1 672亿元人民币，较2023年第三季度（同比）增长8%；毛利润为888亿元人民币，同比增长16%；按非国际财务报告准则的经营盈利为613亿元人民币，同比增长19%。

腾讯将"用户为本、科技向善"作为公司愿景，以"正直、进取、协作、创造"为价值观，把"一切以用户价值为依归"和"关注并深刻理解用户需求，不断以卓越的产品和服务满足用户需求"作为经营理念；把为用户提供"一站式在线生活服务"作为战略目标，提供互联网增值服务、移动及电信增值服务和网络广告服务。腾讯通过即时通信QQ、微信、腾讯网、腾讯游戏、社交网络平台QQ空间、腾讯新闻客户端、腾讯视频、搜搜、拍拍、财付通等网络平台，打造了中国最大的网络社区，满足了互联网用户在沟通、资讯、娱乐和电子商务等方面的需求。

（1）**腾讯的创业阶段（1998—2000年）**。腾讯在1998年创立之初，是中国正式进入互联网时代的第4年，那时的马化腾只是抱着试一试的心态踏上了互联网之路。1998年并不是一个互联网企业发展的好时机，对企业的盈利模式还处于摸索阶段的马化腾就是在这种状态下开展了最初的业务——拓展无线网络寻呼系统。同年，风靡全球的美国即时通信软件ICQ垄断了中国市场，腾讯看到了机遇，在ICQ的基础上学习效仿，于1999年打造出中国第一个即时通信软件OICQ。本土化的OICQ突破了语言的障碍，迅速引起广泛关注，并演变为现如今的腾讯QQ。这为腾讯此后拓宽产品线以及建立生态体系奠定了基础，同时也为腾讯取得成功迈出了关键的一步。在腾讯发展最为困难的时期，虽拥有一定的用户量，但由于当时的互联网市场并没有完全打开，腾讯几位创始人依旧日以继夜地工作，甚至亲自登录QQ陪用户聊天以增加软件的活跃度，同时还要兼顾技术的研发和升级，以此满足用户不断变化的需求。腾讯创业初期是腾讯的"烧钱期"，最主要的目标是吸引用户，留住用户，提高用户忠诚度，一切服务先从免费开始。

（2）**腾讯的成长阶段（2001—2009年）**。腾讯QQ推出后，用户量直线上升，从最初的100万到2000年破千万，再到2002年注册用户量突破1亿。看似形势一片大好，但腾讯并没有找到能够使公司持续运营下去的盈利模式，以至于马化腾一度想以100万元卖掉公司。直到2002年QQ秀的推出，腾讯才找到了能让公司向用户直接收取增值费用又不会让用户反感的方式，获得了第一桶金，也由此产生了腾讯所有产品通用的Q币作为腾讯增值业务的开端。QQ秀这一构想源于社交网络上用户追求时尚和差异化的心理，同时也为腾讯

QQ 增加了乐趣，使之更加具有个性化，成为当时最流行的社交娱乐方式之一。此时的腾讯开始发展壮大，而越来越庞大的用户群也鼓舞着腾讯人坚定自己的公司运营理念——"一切以用户价值为依归"，做好用户体验是腾讯一直不变的准则。当 2003 年世界上最大的即时通信平台 MSN 打入中国市场时，腾讯迎难而上，不断更新腾讯 QQ 的版本，从更快地发送文件，新增截屏功能，到后来的远程协助，语音、视频聊天，发送图片……腾讯一直都很注重用户体验，真正为了用户需求而在原有基础上不断进行创新，从而赢得了用户的心。

2003 年，腾讯又开始在游戏市场寻找商机，当时已有网易、盛大、联众等游戏巨头，研发了很多热门的大型网游，腾讯在这个自己不熟悉的领域想要分得一杯羹并不容易。通过观察和摸索，腾讯知道自己还没有发展大型网游的基础和实力，于是先从棋牌类休闲游戏开始，将游戏模块命名为"QQ 游戏"，并与聊天软件腾讯 QQ 结合起来，增强用户黏度，在使 QQ 游戏活跃度上升的同时提高腾讯 QQ 用户注册量。而在 QQ 游戏还未发布前，早有强大的竞争对手——联众公司撑起一片天，但善于学习模仿的腾讯通过优化游戏界面，将很多在联众游戏中需要收费的项目都变为免费的，并且不断地修复游戏中的漏洞，不断进行更新换代，再次以更好的用户体验实现了超越。

腾讯在游戏方面的又一次大作为是在 2007 年，从韩国以低价买回 CF、DNF 等一批发行后反响平平的网游，并一一回炉重造，优化细节，打造本土化网游，使其操作更加流畅。腾讯认真、耐心的研发，使得全新推出的 CF、DNF 等一系列网游大受好评，也使腾讯在游戏领域赚取了巨额利润。

在全力开拓游戏市场的这几年，腾讯依然不忘在腾讯 QQ 的基础上深挖自己的生态链，创造自己的新盈利模式。在这一时期，腾讯一方面突破游戏的瓶颈，赚取丰厚利润，另一方面开始建立自己的生态系统，使自己推出的产品以腾讯 QQ 为中心相互关联。随着腾讯 QQ 用户量的迅猛增长，在人与人之间的社会交往中，它逐渐具有不可替代的地位；随着腾讯 QQ 用户黏性不断增强，自然而然就会使它的其他相关产品也能够得到用户的青睐，这种方式既能免费给腾讯发布的产品做推广，又提高了其互联网增值业务的收入。

(3) **腾讯的成熟阶段 (2010 年至今)**。2010 年，迎来移动互联网的崭新时代，"微信之父"张小龙仅仅用了几个月时间，在 2011 年发布了专为智能终端而设计的即时通信软件"微信"，再一次让腾讯走向巅峰。微信从仅有的聊天功能，到现在移动商业社交平台构架的完善，让腾讯在即时通信软件上实现又一次突破。据腾讯财报显示，2016 年 12 月月底，微信已经覆盖中国 90% 以上的智能手机。微信之所以流行，甚至在一定程度上压制了腾讯 QQ，一方面是因为微信界面简洁，操作简单，容易上手，辐射面较广，语音聊天又解决了高龄人群对网络或计算机操作不熟悉的困扰；另一方面是因为微信实现了商业化和生活化，一个社交平台包含了吃喝玩乐、衣食住行以及日常生活缴费等功能，很好地融入用户的生活，真正做到了一站式服务。除了进军移动互联网以外，腾讯在这个阶段更是将大部分精力投入在投资、收购、合并方面，涉及领域相当广泛，如影视娱乐、电子商务、金融、旅游、团购等。未来腾讯将在巩固自身业务的基础上，将更多精力投入新兴市场，如 VR (虚拟现实)、人工智能、云计算、大数据等领域，实现互联网到物联网的转变。

(4) **腾讯的多样化业务产品**。腾讯自 1998 年成立至今，一直都十分重视依据企业内外环境的变化，适时地开拓、创新业务经营领域，并实施组织革新。目前其涉足的业务经营领域，如果按服务功能划分，主要分为五大类，即社交类、工具类、互动娱乐类、支付类、资讯类。每一大类的业务领域均由适配的组织结构和有竞争力的产品组成。

从以上资料，至少可引发对以下几个问题的思考。

(1) 你认为腾讯公司自1998年11月成立至今，其发展经历了哪几个阶段？

(2) 请结合案例材料比较腾讯公司每一个发展阶段的战略目标及业务特点。

(3) 结合腾讯公司的发展历史分析其在每一个发展阶段所进行的组织结构调整、变革或创新是否做到了服从战略的需要？并说明理由。

资料来源：王溥，陈丽新．战略管理模拟实验教程 [M]. 北京：高等教育出版社，2018. 作者根据该资料及腾讯公司官网信息进行改编。

11.3　企业组织结构调整及其变化发展趋势

11.3.1　组织结构调整与变革的基本原则

战略是企业发展的纲要，指导企业未来的发展方向。战略的制定要在充分分析环境的基础上，了解企业内部的优势和劣势，明确企业环境所带来的机会与威胁，综合企业现有资源，尽可能地利用机会，规避威胁。企业战略强调对环境的适应性及自身资源的匹配性，这是组织结构调整与变革的出发点。

企业战略虽然是一个较长时期的发展蓝图，但不是一成不变的，而是应根据环境变化做适应性调整。而战略最终能够实现，一个非常重要的前提就是企业要有一个与战略具有高度适应性的组织结构及先进的内部管理。战略的调整必然带来组织结构的变化，这种适应性是动态并以战略为前导随之变化的。这种思想与钱德勒的思想一致，明确指出了组织结构对战略的从属、适应关系，组织结构随着战略的变化而适时调整，对战略的动态适应关系就是组织结构调整与变革要遵循的基本原则。

面对竞争激烈的市场环境，企业必须注重创新，无论在企业生命周期的哪个阶段，创新都是企业要面对的永恒主题。为了实现创新，企业就要调整组织结构，建立新的信息链，提供新的沟通方式与渠道，并在控制方法上有所改进，以促进原有技术持续发挥作用；通过技术创新，解决技术与资源的最优配置问题。此外，企业要关注管理变革，即企业要充分利用或变革目前的管理模式，使其运行合理化、稳定化、减少运营中的不确定性。一方面，企业要审视原有组织结构，确保其简单合理，尽可能减少不确定因素；另一方面，企业要积极创新，建立适当的组织结构与过程，合理调整组织结构以适应战略需要，并促进其未来的良性发展。

11.3.2　企业组织结构调整与变革的过程

企业组织结构调整与变革是企业适应内外部环境变化、实现战略目标的关键举措。企业组织结构调整与变革，包括准备阶段、实施阶段以及评估与巩固阶段。

1. 企业组织结构调整与变革的准备阶段

(1) 识别变革需求。

1) 外部环境分析。

A. 市场需求变化。市场需求的快速变化是企业变革的重要外部因素。随着消费者对产品个性化、定制化需求的增加,企业需要调整组织结构以快速响应市场变化。例如,传统服装企业通过引入柔性生产系统,调整生产部门的组织结构,实现了小批量、多品种的生产模式。

B. 技术进步。新技术的出现会促使企业改变组织结构。互联网技术的兴起使传统零售企业需要建立线上销售平台,调整供应链和物流管理结构。例如,沃尔玛通过建立高效的物流配送系统和线上销售平台,实现了线上线下融合的零售模式。

C. 政策法规。产业政策、税收政策和环保政策等变化也会对企业产生影响。例如,环保政策趋严,企业需要加强环保技术研发和环境管理,调整组织结构,设立专门的环保部门。

2) 内部环境分析。

A. 战略调整。企业战略的变化是内部调整与变革的主要驱动力。例如,企业从多元化战略转向专业化战略,需要剥离非核心业务,优化组织结构。通用电气从2018年开始剥离非核心业务,专注于航空、能源和医疗等核心领域,通过调整组织结构,将资源集中于核心业务。

B. 规模与复杂性变化。随着企业规模的扩大,组织结构可能变得复杂,信息传递不畅,决策效率低下。因此,企业需要调整组织层级和部门设置。例如,阿里巴巴通过"大中台、小前台"的组织架构调整,提高了信息流通和决策效率。

C. 人员结构变化。员工的技能水平、年龄结构等变化也会影响组织结构。例如,企业引进大量掌握新技术的年轻人才,需要调整组织结构以发挥他们的优势。例如,字节跳动通过建立灵活的项目团队,吸引了大量年轻的技术人才,提升了企业的创新能力。

(2) 明确变革目标。

1) 与战略目标匹配。变革目标应与企业整体战略目标一致。例如,企业整体战略目标是提升产品创新能力,变革目标可以是建立以项目为中心的创新团队,打破部门之间的壁垒,促进跨部门合作。

2) 具体且可衡量。变革目标应具体且可衡量。例如,变革目标可以是将新产品从研发到上市的时间缩短30%。具体的变革目标有助于在变革过程中进行有效的监控和评估。

(3) 制定变革策略。

1) 渐进式变革。逐步推进变革,降低变革风险,但速度较慢。例如,先在某个业务部门试行新的组织管理模式,取得成功后再推广。华为在推行新的研发管理模式时,先在部分产品线进行试点,逐步总结经验后全面推广。

2) 激进式变革。快速、全面推进变革,变革效果显著,但阻力较大。例如,企业面临激烈竞争和经营困境时,需要快速调整组织结构。诺基亚在智能手机市场竞争失利后,迅速调整组织结构，剥离非核心业务，专注于通信设备和网络服务领域。

（4）**设计新组织结构**。

1）确定组织架构。根据企业业务特点和战略目标，选择合适的组织结构。例如，跨国企业可以在全球采用矩阵式结构，将产品部门和区域部门相结合，既能保证产品在全球拥有统一的标准和品牌形象，又能适应不同地区的市场特点。

2）职能划分与部门设置。明确各部门的职责和权限。例如，科技企业可以将研发部门细分为硬件研发部、软件研发部和系统集成部，各部门之间职责清晰，协同合作，共同完成产品的研发任务。

3）管理层次与管理幅度。合理确定管理层次和管理幅度。例如，互联网创业公司可以采用较宽的管理幅度，减少管理层级，以保持灵活的决策机制。例如，小米公司通过采用扁平化的管理结构，减少了管理层级，提高了决策效率。

2．企业组织结构调整与变革的实施阶段

（1）**沟通与宣传**。

1）传达变革信息。企业高层要通过各种方式，如内部会议、邮件、内部刊物等，向员工清晰地说明变革的原因、目标和过程。例如，企业领导召开全体员工大会，详细介绍组织结构调整的背景，强调这是企业为了适应市场变化、提升竞争力而必须采取的措施，让员工理解变革的必要性。

2）倾听员工意见。建立有效的沟通渠道，如利用意见箱、座谈会等，及时收集员工的反馈，解决他们的疑虑。例如，通过一对一沟通，为员工提供职业发展规划指导，帮助他们适应新的组织结构。

（2）**人员调整与培训**。

1）人员重新配置。根据新的组织结构，对员工进行重新分配，包括晋升、降职和调岗。例如，在企业从传统制造业向智能制造业转型的过程中，一些从事传统手工操作的员工可能需要调到质量检测或者设备维护等岗位，企业要根据员工的能力和意愿进行合理调配。

2）培训与发展。为员工提供必要的培训，帮助他们适应新的工作要求。例如，引入新的信息技术系统后，对员工进行系统操作培训，包括数据输入、流程处理、故障排除等内容。同时，企业还可以为员工提供职业发展培训，如领导力培训、团队协作培训等，以提升员工在新组织环境下的综合能力。

（3）**制度与流程更新**。

1）制度修订。新的组织结构需要相应的管理制度支持。例如，调整绩效考核制度，增加项目完成质量、创新性等指标。如果企业加强了项目团队的作用，绩效考核制度可能要从以部门为单位的考核转变为以项目团队为单位的考核。

2）流程优化。梳理和优化业务流程。例如，调整采购流程，加强与研发和生产部门的协同，确保采购的原材料既能满足产品质量要求，又能适应生产进度安排。同时，优化审批流程，减少不必要的环节，提高工作效率。

3. 企业组织结构调整与变革的评估与巩固阶段

（1）效果评估。

1）绩效指标评估。通过关键绩效指标（KPI）衡量变革效果。例如，可以比较变革前后单位时间内的产品产量和生产成本。如果产品产量提高了20%，生产成本降低了15%，则充分说明组织结构调整在生产方面取得了较好的效果。

2）员工满意度调查。了解员工对新组织结构的适应情况和满意度。例如，通过问卷调查和访谈，收集员工意见。问卷可以包括对工作环境、工作压力、职业发展机会等方面的评价。如果员工满意度从变革前的60%提升到80%，则说明组织结构调整在一定程度上得到了员工的认可。

3）组织氛围评估。观察组织内部的沟通氛围和协作氛围。例如，检查部门之间的沟通频率和团队合作项目成功率。如果部门之间的沟通更加频繁，团队合作项目成功率提高，则说明组织结构调整后组织氛围得到了改善。

（2）问题解决与持续改进。

1）发现问题。在评估过程中，可能会发现一些问题，如职责划分不清、流程运行不畅等。例如，新的组织结构下部门之间的职责划分仍然存在模糊地带，导致部分工作无人负责。

2）采取措施。针对发现的问题，及时采取措施进行调整。例如，进一步明确部门职责，签订部门责任书；简化绩效考核制度，加强培训，确保员工能够正确理解和执行。

（3）巩固成果。

1）文化建设。通过企业文化建设，巩固新的组织结构。例如，倡导团队合作和创新文化，举办团队建设活动，表彰创新行为，使员工更好地融入新的组织环境，将新的组织结构理念内化为员工的行为准则。

2）持续监督。建立长期的监督机制，确保组织结构持续有效运行。例如，设立专门的组织管理监督部门，定期检查组织结构的运行情况，及时发现潜在问题并进行调整。

总之，企业组织结构调整与变革是一个复杂而系统的过程，涉及战略、人员、流程和文化的全方位变革。在变革前，企业需要充分识别变革需求，明确变革目标，制定合理的变革策略，并设计新的组织结构。在变革过程中，企业要注重沟通与宣传，合理调整人员，更新制度与流程。在变革后，企业要通过绩效评估、员工满意度调查和组织氛围评估等手段，衡量变革效果，及时发现问题并持续改进，通过文化建设巩固变革成果。企业应保持灵活性，根据内外部环境的变化及时调整变革策略，以实现企业的长期发展和战略目标。

11.3.3 企业组织结构变化发展的趋势

1. 扁平化与敏捷化

（1）**背景与动因**。在快速变化的市场环境中，传统的层级式组织结构因层级过多导致信息传递延迟、决策缓慢，难以适应市场变化。例如，一些大型制造企业过去可能有5～6级管理层级，从基层员工发现问题到高层做出决策，可能需要数天甚至数周时间，这常使企业错失市场机会。为了提高决策效率和响应速度，企业开始向扁平化结构转变。这种结构减少了中间管理层级，使高层能够更直接地获取基层信息，同时基层员工也能更快地获得高层的决策指令。例如，互联网企业如阿里巴巴等，通过扁平化管理，让一线员工能够快速将客户需求反馈给管理层，管理层也能迅速做出决策，从而更好地满足客户的个性化需求。

（2）**敏捷化组织的兴起**。敏捷化是扁平化结构的进一步发展。敏捷化组织以团队为核心，强调团队的自主性和灵活性。例如，在软件开发行业，敏捷化开发团队通常由跨职能的成员组成，包括开发人员、测试人员、产品经理等。这些团队可以根据客户需求的变化快速调整开发计划和工作内容。敏捷化组织还注重快速迭代。以智能手机行业为例，企业会根据市场反馈快速推出新版本的产品。这种快速迭代的能力使得企业能够在竞争激烈的市场中保持领先地位。敏捷化组织通过持续地改进和创新，能够更好地适应市场的不确定性和快速变化。

2. 网络化与生态化

（1）**网络化结构的构建**。现代企业越来越依赖外部资源来实现战略目标。网络化结构通过建立与供应商、客户、合作伙伴等外部主体的紧密联系，形成一个高效的合作网络。例如，苹果公司通过与全球各地的零部件供应商建立紧密的合作关系，构建了一个庞大的供应链网络。这种网络化结构使得苹果能够快速整合全球资源，实现产品的高效生产和创新。在网络化结构中，企业之间的信息共享和协同合作至关重要。通过信息技术平台，企业可以实时共享生产进度、库存信息等。例如，在汽车制造行业，主机厂与零部件供应商通过供应链管理系统实时共享信息，确保零部件能够及时供应，减少库存成本和生产延误。

（2）**生态化组织的发展**。生态化是网络化结构的更高层次。生态化组织不仅关注与直接利益相关者的合作，还关注整个产业生态系统的构建。例如，华为不仅与芯片制造商、软件开发商等合作伙伴紧密合作，还通过开放平台吸引大量的开发者和创业者，共同构建了一个繁荣的智能生态系统。在生态化组织中，企业通过开放合作实现资源共享和优势互补。例如，共享经济模式下的企业，如滴滴出行，通过整合社会闲置的车辆资源，构建了一个出行服务生态系统。在这个生态系统中，驾驶人、乘客、车辆租赁公司等各方都能从中受益，同时也推动了整个出行行业的变革。

3. 数字化与智能化

（1）**数字化转型的推动**。随着信息技术的飞速发展，企业组织结构正在经历数字化转型。数字化转型不仅仅是技术的应用，更是企业运营模式的变革。例如，许多传统零售企业通过引入大数据分析技术，实现了精准营销。通过对消费者购买行为数据的分析，企业可以更好地了解消费者需求，从而提供个性化的商品推荐和服务。数字化还改变了企业的内部沟通和协作方式。通过企业级的协作平台，员工可以随时随地进行沟通和协作。例如，一些跨国企业通过视频会议和在线协作工具，实现了全球团队的高效协作，减少了因地域差异带来的沟通成本。

(2）智能化组织的出现。智能化是数字化的进一步发展。智能化组织通过引入人工智能、机器学习等技术，实现自动化和智能化决策。例如，在金融行业，银行通过引入智能客服系统，能够自动回答客户常见问题，提高客户服务效率。同时，银行还利用机器学习算法对客户信用风险进行评估，提高风险控制能力。智能化组织还强调人机协作。例如，在制造业中，机器人与人类工人共同协作完成生产任务。机器人可以承担重复性、高强度的工作，而人类工人则负责复杂的技术操作和质量控制。这种人机协作模式不仅提高了生产效率，还提升了产品质量。

4. 多元化与柔性化

（1）多元化结构的演变。为了降低风险和拓展市场，企业越来越多地采用多元化结构。多元化结构包括产品多元化、市场多元化和业务多元化。例如，一些大型企业通过进入多个不同的产品领域，如从家电制造拓展到智能家居、智能穿戴等领域，实现产品多元化。这种多元化结构使得企业能够分散风险，同时满足不同客户群体的需求。在市场多元化方面，企业通过进入不同的地理市场和细分市场，扩大市场份额。例如，一些服装品牌通过线上线下融合的方式，同时开拓国内市场和国际市场，实现市场多元化。这种多元化结构要求企业具备更强的市场适应能力和资源配置能力。

（2）柔性化组织的适应性。柔性化组织是应对市场不确定性和快速变化的重要方式。柔性化组织能够根据市场需求的变化快速调整生产计划、资源配置。例如，在服装制造业，柔性化生产系统可以根据时尚潮流的变化快速调整生产款式和数量。这种柔性化生产方式使得企业能够更好地满足消费者对时尚产品快速更新的需求。柔性化组织还体现在人力资源管理上。企业通过灵活的用工方式，如临时工、外包等，根据业务需求的变化灵活调整人力资源配置。例如，在旅游旺季，酒店可以通过雇用临时工来满足业务需求，而在旅游淡季则减少临时工数量，这种柔性化的人力资源管理方式能够有效降低企业成本。

● 战略专栏 11-4

小米公司的扁平化组织结构

小米科技有限责任公司（以下简称小米）成立于 2010 年 3 月 3 日，总部位于北京市海淀区安宁庄路小米科技园，创始人是雷军，为《财富》世界 500 强公司，主要从事智能手机、新能源汽车、物联网和生活消费产品研发和销售，提供互联网服务，以及从事投资业务。

小米的组织结构只有三级，即核心创始人、部门领导、员工。除了几个核心创始人有管理职位外，其他人全部没有职位，都是工程师。小米通过这种扁平化的组织结构，实现了高效的管理和决策。任何决策相关信息都可以迅速从核心创始人传达到员工层面，"一竿子插到底"式的执行方式有效保障了效率。

此外，小米还强调员工自我驱动，不设置打卡制度和考核制度，而是依靠价值观凝聚人、牵引人。这种组织结构扁平化、管理简单化的模式，使小米能够快速响应市场变化，保持其灵活性和创新精神。

资料来源：根据小米公司官网信息及有关资料进行改编。

● 复习思考题

1. 常见的组织结构类型有哪些？它们各有什么特点？
2. 钱德勒关于战略与组织结构的关系的观点是什么？
3. 组织结构调整与变革的出发点和基本原则是什么？
4. 企业组织结构调整与变革的过程包括哪些内容？
5. 随着经营环境的变迁，企业组织结构呈现怎样的变化发展趋势？

● 实践项目

在实际中调查或上网搜索一家企业，了解该企业采用了什么组织结构形式，然后画出其组织机构图。

第 12 章　多元化战略

● 学习目标

1）了解多元化战略的分类
2）掌握企业多元化进入方式
3）熟悉企业多元化战略整合的内容

● 先导案例

金融科技三季报:"内卷"加剧求解多元化

国内头部金融科技上市公司 2024 年第三季度财报陆续披露完毕。

从 2024 年第三季度财报来看，各家企业助贷的贷款资产逾期率指标都有所好转，并且除了助贷业务外，所发展的新兴业务，比如海外市场布局等，均在持续加码。

增长压力显现

从行业整体数据来看，除了陆金所控股（NYSE：LU）与嘉银科技（NASDAQ：JFIN）出现营业收入与净利润下滑的情况，其他金融科技上市公司都有一定增长。

具体来看，奇富科技净收入总额为 43.702 亿元，去年同期为 42.81 亿元；净利润为 17.99 亿元，去年同期为 11.38 亿元，同比增加 58.11%；企业普通股东应占净利润为 18.02 亿元，去年同期为 11.42 亿元。

信也科技未经审计的第三季度财报显示，实现营业收入 32.76 亿元，同比增长 2.5%；净利润 6.24 亿元，同比增长 8.6%。在经营指标方面，当季促成交易额近 522 亿元，同比增长 1.8%；在贷余额 681 亿元，同比增长 3.3%。

在撮合资方与借款人的互联网助贷业务中，拥有深度场景（如短视频、外卖、打车等）的企业被业内认为是一线企业，而第三方金融科技公司则被称为二线企业。

业内人士认为，金融科技市场二线企业的增长压力已经开始显现，这是由业内整体数据增长已经没有此前迅猛这一现象推断出来的。

科研经费燃烧

一些企业在海外的反欺诈模型已经取得阶段性成果，比如，宜人智科在菲律宾的 AI 模型核验证照功能已开发并迭代完毕,第三季度准确率接近95%并趋于稳定。"因为海外市场身份与信用信息各地数字化和统一管理发展程度不同,反欺诈与风控在业务开展中起到至关重要的作用",宜人智科方面强调。

各家企业对科研的重金投入也是金融科技三季报的一大亮点。

值得注意的是,嘉银科技在2024年第三季度披露的财报显示,其研发支出同比增长超过36%。据此,嘉银科技表示,市场竞争的日益激烈,对企业运营资源的利用效能、服务需求的高效满足、业务流程的自动化水平也提出了更高的要求。第三季度内,嘉银科技利用AI持续提效,推出自研"明易"自动机器学习平台,应用于智能风控和客户营销等场景。

嘉银科技表示,企业全面升级并重构"文曲星"智能知识库平台,通过搭载AI大模型,使该平台的整体搜索速度提高10倍,Top3召回率提升26%,主要应用于客服、营销等业务场景。

同样重金投入AI领域的还有宜人智科。根据宜人智科介绍,当前已经建立起智能决策、客户、语音交互、营销、资金路由、资管平台。

急寻多元化出路

业内人士告诉记者,当前国内头部金融科技公司的盈利更多来源于降本增效,而非市场扩张,国内市场竞争激烈推动更多行业玩家转向寻找多元化增量空间,现在各家都处于摸索阶段。

奇富科技表示,相比去年同期,企业仍维持着相对谨慎的获客节奏,因而销售及营销开支同比减少。"具体来看,企业在获客时保持严谨的风控策略,充分利用自研的AI风控模型,精准识别、筛选客户,提升优质客户在整体资产组合中的占比。同时,企业进一步探索多元化的获客渠道,提升获客效率。第三季度人均获客成本同环比均下降。在新增授信客户中,来自嵌入式金融渠道的客户占比提升。"

同时,奇富科技也正在对小微市场进行挖掘。上述人士表示,奇富科技利用大模型技术,对泛小微客群的行业职业、上下游、产品等信息进行全面细致的甄别,有助于更加精准地识别泛小微客群。

某金融科技从业者告诉记者,小微企业及个体工商户是经济运行的"毛细血管",当前我国有超过4 800万家中小微企业,超过6 000万个体工商户,合计占据市场主体的比例已超80%。2024年,其所在企业提供助力个体工商户、小微企业主、乡村创业者等群体的服务。

资料来源:郑瑜.金融科技三季报:"内卷"加剧求解多元化[N].中国经营报,2024-12-07(11).作者根据该资料进行改编。

12.1 多元化战略概述

12.1.1 多元化战略的概念及分类

1. 多元化战略的概念

多元化战略(diversification strategy)也称多样化战略、多种经营战略或多角化战略,是指企业同时经营两种以上基本经济用途不同的产品或服务的一种发展战略。多元化战略是相对企业专业化经营而言的，其内容包括：产品的多元化、市场的多元化、投资区域的多元化和资本的多元化。产品的多元化是指企业新生产的产品跨越了并不一定相关的多种行业，且生产多为系列化的产品；市场的多元化是指企业的产品在多个市场，包括国内市场和国际区域市场，甚至是全球市场；投资区域的多元化是指企业的投资不仅在一个区域，而且分散在多个区域甚至世界各国；资本的多元化是指企业资本来源及构成的多种形式，包括有形资本和无形资本，诸如证券、股票、知识产权、商标等。

2. 多元化战略的分类

（1）按照多元化拓展方向分类。 按照安索夫在其著作《公司战略》中的论述，企业多元化战略可以分为以下四种类型。

1）横向多元化，也称水平多元化，即企业利用现有市场，向水平方向扩展生产经营领域，进行产品、市场的复合开发。

2）纵向多元化，即企业进入生产经营活动或产品的上游或下游产业。这实际上就是纵向一体化。

3）同心多元化，也称同轴多元化，即企业利用现有技术、特长经验及资源等，以同一圆心扩展业务。同心多元化又分为市场相关型、技术相关型、市场与技术相关型。

4）混合多元化，又称非相关多元化，即企业进入与现有经营领域不相关的新领域，在与现有技术、市场、产品无关的领域中寻找成长机会。

（2）按照多元化产品关联程度分类。

1）相关多元化战略。相关多元化战略是指企业的各业务活动之间存在着技术的、市场的或生产的关联性的一种多元化战略。根据关联内容的不同，相关多元化战略又可以分为技术相关产品战略和市场相关产品战略两种类型。

A. 技术相关产品战略。技术相关产品战略是指以企业现有的设备和技术能力为基础，发展与现有产品和劳务不同的新产品或新劳务。例如，某音像电子企业先后生产出家庭音响设备、激光唱片、激光音响、电话录音和自动回答机、收录机等家庭电子产品。

B. 市场相关产品战略。市场相关产品战略是指企业充分利用自己在现有市场上的优势和较高的社会声誉，根据客户的需要生产不同的产品。例如，以生产运动饮料而闻名的健力宝集团利用它在体育运动消费者中的影响，邀请退役的"体操王子"李宁加盟，建立了李宁体育用品公司，生产和销售包括运动服等在内的系列体育用品，开辟了全新的业务领域。

2）非相关多元化战略。非相关多元化战略是指通过合并、收购其他企业或合股经营等形式来增加与现有产品或劳务不相同的新产品或新劳务的一种战略。如春兰（集团）公司除主要从事家电产品——空调器、电冰箱、洗衣机等生产外，还先后进入高能动力电池、货车、摩托车、电子信息、投资贸易等领域，形成了非相关多元化经营格局。

（3）按照专业化率和相关率组合标准分类。 美国学者赖利·鲁迈特依据专业化率（SR）和相关率（RR）的组合，将多元化战略进行分类，如表12-1所示。其中，专业化率是指企业最大经营项目的销售额占企业销售总额的比例,相关率是指企业最大一组以某种方式相关联的经营项目的销售额占企业销售总额的比例。

表 12-1 鲁迈特多元化战略分类

类型		特征
专业化率(SR≥95%)		项目单一
主导型 (70%≤SR≤95%)	主导集约型	除具有主导型一般特征外,各个项目均相关联,联系呈网状
	主导扩散型	除具有主导型一般特征外,各项目只与组内某个或某几个项目相关联,联系呈线状
	垂直统一型	垂直统一率(vertical ratio,VR)>70%
相关型 (SR<70%, RR≥70%)	相关集约型	除具有相关型的一般特征外,各个项目均相关联,联系呈网状
	相关扩散型	除具有相关型的一般特征外,各项目只与组内某个或某几个项目相关联,联系呈线状
无关型(SR<70%,RR<70%)		各个项目没有联系

12.1.2 多元化战略的动因与风险

1. 多元化战略的动因

(1)企业多元化战略的外在动因。

1)产品需求趋向停滞。当企业原有产品处于产品生命周期的衰退期时,原有产品由于需求停滞而无法满足企业发展的要求,企业必须寻求需求增长快的新产品和新市场,从而开展多样化经营。

2)市场集中度提高。这里所说的集中度是一个卖方结构指标。计算这个指标时,将企业按规模大小顺序排列,然后合计几个主要企业占行业总体的百分比。当集中度高时,产品由少数卖方企业控制。在集中度高的行业中,企业要想得到更高的增长率,一般是用降低价格、扩大供应能力、支付高额广告费等方法蚕食对手企业的市场占有率,但用这些方法既增加费用又有风险。因此,在集中度高的行业中,企业要想追求较高的增长率和收益率,只有进入本企业以外的新市场。企业所在行业的集中度越高,越能诱发企业从事多样化经营。

3)市场需求具有不确定性。由于市场需求具有不确定性,企业经营单一产品或服务便会面临着很大的风险,其增长率和收益率会为该产品或服务的需求动向所左右。假如该产品或服务的需求动向有很大的不确定性,企业为了分散风险,便要开发其他产品或服务,从事多样化经营。即使原来已从事多样化经营的企业,当原有产品或服务市场需求有很大的风险时,为了分散风险,也将积极开展多样化经营。

(2)企业多元化战略的内在动因。

1)纠正企业目标差距。企业制定有关增长率和收益率的目标,并根据目标的完成情况来决定下一阶段的行动方针。当实际完成情况低于原定目标时,企业往往要从事多种经营以弥补差距，从而实现预期目标。一般说来，目标差距越大，从事多种经营的可能性就越大。

2）实现规模经济。规模经济是一种经营资源，企业可以通过职能要素或产品要素实现低成本，即实现最佳的资源使用密度。实现规模经济的具体要素一般有特殊用途的机器设备、专门的技术技能、专门的营销服务和专门的信息网络等。企业从事多种经营，扩大其规模，能在质量和数量方面占有丰富的经营资源，享受规模经济效益，同时还可弥补企业某方面经营不当的弱点，提高盈利水平。

3）实现范围经济。企业考虑如何使用与生产环节或产品无关的要素，是为了获得最少的单位生产间接费用，并由此达到最佳的使用广度。实现范围经济的非具体要素一般有通用机器设备、普遍应用的技术技能、一般的营销服务和通用的信息网络等。从寻求范围经济的角度出发，企业希望在两个或多个经营单位中分享如制造设施、分销渠道、研究开发等资源，以减少在各经营单位的投资，降低成本。

4）挖掘企业内部资源潜力。企业可以通过多元化战略来充分利用其在日常经营活动中所累积的富余资源，提高经济效益。

5）转移竞争力。企业通过多元化战略，可在各经营单位之间进行平衡，将企业现有的竞争力转移到新的经营单位上去，或通过并购，将具有竞争能力的企业或经营单位并入本企业，以提高企业总体盈利能力和灵活性。

2. 多元化战略的风险

尽管多元化战略可以带给企业各种好处，但也可能给企业带来不利和风险，主要体现在以下五个方面。

（1）**原有产业遭削弱的风险**。企业资源总是有限的，多元化战略的投入往往意味着原有产业要被削弱。这种削弱不仅是资金方面的，管理层注意力的分散也是一个方面，它所带来的后果往往是严重的。然而，原有产业是多元化战略的基础，新产业在初期需要原有产业的支持，若原有产业迅速被削弱，企业的多元化战略就会为企业带来危机。

（2）**市场整体风险**。支持多元化战略的一个流行的说法是，多元化战略通过"把鸡蛋放在不同的篮子里"来化解经营风险——正所谓"东方不亮西方亮"。然而，市场经济中的广泛关联性决定了多元化经营的各产业仍面临共同的风险。也就是说，"鸡蛋"仍放在一个篮子里，只不过篮子稍微大一些罢了。在宏观力量的冲击之下，企业多元化经营带来的资源分散反而加大了风险。

（3）**行业进入的风险**。行业进入不是一个简单的"买入"过程。企业在进入新产业之后还必须不断地注入后续资源，熟悉这个行业并培养自己的员工队伍，塑造企业品牌。另外，行业的竞争态势是不断变化的，竞争者的策略起初也是不明朗的，企业必须根据情况相应地调整自己的经营策略。所以，进入某个行业是一个长期、动态的过程，很难用投资额等静态指标来衡量行业的进入风险。

（4）**行业退出的风险**。企业在多元化投资前往往很少考虑到退出的问题。然而，如果企业深陷一个错误的投资项目却无法全身而退，那么很可能全军覆没。一个设计良好的经营退出渠道能有效地降低多元化经营风险。例如，摩托罗拉当初看好卫星通信业务而发起了

"铱星"计划，当最后"铱星"因负债数十亿美元而陨落时，摩托罗拉却因一开始就将"铱星"项目注册为独立的实体，而只需要承担有限的责任和损失。

（5）内部经营管理整合风险。不同的行业有不同的业务流程和不同的市场模式，对企业的管理机制有不同的要求。企业作为一个整体，必须把不同行业对其管理机制的要求以某种形式融合在一起。多元化战略多重目标和企业有限资源之间的冲突，使这种管理机制上的融合更为困难，使企业多元化战略的经营目标最终趋于向内部冲突妥协。当企业通过兼并其他企业进行多元化经营时，还会面临一种风险，即企业文化能否成功融合的风险。企业文化的冲突对企业经营来说往往是致命的。

显然，无论企业定位何种多元化战略经营目标，都应对上述五种风险进行仔细评估，衡量自身的资源、管理制度和文化能否容纳和支撑多种经营的状况，尽量发挥自身的优势，降低多元化战略的风险。

● 战略专栏 12-1

多元化战略六问、六戒

1. 多元化战略六问

（1）基础稳：在当前市场上，比竞争者做得更好的是什么？
（2）进得去：为在新市场上取得成功，必须具备什么优势？
（3）站得住：进入新业务能否迅速超越其中现有竞争者？
（4）无冲突：多元化战略是否会破坏企业现有战略优势？
（5）能取胜：在新业务领域企业是否有可能成为优胜者？
（6）有发展：多元化战略是否能为企业进一步发展打下基础？

2. 多元化战略六戒

（1）盲目跟随：片面仿效行业领先企业的战略，忽视了行业中同类产品市场可能已趋于饱和而很难再进入的现实，盲目跟风，一哄而上，结果造成重复建设和资源的浪费。

（2）墨守成规：由于企业成功地开发了一个新产品，暂时取得了市场竞争的主动权，就期待再次交好运，倾向于按同样的思路去开发另一个新产品，结果往往以失败而告终。在拓展新业务时，已被经验证明是成功的战略，如果不再创新并不一定能达到相同的效果。墨守成规、循规蹈矩是不可取的。

（3）军备竞赛：为了增加企业的市场份额，置可能引发的价格战于不顾，与另一个企业展开白热化的市场争夺战，这种做法的结果或许能够为企业带来销售收入的增长，但可能由于广告、促销、研究开发、制造等方面费用的更大增长，使企业的盈利水平下降，造成两败俱伤，得不偿失。

（4）多方出击：企业在面对许多发展机会时，往往会不由自主地希望抓住所有的机会，以实现广种薄收的目的；结果企业常常因资源、管理、人才等方面的制约，很难达到多头出击的目的，最终会被过长的"战线"拖累，不但新业务没有开展起来，甚至连本来的业务也面临多种风险。

（5）孤注一掷：企业在某一战略方案上投入大量资金后，其高层管理者往往难以接受战略不成功的现实，总是希望出现"奇迹"；所以，由于战略思维上的惯性，他们不肯中途撤退，这种孤注一掷的做法可能导致其越陷越深。

（6）本末倒置：在市场开拓与产品促销上盲目投入，甚至不惜代价大搞"造名攻势"，而不是在解决产品质量、性能等根本方面下功夫；这种本末倒置的战略取向好似水中月、空中楼，没有坚实的根基，企业迟早难逃坍塌之厄运。

资料来源：项保华.战略管理：艺术与实务 [M].北京：华夏出版社，2001

12.2 多元化战略的选择

多元化战略的实施过程包括多元化决策、多元化方向的选择、多元化经营进入方式的选择以及多元化经营之后的整合等过程。对于任何企业而言，它们在实施多元化战略之前都希望其未来的多元化经营取得成功，然而，多元化失败的企业与多元化成功的企业几乎一样多，因此，成功的多元化必须实施过程控制，减少多元化过程中的失误，这种过程控制将有利于提高企业多元化战略实施成功的概率。

12.2.1 是否实施多元化战略

企业是实施专业化经营还是实施多元化经营，取决于企业经营的内部条件和外部环境。多元化战略不是企业成功的"万能药"，实施专业化战略的企业失败的事例也比比皆是。由于不同企业战略实施的具体环境不同，企业多元化经营受到的驱动力也不相同，因此，企业在决定是否实施多元化战略时，首先要明确企业多元化经营的原动力来自哪些方面。

1. 企业战略发展目标能否通过原有业务的发展来实现

多元化战略是企业整体发展战略的一部分，为企业整体发展战略服务。因此，是否实施多元化战略，首先要看它是否有利于企业整体战略目标的实现。一些企业为自己的未来发展描绘了一幅美好的蓝图，但实现这幅美好的蓝图需要一步一步的战略步骤，各种战略必须围绕企业战略目标实现，企业必须在产品发展战略、区域发展战略、技术发展战略、人力资源发展战略等方面对整体战略进行分解。实施多元化战略可以避免企业发展受到原有产品市场规模的限制，使企业通过产品跳跃式的发展达到最终目标。我们称这种原因驱动的企业多元化为"市场拓展型多元化"。

2. 企业是否面临严重的单一产品经营的风险

单一产品经营的风险在于，企业的生存依赖某一种产品的市场状况，而产品的市场状况会经常发生变化，这种变化可能是因为：产业发展已经进入技术－产业生命周期的成熟期的后期或衰退期；产品已经处于其生命周期的成熟期或即将进入衰退期，市场处于饱和或供过于求的状况；新技术的出现导致功能相近或更优的替代产品出现，消费者购买兴趣发生转移；消费习惯或消费观念发生变化；更强大的竞争对手进入该领域，市场被重新分割等。企业如果在某一方面失误，就可能陷入经营困境。企业只有在相对广泛的领域中经营，才能实现风险组合，在一定程度上降低经营风险，我们称这种原因驱动的企业多元化为"风险规避型多元化"。我国许多国有企业受传统的计划经济体制的影响，曾经多为专业化生产企业，但是由于宏观经济环境和经济体制的变化、市场供求关系的改变，以及原有产品市场发生变化，许多企业未能正确地预测和及时地采取措施，使得产品大量积压，企业陷入困境；新产品的开发因缺乏资金而难以上马，使得企业经营艰难，甚至濒临破产。

3. 企业是否存在明显的经营能力闲置或能力利用不充分

在市场经济成熟的市场上，普通的闲置生产能力可以通过市场消化，但企业的核心竞争力因定价的困难和使用的外部性，难以通过市场转让，实施多元化战略将有利于企业核心竞争力的充分利用，我们称这种原因驱动的企业多元化为"能力共享型多元化"。在我国目前的市场环境下，部分企业的剩余生产能力难以通过市场予以消化，成为企业的沉重负担，因此，释放这部分生产能力蕴藏的能量，对提高这些企业的经营绩效十分重要。

如果企业存在上述问题，且无法通过发展原有产品解决这些问题，企业便有了多元化经营的原动力，一些企业因此开始构想实施多元化战略。值得注意的是，短期内出现的高利润产业，如房地产业等，应不应该成为企业多元化经营的原动力？我们对这一问题持否定态度。多元化经营是企业对一种产业的直接投资，旨在从这种产业中获得更大的发展空间，它要求企业具备新产业发展应具备的经营能力。对于短期内出现的高利润产业，企业宜以一种资本运作的方式对该产业进行间接投资，通过间接投资获取该产业的利润。如果企业考虑对该产业实施多元化战略，则必须仔细分析该产业的发展是否符合企业的发展战略、该产业与企业原有产业之间的关系、企业具备的经营能力，以及该产业的发展可能对原有产业发展带来的影响等问题。

12.2.2 多元化方向的选择

如果企业决定实施多元化战略，那么，它面临的第一个问题就是多元化方向的决策问题。多元化方向的正确选择是企业多元化经营成功的关键，不同的多元化动机引起不同的选择。

1. 市场拓展型多元化方向的决策程序

如果企业多元化经营的动机是原有业务不能满足企业战略发展的需要，则企业选择多元化方向时首先考虑的将是新业务的市场潜力，选择的范围是与企业的技术能力和生产特点相关的业务。市场拓展型多元化方向的选择流程如图12-1所示。

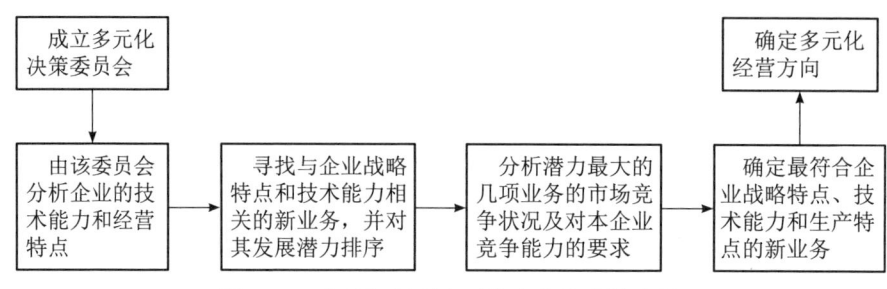

图 12-1　市场拓展型多元化方向的选择流程

第一步是成立多元化决策委员会作为参谋机构，委员会主席由企业主管担任，成员包括企业的技术主管、财务主管、营销主管和企业主要技术骨干。

第二步是由该委员会分析企业的技术能力和经营特点。技术能力和经营特点是企业在一贯的战略指导下培养和发展起来的。技术能力分析主要是对企业的技术优势和劣势进行分析，多元化经营应发挥优势，避免劣势。经营特点分析是对企业的资本、技术、劳动组合进行分析，它是由要素环境决定的，即在融资便利、技术发达、劳动力素质高，且工资水平高的地区，企业会逐渐形成技术密集与资本密集相结合的经营特点；在技术相对落后、劳动力普遍素质较低、劳动力供应充足，且工资水平低的地区，企业会形成劳动密集的经营特点；如果这时经济环境好，企业资金充足或融资成本低，则企业会逐渐形成资本密集与劳动密集相结合的经营特点。

从目前的经济发展情况来看，我国东部、中部、西部的要素环境特点不同，从普遍境况来看，东部地区的企业以技术密集或技术密集与资本密集相结合的经营特点为主，中部地区主要以资本密集与劳动密集相结合的经营特点为主，西部地区则以劳动密集的经营特点为主，这应该是各地区企业发展过程中理性选择的结果。当然，不排除在中部和西部的一些发达城市，一些企业在政策鼓励下，会形成技术密集，甚至技术密集与资本密集相结合的经营特点。

第三步是委员会在广泛的市场研究的基础上，寻找与企业战略特点和技术能力相关的新业务。这种新业务可能有多种，委员会需要对这些新业务的发展潜力进行研究并根据大小予以排序。

第四步，选择市场潜力最大的几项业务，分析其市场竞争状况及对本企业竞争能力的要求。

第五步，在进行充分的调研与分析后，确定最符合企业战略特点、技术能力和生产特点的新业务。

第六步，在确定了企业具备新业务所需的竞争能力，能与新行业中主要竞争对手展开竞争的情况下，确定最优的企业多元化经营方向。

2. 风险规避型多元化方向的决策程序

不同的业务有着不同的影响因素，各影响因素变化的时间和变化的幅度不同，使得不同的业务有着不同的变化周期，因而也有着不同的风险水平。风险组合理论已经证明，不同变化周期的业务组合，能够降低总的风险水平。因此，对于因单一业务的专业化经营产生风险的企业而言，通过增加不同变化周期的业务，能够在一定程度上降低企业的经营风险。但是，与纯粹的投资组合不同的是，多元化经营是一种直接投资，不仅要考虑新业务与原有业务之间的市场相关性，而且要考虑两者在经营运作上的相似性，这种相似性越大，企业新业务的经营困难越小，经营失败的可能性就越小，风险也会越小。因此，企业在实施旨在降低经营风险的多元化战略时，应该既考虑新业务与原有业务的市场相关性，又考虑两者在经营运作上的相关性。风险规避型多元化方向的选择流程如图12-2所示。

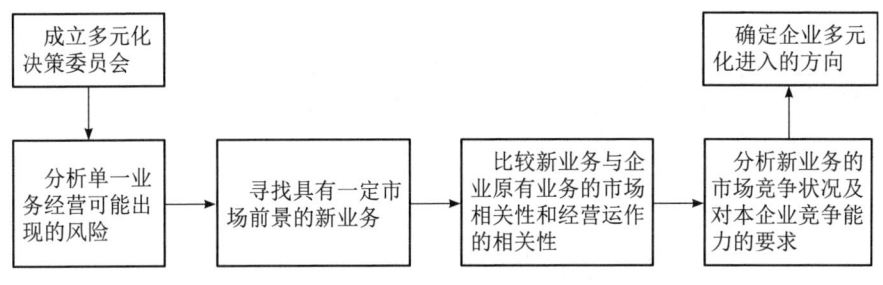

图12-2　风险规避型多元化方向的选择流程

在成立多元化决策委员会的基础上，企业要分析单一业务经营可能出现的风险，这些风险可能来自市场环境的变化征兆、产品生命周期进入成熟期、新技术引发新的替代产品出现或更强大的竞争对手进入等。如果企业能够明确危机或风险的来源，就可以采取相应的措施，或者实施多元化战略，或者对原有产品实施更深层次的专业化战略。但是，某些单一业务经营的风险来源可能并不十分清楚，企业除了隐约产生危机感之外，还不能完全确定风险的真正来源，这时企业实施防御性的多元化战略，或许可以在风险到来之前获得主动权。这时多元化决策委员会可以寻找具有一定市场前景的新业务，并且比较新业务与企业原有业务的市场相关性和经营运作的相关性，并分析两者综合的结果：是增加企业的风险，还是降低企业的风险。在选择合适的新业务时，分析新业务的市场竞争状况和主要竞争对手，以及企业开展新业务所需的竞争能力，最后确定企业多元化进入的方向。

3. 能力共享型多元化方向的决策程序

如果企业多元化经营的动力来自企业存在的过多的剩余能力，则企业应对其过剩的能力进行分析。对于企业可以通过市场转移且不会影响企业整体竞争能力的一般剩余能力，可优先考虑通过市场将它们消化，因为这样的剩余能力能够轻易地被模仿或复制。如果企业实施多元化战略后难以获得持久的竞争优势，甚至根本不具备竞争优势，则在这种能力基础上的多元化战略是不可取的。而对于那些难以通过市场转移的核心竞争力，企业则不得不通过新业务的发展来实现对这些核心竞争力的充分利用，这时候企业实施多元化战略首先需要考虑的因素就是新业务与原有业务在经营运作上的相关性。因此，只有在企业核心竞争力没有得到充分利用的情况下实施多元化战略，才能使企业与所处的市场环境具有相关性。市场经济体制越完善的行业，其市场交易成本越低，企业将剩余能力进行市场转让的可行性越强；反之，在市场经济体制不完善的行业，其市场交易成本较大，将使企业剩余能力难以通过市场发生转移，企业不得不通过多元化经营内部消化这些剩余能力，我国一些企业目前正面临这样的问题。当前，我国仍有一些国有企业生产能力严重过剩，且许多过剩的生产能力并不具有难以模仿和难以复制的特点。因此，这些企业不得不在这种基础上实施多元化战略，以此为基础的多元化经营成功的概率很低，且难以形成稳定的多元化经营方向。因此，这些企业往往由单一业务经营向多元化经营转变，如图12-3所示。综上可知，企业剩余能力的可转让性不仅与剩余能力本身有关，而且与企业所处的市场环境有关。

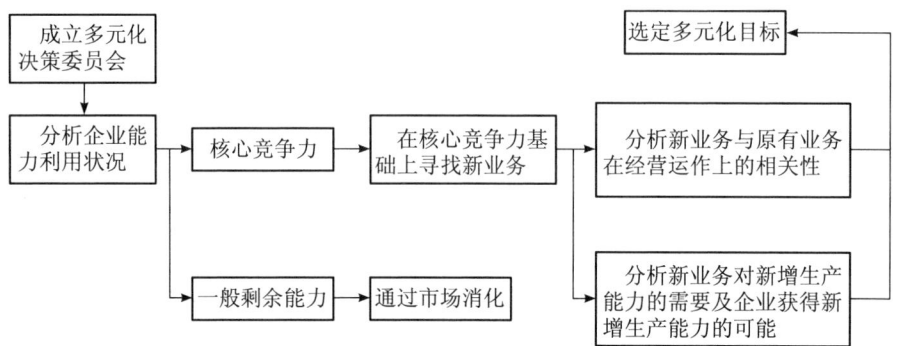

图 12-3　能力共享型多元化方向的选择流程

值得注意的是，在核心竞争力基础上开展多元化，应注意新业务对新增的生产能力的需要，以及新业务与原有业务对企业资源的争夺使用情况。如果新业务要求企业新增的生产能力是企业难以获得或难以短期内发展的，或新业务会与原有业务争夺企业有限的资源，如资金、设备、技术力量、人力资源等，则企业要慎重选择这种新业务。综上所述，企业多元化方向的选择工作流程如图12-4所示。

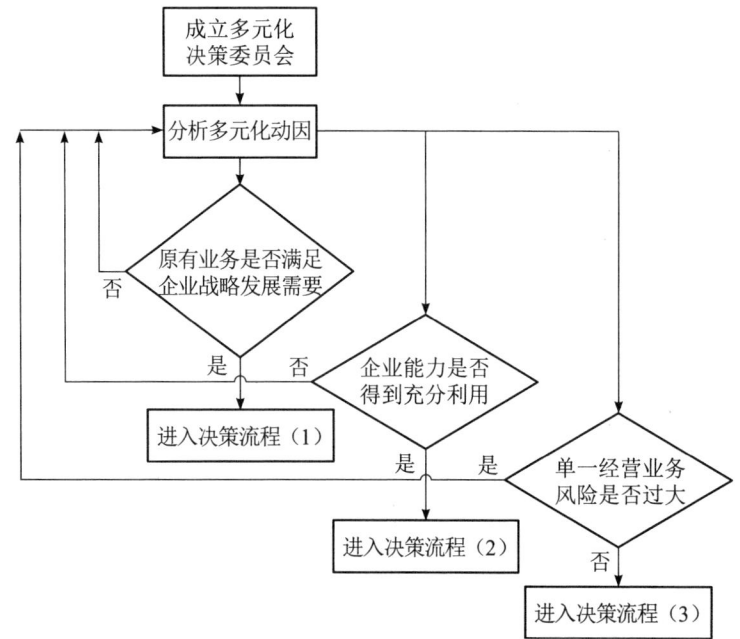

图 12-4　企业多元化方向的选择工作流程总图

战略专栏 12-2

皇氏集团实施多元化战略的经验教训

1. 企业背景

皇氏集团前身为皇氏乳业，是一家专注于乳制品生产的企业。然而，近年来，皇氏集团开始实施产业多元化战略，布局信息服务、光伏组件等领域，试图通过多元化经营来寻求新的增长点。

2. 多元化战略实施

皇氏集团的多元化战略主要体现在以下几个方面。

（1）**信息服务业务**。皇氏集团试图通过进入信息服务领域来拓展其业务范围。然而，这一领域与乳制品业务相差甚远，皇氏集团进入信息服务领域后并未能适应新业务的发展要求，因而难以建立起竞争优势。

（2）**光伏组件业务**。皇氏集团还涉足了光伏组件领域。但是，这一领域同样需要较高的技术实力和市场洞察力。皇氏集团进入该领域后，由于在技术和管理方面都存在不足，难以支撑其业务的发展，因此未能取得预期的效果。

3. 实施结果

皇氏集团的多元化战略并未能取得预期的成功。相反，由于资源分散、管理不善和市场竞争激烈等问题，皇氏集团的整体业绩出现了下滑。近年来，皇氏集团的净利润多次出现亏损，财务状况陷入困境。

4. 失败原因

（1）**主业盈利能力低**。皇氏集团的主业乳制品业务盈利能力较低，这导致其在实施多元化战略的过程中缺乏足够的资金支持。同时，主业的不稳定也影响了皇氏集团在其他领域的投入和表现。

（2）**资源分散**。皇氏集团在实施多元化战略的过程中，将资源分散到了多个领域。这导致其在每个领域都无法形成足够的竞争优势，进而影响了整体业绩。

（3）**管理不善**。随着业务领域的拓展，皇氏集团面临着更加复杂的管理挑战。然而，企业在管理方面并未能够及时进行调整和优化，导致内部出现了混乱和失控的局面。

（4）**市场竞争激烈**。无论是信息服务领域还是光伏组件领域，市场竞争都非常激烈。皇氏集团进入这些领域后，由于缺乏足够的竞争优势和市场份额，因此难以立足并取得成功。

5. 经验教训

皇氏集团的多元化战略失败案例为我们提供了以下经验教训。

（1）企业在实施多元化战略时，必须谨慎评估自身实力和市场环境，避免盲目跟风和冲动行为。

（2）企业应该保持专注和打造核心竞争力，确保新业务与核心业务互相促进、实现协同效应。在实施多元化战略的过程中，企业应注重资源整合和优化配置，避免资源分散和浪费。

（3）企业在实施多元化战略的过程中，必须注重风险控制和资金管理，确保有足够的资金支持新业务的开展，并能够及时应对可能出现的风险和挑战。

综上所述，皇氏集团的多元化战略失败案例为我们提供了深刻的经验教训和启示。企业在实施多元化战略时，必须谨慎行事、注意新业务与核心业务的关联性、注重风险控制和资金管理，以确保企业的稳健发展。

资料来源：根据网络信息及相关资料改编。

12.3 多元化战略的实施

多元化方向确定后，企业就进入了多元化战略的实施阶段。多元化战略的实施包括多元化进入和多元化经营。下面从相关多元化进入方式和非相关多元化进入方式两方面研究多元化进入。

企业多元化进入方式主要包括内部发展和外部并购两种方式，如表12-2所示。内部发展主要是指企业筹集资金，对其将要进入的领域在技术、设备、人力资源、市场营销等方面进行投资，从而进入多元化领域的过程。外部并购是指企业通过并购有关行业的企业来实现多元化。通过内部发展实施多元化战略的过程较长，有利于企业全方位地权衡企业多元化经营的可行性，避免出现重大的多元化决策失误，同时能够将企业原有的经营能力延伸到新业务中。但在激烈的市场竞争中，企业可能会错过行业进入的最佳时期；相反，通过外部并购实施多元化战略的企业则能够更好地把握市场机会，确定行业进入的最佳时期后迅速进入，进入的周期较短，且能获得一些新的经营能力，其中一些经营能力是新行业经营中必不可少的。但是，快速进入可能缺乏更深、更全面的考虑，因而难以发现新行业经营中的困难和问题，一旦失误，损失重大。而不同企业和行业之间的管理整合还会增加多元化经营的困难。

表12-2 内部发展和外部并购的比较

多元化进入方式	比较维度		
	决策	企业能力	面临的困难
内部发展	过程较慢，信息较充分，质量较高，但时效性较差	能够将企业原有的经营能力延伸到新业务中，使企业得到发展，但对于需要特殊能力的新领域，组织学习的成本将较高	多元化进入以及进入新行业的学习成本太高
外部并购	过程较短，时效性较好，信息相对不充分，质量受到影响	能够获得新业务经营所需的能力，减少进入后的学习成本	外部并购的成功取决于完善的资金市场和产权交易市场机制

影响企业多元化进入方式选择的因素中既有企业内部因素，也有企业外部因素。企业内部因素包括企业已有的经营能力、企业战略发展方向、企业将要选择的多元化战略类型；企业外部因素则包括企业经营的市场体制环境和市场竞争环境。而对企业多元化进入方式产生直接影响的是企业将要选择的多元化战略类型。

12.3.1 相关多元化进入方式

实施相关多元化意味着多元化业务与企业原有业务之间存在着技术、生产、管理、营销等方面的相关性，它使企业的多元化业务能够与原有业务共享企业已有的经营能力。若企业通过内部发展实施多元化战略，则企业的相关能力能够顺利地延伸到新业务中；而若企业以外部并购的方式实施多元化战略，则被并购的企业可能具备相应的能力，企业原有的相关能力无法得以利用，企业能力限制或能力剩余状况不能得到改善。因此，在这种情况下，企业以内部发展的方式进入多元化业务更有利。这种内部发展型多元化所实现的对企业原有能力的共享或剩余能力的利用，正是本文前面提到的对范围经济的追求，它能使企业多元化进入和多元化经营的成本更低，有利于缓解企业在财务方面的压力，从而使企业在新业务领域能够获得更大的竞争优势。

但是，即使是相关多元化，其相关的程度也是不同的。根据鲁迈特的多元化战略分类，企业多元化被分为主导业务型多元化、相关业务型多元化和非相关业务型多元化。相关业务型多元化又被分为限制相关型多元化和联系相关型多元化，前者是指企业多元化业务与企业某一特殊能力或资源相关联，各种业务活动之间都具有相关性；后者则是指企业的多元化业务与企业原有能力或技能具有一定程度的相关性，但不一定是在相同的能力或技能基础上发展起来的，企业的多元化业务广泛分散在各种领域，它们之间联系松散。对于建立在企业某种能力或技能基础上的限制相关型多元化战略，为了使企业原有的能力或技能得以延伸，要求企业在多元化进入时，采取内部发展的方式。但是，对于联系相关型多元化战略，多元化业务之间存在的相关程度不同。因此，对于与企业核心竞争力或技能联系紧密的核心层业务，企业采用内部发展的方式有利于将企业原有的能力延伸到新业务中，而对于与企业核心竞争力联系不紧密的外围层多元化业务，企业采用外部并购的方式可以获得新业务经营所需的新的能力，从而降低培养和发展新能力的成本。

12.3.2 非相关多元化进入方式

非相关多元化发展是指企业在与原有业务不甚相关的业务领域发展，而新业务的运作过程与企业的原有业务有很大差别，它要求企业具备更多新的经营能力；企业原有的能力难以在新业务中发挥作用，必须重新获得新的能力，包括技术、管理、生产和营销等方面。如果企业仅仅通过学习来获得这些能力，则将要花费较高的成本，因此，企业通过对有关领域的企业进行整体并购，便可获得这些企业在其所处行业的各种经营能力。这种可并购的企业可以分为两类。一类是经营能力比较弱的企业，这类企业在其发展过程中忽视了对其经营能力的培养，尤其是对核心竞争力的培养，竞争力低，经营效果差，面临生存危机，并且这类企业往往市场价值较低，并购价格低，并购后难以获取其所处行业经营所需的各种能力。另一类是企业的各项经营能力较强，但出于管理的原因，各项经营能力之间的协调配合较差，从而导致企业的整体竞争力较低，面临危机。这类企业的市场价值不高，并购价格不高，是企业理想的并购对象。

并购的实现不仅取决于企业的内部实力，而且取决于企业的外部环境，尤其是产权交易的可实现环境。在市场经济体制健全和完善的市场环境下，企业之间的并购可以较顺利地进行，并购成本较低，但是，在市场经济体制尚不健全，产权市场发展不完善的市场环境下，企业之间的并购会面临各种障碍，并购成本将会很高，因此，通过并购实现多元化经营的可能性降低。

值得指出的是，企业多元化业务与原有业务之间的相关与不相关不是绝对的，同时，内部发展和外部并购也不是绝对的，企业为获得新业务发展所需的某种能力，未必需要将相关企业买下来，企业完全可以通过招聘相关的人才获得所需的能力。这实际上主要是企业在多元化进入方式的选择中，对两种方式进行成本比较的结果。图 12-5 所示为业务相关程度与内部发展比重对多元化进入方式选择的影响。

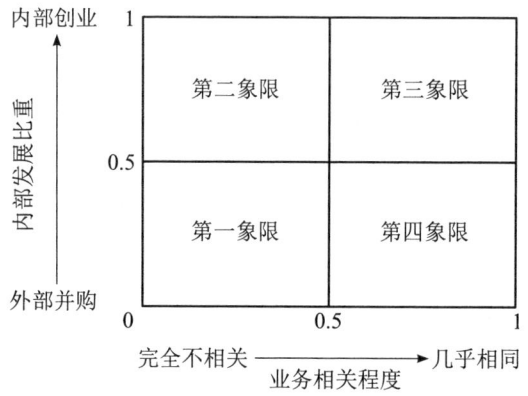

图 12-5　业务相关程度与内部发展比重对多元化进入方式选择的影响

在图 12-5 中，业务相关程度是指企业原有业务与新业务之间的业务关联度，若业务相关程度为 1，则说明它们之间几乎是相同的；若业务相关程度为 0，则说明它们之间完全不相关。内部发展比重则是指企业在多元化进入时，有多少比重的能力是内部培养的。若比重为 1，则说明多元化业务能力完全是由内部培养的；若比重为 0，则说明多元化业务能力完全是通过外部并购获得的。

在第一象限，业务相关程度在 0～0.5 之间，企业多元化进入以外部并购为主，业务相关程度越小，外部并购所占的比重越大，当业务相关程度为 0 时，企业则完全通过外部并购获得新业务发展所需的各种能力。但是，如果企业新业务所需的某些能力出于各种各样的原因而不能从企业外部购得，则企业也不得不自己发展，例如，尽管企业并购了某些企业，但是被并购企业仍然缺乏新业务发展所需的一些关键能力，而该能力又不能从其他方面购得，这时，企业不得不自己发展这些能力，这便是第二象限。第二象限在市场经济不健全、产权交易不发达的市场环境下表现明显。如春兰（集团）公司由空调领域进入摩托车领域的主要方式是内部发展，这主要是由于当时我国市场经济体制尚不健全，通过外部并购进入的难度较大。但是，在市场经济条件成熟的情况下，这一象限的做法是不明智的。第三象限说明，业务相关程度越高，越应该通过内部发展进入多元化领域，在这种状态下选择第四象限将是不明智的。因此，在多元化进入方式的选择中，遵循第一、四象限做法的企业，多元化进入成功的可能性更大。

战略专栏 12-3

M 公司的多元化战略

M 公司是一家以生产电冰箱起家的企业。近年来，根据 M 公司多元化涉足产业与主业的相关程度，可以将 M 公司的多元化过程分成两个阶段，如表 12-3 所示。第一阶段为相关多元化发展阶段，在该阶段内，M 公司的多元化涉足产业紧紧围绕家电领域，通过以制冷技术为核心的同心多元化向白色家电领域全面扩张，之后以白色家电为突破口，实现经营范围的全面覆盖。第二阶段为非相关多元化发展阶段，在该阶段内，M 公司通过向与主业关联度很低的其他产业扩张，实现 M 公司在各个领域的涉足。

表 12-3　M 公司的多元化过程

阶段	涉足产业	
相关多元化发展阶段	制冷家电	电冰箱、电冰柜、空调
	白色家电	制冷家电、洗衣机、微波炉、热水器
	黑色家电	以数字电视为代表的黑色家电
	米色家电	手机、计算机等信息产品
非相关多元化发展阶段	金融、物流、餐饮等跨度较大的产业	

通过对 M 公司 1999—2018 年关键财务指标进行分析，可以看出随着多元化的不断推进，M 公司主营收入增长十分显著，股本不断扩大。相比之下，M 公司的净利润及每股收益却呈现出明显的分段波动的状态，1999—2008 年呈现出比较稳定的持续增长态势，而 2009 年开始却一路下滑，直到 2013 年跌至最低点，而 2014 年开始又呈现上涨的态势、盈利水平显著提高。同时，虽然 M 公司在不断扩大自己的资产规模，但是 M 公司的净资产收益率在 2009 年之后剧烈下滑，直至 2014 年之后才逐渐恢复，并在此之后获得了非常迅速的增长。

通过分析可以看出，通过实施多元化的经营战略，M 公司的确扩大了规模。然而净利润、每股收益及净资产收益率的表现却具有明显的波动性，表现为小幅增长后的下跌态势，尤其是 2011 年之前，相关指标逐年下降，几乎跌回 10 年前的水平。但 2011 年之后，各指标呈现逐年好转态势。其变化呈现该种趋势的原因主要有三个。

(1) 通过多元化进军新行业在短时间内的确可以增加企业的销售量与收入，但是随着新进产业风险的出现、竞争的加剧、行业利润的摊薄以及规模效应所带来的成本效应的逐渐减弱，企业的利润反而呈现出减少的态势。

(2) 相比 2005 年之前的多元化，此后 M 公司所进驻的产业与其核心业务相关程度较低，虽然这些非相关产业从总体上扩大了企业的经营范围，但是由于产业跨度过大、经营管理成本较高，因此这些业务的开展并未给企业带来预期的利润，反而给企业带来一定程度的收益减损。

(3) M 公司在 2007—2009 年对自己的业务进行了适度调整。M 公司在港上市为企业多元化建立了海外融资平台，且随着投资回报周期的到来以及 2011 年经济环境的整体繁荣，M 公司在 2011 年之后资金流相对宽裕，各项业务指标有所好转。

综上可知，通过实施多元化发展战略，M 公司的规模扩张明显，整体收入水平不断攀升，且从总体上来看，多元化战略为企业带来了价值的增值，提高了企业的盈利能力。但是在其非相关多元化的集中进行阶段，即 1996—2005 年，净利润以及每股收益指标表现不尽如人意，甚至一度回落至初期水平，并且尽管 2007 年之后指标逐渐回升，但是较其规模扩大幅度而言，相关指标增幅较小。同时，根据 M 公司报表中所列示的收入来源可以发现，虽然 M 公司涉足多个产业，但是其主要收入仍是靠冰箱与洗衣机。由此可见，较之相关多元化，M 公司的非相关多元化并未给自身带来预期的利润。

M 公司非相关多元化的失败原因如下。

（1）**原先优势未能持续**。具体表现在以下三个方面。①生产模式优势无法持续。就已经建立起的生产模式而言，M 公司已经具备的模式与其新进驻产业显得格格不入。以产品迅速更新换代的计算机行业为例，计算机企业普遍采用了"接单生产"的模式，家电产品采用的大规模流水作业和管理将难以适应。传统的流水生产方式通过大规模生产有效地降低了单位固定成本和采购成本，但提高了仓储成本和管理费用。②客户忠诚度无法持续。就客户忠诚而言，M 公司给客户的感觉更多的是家电制造商，其以"组装商"身份进入更多属于高科技产品的米色家电略显尴尬。巨大的产业跨度使 M 公司在家电业做出的成绩及其积累的信誉很难荫蔽其新涉足产业。③人力资源优势无法持续。就人力资源而言，由于产业跨度太大，已具备的管理模式以及人力资源难以应对完全陌生的产业环境。

（2）**未能在新产业领域内形成新的竞争力**。由于产业跨度过大，M 公司之前积累的经验在新产业领域内无法发挥作用，M 公司也未能在新产业领域创造出新的适应行业发展的闪光点。单纯想凭借自己做白色家电建立起的行业龙头地位在其他领域一举夺魁，是很难实现的。M 公司的案例告诉我们，企业进入非相关行业的风险是很大的，失败的多元化不仅不会提高企业价值，反而会侵蚀企业已经积累的宝贵财富，因此企业在做决策时应当谨慎而行。当然，企业是走多元化还是专业化并不能简单地下结论。

资料来源：中国注册会计师协会. 公司战略与风险管理 [M]. 北京：中国财政经济出版社，2019.

12.4　多元化战略的整合

多元化战略的成败并不仅仅取决于多元化进入的方向和进入的方式选择是否正确，还取决于多元化进入之后的经营过程，这一过程的关键是不同业务之间的整合。

12.4.1　产业竞争状况与企业资源配置

企业内部业务之间的差异源于各业务市场的差异，而各业务市场的差异包括市场竞争状况、市场需求特点、市场管制程度等。其中对企业资源或能力配置影响最大的是各种业务的市场竞争状况,即市场竞争激烈的产业会吸引更多的企业资源。如果企业同时经营两种业务 A 和 B,A 业务的市场竞争比 B 业务的市场竞争更激烈,则 A 业务会吸引企业更多的资源。如果 B 业务是企业原有业务,A 业务是多元化进入的新业务,则 A 业务对企业资源更大的吸引力将会影响企业原有业务 B 业务的发展;反之,如果 A 业务是企业原有业务,B 业务是多元化进入的新业务,则 B 业务的发展将会受到 A 业务的阻碍,多元化业务难以顺利成长。

产业竞争的激烈程度受到产业吸引力的影响,产业吸引力受到产业需求弹性、产业所拥有的技术、产业生命周期的阶段、产业进入和退出壁垒等因素的影响。市场竞争激烈的产业往往是吸引力大的产业,它们或产品需求弹性大,或处在技术-产业生命周期的阶段 Ⅱ 和阶段 Ⅲ,即"技术成长与分化阶段"和"市场成长和细分阶段",或在具备两者之一的情况下,进入壁垒较低而退出壁垒较高。由于产业市场竞争的状况不同,企业将不得不对其资源进行重新配置。多元化进入后,企业不得不通过要素投入以应付某种产业的激烈竞争。

然而,产业竞争力的吸引不是多元化经营中对资源的唯一吸引源,产业利润率是影响多元化企业能力配置的另一重要因素。传统的厂商理论认为,经营多种业务的企业,其内部资源分配的均衡点是各种业务投资的边际收益与成本之比相等处,以使企业投资收益最大化。但是,在竞争性的市场中,这种达到均衡点的边际收益应该指的是长期收益,在一定时期内,企业为了使其产业在激烈的市场竞争中获得稳定的地位,会加大对该产业的投入,这种投入可能用于技术改造、营销网络建设、广告促销、人力资源培训等,但是企业的生存不得不以利润为前提,如果企业过于注意竞争而忽视利润,终将失去竞争的实力,权衡企业的利润和产业竞争力是企业在多元化经营过程中实现良好的业务整合的重要方面。因此,我们设计了以下选择模式。

假设企业经营两种业务 A 和 B,A 业务的市场利润率较高,B 业务目前的市场利润率不高,但所处产业的发展前景较好,许多企业都想未来在该产业的市场中占据一席之地,故市场竞争十分激烈。如果仅仅静态考虑现期收益最大,则企业的资源或能力配置由各业务投资的边际收益和产品市场价格决定。根据厂商理论,当且仅当 $MR_A/C_A = MR_B/C_B$ 时企业的投资收益最大。这时显然企业的资源和能力将主要集中到 A 业务,而 B 业务则因为现期的投资收益小而得不到企业足够的资源或能力的支持,这并不利于企业发展。因此,动态地考虑企业现实的收益和未来的发展,企业的资源或能力配置的原则应该是:

$$\frac{\sum_{i} NPV(MR_A)}{C_A} = \frac{\sum_{i} NPV(MR_B)}{C_B}$$

其中,$NPV(MR_A)$ 和 $NPV(MR_B)$ 分别是 A、B 两种业务投资边际收益的净现值。考虑到一次投资将会产生多次收益,我们对不同时期 i 的边际收益的净现值求和。等式的两边分别表示两种业务单位投资的近期和远期的总边际收益,对于现期收益大而远期收益小的业务，或者是现期收益小而远期收益大的业务，企业在资源配置上要权衡，由于远期收益是一种预测值，预测的准确程度也将影响企业资源的分布。这一工作可在多元化进入之前就预测，如果企业不具备足够的资源或能力，则应考虑多元化经营是否合适。

12.4.2 业务差异与企业管理能力的整合

企业多元化进入后，各种业务之间的差异会要求企业采用不同的管理模式。不同的业务面临的市场竞争状况和竞争对手不同，因此要求企业分别采用不同的竞争策略和竞争手段；不同的业务在运作中对于管理的灵活性和规范性的要求不同，因此要求企业采取不同程度的分权管理模式；不同业务对人力资源的要求不同，因此也要求企业员工具备不同的素质和团队精神。因此，从整体上来看，多元化经营的企业与专业化经营的企业在管理模式上有着很大的区别，多元化经营的企业需要采用更加分权的管理模式，使不同业务能够按自己的规律运作和发展，它们在技术开发、生产运作、市场营销等方面的组织和运作会有较大的区别，这种区别度与各业务的关联度呈反向关系。

对于外部并购型多元化，其整合问题会更加复杂。由于不同企业都有各自的企业文化和管理模式，相互融合以后，这种差异性导致的冲突将是不可避免的，兼并企业应该在以下方面努力，以实现多元化并购后的整合。

1. 培养统一的、强有力的企业文化

企业文化的核心以原有主导企业的企业文化为主，适当吸收被并购企业的企业文化中合理的成分，在企业中形成一种整合的文化意识。心理学研究证明，人类的冲突来源于观念的冲突，观念的形成深受文化的影响。因此，多元化整合的根本是观念的整合，管理者的管理理念、员工的文化观念会体现在多元化运作的各个方面，海尔"企业文化激活休克鱼"的案例反映了企业文化在整合中的重要作用。什么样的管理理念会产生什么样的企业文化，从这个角度来讲，在多元化整合中，对不同业务管理者的管理理念的统一是整合的根本。因此，多元化经营成功的企业往往是那些在多元化经营以前便已具备成熟的管理理念和较强的企业文化的企业，这些是企业原有产业成功的保证，也是原有产业成功的副产品。

2. 建立集权与分权相结合的组织结构

组织结构的调整往往是多元化并购后必须进行的工作，新业务的开展要求企业在组织管理模式上发生相应的变化。如果企业是由专业化经营转向多元化经营，组织管理结构可能由以前的 U 型管理结构变为 M 型管理结构，或者由以前的以地区划分事业部的模式变为以产品划分或两者兼顾的事业部模式。总之，给予新业务一定程度的经营独立性，且同时进行应有的指导和控制，是多元化经营成功的组织保证，这也是 M 型组织结构成为多元化经营企业首选的组织结构类型的重要原因。

3. 实行内部市场化，形成业务之间的竞争机制

多元化经营不论各业务之间的相关程度多大，都会存在一定程度的企业能力的共享，对这些能力的共享不能通过简单的计划划拨，而应该通过内部市场竞争机制来实现。

战略专栏 12-4

漳州片仔癀药业多元化战略实施效果与优化策略

近年来，药企在市场竞争中逐渐呈现出多元化发展的趋势。漳州片仔癀药业作为中国的传统药企，也逐步推行多元化战略。下文探讨漳州片仔癀药业多元化战略实施效果及其进一步优化策略。

1. 漳州片仔癀药业多元化战略实施效果

（1）**拓展市场**。通过多元化经营，漳州片仔癀药业成功拓展了市场，如今已成为一家集医药、保健品和红酒等多元化业务于一体的企业集团。特别是在保健品领域，漳州片仔癀药业的产品线已经涉及调节血脂、血糖以及女性健康等多个领域，拥有丰富的产品组合和巨大的发展空间。

（2）**强化品牌影响力**。通过推出各种不同领域的产品，漳州片仔癀药业逐渐提升了品牌影响力。同时，持续开展各种品牌营销活动，有效提高了品牌知名度和美誉度。

（3）**延长药品生命周期**。考虑到原先生产的传统药品面临着生命周期的短暂性和价格下降的风险，漳州片仔癀药业进一步加大产品研发力度，在现有核心业务的基础上增加了药品生命周期研发业务，延长了原有药品的生命周期。

2. 漳州片仔癀药业进一步优化策略

（1）**加强产品管理**。随着企业业务规模的扩大，其管理复杂度也在不断上升。为了确保产品质量的稳定性和企业的良好形象，漳州片仔癀药业需要加强整个产品管控体系，完善企业管理机制。

（2）**加强市场分析**。尽管漳州片仔癀药业已经实行了多元化战略，但是由于市场竞争日趋激烈，特别是在保健品领域，需要深入了解行业市场，并根据市场需求灵活调整产品组合。

（3）**建立核心竞争力**。随着药企呈现多元化发展趋势，如何建立核心竞争力成为各个企业发展的关键。漳州片仔癀药业应该加大研发投入，不断推出有竞争力和行业优势的新产品，不断提升企业的核心竞争力。

（4）**加强企业文化建设**。企业文化是企业健康发展的基础，漳州片仔癀药业加强企业文化建设，通过讲好品牌故事，塑造良好企业形象，提高员工的归属感和荣誉感，促进企业发展。

综上所述，漳州片仔癀药业的多元化战略实施效果显著，但是在未来的发展中仍然需要加强产品管理，加强市场分析，建立核心竞争力和加强企业文化建设，才能更好地发挥多元化战略的优势，实现企业长期稳健发展，走向更加辉煌的明天。

资料来源：作者根据有关资料改编。

复习思考题

1. 多元化战略有哪些类型？试举例说明。
2. 试分析多元化经营的原动力。
3. 如何看待多元化战略的吸引力和风险？
4. 相关多元化如何建立优势？
5. 非相关多元化战略的潜在利益和风险是什么？
6. 企业实施多元化战略后，如何进行不同业务之间的整合？

实践项目

被称为"电池大王"的王传福，1987年毕业于中南工业大学（现中南大学），26岁成为高级工程师，1995年下海，成立比亚迪科技有限公司，1997年开始生产镍氢电池，当年业绩位居世界第七。2000年，王传福开始研发锂电池，很快便拥有了核心技术。凭借技术和成本的优势，王传福打开了市场。从20人的小厂到28 000人的"电池王国"，王传福只用了八年时间。在2003年，这位37岁的富豪来了个"华丽转身"，投入20多亿元巨资，建设轿车、新能源汽车生产研发基地，打造他的比亚迪汽车王国……

请收集有关比亚迪的各种资料，搜索其网站，分析比亚迪进入汽车产业的时机、动因和存在的风险。

本篇讨论案例

固德威踩下"急刹车"：
多元化经营成效待考

第五篇
战略控制

第13章 战略控制与评价

第 13 章　战略控制与评价

学习目标

1) 理解战略控制的基本概念和特征
2) 掌握战略控制的过程和方法
3) 熟悉战略绩效评价工具——平衡计分卡

先导案例

极越汽车的战略管理失控

2024 年 12 月中旬，极越汽车的危机被曝光，原因是员工对公司的经营状况和工资拖欠问题表示担忧。此后，极越汽车的问题逐渐发酵，包括员工维权、售后服务停摆、门店关闭等一系列问题。极越汽车战略管理失控的根源可以从多个方面来分析。

1. 内部管理问题

极越汽车在内部管理上存在问题，如过度依赖互联网高管团队，缺乏对汽车行业的深刻理解。这种管理上的不足可能导致企业在战略决策、产品研发、市场营销等方面出现偏差，从而影响企业的整体运营和发展。

2. 产品定位与市场接受度脱节

极越汽车以"汽车机器人"作为核心卖点，试图通过智能驾驶技术占领高端市场。然而，这一概念难以被大众理解，缺乏明确的市场竞争力。同时，极越汽车的产品设计过于超前，与消费者的实际需求脱节。例如，一些超前的设计被批评为非人性化，导致客户体验不佳，进而影响了产品的销量和市场份额。

3. 市场竞争加剧

中国新能源汽车市场的竞争非常激烈，大量新兴品牌入场，它们通常依托创新的技术、年轻的品牌形象和个性化的产品设计吸引着消费者。然而，极越汽车作为后进入市场的品牌，在产品竞争力、品牌影响力等方面存在不足。同时，一些头部品牌已经在市场份额、产品研发、品牌营销、供应链管理等方面建立了显著优势，进一步加剧了市场竞争的激烈程度。

4. 资金链断裂

极越汽车在资金方面也出现了问题。随着市场竞争加剧，企业的融资渠道受阻，资本的耐心逐渐耗尽。据报道，极越汽车曾计划与股东恰谈新一轮融资事宜，但最终未能如愿到账。这导致企业陷入资金链危机，无法维持正常的运营和生产活动。

5. 技术与客户需求脱节

极越汽车虽然在技术创新方面取得了一定的成果，但未能充分考虑到客户的实际需求。例如，智驾系统技术体验不佳，一些功能设计过于复杂或不够实用，导致客户在使用过程中遇到困难，引起客户的不满情绪。这种技术与客户需求的脱节也是极越汽车产生危机的一个重要原因。

综上所述，极越汽车战略管理失控的根源涉及内部管理问题、产品定位与市场接受度脱节、市场竞争加剧、资金链断裂以及技术与客户需求脱节等多个方面。为了摆脱危机并实现可持续发展，极越汽车需要全面审视自身存在的问题并积极寻求解决方案。

资料来源：根据网络信息及有关资料改编。

13.1 控制概述

受环境变化的影响，人们的活动或行为可能会与组织的要求或期望不一致，出现偏差。为了保证组织工作能够按照既定的计划进行，管理者必须对组织绩效进行控制。控制是管理工作的第四大职能，也是每个管理者都必须执行的一项职能。在管理过程中，制订计划是管理工作的首要职能，然后是组织和领导职能的实施，其后要考虑计划实施的结果如何，计划所确定的目标是否顺利实现，甚至计划目标本身制定得是否科学合理，要弄清楚这些问题并采取妥善的处理措施，就必须开展卓有成效的控制职能工作。

13.1.1 控制的含义

1. 控制的概念

所谓控制是监视各项活动，保证组织计划与实际运行状况动态适应的管理职能。具体来说，控制就是按照计划标准衡量计划的完成情况和纠正计划执行的偏差，以确保计划目标的实现；或适当修改计划，使计划更加适合实际情况。

在自然、社会、经济和军事等各个领域，都会涉及控制概念的实际应用，如生物控制、社会控制、宏观经济调控、工业工程控制、管理控制等。控制在管理领域的特殊运用，使管理控制与一般控制之间既有共同点，也有明显的区别。

2. 管理控制和一般控制的共同点

（1）同是一个信息反馈过程。管理控制系统实质上也是一个信息反馈系统，通过信息反馈，发现管理控制活动中的不足之处，促进该系统不断地调节和改变，使之逐渐趋于稳定、完善，直至达到优化状态。

（2）两者同样要经过包含三个基本环节的过程，即拟定标准、衡量成效、纠正偏差。

（3）两者的实施都需要一定的前提条件，即计划指标在控制工作中转化为控制标准，有相应的监督控制机构和人员。

3. 管理控制与一般控制的区别

（1）目标要求不同。 一般控制的目的是设法使系统运行产生的偏差不超出允许的范围，从而维持系统活动在某一个平衡点上，而管理控制的目的不仅是使一个组织按照原定计划维持正常活动，以实现既定目标，还要使组织的活动有所前进，以达到新的高度，提出和实现新的目标。也就是说，管理中的控制活动通过信息的反馈，形成一个闭合回路系统。管理控制无始无终，一方面要像一般控制那样把系统中的各项活动维持在一个平衡点上，另一方面还要使系统中的各项活动在原来平衡点的基础上实现螺旋上升，达到新的水准要求。

（2）关注程度不同。 一般控制其实是一个简单的信息反馈，它往往是在发现偏差时即刻进行纠正，而且若在自动控制系统中，一旦给定程序，衡量成效和纠正偏差往往都是自动进行的。但在管理控制中，主管人员要计量实际成效，并把它与标准进行比较，以明确地分析出现的偏差及原因，并随之做出必要纠正。因此，主管人员必须为此花费一定的人力、物力和财力去拟订计划并实施这一计划，以纠正偏差，达到预期效果。

13.1.2 有效控制的前提条件

任何形式的控制都有一定的前提条件。这些前提条件是否充分，对控制过程是否顺利展开有很大的影响。有效控制必须具备以下前提条件。

1. 制订一个科学、符合实际的行动计划

控制的任务是保证组织目标与计划的顺利实现。控制工作是以预先制定的目标和计划为依据的。控制工作的好坏与计划工作紧密相连。组织在行动之前制订一个科学、符合实际的行动计划，是控制工作取得成效的前提条件。相反，如果一个组织的行动计划是不切实际的、残缺不齐的，那么控制工作做得越好，就越可能会加速组织走向失败的进程。因此，有效控制是以科学的计划为前提的。

2. 要有健全的组织机构

控制工作主要根据各种信息，纠正计划执行中出现的偏差，以确保组织目标的实现。要做到这一点，就要有健全的组织机构，并且要建立、健全与控制工作有关的规章制度，明确由什么部门、谁来负责何种控制工作。控制机构与相应的规章制度越健全，控制工作也就越能取得预期的效果。

3. 要有科学的控制方法和手段

控制系统主要包括控制机构、控制方法和手段等方面。组织的控制机构从纵向看可分为各个不同管理层次的控制，从横向看可分为不同性质的专业控制，如生产控制、财务控制、

质量控制等。控制的方法和手段是多种多样的，各个组织应视其不同的情境选用相应的控制方法和手段。

4. 要有信息反馈渠道

控制工作中一个重要的环节就是要将计划执行情况及时反馈给管理者，以便管理者对已达到的目标水平与预期目标进行比较分析。在此期间，信息反馈的速度与准确性至关重要，它直接影响控制指令的正确性和纠正偏差措施的及时性、有效性。因此，必须设计好信息反馈渠道，其关键是确定与控制工作有关的人员在信息传递过程中的任务与职责；事先规定好信息的传递程序、收集方法和时间要求等事项；并且设法维护信息反馈渠道的畅通无阻。只有这样，控制工作才能比较顺利地进行下去。

13.1.3 控制在管理工作中的作用

控制在管理工作中的作用可从两个方面来理解。

1. 检验作用

通过控制检验各项工作是否按预订计划进行，能够为主管人员提供有用的信息，并据此检验计划的正确性和合理性。

2. 调节作用

控制与其他个几个管理职能紧密地结合在一起，使管理过程形成一个相对封闭的系统。一旦计划付诸实施，控制工作就必须穿插其间进行。控制对于衡量计划的执行进度、发现并纠正计划执行中的偏差乃至对原计划进行修改并调整都是非常必要的。

● 战略专栏 13-1

瑞幸咖啡的内部控制问题

瑞幸是我国最大的连锁咖啡品牌，2017年10月，瑞幸第一家门店开始试营业；2018年12月，瑞幸第2 000家门店在上海新世界大丸百货店正式营业，瑞幸在短短一年多的时间里就完成了如此大规模的扩张，远远超过星巴克20年来在中国所开设的门店数量。2019年5月，瑞幸在美国纳斯达克上市，融资6.95亿美元。瑞幸从成立到上市只用了18个月的时间，成为全球IPO（首次公开募股）最快的公司。

2020年2月，美国专业"打假"公司——浑水发布了一份揭露瑞幸2019年下半年财务造假的做空报告，然而，当月瑞幸发布公告，对做空报告中的所有指控全部否认。此事引起瑞幸聘用的审计机构——安永华明会计师事务所（以下简称安永）的警觉，安永派出专业人士介入调查，迫于内外压力，瑞幸于2020年4月承认伪造了22亿元的虚假交易额，股价因此暴跌85%。不难发现，瑞幸财务造假的背后是内部控制的严重缺陷，以下从内部控制五要素的角度，阐述瑞幸在内部控制方面存在的缺陷。

1. 内部环境

（1）企业文化。 针对浑水发布的瑞幸财务造假的做空报告，瑞幸于 2020 年 2 月 3 日发布公告否认全部指控，并称该份报告毫无依据，论证存在缺陷，是恶意指控。安永对做空报告所指控的会计进行审计，发现财务方面存在严重的问题，并与公司管理层进行交涉，如果就此事无法给出合理的答复，安永将拒绝出具审计报告。迫于压力，瑞幸成立专门调查委员会进行内部自查，于 2020 年 4 月 2 日主动承认财务造假，自曝伪造交易额 22 亿元。2020 年 2 月的信誓旦旦与 2020 年 4 月的被动坦白形成鲜明的对比，巨大的造假金额也颠覆了瑞幸在民众心中良心企业的形象，让人唏嘘，也让人不得不怀疑瑞幸的企业文化是否真的存在。企业文化是企业发展的不竭动力，是企业价值观和精神的体现，瑞幸财务造假让人怀疑其是否具备一个企业所应当拥有的社会责任和诚实守信的作风。诚实守信的作风是企业内部环境的重要组成部分，在内部环境存在缺陷的情况下，企业难以长远地发展下去，很有可能做出一些违法违规的行为。

（2）人力资源。 在人力资源方面，瑞幸采取的是线上与线下相结合的销售模式。在线上开发 App 订餐，提供外送和自提服务。方便快捷，顺应现代快节奏的生活方式；在线下设立门店，主要分布在写字楼、商场等人流量较大的区域。但是在这种商业模式下，瑞幸的员工管理体系存在一定的缺陷，企业内部缺少对员工的系统培训和管理。无论是线上销售还是线下销售，从瑞幸目前的门店数量和线上订单数量来看，都需要聘用大量员工，然而瑞幸在不断扩张门店时，并没有对员工进行全面的岗前技能培训，导致员工服务水平不高、服务意识不强，从而影响客户满意度。此外，员工福利制度也不完善，难以有效调动员工的工作积极性。

2. 风险评估

瑞幸大多数门店开设在商场和写字楼等人流量大的地方，这些区域租金昂贵，营运开支也非常高，需要强大的资金流为门店日常经营做支撑。如果企业盈利情况不佳，则不能支撑起强大的资金需求，会面临资金链断裂的风险。瑞幸经常会采取折扣和免费销售的方式吸引客户，虽然通过这些方式能够快速占领一定的市场份额，但仍存在弊端。一方面，低价和高成本使得企业获利很少；另一方面，吸引到的客户黏性不高，一旦没有折扣优惠，大批客户就会流失，从而对后续的销售产生影响，进而影响未来资金流的回笼。瑞幸在门店扩张和客户补贴中投入了大量的资金，18 个月累计亏损 22.27 亿元，只能通过不断地融资解决资金周转困难的问题。风险评估要求企业及时识别与生产经营有关的风险并确定应对策略，而瑞幸面临着资金断裂的风险，管理层仍不断扩张门店，可见企业内部的风险评估失灵。

此外，瑞幸承认 2019 年 4—12 月虚假交易 22 亿元，而在其披露的财务报告中，2019 年前三季度的销售收入为 29 亿元，造假比例达到 76%，可见造假金额相当巨大，性质相当恶劣。企业在风险评估中，应该合理分析高级管理人员以及关键岗位员工的风险偏好，防止因个人的风险偏好而对企业产生严重的后果。反观瑞幸，在外界证据确凿的情况下才不得不承认财务造假，可见其内部并没有对经营风险进行定时评估，对参与造假的首席运营官也没有采取必要监督措施。

3. 控制活动

瑞幸承认首席运营官及几名员工捏造了交易，相应的成本和费用也是虚增的。一笔交易的完成需要经过很多流程，会涉及不同岗位的工作人员。就采购而言，需要经历订购、验收、入库、付款等多个流程，每个流程都应当留下痕迹，为追踪溯源提供证据。而瑞幸内部没有查出这些虚假交易，却被他人指出，说明控制活动没有发挥应有的作用。

此外，瑞幸推出的新品小鹿茶并没有在市场上形成有利的竞争力。瑞幸缺少自己的研发部门，所推出的新品基本是对其他产品的复制。浑水做空报告指出，小鹿茶未按规定登记注册，不满足合法经营条件，瑞幸可能会因此受到处罚。由此也可分析出瑞幸对于产品的控制活动做得不全面，既没有专门的产品研发平台，生产出的产品也没有按规定做好相关登记工作，最基本的控制活动存在缺陷。

4. 信息与沟通

信息与沟通要求企业建立举报投诉制度和投诉人保护制度，设立投诉热线，明确举报投诉流程、各管理机构的职责，对举报投诉者进行奖赏并提供保护措施，使得举报、投诉成为企业掌握信息的有效途径。

目前，非但没有证据证明瑞幸的举报投诉制度是有效的，而且浑水做空报告所引用的重要证据正是来自瑞幸内部员工。这也从侧面证明了瑞幸并没有一个完善有效的举报投诉制度及投诉人保护制度，在信息与沟通这一内控层面存在缺陷。

5. 内部监督

内部监督有日常监督和专项监督两种，只要瑞幸能够严格执行其中一种，对企业内部存在的一些问题进行监督并及时改善，就不会在2020年2月浑水发布做空报告时矢口否认其财务造假。

资料来源：钱燕.中概股做空公司内部控制案例研究[J].经营与管理，2021，(7) 37-40.作者根据该资料进行改编。

13.2 战略控制的类型和特征

13.2.1 战略控制的类型

战略控制，其实质是从战略角度出发，通过控制工作，有效地实施战略，并期望达成预定的战略目标。战略控制可以按不同的标准分为不同的类型。

1. 按战略控制的时序分类

按战略控制的时序（或者说按照纠正措施的作用环节）分类，战略控制可分为前馈控制、现场控制、反馈控制。

（1）**前馈控制**。前馈控制又称事前控制，即在战略实施之前，就认真分析研究、进行预测并采取防范措施，使可能出现的偏差在事前就可以筹划和解决。前馈控制系统比较复杂，影响因素也很多，需要设计正确、有效的战略计划。重大的经营活动必须经过企业领导者的批准才能开始实施，所批准的内容往往也就成为考核经营活动绩效的控制标准。

（2）**现场控制**。现场控制又称事中控制或随时控制，即在实际工作过程中发现问题，采取措施进行控制，弥补预测所带来的不足，引导企业沿着战略的方向进行经营。这种控制主要适用于关键性战略措施。

（3）**反馈控制**。反馈控制又称事后控制，即在企业的经营活动之后，才把战略活动的结果与控制标准相比较。这种控制工作的重点是要明确战略控制的程序和标准，把日常的控制工作交由职能部门人员去做，即在战略计划部分实施之后，将实施结果与原计划标准相比较，由企业职能部门及事业部定期向高层领导者汇报战略实施结果，由高层领导者决定是否有必要采取纠正措施。

在实际的战略控制工作中，这三种控制方法往往要结合运用。

2. 按战略控制的层次分类

按战略控制的层次分类，战略控制可分为公司层控制、经营层控制、职能层控制。

（1）**公司层控制**。一般来说，公司层控制需要企业高层领导者亲自实施，以确保战略的顺利实现。

（2）**经营层控制**。经营层控制是指企业的事业部或战略经营单元（即经营层）控制，一般由企业的事业部、战略经营单元的主管人员直接实施。

（3）**职能层控制**。企业总体的战略目标层层分解到职能层目标。良好的职能层控制对企业战略的实现有着极其重要的影响，因此，企业必须关注职能层控制的重要作用。

3. 按战略控制的部门分类

按战略控制的部门分类，战略控制可分为财务控制、生产控制、营销控制、质量控制、成本控制。

（1）**财务控制**。财务控制覆盖面广，是非常重要的控制方式，包括预算控制和比率控制等。

（2）**生产控制**。生产控制是指对企业产品品种、数量、质量、成本、交货期及服务等方面的控制。生产控制又可分为产前控制、过程控制及产后控制。

（3）**营销控制**。企业需要对营销规模进行控制，因为营销规模太小会影响经济效益，太大会占用较多的资金，也会影响经济效益。

（4）**质量控制**。质量控制包括对企业工作质量和产品质量的控制。企业工作质量不仅包括生产工作的质量，还包括领导工作、设计工作、信息工作等一系列非生产工作的质量。因此，质量控制的范围包括生产过程和非生产过程的其他一切控制过程。质量控制是动态的，着眼于事前和未来的质量控制，其难点在于全员质量意识的形成。

（5）**成本控制**。成本控制既包括对生产、销售、设计、储备等有形费用的控制，还包括对会议、领导、时间等无形费用的控制。通过成本控制可以将各项费用降低到最低水平，达到提高经济效益的目的。成本控制的难点在于，企业中大多数部门和单位是非独立核算的，因此缺乏成本意识。

4. 按战略控制的手段分类

按战略控制的手段（或者说根据改进工作的方式）分类，战略控制可分为直接控制和间接控制。

（1）**直接控制**。直接控制是指对计划执行者采用一定的控制方法和手段，使其能有效地执行计划，保证计划顺利完成。直接控制主要是对人的控制，着眼于培养更为优秀的人才。人的素质越高，产生偏差的可能性就越小。直接控制是一种对偏差产生的源头的控制。

（2）**间接控制**。间接控制是指根据战略目标计划的执行情况，发现计划执行中的偏差，分析产生偏差的原因，找出责任人，改进下一步的工作。它主要是针对事件偏差的控制而言的。如果造成偏差的原因是战略执行者缺乏知识、技能或经验，那么运用间接控制的方式可以帮助战略执行者总结经验教训，学习知识和技能，改进未来工作。但是，如果偏差是由一些不确定因素造成的，例如未来的国际经济形势变化、技术进步等，间接控制就不能发挥作用了。

5. 按战略控制的对象分类

按战略控制的对象分类，战略控制可分为人员控制、具体活动控制和成果控制。

（1）**人员控制**。这种控制需要依赖有关人员来为企业做出最大的贡献。人是企业中最重要的资源，企业应该不断提高员工的素质，使其按要求工作，取得预期的成效，以达到控制的目的。人员控制的做法有很多，例如实施员工培训计划、改进上下级的沟通、改善工作的分配及业务轮换、成立具有内在凝聚力的目标共享的工作小组等。

（2）**具体活动控制**。这种控制是保证企业员工个人能够按照企业的战略期望进行活动的一种手段。它促使员工按照要求进行生产经营活动，带来期望的生产经营成果，对战略目标的实现有着重要的影响。具体活动控制的做法有很多，例如事前检查，即在员工完成工作前所做的审查，可以纠正潜在的有害行业，达到有效的控制；明确企业奖惩制度以及使员工按照规定的工作程序和行为进行活动的工作责任制等。

（3）**成果控制**。成果控制是指以企业的成果为中心，定期检查生产经营的成果并与预先设定的标准进行比较，确保企业生产经营成果符合预定的战略方向。企业可以采用成果责任制的形式，要求确定期望成果的范围、根据成果的范围衡量效益、根据效益对那些实现成果的行为给予奖励及对不能实现成果的行为给予惩罚。

13.2.2 战略控制的特征

企业战略控制是确保战略目标有效实施并动态调整战略的过程，这个过程具有如下特征。

（1）**整体性**。企业战略控制关注的是企业整体战略目标的实现，而不是局部的、短期的任务完成情况。它需要从整体角度出发，对企业的各个部门、各项业务进行全面的监控和协调，确保各部分的活动都能朝着实现整体战略目标的方向前进。

（2）**动态性**。企业战略控制是一个动态的过程。在战略实施过程中，外部环境和内部条件都可能发生变化，因此需要不断地对战略执行情况进行监测和评估，并根据实际情况及时调整战略或采取纠正措施。

（3）**权威性**。战略控制的实施需要具有一定的权威性，以确保其能够有效地推动企业战略的执行。这通常要求企业高层管理者对战略控制过程进行主导，并赋予相关控制人员足够的权力和资源，以保证控制措施能够得到有效的执行。

（4）**环境适应性**。企业所处的外部环境是不断变化的，战略控制需要能够适应这些变化。企业要通过建立有效的监控机制，及时了解外部环境的变化趋势，如市场需求的变化、竞争对手的动态、政策法规的调整等，并根据这些变化对战略进行相应的调整和优化，以确保企业战略始终与外部环境相适应。

（5）**目标导向性**。战略控制始终围绕着企业既定的战略目标展开。通过对实际执行情况与预期目标进行比较，发现偏差并及时纠正，来确保企业能够沿着预定的战略方向前进，最终实现战略目标。

（6）**系统性**。战略控制涉及企业内部的多个系统和环节，包括组织结构、人员配置、信息传递、资源配置等。这些系统和环节相互关联、相互影响，需要进行系统的规划和协调，以形成一个有效的战略控制体系。

● **战略专栏 13-2**

有关"管控"的两则小故事

1. 扁鹊的医术

魏文王问名医扁鹊："你们家兄弟三人，都精于医术，到底哪一位医术最好呢？"

扁鹊回答："长兄最好，中兄次之，我最差。"

魏文王再问："那么为什么你最出名呢？"

扁鹊回答："我长兄治病，是治病于病情发作之前。由于一般人不知道他事先能铲除病因，所以他的名气无法传出去，只有我们家的人才知道。我中兄治病，是治病于病情初起之时。一般人以为他只能治轻微的小病，所以他的名气只及于本乡里。而我扁鹊治病，是治病于病情严重之时。一般人都能看到我在经脉上穿针来放血、在皮肤上敷药等大手术，所以以为我的医术高明，名气因此响遍全国。"

魏文王说："你说得好极了。"

这则小故事给我们的启示是：事后控制不如事中控制，事中控制不如事前控制，可惜大多数经营者未必能够认识到这一点，等到错误的决策造成重大的损失后才寻求弥补，有时为时已晚。

2. 曲突徙薪

有一个造访主人的客人，看到主人的炉灶的烟囱是直的，旁边堆积着柴草，便对主人说："改造为弯曲的烟囱，将柴草移到远处。不然的话，会有发生火灾的隐患。"主人沉默不答。

不久，主人家里果然失火，邻居们一同来救火，幸好把火扑灭了。于是，主人杀牛摆酒来感谢他的邻居们。被烧伤的人在上位,其他人按功劳大小依次排座,但是没有请那位说改"曲突"的人。

有人对主人说:"如果当初听了那位客人的话,就不用破费摆设酒席,也不会发生火灾了。现在论功劳邀请邻居们,为什么建议'曲突徙薪'的人没有受到恩惠,而被烧伤的人却被奉为上宾呢?"主人这才醒悟,跑去邀请那位客人来喝酒。

这则小故事给我们的启示是:类似故事中的"主人",现实中不乏其例,许多事故的发生并非祸由天降,而是由来已久,逐渐积累而酿成的,所谓"冰冻三尺,非一日之寒"。如果及时处理(控制),完全可以消除隐患,使国家和人民的生命财产免受不必要的损失。在这个时候,常有有识之士提出各种安全建议和措施,可主人们大都"默然不应",我行我素。这难道不是众多安全事故产生的重要原因吗?该故事告诫存在上述现象的企业和个人,要提高警惕,强化安全意识,切实把安全生产工作抓牢抓实,消除一切隐患,防患于未然。

资料来源:作者根据有关资料改编而成。

13.3 战略控制的过程和方法

13.3.1 战略控制的过程

1. 战略控制框架

前面介绍了战略控制可以按不同的标准分为不同的类型。无论哪一种类型的战略控制,其过程基本都是一致的,即把实际工作绩效与评价标准进行对比,如果二者的偏差没有超出允许的范围,则不采取任何纠偏行动;但如果实际工作绩效与评价标准的偏差超出了规定的界限,则应探寻发生偏差的原因,并且采取纠正措施,以使实际工作绩效回到计划标准范围内。反映这个战略控制过程的典型框架如图13-1所示。

2. 战略控制的步骤

战略控制作为一个调节过程可以分为五个步骤:确定目标、确定评价标准、衡量实际业绩、比较实际业绩与评价标准、诊断与纠正。

(1)确定目标。企业管理部门在战略方案执行以前就要明确而具体地指出企业的战略总目标和阶段目标,并将其传达至下属各部门,使各部门既有一个明确的奋斗方向,又有一个阶段性分目标。

(2)确定评价标准。评价标准是企业工作成绩的规范,用来确定战略措施或计划能否达到战略目标。一般而言,企业的战略目标是整个企业的评价标准。评价标准同战略目标一样,是可定量的、易于衡量的。选择什么样的评价标准体系主要取决于企业所确定的战略目标及战略。大多数企业通常根据下列因素确定定量的评价标准:市场占有率、净利润额或增长率、销售利润、投资收益率、股票价格、股息支付、每股平均收益、员工的离职率、员工的旷工率、销售增长率。

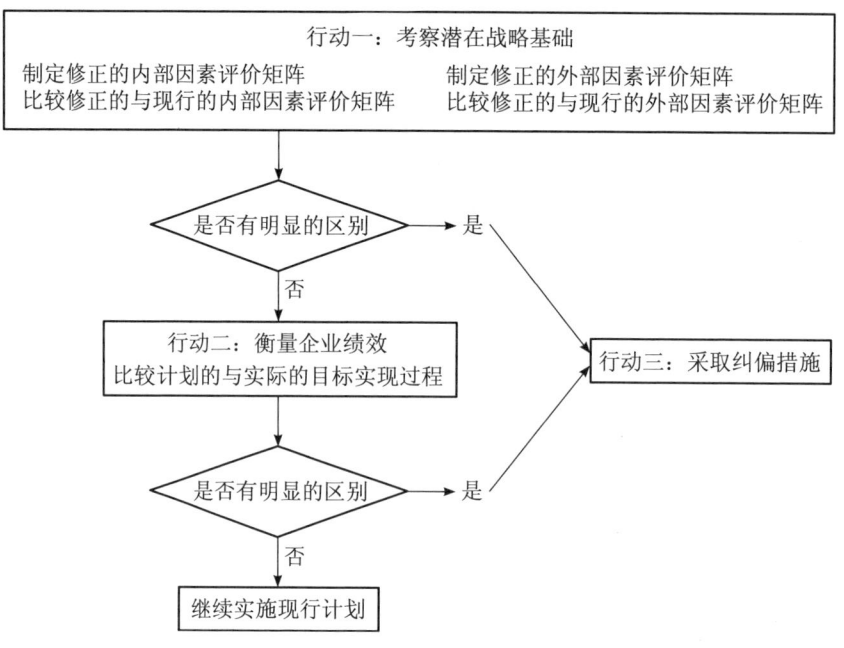

图 13-1　战略控制过程的典型框架图

其中最常用的工作评价标准是投资收益率，即以税前净收益除以投资总额。因为投资收益率是一个全面衡量企业绩效的单一指标，它可以反映企业或事业部对企业永久性资产的运用情况，并可以此在不同企业之间做横向比较。不过这个指标通常用来衡量短期绩效，并且对采取的折旧政策很敏感。所采用的其他评价标准有每股收益和股东权益收益率，但它们都或多或少有一些局限性。

美国学者霍福尔提出了一种测定企业绩效的指标，即附加价值收益率。这一标准建立于附加价值基础之上，它试图通过计算直接度量一个企业对社会的贡献，其计算公式为

$$附加价值收益率 = \frac{税前净收益}{附加价值} \times 100\%$$

而附加价值是销售收入与原材料及外购部件的总成本之差，即

$$附加价值 = 销售收入 - 原材料及外购部件的总成本$$

霍福尔的研究结果表明，多数行业在市场进化中的成熟或饱和阶段，附加价值收益率倾向于稳定在 12%～18%。

（3）衡量实际业绩。衡量实际业绩就是指根据所确定的评价内容与标准，定期、定点对企业运行业绩进行实际测量与记录，从而为进行企业战略过程控制提供基本的数据资料与信息依据。从企业战略管理的角度来看，衡量实际业绩最困难的方面是对企业整体运行效益情况的评价，通常采用一些综合的分析方法，如企业经营诊断就是其中的一种有效方法，其具体步骤如下。

1）进行初评。初评是指对企业整体运作概况进行了解，发现企业在战略管理中存在的

问题,根据轻重缓急对这些问题进行分类,并在经费允许的情况下,决定是否需要就其中的一些问题进行深入研究。

2)展开调查。展开调查是指利用各种有效的调查方法对初评确定的需要深入分析解决的问题进行客观、全面的调查,以达到深入了解与问题有关的各种信息的目的。

3)分析问题。分析问题是指在深入调查之后,根据所掌握的详细信息,利用各种定量与非定量的方法,对企业战略管理中存在的问题进行系统分析,找出问题产生的根本原因,搜集与解决这些问题有关的各种信息。

4)建议实施。建议实施是指根据分析问题阶段所提供的信息提出改进的措施建议,解决所存在的问题,并且还要对可能出现的问题和困难进行追踪、评价,以防止在解决一个问题的同时又产生一个更为棘手的问题,进而保证控制的有效性,使企业的战略管理能顺利进行。

衡量实际业绩要决定在何时、何地以及间隔多长时间进行一次衡量。为了提供充分而及时的信息,应该经常地评价和衡量工作业绩。但是,如果过于频繁地衡量工作业绩,会使得衡量过程的费用变得太高,消耗太多资源,从而产生负面的影响。因此,要根据所衡量问题的性质,对战略实施的重要程度确定合理的衡量评价频度。

(4) **比较实际业绩与评价标准**。这一步骤的目的是确定企业战略管理过程中是否存在偏差,以便找出偏差产生的原因,从而制定对策消除偏差。

如果达到了评价标准,则完全可以不采取纠正行动,但如果没有达到评价标准,则管理者就必须找出偏差产生的原因并且加以纠正。

实际业绩与评价标准产生偏差的原因有很多,最可能的原因如下。

1)短期化行业。它是指企业高层管理者仅以利润或投资收益率指标考核企业及下层单位,造成企业单纯追求短期效益,忽视长期使命;虽然在短期内增加了利润,但是丧失了长期发展的潜力,使企业长远战略目标难以实现。

2)目标移位。它是指将帮助目标实现的经营活动本身变为目的,或者经营活动未能实现本身所要达到的目的,从而混淆了企业战略的目的和手段,导致整个企业经营业绩下降。此外,还有可能是其他原因,如企业内部缺乏信息沟通、战略目标无法现实、为实现战略目标而制定的战略有错误、实施战略的结构错误、缺乏激励、来自环境的压力、主管人员或作业人员不称职或玩忽职守等。

因此,战略控制过程的效果影响着战略管理过程的其他阶段,战略控制是战略管理过程的重要阶段。企业在其战略管理过程中必须重视战略控制这一重要的影响因素。

(5) **诊断与纠正**。诊断包括估计偏差的类型和数量并找出产生偏差的原因。偏差可分为正偏差和负偏差。正偏差说明战略目标的执行效果比其标准要求要好,这是企业所期望的和经常出现的情况。但是,如果这种偏差是通过工作的努力得来的,就属于正常现象。如果这种偏差的产生是因为标准制定得太低,则需要重新修改计划或标准,使控制更科学、有效。而负偏差说明计划的执行效果比战略目标的要求差。这种情况需要采取措施进行纠正。

纠正偏差首先要查出偏差产生的原因。企业进行战略评价是为了利用评价结果对企业的人和事等方面的活动实施控制,以顺利实现企业战略的目标。因此,在查出偏差产生的原因之后，就要对偏差进行纠正，其措施主要有：重新制定或修改计划目标、标准；培训有关人员，加强人员的素质训练；加强领导；重新委派任务或明确职责；修改有关奖惩制度和激励措施等。企业只有在偏差较大并影响目标实现时才需要采取行动，并且也只有得到授权的人才有资格采取行动。企业应把着眼点放在如何采取纠正措施上，防止偏差再次产生。

13.3.2　战略控制的方法

为了实施有效的控制，在战略系统中可以使用许多控制方法。本章所提到的前馈控制、现场控制、反馈控制，实际上都是重要的战略控制方法。除此之外。比较常用的方法有预算、审计、现场观察三种战略控制方法。

1．预算

预算是一种以财务指标或数量指标表示的有关预期成果或要求的文件，即用财务数字（主要用于财务预算和投资预算）或非财务数字（主要用于生产预算）来表明预期结果，是最广泛使用的战略控制方法和工具。

（1）预算的种类。 预算在形式上是一整套预计的财务报表和其他附表。按内容的不同，可以将预算分为经营预算、投资预算和财务预算。

1）经营预算（operational budget）。经营预算是对企业收入、费用和利润做出的预计，是企业日常发生的各项基本活动的预算。它主要包括销售预算、生产预算、直接材料采购预算、直接人工预算、制造费用预算、推销及管理费用预算等。

2）投资预算（investment budget）。投资预算是对企业的固定资产购置、扩建、改造、更新等，是在可行性研究基础上编制的预算。

3）财务预算（financial budget）。财务预算是企业对未来一定时期内资金收支、经营成果和财务状况的量化计划，旨在优化资源配置、控制成本并实现战略目标。它具体包括反映现金收支活动的现金预算、反映企业财务状况的预计资产负债表、反映企业财务成果的预计损益表和预计现金流量表等内容。

经营预算和投资预算中的资料都可以折算成金额反映在财务预算内。因此，财务预算成为各项经营业务和投资的整体计划，也称"总预算"。

（2）战略控制中预算的作用。 预算实质上是用统一的货币单位为企业各部门的各项活动编制计划。在战略控制中，预算具有对资源投入的前馈控制和对产出的反馈控制的双重功能，制约着资源的初始分配和投资利用。

1）对资源投入的前馈控制。预算对战略的形成具有前馈控制作用。预算起着在企业各单位之间分配资源的作用，可促进企业各部门之间的合作和交流，减少冲突和矛盾。

2）对产出的反馈控制。通过掌握预算的执行结果来调节企业的后续战略，调节资源的投入，这是预算控制的重要反馈功能。

预算提供了企业业绩的评价标准，便于考核，强化了内部控制。预算是对企业计划的数量化和货币化的表现。因此，预算为企业业绩评价提供了标准，便于对企业各部门实施量化的业绩考核和奖惩制度，也方便对员工进行激励与控制。

（3）**战略控制中预算的缺点**。预算在战略控制中起着极其重要的作用，但是也暴露出以下一些缺点。

1）预算只能帮助企业控制那些可以计量的，特别是可以用货币单位计量的业务活动，而不能促使企业对那些不能计量的，如企业形象、品牌、企业文化、企业活力的改善予以足够的重视。

2）预算与企业的实践相脱节，缺乏必要的客观性。很多企业以历史指标值和过去的活动为基础，确定未来的预算指标值，没有认真地对企业的未来活动做评估，预算指标缺乏客观性，难以成为考核和评价员工的有效基准。

3）企业战略控制的外部环境是在不断变化的，这些变化会影响企业获取的资源支持或销售产品实现的收入，从而使预算变得不合时宜。因此，缺乏弹性，特别是涉及较长时间的预算可能会过度束缚决策者的行动，使企业的战略控制缺乏灵活性和适应性。

2. 审计

审计是指企业组织的相关部门审核、鉴定反映企业资金运动过程及其结果的会计记录及财务报表，判断其真实性和可靠性，从而为控制和决策提供依据。

根据审计的主体和内容的不同，可将审计分为内部审计、外部审计和管理审计三种主要类型。

（1）**内部审计**。内部审计是指企业、组织内部的审计机构或专职审计人员对本企业、组织内部财政财务收支的审计，重点是审计其资产、负债和损益的真实性、合法性和可靠性。内部审计的主要内容有：企业制定的各项制度是否符合国家有关法律法规的要求；企业一定时期内拥有的资产、承担的债务、经营成果及其分配情况的真实性、合法性；企业占有的国有资产的安全、完整和保值增值情况。

内部审计所进行的经济效益审计，主要是从改进生产经营和完善内部管理制度两个方面入手。一方面，内部审计通过对企业供、产、销各环节，人、财、物各要素的检查、分析，提出建设性意见，可以帮助本部门、本单位负责人制定改进生产经营的措施，提高经济效益；另一方面，内部审计通过评价本部门、本单位的内部控制，发现管理缺陷，提出管理建议，可以帮助本部门、本单位完善内部管理机制，提高战略管理的效能和效率。

内部审计为企业战略控制提供了大量有用的信息，但它也存在着一定的局限性，主要表现在以下三个方面。

1）内部审计的独立性有限，限制了审计工作的深入开展。内部审计部门和其他职能部门一样，一般都在管理层领导下工作，不可避免地会被领导的意志左右，加之内部政策的压力，内部审计部门在组织中的地位不明确等，使内部审计工作的开展受到了许多限制。

2）复杂的人际关系影响了内部审计工作的深入开展。内部审计人员在开展工作时不可避免地会受到企业内部复杂人际关系的影响，有时会因内部关系而影响工作进程。特别是被审计对象的职位、级别一般都比较高，出于各种考虑，内部审计人员可能会在实施审计时睁一只眼闭一只眼，从而降低了审计质量。

3）企业利益与内部审计人员利益的一致性削弱了审计作用。当企业利益与个人利益一致时，内部审计人员为维护自身的利益，可能会对不正当的企业行为采取默许的态度。如许多内部审计人员对于企业通过变通给职工发放福利等行为持不揭示、不处理的态度，对于企业加大成本费用、不遵守收入确认原则、少计收入、偷漏税款等做法予以默认等。

（2）**外部审计**。外部审计是指由外部机构选派审计人员来评估审查企业账务报表及其反映的财务状况。

外部审计实际上是对企业内部虚假、欺骗行为的一个重要而系统的检查，因此起着鼓励诚实的作用：由于知道外部审计不可避免地要进行，企业就会努力避免做那些在审计时可能会被发现的不合法、不合规的事。

外部审计人员与企业的管理层不存在行政上的依附关系，只需要对国家、社会和法律负责，因此可以保证审计的独立性和公正性。但是由于外部审计人员对企业内部的组织结构、生产流程的经营特点不甚了解，因此在对具体业务进行审计的过程中可能遇到各种困难。除此之外，处于被审计地位的内部组织成员可能会产生抵触情绪，不愿意合作，从而增加审计工作的难度。

（3）**管理审计**。管理审计是指审计人员对被审计单位的经济管理行为进行监督、检查及评价并深入剖析的一种活动。它的目的是使被审计单位的资源配置更加富有效率。对企业而言，管理讲的是效率。从这个意义上讲，管理审计又可以被称为效率审计。

管理审计直接以被审计单位的管理活动为审查和评价对象，它的基本内容包括管理职能的审查和管理人员素质、水平的审查两个方面。

管理审计对企业的各项管理活动及过程进行独立的、客观的、综合的审查与评价，从而为高层管理人员提供准确的信息，有利于高层管理人员规避风险，正确决策，保证企业各项活动运行在正确的轨道上。管理审计具有以下特点。

1）以审查、分析过去为基础，但以改善和提高未来管理的效能和效率为目的。
2）注重对经营计划，特别是高层管理人员制订的经营计划进行审查。
3）既注重对现有管理绩效的评价，又注重为提高企业的管理素质提出切实可行的建设性意见。

3. 现场观察

现场观察是指企业管理人员（特别是高层管理人员）深入各生产经营现场进行观察并记录，从而取得环境证据、实物存在证据和内部控制符合性证据的一种控制方法。

现场观察是一种最常用，也是最直接的控制方法。首先，通过现场观察可以获得第一手的信息。例如，生产部门的主管人员通过现场观察，可以判断出产品的产量和质量的完成情况、设备运转情况和员工的工作情况等；管理人员通过现场观察可以了解企业规章制度的遵守情况，以及员工的工作情绪和士气等；高层管理人员通过现场观察，可以了解企业的方针、目标和政策是否深入人心，可以发现报告中的数据与实际情况是否相符等。这些信息对管理人员开展工作都是十分重要的，而这些信息只有通过现场观察才能及时、准确地被获取。

此外，它还能使企业管理人员不断更新自己对企业运行情况的了解，帮助他们观察企业运行是否正常。通过现场观察，管理人员还可以从下属的建议中获得启发和灵感。并且，高层管理人员深入现场可产生激励下级的作用，有利于创造一种良好的工作氛围。

当然，管理人员也必须注意现场观察可能引起的消极作用。例如，基层管理人员若过于频繁地到工作现场，员工可能会认为这是对他们工作的不信任，或者将其视为管理人员不能授权员工自主工作的表现。

虽然现代管理信息系统的应用可以为管理人员提供很多的实时信息，做出各种分析，但仍然代替不了管理人员的亲身感受；另外，管理的对象主要是人，现场观察可以通过面对面的交流向员工传达关心、理解和信任。因此，管理人员深入现场亲自观察仍然是进行战略控制必不可少的方法。企业应该重视利用现场观察这种方法来进行有效的战略控制。

战略专栏 13-3

麦当劳的控制系统及其启示

麦当劳作为全球知名的快餐品牌，其成功的背后离不开一套完善的控制系统。以下介绍麦当劳的控制及其启示。

1. 麦当劳的控制系统

（1）**标准化管理**。麦当劳的产品、加工和烹制程序乃至厨房布置都是标准化的，是被严格控制的。这种标准化管理确保了全球各地的麦当劳分店都能提供一致的产品和服务质量。

（2）**特许经营控制**。

1）麦当劳主要通过授予特许经营权的方式来开辟连锁分店。这种经营方式使得麦当劳能够在全球范围内迅速扩张，同时保持对分店的有效控制。

2）麦当劳在出售特许经营权时非常慎重，会全面、详细地观察经营人、地点、条件、设施等，确保其符合要求。

3）特许经营使麦当劳在独特的激励机制中形成了对其扩展中的业务的强有力控制。

（3）**详细的程序、规则和条例**。麦当劳制定了详细的程序、规则和条例，用以指导各分店管理人员和一般员工的行为。这些程序、规则和条例涵盖了从制作汉堡、炸土豆条到招待客户和清理餐桌等各个方面。

（4）**员工培训**。

1）麦当劳在芝加哥开办了专门的培训中心——汉堡包大学，要求所有的特许经营者在开业之前都接受为期一个月的强化培训。

2）培训之后，特许经营者还被要求对所有工作人员进行培训，以确保企业的规章条例得到准确的理解和贯彻执行。

（5）**经营业绩考评**。麦当劳定期对各分店的经营业绩进行考评，要求各分店及时提供有关营业额和经营成本、利润等方面的信息。通过考评，保证总部管理人员有效把握各分店经营的动态和出现的问题，以便商讨和采取改进的对策。

（6）组织文化建设。

1）麦当劳注重塑造独特的组织文化，始终坚持品质、服务、清洁和物超所值的经营理念，恪守服务、包容、诚信、社区和家庭这五大价值观。

2）麦当劳的经营理念和价值观不仅体现在世界各地的分店和员工中，还延伸到客户群体中，增强了客户对企业的忠诚度。

2. 麦当劳控制系统的启示

（1）**标准化是成功的关键**。麦当劳的成功在很大程度上得益于其标准化管理。无论是产品制作还是服务流程，麦当劳都做到了高度统一和标准化。这启示我们，在企业管理中，应注重标准化建设，确保产品和服务的一致性，从而提高客户满意度和忠诚度。

（2）**特许经营模式的优势**。麦当劳通过特许经营模式实现了全球范围内的快速扩张。这种经营模式既保持了品牌的统一性，又激发了分店的经营活力。这启示我们，在拓展市场时，可以考虑采用特许经营模式，以较低的成本和风险实现快速扩张。

（3）**重视员工培训**。麦当劳重视员工培训，通过专门的培训中心提高员工的专业技能和服务水平。这启示我们，在企业管理中，应注重员工培训和发展，提高员工的专业素养和服务质量，从而增强企业的竞争力。

（4）**建立有效的考评机制**。麦当劳建立了有效的经营业绩考评机制，通过定期考评和反馈，及时发现和解决问题。这启示我们，在企业管理中，应建立有效的考评机制，对员工的绩效进行客观评价，并根据考评结果采取相应的激励或改进措施。

（5）**塑造独特的组织文化**。麦当劳注重塑造独特的组织文化，通过其独特的经营理念和价值观来凝聚人心、激发活力。这启示我们，在企业管理中，应注重组织文化的建设，通过塑造独特的组织文化来增强员工的归属感和凝聚力，提高企业的整体竞争力。

综上所述，麦当劳的控制系统为其全球扩张战略的实现提供了有力保障。同时，其控制经验也为我们提供了宝贵的启示和借鉴。

资料来源：根据网络信息及有关资料改编。

13.4 战略绩效评价工具——平衡计分卡

13.4.1 平衡计分卡概述

在控制方面，近年来的一个创新是把控制工作的不同方面进行系统集成，将组织内部的财务考评和统计报表与对市场、客户及员工的关注整合起来。过去，企业主要关心财务绩效的考核和控制，然而，随着环境的变迁，人们越来越意识到，有必要评估组织的其他方面，以更准确地评价组织的价值创造活动。所以，战略绩效评价工具——平衡计分卡应运而生。

1. 平衡计分卡的构成

平衡计分卡（balanced score card，BSC）是 20 世纪 90 年代由美国哈佛商学院的罗伯特·卡普兰（Robert S. Kaplan）和诺朗诺顿研究所（Nolan Norton Institute）所长、美国复

兴全球战略集团创始人兼总裁戴维·诺顿（David P. Norton）提出的一种新方法。平衡计分卡是一种综合性的管理控制系统，该系统把传统的财务指标与运营指标平衡起来，这些财务指标与运营指标与企业成败的核心决定因素密切相关。平衡计分卡从四个主要维度，即财务绩效、客户服务、内部业务流程、组织的学习与成长能力来分析，如图 13-2 所示。

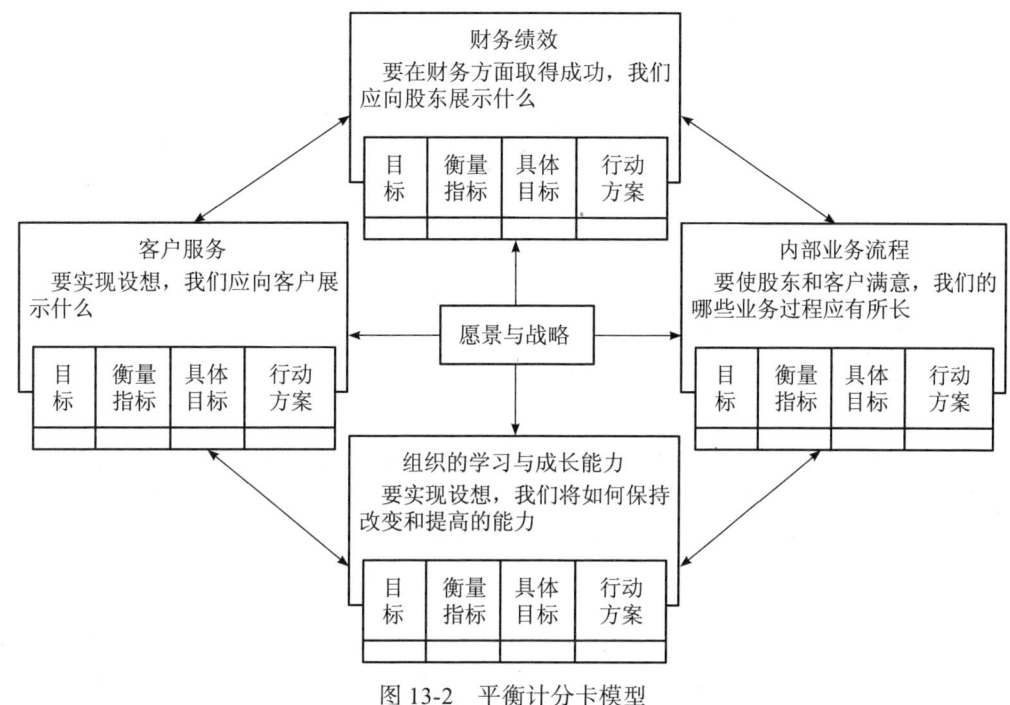

图 13-2　平衡计分卡模型

在这四个维度中，管理者要确定核心的绩效指标，而这些绩效指标都是需要组织高度重视的。

（1）财务绩效指标：反映组织活动对于改进组织的短期财务绩效和长期财务绩效的贡献，包括销售额、利润额、投资回报率等。

（2）客户服务指标：体现了企业对外界变化的反应，包括客户满意度、客户留存率、产品退货率、送货准时率等。

（3）内部业务流程指标：反映企业内部效率，关注提高企业整体绩效的过程、决策和行动，如生产率、成本、合格品率、新产品开发周期、出勤率等。内部业务流程是企业改善其经营业绩的重点。

（4）组织的学习与成长能力指标：侧重于反映为企业未来发展而筹备的资源与人力资本，有关指标涉及人员、信息系统和市场创新等。

平衡计分卡的各组成要素是集成在一起的，有助于管理者聚焦于关键的财务指标和非财务指标，并在整个组织里清楚而明确地传达这些指标。

2. 平衡计分卡平衡的战略思想

平衡计分卡包含了对各项活动的综合评价，其平衡的战略思想体现在以下几个方面。

（1）**财务指标与非财务指标之间的平衡**。过去，企业考核的一般都是财务指标，而对非财务指标（客户服务、内部业务流程、组织的学习与成长能力）的考核很少，即使有对非财务指标的考核，也只是定性的说明，缺乏量化的考核，缺乏系统性和全面性，而平衡计分卡是从四个维度全面地考查企业。这四个维度分别是财务绩效、客户服务、内部业务流程和组织的学习与成长能力，体现了财务指标与非财务指标之间的平衡。

（2）**企业的长期目标与短期目标之间的平衡**。平衡计分卡主要是一种战略管理工具，如果以系统的观点来考虑平衡计分卡的实施过程，则战略是输入，财务是输出。也就是说，平衡计分卡从企业的战略开始，也就是从企业的长期目标开始，逐步将企业的长期目标分解成短期目标。平衡计分卡在关注企业长期发展的同时，也关注了企业短期目标的完成，使企业的战略规划和年度计划很好地结合起来，解决了企业战略规划可操作性弱的缺点。

（3）**企业组织内部与外部的平衡**。在平衡计分卡中，股东与客户在组织外部，员工和内部业务流程在组织内部。平衡计分卡认识到在有效实施战略的过程中平衡解决这些群体间经常发生的矛盾的重要性。

（4）**结果性指标与原因性指标之间的平衡**。平衡计分卡以有效实现战略为动因，以可衡量的指标为目标绩效管理的结果，寻求结果性指标与原因性指标之间的平衡。

（5）**先行指标与滞后指标之间的平衡**。财务绩效、客户服务、内部业务流程、组织的学习与成长能力这四个维度包含了先行指标和滞后指标。财务绩效指标就是一个滞后指标，它反映的是企业上一期（年度或季度）发生的情况。平衡计分卡对于先行指标（客户服务、内部业务流程、组织的学习与成长能力）的关注，使企业更关注过程，而不仅仅是事后的结果，从而达到了先行指标与滞后指标之间的平衡。

13.4.2 平衡计分卡的应用

1. 建立平衡计分卡

通过把组织的战略转化成可衡量的指标，组织可以设定目标值，规定完成的期限，指定责任人，并为完成目标设计相应的行动方案。这种安排使战略真正落实到组织的经营行为，并得到了很好的实施和贯彻。平衡计分卡包括多种要素，如表 13-1 所示。

表 13-1 平衡计分卡示例

四大维度	战略角度					
	战略目标	衡量指标	指标值	行动方案	日期	责任人
财务绩效						
客户服务						
内部业务流程						

(续)

四大维度	战略角度					
	战略目标	衡量指标	指标值	行动方案	日期	责任人
组织的学习与成长能力						

（1）**维度**。维度是观察组织和分析战略的视点，每个维度都应从战略目标、衡量指标、指标值和行动方案等方面加以考察。平衡计分卡具体包括财务绩效、客户服务、内部业务流程、组织的学习与成长能力四个维度。

（2）**战略目标**。每个维度都包括一个或多个战略目标。

（3）**衡量指标**。衡量指标是考量企业战略目标实现结果的定量或定性的尺度。

（4）**指标值**。指标值是对期望达到的衡量指标的具体定量要求。

（5）**行动方案**。与项目类似，行动方案由一系列相关的任务或行动组成，目的是达到每个指标的期望指标值。

从表 13-1 中可以看出，战略很好地落实到了具体的经营行为，落实到了责任人，真正地实现了理念落地，解决了战略的测量问题。因此，平衡计分卡是一种综合性的战略管理控制工具。

2. 企业应用平衡计分卡的步骤

（1）制定企业的愿景与战略。企业的愿景与战略要清晰简明，并对每一个所属单位都有指导意义，使每个部门均可采用一些业绩衡量指标去完成。

（2）成立平衡计分卡实施委员会，努力在企业各管理层对企业的愿景与战略达成共识，并建立财务绩效、客户服务、内部业务流程、组织的学习与成长能力四个维度的具体目标。

（3）对以上四个维度的具体目标设定最具现实意义的业绩衡量指标。

（4）加强企业内部沟通与协调。利用各种渠道，如定期或不定期的报刊、公告栏、标语、会议、邮件等让各层人员了解企业的愿景、战略、目标与业绩衡量指标。

（5）确定每期（月度、季度、年度）业绩衡量指标的具体数据，并与企业的计划和预算相结合。注意各类指标间的因果关系、联动关系。

（6）将每期的报酬奖励制度与平衡计分卡挂钩。

（7）采纳员工的合理建议，修正平衡计分卡衡量指标，以改进并完善企业战略。

● **战略专栏 13-4**

平衡计分卡中的关键因素及其衡量指标

从企业在应用平衡计分卡过程中反映出的问题来看，难点通常是如何在平衡计分卡中的四个维度上来明确关键因素及其衡量指标，并在衡量指标之间形成一种平衡结构。

客户服务指标。关键因素是市场份额、客户保持率和客户满意度。

财务绩效指标。关键因素是盈利能力、收益增长率和运营效率。

内部业务流程指标。关键因素是客户需求分析、增值服务、供应链管理和信用风险管理。

组织的学习与成长能力指标。关键因素是客户关系管理、员工职业发展规划、人才储备和绩效指标改进。

表 13-2 详细阐述了每个维度所包含的关键因素。改善品牌认知度有助于提高市场份额，从而改善客户服务指标；改善销售净利率可以提高盈利能力，从而改善财务绩效指标等驱动关系符合企业的经营常识，然而企业需要认真思考"实际就是这样吗""这样的驱动关系可靠吗"。确定驱动关系的实质是将企业的战略"作业化"，形成明确的输入和输出系统，从而使决策者知道为了得到某个维度的改善，需要控制哪些关键因素。

表 13-2 平衡计分卡的关键因素

客户服务指标		财务绩效指标		内部业务流程指标		组织的学习与成长能力指标	
关键因素	衡量指标	关键因素	衡量指标	关键因素	衡量指标	关键因素	衡量指标
市场份额	品牌认知度	盈利能力	产品价格下降率	客户需求分析	目标客户达成率	客户关系管理	潜在客户记录
	市场计划达成率				计划目标达成率		现有客户数据覆盖率
	市场占有率		采购成本下降率		相关产品增加数量		客户数据更新率
	重点产品市场占有率						
客户保持率	目标客户试用达成率		销售净利率	增值服务	利润率		客户规范化管理
			销售毛利率		销售增长率		员工收入增加率
			应收账款比率				员工职业满意度
	新客户增加数量		产品销售增长率	供应链管理	采购成本下降率	员工职业发展规划	员工年度学习时间
	战略客户增加数量				外部合作关系管理效率与规范性		
客户满意度	新产品投放数量	收益增长率	来自新产品和新客户的收益增长率		产品故障下降率	人才储备	岗位储备人员数
	售前售后服务				所得采购订单相应周期		岗位空缺时间
	增值服务率		目标客户占有率	信用风险管理	客户信用档案完善率	绩效指标改进	个人绩效提升
	客户投诉率	运营效率	资产周转率		战略客户增加数量		团队建设成功率
							流程处理效率

资料来源：李杰，滕斌圣. 企业战略 [M]. 北京：机械工业出版社，2016. 作者根据该资料进行改编。

3. 应用平衡计分卡的注意事项

（1）**切忌盲目照搬其他企业的模式**。不同的企业面临着不同的竞争环境，需要不同的战略，进而需要设定不同的目标。每个企业都应开发具有自身特色的平衡计分卡，如果盲目地照搬其他企业的模式，不但不能充分发挥平衡计分卡的作用，而且无法有效地衡量企业的经营业绩。

（2）**努力提高有关企业经营信息的质量**。与发达国家的企业相比，本土企业信息的精确度和质量要求相对偏低，这会在很大程度上影响平衡计分卡应用的效果，比如导致设计与推行的考核指标过于粗糙，或不符合实际情况，从而影响对企业业绩的正确评价。

（3）**正确处理实施成本与获得效益的关系**。平衡计分卡中的四个维度是相互关联的，提高财务绩效需要先改善其他几个维度，要改善就要有投入，所以应用平衡计分卡首先需要面对的是成本而非效益。因此，在应用平衡计分卡的时候，一定要顾全大局，着眼长远，要坚信，加大对非财务指标的投入一定会从财务指标方面得到回报。总之，要正确处理实施成本与获得效益的关系。

（4）**应用平衡计分卡要与奖励制度相结合**。为了充分发挥平衡计分卡的作用，必须建立相应的激励约束机制，并且在重点业务部门及个人等层次上实施平衡计分，使各个层次的注意力集中在各自的工作业绩上。这就需要将平衡计分卡的应用结果与奖励制度挂钩，注意对应用情况进行适当的奖励与惩罚。

● **战略专栏 13-5**

基于平衡计分卡的海外并购协同效应研究

企业实施海外并购，有助于迅速扩大规模、快速进入并购目标市场、高效引进先进技术，提高企业的创新研发能力和科研水平。学者张若琳、姚正海的研究以互联网企业腾讯的海外并购为例，基于平衡计分卡理论，绘制了企业战略地图，逐层分解战略目标，将其转化为具体的指标，为企业海外并购实施过程中如何有效达成预期目标提供指导。

1. 并购双方简介

并购方腾讯自 1998 年成立以来，一直处于稳健发展的状态，在推出 QQ 社交软件之后，已经拥有上亿名稳定用户。2004 年，腾讯于中国香港正式上市，其游戏业务自此一往直前，2013 年更是一跃成为全球收入最高的游戏开发商与运营商。作为互联网企业，其拥有较传统企业更密集的高新技术，发展也更加依赖新技术的支持。但是，我国互联网企业相较于西方发达国家更加注重盈利，在技术研发方面的投入占比较低，因此更依赖通过并购获取领先技术。截至 2020 年 12 月，根据腾讯官网显示，其游戏板块并购事件占并购总数的 32.46%。近些年来，腾讯通过大大小小的国内外并购，不仅提高了其在游戏市场的地位与竞争力，更是实现了不断创新与技术升级。

被并购方 Supercell 公司（以下简称 Supercell）自 2010 年成立以来，一直在移动平台游戏领域深耕，其研发的手游产品无一不受到全球游戏爱好者的推崇。但其在被并购之前，面临着上市和被收购的重大选择：一方面，上市过程困难重重，能否成功也未知；另一方面，其"老东家"软银因陷入经营困境，急于出售Supercell以解燃眉之急。腾讯愿意在并购成功后保持Supercell对产品和经营的决定权，这很大程度上促进了此次并购活动的成功完成。

2. 并购动机分析

（1）**获取先进技术**。随着智能手机的普及，我国游戏市场存在较大的发展空间。但出于我国政策和技术的原因，目前国产的高质量游戏较少，而国外的优质产品又很难直接进入我国市场，因而开展海外并购战略成为很多游戏企业的选择。在并购之前，移动手游端是腾讯游戏业务发展的短板，而开发了多款优质手游产品的Supercell已经是国际顶级游戏开发公司，可以弥补腾讯的短板。

（2）**完善国际化战略布局**。腾讯在国内搭建的强大社交平台，为游戏板块的发展奠定了坚实的用户基础，"社交+游戏"的策略使其稳居我国游戏行业的顶尖地位。腾讯的社交业务近年来也一直在尝试"走出去"，尽管微信在国际化方面投入了大量资金，但企业将该策略运用至国际舞台时屡屡受挫，国外社交软件已饱和，海外用户对腾讯推出的社交软件并不热衷。在全球范围内拥有1亿名活跃用户和2.5亿个游戏社区和全球市场的Supercell，给腾讯带来的不仅仅是优质的游戏产品，还有其忠实的全球用户，这会推进腾讯全球化战略的进程。据此，可以分析出腾讯实施此次并购是必然之举。

（3）**获取协同效应**。Supercell研发的游戏在全球范围内具有众多忠实粉丝，可为腾讯推进国际化战略带来新契机，实力雄厚的腾讯为Supercell的研发活动提供坚实的资金支持，这种双赢的并购活动有利于协同效应的产生。腾讯完成并购工作后，被并购方仍保持全球同服的理念，旗下的主营移动端游戏仍然保持之前的服务框架和完整性。为了让玩家在游戏中更好地交流和沟通，腾讯给被并购方提供了自家的核心社交服务与资源，被并购方则将手游的最新技术及资源分享给腾讯，双方企业在并购完成后实现了有益的协同效应。

3. 基于平衡计分卡理论构建海外并购协同效应评价体系

平衡计分卡立足于战略目标，将企业战略与企业日常活动联系起来，是考核部门绩效的管理工具。主要从以下四个维度评价企业经营能力：财务——能够满足股东；内部业务流程——企业有何优势；学习与成长——企业能否继续提升；客户与市场——能够满足客户与市场需求。评估结果能为企业全面发展战略提供有力的支撑。企业通过整合战略发展目标和预算管理，可增强绩效管理的灵活度，提高员工在决策中的互动参与性。

协同效应即并购后总体企业效益超过各构成部分效益之和。并购有益于双方技术、知识和管理经验等的共享，通过资源和能力的转移构建价值。并购协同效应是众多大型企业开展并购战略的重要驱动力。通过分析并购事件在财务、管理和经营三方面的并购整合效果，可以分析出海外并购的绩效表现。

因此，研究基于互联网行业的特征，对传统平衡计分卡进行改进，从财务、内部业务流程、学习与成长、客户与市场四个维度分解战略目标。平衡计分卡无法直接体现并购活动的协同作用，但四个维度涉及的指标与并购协同效应评价指标之间存在着交叉关系，因此，基于平衡计分卡理论，构建海外并购协同效应评价体系。本研究所涉及的财务数据来自腾讯发布的 2013—2019 年企业年报；涉及的背景材料来自企业官网、知网期刊和新浪财经网站。

从图 13-3 可以看出，企业在战略实施过程中，可以通过实现提高盈利水平、提高偿债能力、提高行政支出管理水平、提高资产管理水平、提高企业成长能力、提高技术水平、提高用户数量与市场占有率，以及充分发挥销售费用作用这八个子目标，达成企业获取并购协同效应的战略目标。

战略目标	平衡计分卡		海外并购协同效应评价体系			战略效果
战略目标分解	考核维度	核心指标	协同效应	分析维度	核心指标	并购协同效应
提高盈利水平	财务	净资产收益率、总资产净利润率、股东权益比率、资产负债率、速动比率、现金比率、流动比率	管理协同	企业运营效率	总资产周转率、流动资产周转率、研发投入与营业收入之比、行政开支与营业收入之比、销售及市场推广开支与营业收入之比	提高资产管理水平
提高偿债能力				企业运营成本		提高成本管理水平
提高行政支出管理水平	内部业务流程	行政开支、总资产周转率、流动资产周转率	经营协同	企业竞争能力	争资产收益率、总资产净利润率、增值服务账户增长率、中国游戏市场占有率	提高盈利水平
提高资产管理水平						提高用户数量与市场占有率
提高企业成长能力	学习与成长	营业收入增长率、净利润增长率、网游收入增长率、研发投入		企业成长能力	营业收入增长率、净利润增长率、网游收入增长率	提高企业成长能力
提高技术水平						
提高用户数量与市场占有率	客户与市场	中国游戏市场占有率、增值服务账户增长率、销售及市场推广开支	财务协同	长期偿债能力	股东权益比率、资产负债率、速动比率、现金比率、流动比率	提高偿债能力
充分发挥销售费用作用				短期偿债能力		

图 13-3　并购协同效应评价体系

4. 基于平衡计分卡构建的协同效应评价体系在实际案例中的应用

（1）管理协同效应分析。

1）企业运营效率分析。企业各类资产的使用效率、周转速度可以反映出企业经营效率的高低。良好的资产管理能力对企业持续优化资产使用效率具有积极的正面作用。一般而言，企业总资产和流动资产的周转越快越好。腾讯的总资产周转率在并购后有一定上升，之后呈下降趋势，但变化不显著，该项指标相对稳定。这表明腾讯并购后的流动资产利用效率在不断提升，企业运营能力提高，展现出了资产管理上的协同效应。

2）企业运营成本分析。企业对运营成本的管控与安排可以反映出企业的管理能力。提高企业管理能力，可减少不必要的各项支出，避免企业资金浪费。随着互联网信息技术的高速发展，互联网行业在迅速壮大，腾讯本身的规模也在快速扩张，其各项成本开支基本呈逐年上涨趋势。但该企业成本与营业收入的比例基本保持下降趋势，由此可以看出，其管控成本的能力在逐渐提高。

（2）**经营协同效应分析**。经营协同效应可以从企业竞争能力和成长能力两个维度衡量。海外并购往往面临诸多风险，行业技术与产品高速更新换代的互联网行业，更是面临着较高的市场风险。企业冒着巨大的风险展开海外并购，通常并不仅是因为某种情怀，更多是为了获得先进的技术、推进企业战略布局、迅速进入对方市场。因此，并购后是否提高了企业的竞争能力和成长能力、是否发挥了经营协同效应，是企业十分关注的问题。

1）企业竞争能力分析。从分析可知，腾讯引入手游显著提升了其短期盈利能力。2018年是游戏行业的"寒冬"，全年停止游戏版号的发放，极大影响了行业发展，但腾讯的净资产收益率和总资产净利润率下降幅度并不大，这反映出并购产生的经营协同效应在一定程度上减轻了形势对企业发展的冲击，提升了其竞争能力。此次并购活动在短期内呈现出了一定的经营协同效应，但对长期绩效影响有限。

2）企业成长能力分析。成长能力可以衡量企业的发展潜力。本研究选取营业收入增长率、净利润增长率和网游收入增长率分析腾讯的成长能力。由于创造新IP难度较大，且游戏行业的竞争逐渐白热化，腾讯的盈利能力受到了较大影响，利润增长率大幅下滑，游戏业务的收入也受到了影响。但腾讯并购后一改低迷现状，净利润增长率在2017年达到了6年中的顶峰，为74.85%，引入的新手游产品为腾讯带来了新的收入增长点，腾讯的本次并购取得了瞩目的成绩，创造了较高的经营协同效应，提高了其自身的成长能力。

（3）**财务协同效应分析**。

1）长期偿债能力分析。企业的融资结构可以反映出其长期偿债能力，本研究利用股东权益比率和资产负债率两个核心指标分析腾讯的长期偿债能力。

从分析可知，并购Supercell没有对腾讯的长期偿债能力产生较大影响。这也得益于腾讯在本次并购中采取的合理融资策略，86亿美元的并购对价创造了我国互联网行业跨国收购的最高对价。经分析可以发现，在这86亿美元中，腾讯自有资金为25亿美元，剩余的全部来自外部融资、出售买方财团股份，并且还采取了分期付款的方式结算，因而大大减轻了腾讯的融资规模与压力。

2）短期偿债能力分析。流动资产、现金和流动负债之间的比例关系可以反映出企业的短期偿债能力。本研究选取速动比率、现金比率和流动比率来分析腾讯的短期偿债能力。从分析可知，腾讯的流动比率和速动比率的变化趋势与差距并不大，这也体现出了互联网企业存货少的典型特征。从理论上讲，并购的巨额资金支出会降低腾讯的资金流动性和偿债能力，增加经营风险，但2016年，腾讯的短期偿债能力反而出现了回弹，这得益于腾讯丰富的并购经验和合理的融资方式。此外，受益于《英雄联盟》在2014年之后的持续盈利和《王者荣耀》在2015年新上线的红利，腾讯赚得盆满钵满，巨额的并购对价并没有对企业造成过高的资金负担。

资料来源：张琳若，姚正海.基于平衡计分卡的海外并购协同效应研究：以互联网企业腾讯为例[J].经营与管理，2022（8）：37-43.作者根据该资料进行改编。

复习思考题

1. 有效控制必须具备哪些前提条件？战略控制有何特征？
2. 战略控制按战略控制的层次可以怎样分类？
3. 战略控制的过程分为哪几个步骤？其具体内容是什么？
4. 战略控制的方法有哪些？各种方法的具体内容是什么？
5. 企业应用平衡计分卡的步骤是什么？应用时还应注意什么问题？

实践项目

以小组（3~5人）为单位，实地调查（也可以上网搜索）一家企业，比如某快递企业或某银行。分析、讨论该企业应用平衡记分卡的各种情况，尤其是对该企业应用平衡计分卡失败的情况进行深入的剖析，找出原因何在，给出对策与建议并撰写调研报告。

本篇讨论案例

押注海外与下沉市场
坚朗五金谋"出路"

参考文献

[1] 波特. 竞争战略[M]. 陈小悦, 译. 北京：华夏出版社, 1997.

[2] 戴维. 战略管理：概念与案例 第12版[M]. 北京：清华大学出版社, 2010.

[3] 希特, 爱尔兰, 霍斯基森. 战略管理：概念与案例 第10版[M]. 刘刚, 吕文静, 雷云, 等译. 北京：中国人民大学出版社, 2012.

[4] 戴维. 战略管理：概念与案例 第13版[M]. 徐飞, 译. 北京：中国人民大学出版社, 2012.

[5] 韦斯特三世, 班福德. 战略管理[M]. 栾玲, 译. 北京：中国人民大学出版社, 2011.

[6] 希尔, 琼斯. 战略管理：一部有思想的战略管理教科书[M]. 孙忠, 译. 北京：中国市场出版社, 2005.

[7] 希尔, 琼斯, 周长辉. 战略管理中国版：创建企业竞争优势的系统思维 第7版[M]. 孙忠, 译. 北京：中国市场出版社, 2007.

[8] 亨格, 惠伦. 战略管理精要 第3版[M]. 王毅, 译. 北京：电子工业出版社, 2004.

[9] 金, 莫博涅. 蓝海战略[M]. 吉宓, 译. 北京：商务印书馆, 2005.

[10] 德鲁克. 管理的实践[M]. 齐若兰, 译. 北京：机械工业出版社, 2009.

[11] 米勒. 战略管理：第3版[M]. 何瑛, 史晓峰, 孙慧凌, 等译. 北京：经济管理出版社, 2004.

[12] 圣吉. 第五项修炼：学习型组织的艺术与实务[M]. 郭进隆, 译. 上海：上海三联书店, 1998.

[13] 法米萨诺. 战略管理[M]. 郑明, 朱美琴, 等译. 北京：机械工业出版社, 2005

[14] 钱德勒. 战略与结构：美国工商企业成长的若干篇章[M]. 北京天则经济研究所, 北京江南天慧经济研究有限公司, 选译. 昆明：云南人民出版社, 2002.

[15] 明茨伯格, 阿尔斯特兰德, 兰佩尔. 战略历程：纵览战略管理学派[M]. 刘瑞红, 徐佳宾, 郭武文, 译. 北京：机械工业出版社, 2002.

[16] RUMELT R P. Strategy structure and economic performance[M]. Cambridge：Harvard University Press, 1974.

[17] 项保华. 战略管理：艺术与实务[M]. 3版. 北京：华夏出版社, 2001.

[18] 周三多, 邹统钎. 战略管理思想史[M]. 上海：复旦大学出版社, 2003.

[19] 芮明杰. 中国企业发展的战略选择[M]. 上海：复旦大学出版社, 2000.

[20] 杨锡怀, 王江. 企业战略管理：理论与案例[M]. 3版. 北京：高等教育出版社, 2010.

[21] 赵丽芬, 张淑君. 企业战略管理[M]. 北京：中国人民大学出版社, 2010.

[22] 徐二明.企业战略管理[M].北京：中国经济出版社，2002.

[23] 孙武.孙子兵法[M].孙晓玲，译注.太原：山西古籍出版社，1999.

[24] 唐庆华.哈佛经理学院亲历记：如何成为高级管理人员　增订版[M].北京：生活·读书·新知三联书店，1996.

[25] 王方华，吕巍.战略管理[M].2版.北京：机械工业出版社，2011.

[26] 李杰，滕斌圣.企业战略[M].北京：机械工业出版社，2016.

[27] 曹裕.企业战略管理[M].北京：清华大学出版社，2015.

[28] 谭开明，魏世红.企业战略管理[M].4版.大连：东北财经大学出版社，2016.

[29] 潘泽清.战略管理：理论与实践[M].北京：经济科学出版社，2016.

[30] 郑强国，吴青梅.企业战略管理[M].北京：清华大学出版社，2017.

[31] 李丹，徐娟，张勇.企业战略管理[M].北京：清华大学出版社，2016.

[32] 邵剑兵.管理案例研究：第一辑[M].北京：经济管理出版社，2016.

[33] 霍春辉.战略管理[M].北京：清华大学出版社，2016.

[34] 黄丹，余颖.战略管理：研究注记·案例[M].北京：清华大学出版社，2005.

[35] 陈幼其.战略管理教程[M].2版.上海：立信会计出版社，2009.

[36] 金占明.战略管理：超竞争环境下的选择[M].3版.北京：清华大学出版社，2010.

[37] 陈忠卫.战略管理[M].3版.大连：东北财经大学出版社，2011.

[38] 肖海林.企业战略管理：理论、要径和工具[M].北京：中国人民大学出版社，2008.

[39] 李玉刚.战略管理[M].2版.北京：科学出版社，2009.

[40] 谭力文，吴先明.战略管理[M].2版.武汉：武汉大学出版社，2011.

[41] 张国良.企业战略管理[M].杭州：浙江大学出版社，2011.

[42] 王海鉴，滕人轶.战略管理案例精选精析[M].北京：中国社会科学出版社，2008.

[43] 张秀玉.企业战略管理[M].北京：北京大学出版社，2005.

[44] 苗莉.企业战略管理[M].北京：清华大学出版社，2010.

[45] 王倩.企业战略管理[M].上海：立信会计出版社，2008.

[46] 黄旭.战略管理：思维与要径[M].2版.北京：机械工业出版社，2012.

[47] 刘林青.企业战略管理实验实训教程[M].武汉：武汉大学出版社，2008.

[48] 代海涛.企业战略管理[M].北京：中国农业大学出版社，2011.

[49] 徐君.企业战略管理[M].2版.北京：清华大学出版社，2013.

[50] 蒋贵凰.战略管理与组织行为学案例教程[M].北京：清华大学出版社，2013.

[51] 杨增雄.企业战略管理：理论与方法[M].北京：科学出版社，2013.

[52] 石盛林，贾创雄.战略管理：实践、理论与方法　以企业生命周期为主线[M].南京：东南大学出版社，2009.

[53] 刘平.战略管理（项目教学版）[M].北京：机械工业出版社，2013.

[54] 吴照云.战略管理[M].北京：中国社会科学出版社，2008.

[55] 徐向艺.企业战略管理[M].北京：经济科学出版社，2010.

[56] 刘文栋.华为的国际化[M].深圳：海天出版社，2010.

[57] 吴佩勋.中国企业国际化战略案例[M].北京：北京大学出版社，2011.

[58] 廉志端.公司战略管理[M].2版.北京：经济科学出版社，2010.

[59] 张岩贵.跨国公司全球竞争与中国[M].北京：中国经济出版社，2007.

[60] 王志民."走出去"战略与制度创新[M].北京：经济科学出版社，2003.

[61] 仲继银.董事会与公司治理[M].北京：中国发展出版社，2009.

[62] 陈文浩.公司治理[M].2版.上海：上海财经大学出版社，2011.

[63] 刘李胜.上市公司治理 独立董事制度：国际经验与中国实践[M].北京：中国时代经济出版社，2009.

[64] 苏琦，姜岳新.公司治理经典案例[M].北京：机械工业出版社，2006.

[65] 罗辉道，项保华.资源概念与分类研究[J].科研管理，2005，26（4）：99-104，57.

[66] 顾良智.有效运用平衡计分卡[J].中国金融家，2004（4）：33-35.

[67] 王宏新，毛中根.企业国际化阶段的理论发展评述[J].上海经济研究，2007（2）：88-92.

[68] 李婧.华为的蜕变：构建跨国营销、研发战略[J].经营与管理，2005（12）：10-11.

[69] 刘宁.我国上市公司高管薪酬体系优化对策研究[D].北京：北京交通大学，2009.

[70] 张雪.我国上市公司股权激励研究[D].天津：天津商业大学，2008.

[71] 徐飞.战略管理[M].4版.北京：中国人民大学出版社，2019.

[72] 张咏莲，沈乐平.公司治理学[M].大连：东北财经大学出版社，2019.

[73] 李振福，孙忠.战略管理：企业持续成长的理论[M].2版.北京：中国市场出版社，2018.

[74] 李宇，苗莉.创新管理：获得竞争优势的三维空间[M].北京：机械工业出版社，2018.

[75] 任志宽，郑茜，田思苗.企业如何基于战略目标导向开展原始创新：基于双案例的对比研究[J].管理案例研究与评论，2024，17（5）：675-687.

[76] 徐海卿，云乐鑫.互联网情境下企业不同时期战略研究：以元气森林为例[J].经营与管理，2023（5）：50-55.

[77] 俞耕耘.超级制造的未来，是可能与选择[N].解放日报，2024-11-23（6）.

[78] 黄炜.企业战略管理精要[M].上海：上海财经大学出版社，2019.

[79] 吴道友，夏雨."一带一路"背景下浙商企业跨国并购协同整合策略研究：以万丰航空产业系列跨国并购为例[J].经营与管理，2020（10）：30-33.

[80] 王砚羽.数字原生创新战略：与生俱来的"时尚"[J].清华管理评论，2024（6）：28-36.

[81] 岳宇君，马艺璇.企业竞争战略影响全要素生产率机制探讨：基于企业生命周期理论的实证检验[J].中央财经大学学报，2024（10）：115-128.

[82] 陈雨倩，孙虹，葛王蓉.数字经济下服装品牌营销策略研究[J].经营与管理，2021（11）：51-55.

[83] 鲁玮，马婧，骆公志.美国贸易制裁下的中芯国际财务战略研究[J].经营与管理，2023（10）：76-81.

[84] 王溥.战略管理模拟实验教程[M].北京：高等教育出版社，2018.

[85] 钱燕.中概股做空公司内部控制案例研究[J].经营与管理，2021（7）：37-40.

[86] 张琳若，姚正海.基于平衡计分卡的海外并购协同效应研究：以互联网企业腾讯为例[J].经营与管理，2022（8）：37-43.

[87] 庄灵辉，卢志坤．押注海外与下沉市场　坚朗五金谋"出路"[N]．中国经营报，2024-11-04（16）．

[88] 格兰特．现代战略分析：第7版[M]．艾文卫，杭鑫，蒋东霖，等译．北京：中国人民大学出版社，2016．

[89]　HITT M A，IRELAND R D，HOSKISSON R E. Strategic management：Competitiveness and globalization concepts and cases[M]. 12th ed. Boston：Cengage Learning，2015.

[90] 林奇．战略管理：第7版[M]．赵雁海，姚烨，译．北京：中国人民大学出版社，2021．